KB080982

CEO라면 반드시 알아야 할 필수 심리학

마음을 지배하고 시장을 마스터하라

54개 이상의 획기적인 심리학 이론의 비밀을 발견하세요.

25명 이상의 저명한 학자들의 통찰을 통해 리더십을 혁신하세요.

검증된 심리학적 접근을 통해 비즈니스 전략을 변형하세요.

마음의 힘을 활용하여 시장을 지배하고 탁월한 성공을 이루세요.

발행일 | 2024년 5월 31일
저자 | Ryan Kim
편집자 | 한건희
발행처 | 주식회사 부크크
발행인 등록 | 2014.07.15. (No. 2014-16)
주소 | 서울특별시 금천구 가산디지털1로 119, SK 트윈타워 A-305
전화번호 | 1670-8316
이메일 | info@bookk.co.kr
ISBN | 979-11-410-8633-6
웹사이트 | www.bookk.co.kr
© Ryan Kim 2024
이 책은 저자의 지적 재산이며, 무단 복제 또는 복제를 금합니다.

- 목 차 -

VII. 재무 관리와 심리학 /276

결 론 /315

독자 여러분께 /321

서 론

경영과 심리학의 교차점:
필수적인 통찰의 시작

현대 비즈니스 세계는 매일 변화하고, 그 속도는 점점 빨라지고 있습니다. 기업들은 이러한 변화의 소용돌이 속에서도 생존하고 성장해야 하는 도전에 직면해 있습니다. 경쟁에서 우위를 점하기 위해, 단순히 기술적 능력이나 재무적 자원을 활용하는 것만으로는 부족합니다. 복잡하고 경쟁이 치열한 이 시장에서 지속 가능한 성공을 위해서는 조직 내부의 인간 행동과 심리를 깊이 이해하고 그것을 경영 전략에 효과적으로 접목하는 것이 필수적입니다.

"Strategic Psychology for CEOs: Mastering Minds and Markets"의 번역본 "CEO라면 반드시 알아야 할 필수 심리학"을 출간하게 되어 매우 기쁘게 생각합니다. 이 책을 통해 전 세계 다양한 문화적 배경을 가진 독자 여러분과 심리학의 통찰을 공유함으로써, 여러분의 경영 실천에 풍부한 영감을 주기를 진심으로 바랍니다. 이 책은 경영학과 심리학이 어떻게 상호 작용하며, 이 두 학문의 융합이 기업의 성공에 어떤 긍정적인 변화를 가져올 수 있는지를 탐구합니다. 심리학적 원리를 직접적으로 비즈니스 문제에 적용하여, 독자들이 보다 효과적인 결정을 내리고, 직원과 고객의 행동을 더 깊이 이해할 수 있도록 돕습니다.

심리학은 오랜 시간 동안 인간 행동의 복잡성을 해석하고 예측하는 데 사용되어 왔습니다. 예를 들어, 직원들의 동기 부여가 부족하여 생산성이 저하된 사례를 살펴볼 때, Maslow의 욕구계층 이론과 Herzberg의 동기-위생 이론을 통해 문제의 근본 원인을 분석하고, 직원들이 자신의 업무에 더욱 몰입하고 만족할 수 있는 환경을 만드는 방법을 제시할 수 있습니다.

또한, 고객의 구매 결정 과정에 영향을 미치는 심리적 요인을 이해하고 이를 기반으로 효과적인 마케팅 전략을 개발하는 것도 중요합니다. Cialdini의 설득의 원칙을 적용하여 고객의 구매 행동을 유도하는 광고 캠페인을 설계하는 방법은 마케팅 전문가들에게 매우 유용한 접근법이 될 수 있습니다.

이 책은 각 장에서 실제 비즈니스 상황에 발생할 수 있는 구체적인 문제를 예로 들고, 해당 문제에 대해 심리학적 원리를 적용한 해결책을 제시합니다. 이론과 실제의 연결고리를 강화함으로써, 독자들은 자신이 직면할 수 있는 다양한 경영 문제에 대해 효과적인 대응 방안을 찾을 수 있습니다. 이 책은 경영자로서 여러분이 조직을 더욱 효과적으로 이끌고, 직원들의 잠재력을 최대한 발휘하도록 돕는 귀중한 자원이 될 것입니다.

책의 목적과 구성 소개

목 적

"CEO라면 반드시 알아야 할 필수 심리학"은 경영자들에게 심리학의 근본적인 원리를 통찰력 있게 제공하고, 이를 경영 활동에 어떻게 통합하고 적용할 수 있는지 구체적으로 보여주는 데 중점을 둡니다. 이 책은 경영의 여러 분야에서 발생할 수 있는 복잡하고 다양한 문제들에 대해 심리학적 해석과 접근을 제공하며, 독자가 보다 정보에 근거한 결정을 내릴 수 있도록 지원합니다. 각 장에서는 인사 관리, 마케팅, 고객 관계, 조직 변화, 그리고 팀워크와 리더십 등, 경영의 핵심 영역을 포괄적으로 다루며 이들 영역에서 심리학이 어떻게 적용될 수 있는지 설명합니다.

본 책의 목적은 또한 경영자들이 자신의 조직 내에서 발생하는 인간 관계의 복잡성을 이해하고, 이를 관리하는 데 필요한 심리적 도구와 기법을 습득하는 것입니다. 조직의 생산성과 효율성을 향상시키는 데 필수적인 요소인 직원들의 동기 부여, 갈등 해결, 그리고 조직 문화의 형성과 변화를 지원하기 위한 심리학적 원리들을 소개하고, 이를 실제 비즈니스 상황에 적용할 수 있는 실용적인 방안을 제공합니다. 이는 경영자들이 보다 효과적으로 팀을 이끌고, 변화하는 시장 환경 속에서 경쟁력을 유지하도록 돕는 데 큰 도움이 될 것입니다.

이 책은 경영자가 일상적인 의사 결정 과정에서 직면하는 문제를 심리학적 관점에서 해석하고, 그 해결책을 찾을 수 있도록 안내합니다. 예를 들어, 직원들의 만족도와 생산성을 극대화하기 위한 동기 부여 전략을 개발하거나, 고객의 구매 결정 과정에 영향을 미치는 심리적 요인들을 이해하고 이를 기반으로 한 마케팅 전략을 수립하는 등의 내용을 다룹니다. 또한, 이 책은 심리학이 제공하는 깊이 있는 통찰을 바탕으로 조직의 리더십 개발과 팀워크 강화를 위한 구체적인 조언과 방법론을 제공함으로써, 모든 경영자가 자신의 리더십 스타일을 향상시키고, 조직 전체의 성과를 극대화할 수 있도록 돕습니다.

구 성

이 책은 경영의 핵심 분야를 심도 있게 다루며, 각 분야에서 심리학적 이론을 어떻게 적용할 수 있는지에 초점을 맞춥니다. 본 책은 다음과 같은 구조로 구성되어 있으며, 각 장은 경영에서 자주 발생하는 문제를 해결하기 위한 심리학적 접근을 제공합니다.

1. 문제 상황: 각 장의 시작은 특정 경영 분야에서 자주 발생할 수 있는 실제 문제 상황을 소개함으로써 시작됩니다. 이는 독자가 해당 문제의 본질을 직관적으로 이해하고, 경영 현장에서 직면할 수 있는 도전들을 식별하는 데 도움을 줍니다. 예를 들어, 직원의 저조한 동기 부여, 고객 유지의 어려움, 또는 조직 변화에 대한 저항 등의 상황이 심층적으로 다루어집니다.

2. 심리학적 분석: 각 문제 상황에 대해 심리학적 관점에서의 깊이 있는 분석을 제공합니다. 이 섹션은 문제가 왜 발생하는지, 그리고 인간 심리의 어떤 측면이 문제에 기여하는지를 명확하게 설명함으로써, 독자들이 문제의 원인을 이해하고 문제 해결을 위한 심리학적 기반을 마련할 수 있도록 합니다. 예를 들어, 직원 동기 부여의 결여가 실제로는 직장 내 인정과 보상의 부족에서 비롯될 수 있음을 통찰력 있게 설명합니다.

3. 해결 방안과 조언: 마지막으로, 각 장은 심리학 이론을 바탕으로 한 구체적이고 실행 가능한 해결책과 조언을 제공합니다. 이 섹션은 독자가 이론을 실제 비즈니스 상황에 어떻게 적용할 수 있는지, 그리고 그 적용이 조직에 어떤 긍정적인 결과를 가져올 수 있는지를 구체적인 사례와 함께 설명합니다. 또한, 이를 통해 독자들은 문제 해결 과정에서 심리학적 접근이 어떻게 도움이 될 수 있는지 직접 체험할 수 있습니다.

이 책은 독자들이 각 문제를 심리학적 관점에서 효과적으로 접근하고, 조직 내외의 다양한 상황에서 적용해 볼 수 있는 실질적인 방법을 배울 수 있도록 설계되었습니다. 이를 통해 경영자는 자신의 조직과 팀을 더욱 효과적으로 이끌고, 비즈니스 성과를 극대화하는 데 필요한 심리학적 기술을 개발할 수 있습니다. 각 장의 구성은 독자가 쉽게 이해하고 적용할 수 있도록 명확하고 체계적으로 배열되어 있으며, 실제 사례와 연구 결과를 바탕으로 한 깊이 있는 분석을 제공합니다. 이러한 접근은 경영자들에게 심리학이 경영 활동에서 어떻게 구체적이고 실질적인 도움을 줄 수 있는지 보여줍니다.

경영에서의 심리학적 접근의 이점

상상해 보세요. 회의실에 들어섰을 때, 모든 직원이 당신의 기분, 생각, 필요를 정확히 파악하고 있다면 어떨까요?

처음에는 비현실적인 이상향처럼 들릴 수 있지만, 이는 경영에서 심리학적 원리를 적절하게 활용했을 때 달성 가능한 시나리오입니다. 심리학은 사람들의 행동을 단순히 이해하는 것을 넘어, 그들의 행동을 예측하고, 필요에 따라 그들에게 영향을 미칠 수 있는 강력한 도구로 활용될 수 있습니다. 이러한 심리학적 접근은 조직 내 의사소통을 획기적으로 개선하고, 직원들의 행동과 반응을 더 잘 이해하게 만들어 줍니다.

예를 들어, 애플의 스티브 잡스는 심리학적 원리를 적극적으로 활용하여 전 세계적인 브랜드를 만들어냈습니다. 그의 제품 설계와 마케팅 전략은 강력하게 사용자 경험(UX)에 초점을 맞추었습니다. 잡스는 심리학에서 말하는 '최소한의 인지 부하' 원칙을 제품 디자인에 적용하여, 사용자가 복잡한 기술적 세부사항을 의식하지 않으면서도 직관적으로 기기를 사용할 수 있도록 만들었습니다. 그 결과, 소비자는 기술적 복잡성을 거의 의식하지 않고 제품을 쉽게 사용할 수 있었으며, 이러한 접근은 애플 제품이 시장에서 독보적인 위치를 차지하는 데 결정적인 역할을 했습니다.

또 다른 예로, 월마트의 창립자 샘 월튼은 심리학의 원리를 활용하여 직원들과의 긍정적인 관계를 강조했습니다. 그는 심리학의 '강화 이론'을 이용하여, 직원들이 좋은 성과를 낼 때마다 즉각적인 인정과 보상을 제공함으로써 강력한 동기를 부여했습니다. 이러한 접근은 직원들의 업무 만족도와 충성도를 높이는 데 큰 기여를 하며, 결국 월마트를 세계 최대의 소매업체로 성장시키는 핵심 요인이 되었습니다.

이 책에서 다루는 이러한 사례들은 심리학이 조직 내에서 어떻게 구체적으로 적용될 수 있는지를 보여줍니다. 경영자는 이를 통해 자신의 조직에서 심리학적 접근을 활용하여 복잡한 상황을 효과적으로 분석하고, 전략적으로 문제를 해결하며, 필요한 변화를 이끌어낼 수 있습니다. 또한, 이 책은 실제 사례를 바탕으로, 직원들의 행동과 반응을 예측하고 이해하는 방법을 제공함으로써 경영자가 더 효과적인 리더가 되는 데 필요한 도구를 제공합니다.

이 책은 이론적인 지식을 넘어서, 실제로 성공한 많은 경영자들이 어떻게 심리학적 이론을 자신의 경영 활동에 적용했는지를 상세하게 다룹니다. 이는 독자에게 이론이 실제 경영 상황에서 어떻게 작용하는지를 보여주며, 그 결과로 조직에 어떤 긍정적인 변화가 일어났는지를 구체적으로 설명합니다. 이는 바로 이 책이 여러분에게 제공하는 실질적인 가치입니다. 조직의 성공을 위해 심리학을 어떻게 효과적으로 적용할 수 있는지를 실제 사례와 함께 배울 수 있기 때문입니다.

I. 인사 관리와 심리학

조직의 심장, 인사 관리

조직의 성공이 그 구성원들이 어떻게 관리되고 동기 부여를 받으며 만족도를 느끼는가에 달려 있다면, 인사 관리는 그 조직의 심장과도 같습니다. 조직의 심장이 건강하고 활기차게 뛰어야만 전체 조직이 활기를 띠고, 직원들의 동기 부여, 만족도 향상, 갈등 해결 등 핵심적인 역할을 수행할 수 있습니다. 그렇다면 조직 내에서 일어나는 각각의 심장 박동을 어떻게 조절할 수 있을까요? 이는 인사 관리자가 직면하는 가장 중요한 질문이며, 심리학적 이론이 이 질문에 답할 열쇠를 제공합니다.

인사 관리는 단순히 규정과 절차를 넘어서는 깊이가 있으며, 심리학적 접근을 통해 조직 내에서 발생하는 다양한 인간 관계의 복잡성을 이해하고 해결하는 데 필수적인 도구가 됩니다. 예를 들어, Edgar Schein의 문화 이론, Abraham Maslow의 욕구계층 이론, Fred Fiedler의 상황적 리더십 이론 등은 인사 관리 전략을 근본적으로 변화시킬 수 있는 힘을 지니고 있습니다. 이 장에서는 이러한 이론들을 활용하여 조직의 가장 귀중한 자산인 '인간 자원'을 어떻게 최적화할 수 있는지 깊이 있게 탐구하고자 합니다.

Maslow의 욕구계층 이론은 직원들이 자신의 잠재력을 최대한 발휘할 수 있도록 동기를 부여하는 방법에 대한 통찰을 제공합니다. 이 이론은 개인이 경험하는 다양한 욕구 단계를 설명하며, 각 단계가 만족될 때 사람들의 행동과 태도가 어떻게 변화하는지를 보여줍니다. 이를 통해 경영자와 HR 전문가는 각 직원의 현재 욕구를 파악하고, 그들이 다음 단계로 나아갈 수 있도록 적절한 지원과 동기 부여 전략을 개발할 수 있습니다.

Herzberg의 동기-위생 이론은 직원 만족도에 영향을 미치는 요소들을 '동기 요인'과 '위생 요인'으로 구분하여 설명합니다. 동기 요인은 업무의 성취감, 인정받는 경험, 책임감 등 업무 자체와 관련된 요소들로, 직원들이 자신의 업무에 더 몰입하고 열정을 갖게 하는 데 기여합니다. 반면, 위생 요인은 급여, 회사의 정책과 근무 조건 등과 같이 업무 환경에 관련된 요소들로, 이들이 적절히 관리되지 않을 때 직원의 불만족을 초래할 수 있습니다. 이 이론을 이해함으로써 조직은 직원들의 업무 만족도를 높이고, 이직률을 감소시킬 수 있는 전략을 마련할 수 있습니다.

Vroom의 기대 이론은 성과 관리에 중요한 심리학적 기반을 제공합니다. 이 이론은 직원들이 자신의 노력이 어떻게 보상으로 연결되는지를 인식할 때 더 큰 동기를 느낀다고 설명합니다. 경영자가 이 이론을 적용하여 명확하고 달성 가능한 목표를 설정하고, 이를 달성했을 때 적절한 보상이 이루어지도록 한다면, 직원들은 더 높은 성과를 달성하기 위해 노력할 것입니다.

B.F. Skinner의 행동 강화 이론은 인사 평가와 피드백 시스템을 설계할 때 매우 유용합니다. 이 이론은 긍정적인 강화가 직원의 원하는 행동을 증가시키는 데 도움을 준다고 주장합니다. 따라서 조직이 긍정적인 피드백과 적절한 보상 체계를 구축할 때, 직원들은 바람직한 행동을 지속적으로 반복하게 됩니다.

마지막으로, Kurt Lewin의 변화 모델은 조직 변화를 효과적으로 관리하는 데 필요한 심리학적 접근을 제공합니다. '해동-변경-재동결'의 세 단계로 구성된 이 모델을 통해 조직은 변화를 수용하고 새로운 방식을 안정적으로 통합할 수 있습니다. 이 모델은 변화에 대한 저항을 최소화하고, 전체 조직이 변화를 내면화하도록 돕습니다.

이러한 심리학적 접근은 인사 관리를 단순한 관리 기능을 넘어 조직의 전략적 파트너로서의 역할을 수행하게 합니다. 직원들의 심리를 깊이 이해하고, 이를 바탕으로 그들이 자신의 잠재력을 최대로 발휘할 수 있는 환경을 조성하는 것은 모든 조직에게 필수적입니다. 이 장을 통해 제시된 내용이 여러분의 조직에서도 인사 관리의 진정한 가치를 발견하고, 구성원 모두가 만족하며 성장할 수 있는 조직 문화를 만들어 가는 데 도움이 되기를 바랍니다.

1. 직원 동기 부여의 중요성과 Maslow의 욕구계층 이론

잠재력의 잠금 해제:
Maslow의 욕구계층 이론으로 직원 동기 부여 극대화하기

직원 동기 부여는 단순히 업무를 수행하는 것 이상의 의미를 지닙니다. 조직의 성공과 직결되는 핵심 요소로, 직원들이 자신의 업무에 열정을 가지고 적극적으로 참여하도록 만들 때, 그 결과로 나타나는 생산성과 창의성은 조직 전체에 긍정적인 영향을 미칩니다. 이 과정에서 중요한 것은 단순한 급여 인상이나 일시적인 보상을 넘어서, 직원들의 근본적인 욕구와 기대를 심층적으로 이해하고 충족시키는 것입니다.

이런 맥락에서 Abraham Maslow의 욕구계층 이론은 조직 관리자와 HR 전문가들에게 귀중한 통찰을 제공합니다. 이 이론은 인간의 기본적인 욕구부터 자아실현에 이르기까지 다양한 단계를 설명하며, 이를 통해 조직은 각 직원의 욕구 수준을 파악하고, 이에 부합하는 맞춤형 동기 부여 전략을 세울 수 있습니다. 이처럼 Maslow의 이론을 적용하면, 직원 각자가 가진 독특한 동기 부여 요인을 이해하고, 그에 맞는 전략을 개발하여 조직의 전반적인 만족도와 성과를 향상시킬 수 있습니다.

이는 조직이 직면할 수 있는 도전과 기회를 보다 명확하게 파악하고, 이에 대응하는 효과적인 전략을 수립하는 데 기여할 것입니다. 직원의 마음을 사로잡는 것은 마치 예술과 같아서, 각 직원의 기대와 조직의 약속이 조화롭게 어우러져야만 진정한 의미에서의 동기 부여가 이루어질 수 있습니다. 이 과정에서 Maslow의 욕구계층 이론은 조직이 직원 각자의 욕구와 기대를 어떻게 충족시킬 수 있는지에 대한 방향을 제시해 줍니다.

ZYX 기술 회사는 빠른 성장과 혁신을 통해 시장에서 인정받는 스타트업에서 중견 기업으로 성장했습니다. 이 회사는 최첨단 기술과 서비스를 제공하며 기술 산업 내에서 명성을 쌓아왔습니다. 그러나 최근 몇 개월 동안 회사는 예상치 못한 내부 문제로 심각한 어려움을 겪기 시작했습니다. 중요 프로젝트들의 연속된 지연은 고객들의 신뢰도 하락을 초래하고, 특히 고성능을 보이던 직원들의 이직률 증가는 회사의 성장 전략에 큰 차질을 빚어냈습니다.

회사 CEO는 이러한 문제에 깊은 우려를 표하며, 사태의 심각성을 인식하고 대책 마련에 집중하기 시작했습니다. 프로젝트 지연은 단순히 일정 문제를 넘어 회사의 명성과 브랜드 가치에 영향을 미쳤으며, 잠재적인 신규 고객과의 계약 기회 손실을 의미했습니다. 또한, 우수 인재의 이탈은 지식과 경험의 유출을 가져와, 남아 있는 팀원들에게 추가적인 부담과 스트레스를 가중시켰습니다.

이러한 상황은 회사 내부의 작업 환경과 문화에도 부정적인 영향을 미쳤습니다. 직원들 사이에 불안감과 불만이 증가하며, 이는 전반적인 직원 만족도 저하로 이어졌습니다. 직원들이 느끼는 업무의 압박과 불확실성은 창의적인 생각과 팀워크를 저해하고, 이는 회사의 혁신 능력에도 악영향을 미쳤습니다. 경영진은 이러한 내부 문제가 조직의 장기적인 성장에 중대한 위험 요소임을 깨닫고, 직원 동기 부여와 만족도를 향상시키기 위한 근본적인 변화를 추진하기

로 결정했습니다. 이러한 노력은 회사가 직면한 내부 문제를 체계적으로 해결하고, 직원들과의 신뢰를 회복하여 조직의 안정성과 생산성을 재고하는 데 중요한 첫걸음이 될 것입니다.

회사의 내부 조사 결과, ZYX 기술 회사의 주요 문제 중 하나는 명확하지 않은 업무 목표와 보상 체계의 부재였습니다. 직원들은 자신들이 수행하는 업무가 조직의 전체 목표와 어떻게 연결되는지 이해하지 못했으며, 그들의 기여가 적절히 인정받지 않는다고 느꼈습니다. 이는 직원들의 업무에 대한 몰입도를 저하시키고, 열정을 감소시키는 주요 요인으로 작용했습니다. 특히, 직원들이 업무에 대해 가지는 불확실성은 그들의 일상적인 성과에 직접적인 영향을 미쳤고, 이는 프로젝트 지연과 같은 구체적인 문제로 이어졌습니다.

또한, 직원들은 경력 발전과 관련된 기회가 제한적이라고 느꼈습니다. 이는 특히 젊은 직원들 사이에서 더욱 심각하게 나타났으며, 개인의 성장 가능성을 제한한다고 인식되었습니다. 이러한 인식은 직원들 사이에 만연한 불만과 조직에 대한 불신을 증가시켰고, 결국 높은 이직률로 이어졌습니다. 직원들이 떠나는 이유는 단순히 급여나 업무 조건의 문제가 아니라, 그들이 조직 내에서 겪는 정체감의 부재와 경력 발전의 기회 부족에서 기인했습니다.

이 외에도, 회사의 커뮤니케이션 체계에도 문제가 있음이 드러났습니다. 직원들과 경영진 간의 소통이 원활하지 않아, 직원들은 회사의 변화와 결정 과정에서 소외감을 느꼈습니다. 이러한 소통의 부재는 직원들이 회사의 비전과 전략에 대해 충분히 이해하고 공감하지 못하게 만들었고, 이는 직원들의 참여도와 동기 부여에 부정적인 영향을 미쳤습니다.

종합적으로 보면, ZYX 기술 회사의 문제는 직원들의 명확하지 않은 역할 인식, 제한된 경력 발전 기회, 비효율적인 커뮤니케이션 구조에서 비롯된 것으로 파악되었습니다. 이러한 문제들은 직원들의 동기 부여를 저하시키고, 전반적인 조직의 성과에 악영향을 끼쳤습니다. 이제 이 문제들을 어떻게 해결하고, 심리학적 이론을 통해 어떤 전략을 개발할지 살펴보겠습니다.

Abraham Maslow의 욕구계층 이론은 1943년에 처음 소개된 후, 심리학과 조직 관리 분야에서 널리 적용되어 온 이론입니다. Maslow는 인간의 기본적인 욕구가 계층적 구조를 이루고 있으며, 더 낮은 단계의 욕구가 충족되어야만 다음 단계의 욕구로 넘어갈 수 있다고 보았습니다. 이 이론의 가장 기본적인 시작점은 생리적 욕구로, 이는 호흡, 음식, 물, 성, 수면 등 인간의 생존에 꼭 필요한 요소들을 포함합니다. 이러한 욕구가 충족되면, 사람들은 다음으로 안전과 보안에 대한 욕구를 추구하게 됩니다. 이는 신체적, 고용상의 보안뿐만 아니라 자원, 건강, 재산을 포함한 안정적인 환경을 의미합니다.

Maslow는 이외에도 소속감과 사랑의 욕구를 중요시했습니다. 사람들은 가족, 친구, 동료와 같은 사회적 관계에서 소속감을 느끼고 사랑받고 싶어합니다. 이러한 욕구가 충족된 후에야 사람들은 존경 받고 싶어하는 욕구, 즉 자신의 성취를 인정받고 다른 사람들로부터 존경받고 싶어 하는 욕구로 나아갈 수 있습니다. 마지막 단계인 자아실현 욕구는 개인이 자신의 잠재력을 완전히 실현하고자 하는 욕구로, 창의적 활동이나 개인적 성장을 통해 이루어집니다.

Maslow의 이론은 직장 환경에서 특히 중요한 의미를 갖습니다. 직원들이 자신의 업무에서 안정감과 소속감을 느끼며, 자신의 기여가 인정받고 자아실현의 기회를 갖게 될 때, 더 높은 업무 만족도와 조직에 대한 충성도를 보이게 됩니다. ZYX 기술 회사의 경우, 직원들이 이러한 욕구 계층을 충족하지 못하고 있었기 때문에 동기 부여가 저하되었고, 이는 프로젝트 지연과 직원 이탈 등 여러 문제로 이어졌습니다. 이제 이 이론을 어떻게 적용하여 회사 문제를 해결했는지 자세히 살펴볼 필요가 있습니다.

ZYX 기술 회사에서 발생한 직원 동기 부여의 저하 문제를 해결하기 위해, 경영진은 Maslow 의 욕구계층 이론을 기반으로 한 전략을 도입하기로 결정했습니다. 이 전략의 핵심은 각 직원의 욕구를 정확하게 이해하고 이에 맞춘 조치를 취하는 것이었습니다.

먼저, 회사는 직원들이 느끼는 기본적인 생리적 욕구와 안전 욕구가 이미 충족되고 있음을 확인했습니다. 그러나 소속감, 존중, 자아실현의 욕구는 충분히 만족되지 않고 있었습니다. 이를 근거로, 직원들이 자신들의 역할이 조직 내에서 중요하다고 느낄 수 있도록 직무 설계를 개선하는 방안을 모색했습니다.

회사는 각 팀과 개인의 역할을 재정의하고, 명확한 목표와 기대를 설정하여, 직원들이 자신의 기여가 회사의 성공에 어떻게 연결되는지를 더욱 명확하게 이해할 수 있도록 했습니다. 이 과정에서 각 직원에게 그들의 업무가 조직 전체의 목표에 어떻게 기여하는지, 그리고 그들의 노력이 어떻게 인정받고 있는지를 정기적으로 피드백해 주는 시스템을 구축했습니다.

더불어, 직원들의 소속감을 강화하기 위해 팀 빌딩 활동과 사내 이벤트를 증가시켰습니다. 이는 팀원들 간의 유대감을 강화하고, 서로를 더 잘 이해하고 존중하는 문화를 조성하는 데 도움을 주었습니다. 또한, 각 직원의 개인적인 성장과 자아실현을 지원하기 위해 교육 프로그램과 승진 기회를 확대했습니다. 이러한 기회는 직원들이 자신의 잠재력을 발견하고, 개인적인 성장을 경험할 수 있는 플랫폼을 제공했습니다.

이와 함께, 회사는 직원들이 자신의 업무에 대해 더 큰 책임감을 가지고, 그들의 노력이 조직에 중요한 영향을 미친다고 느낄 수 있도록 동기 부여 방안을 마련했습니다. 이를 통해 직원들은 자신의 일에 더 많은 가치를 두고, 업무에 대한 만족도와 헌신도를 높일 수 있었습니다.

이러한 종합적인 접근 방식은 Maslow의 욕구계층 이론을 효과적으로 적용하여, 직원들의 욕구를 단계별로 충족시키면서 동기를 부여하는 데 중점을 두었습니다. 결과적으로, 이 전략은 직원 만족도와 생산성을 크게 향상시키며 회사의 전반적인 성과에 긍정적인 변화를 가져왔습니다. 이러한 변화는 직원들의 충성도를 높이고, 장기적으로 회사의 경쟁력을 강화하는 중요한 요소가 되었습니다.

외에도 직원 동기 부여와 관련하여 적용할 수 있는 심리학 이론으로는 Deci와 Ryan의 자기결정이론(Self-Determination Theory, SDT)이 있습니다. 이 이론은 사람들이 자발적이고 주도적으로 행동할 때 더 큰 동기 부여를 경험한다고 주장합니다. 자기결정이론은 세 가지 기본적인 심리적 욕구 — 자율성(자신의 행동을 스스로 통제하는 느낌), 유능감(효과적으로 활동하고 성취감을 느끼는 것), 관계성(타인과 연결되어 있다고 느끼는 것) — 에 초점을 맞춥니다. 이 이론은 직원들이 자신의 업무에서 이 세 가지 욕구가 충족될 때 더 높은 동기 부여와 만족도를 경험한다고 설명하며, 이는 개인의 성장, 복지 및 조직에 대한 기여도 증진을 가져올 수 있습니다.

또한, 스키너의 행동주의 이론(Behaviorism)도 직장 내 동기 부여에 효과적으로 사용될 수 있습니다. B.F. 스키너는 보상과 처벌이 행동을 형성한다고 보았으며, 이 원리를 직장 환경에 적용할 경우, 적절한 보상 체계를 통해 직원들의 생산성과 헌신을 증진시킬 수 있습니다. 예를 들어, 긍정적인 행동 강화를 통해 직원들이 바람직한 행동을 반복하도록 유도하고, 이를 통해 조직 내 긍정적인 행동 문화를 조성할 수 있습니다.

이러한 이론들은 각기 다른 접근 방식을 제공하며, 조직의 특정 상황과 필요에 따라 적절히 선택하고 조합하여 사용할 수 있습니다. 직원들의 다양한 심리적 욕구와 동기 부여 요인을 이해하고 이를 조직의 전략에 통합하는 것이 조직의 성공적인 운영과 지속 가능한 성장을 위해 매우 중요합니다.

2. Herzberg의 동기-위생 이론과 직원 만족도

만족을 넘어 열정으로:
Herzberg의 동기-위생 이론으로 직원 만족도 혁신하기

직원 만족도는 단순히 업무의 일부가 아니라, 조직의 핵심 동력입니다. 직원들이 자신의 업무에 만족을 느낄 때, 그들은 단순히 할당된 업무를 완수하는 것을 넘어서서 조직에 대한 헌신과 창의적인 에너지를 발휘합니다. 이는 조직 전체의 생산성과 혁신을 촉진하며, 결과적으로 회사의 경쟁력을 강화합니다. 만족한 직원은 그들이 속한 조직에 깊이 연결되어 있음을 느끼며, 이는 직원 이탈률을 감소시키고 장기적인 인재 유지에 결정적인 역할을 합니다. 반면, 직원 만족도가 낮을 경우, 그 영향은 단순한 개인의 문제를 넘어 조직 전체의 문화와 성과에 부정적인 영향을 미칩니다. 만족도가 낮은 직원들은 종종 업무에 대한 열정을 잃고, 그들의 창의력과 생산성은 떨어지며, 최악의 경우 조직을 떠나게 되는 상황에 이르기도 합니다.

이러한 이유로 조직에서는 직원 만족도를 높이는 전략을 효과적으로 개발하고 실행하는 것이 중요합니다. 이 과정은 직원들이 겪고 있는 문제를 깊이 이해하고, 그들의 요구를 충족시키는 방안을 찾는 것을 포함합니다. 이는 단순히 금전적 보상을 넘어서 직원들이 자신의 역할에 대한 가치와 의미를 인식할 수 있도록 하는 것입니다. 조직이 직원들의 기대를 충족시킬 때, 직원들은 보다 큰 만족감을 느끼고 그들의 업무에 대한 애착과 헌신이 증가합니다.

조직의 성공적인 운영을 위해서는 직원 만족도를 전략적으로 관리하는 것이 필수적입니다. 이를 위해 조직은 지속적으로 직원의 기대와 요구를 조사하고, 이에 맞는 변화와 개선을 도입해야 합니다. 이 과정은 조직 문화를 강화하고, 직원들의 참여를 증진시키며, 전반적인 조직의 성과를 높이는 효과적인 방법이 될 수 있습니다. 직원 만족도를 심각하게 고려하고, 이를 개선하기 위한 적극적인 조치를 취하는 조직은 시장에서 더욱 경쟁력을 가질 수 있으며, 직원들과의 긍정적인 관계를 통해 지속 가능한 성장을 달성할 수 있습니다.

XYZ 리테일 회사는 다양한 문화적 배경을 가진 직원들로 구성된 대형 리테일 체인으로, 최근 직원 이직률의 증가와 만족도 저하라는 심각한 문제에 직면했습니다. 이 회사는 급변하는 소매 시장에서 경쟁력을 유지하기 위해 끊임없이 변화와 혁신을 추구해왔으나, 내부적으로 직원들의 불만이 쌓이고 있었습니다. 특히, 직원들 사이에서는 업무에 대한 만족도가 급격히 떨어지고 있었고, 이는 조직 전반에 걸쳐 성과 저하로 이어지고 있었습니다.

경영진은 이 문제를 해결하기 위해 전사적인 내부 조사를 실시하기로 결정했습니다. 조사는 직원들의 만족도를 진단하고 그들이 겪고 있는 구체적인 문제점을 파악하는 데 초점을 맞췄습니다. 여러 부서에서 수집된 의견을 통해, 주요 문제로는 부적절한 업무 환경, 불투명한 보상 체계, 그리고 제한적인 경력 발전 기회가 드러났습니다. 많은 직원들이 업무에 대한 명확한 지향점이 부족하다고 느끼며, 이로 인해 업무에 대한 열정과 헌신이 크게 저하되고 있었다고 표현했습니다.

이러한 상황은 특히 성과에 큰 영향을 미치는 영업 부서에서 두드러졌습니다. 이 부서의 고성능 직원들은 자신들의 노력이 회사에서 충분히 인정받지 못한다고 느꼈으며, 이는 높은 이직률로 이어졌습니다. 이직률이 높아지면서 회사는 경험 많은 인재를 잃어, 고객 서비스의 질이 저하되고 매출에도 부정적인 영향을 미쳤습니다. 이는 회사의 명성과 시장 위치에도 영향을 줬으며, 결국 전체 조직의 성과 하락으로 이어졌습니다.

이 문제는 단순히 내부적인 운영의 문제를 넘어선 것이었습니다. 직원들의 불만과 불만족이 조직의 기반을 약화시키고 있었고, 이는 직접적으로 고객 경험과 회사의 재정 상태에까지 영향을 미쳤습니다. 따라서 직원 만족도의 저하는 단지 인사 부서의 관심사가 아니라, 회사 경영진의 중대한 우려사항이 되어야 했습니다. 직원들이 겪는 문제와 그 원인을 정확히 이해하고, 이에 맞는 해결책을 마련하는 것이 조직의 우선 과제로 부상했습니다. 이는 회사의 생존과 지속 가능한 성장을 위한 필수적인 조치였습니다. 이러한 상황을 타개하기 위해 XYZ 리테일 회사는 허즈버그의 동기-위생 이론을 도입하여, 직원 만족도를 개선하는 방안을 모색하기 시작했습니다.

직원 만족도와 동기 부여에 대한 이해를 깊이 있게 다루는 데 있어, Frederick Herzberg의 동기-위생 이론은 매우 중요한 역할을 합니다. 이 이론은 1950년대 말 Herzberg가 수행한 연구를 바탕으로 개발되었으며, 직장에서 직원의 만족과 불만족을 발생시키는 요인들을 식별하고 분석합니다. Herzberg의 연구는 직원들이 어떤 요인에 의해 동기를 부여받고, 또 어떤 요인들이 업무 불만을 초래하는지를 구분짓는 것에서 출발했습니다.

Herzberg의 동기-위생 이론은 크게 두 가지 요소로 나뉩니다: 동기 요인(Motivators)과 위생 요인(Hygiene factors)입니다.
동기 요인은 직원의 업무 성과를 직접적으로 향상시키고 직무 만족을 높이는 요인으로, 성취감, 인정, 업무 자체의 흥미, 책임감, 성장 및 발전 기회 등이 여기에 해당합니다. 이러한 요인들은 직원들이 자신의 업무에 더욱 몰입하게 만들고, 그 결과로 높은 성과를 이끌어내는 긍정적인 영향을 미칩니다.

반면, 위생 요인은 직무 불만족을 줄이는 데 기여하지만, 이 요인들이 개선되었다고 해서 반드시 직무 만족도가 높아지는 것은 아닙니다. 위생 요인에는 급여, 회사 정책과 행정 절차, 업무 조건, 감독 방식, 동료와의 관계 등이 포함됩니다. 이러한 요인들은 기본적으로 직원들의 기본적인 요구를 충족시켜 주며, 부족할 경우 불만족을 야기할 수 있습니다.

Herzberg는 이 두 요소가 서로 독립적으로 작용하여, 한 쪽이 잘 관리되어도 다른 쪽이 부족하면 직원 만족도에 부정적인 영향을 미칠 수 있다고 주장했습니다. 그의 이론은 관리자와 조직 개발자들에게 직원들의 만족도를 높이기 위해 어떤 영역에 주력해야 하는지 명확한 방향을 제시합니다.

XYZ 리테일 회사에서는 이 이론을 통해 직원 만족도 저하의 근본 원인을 이해하고, 적절한 개선 조치를 도입할 수 있는 기반을 마련했습니다. Herzberg의 이론 적용을 통해 회사는 동기 요인과 위생 요인을 모두 강화하며 직원들의 만족도를 개선하고, 이를 통해 전반적인 조직 성과의 향상을 도모할 수 있습니다.

XYZ 리테일 회사는 Frederick Herzberg의 동기-위생 이론을 근거로 직원들의 만족도와 업무 환경을 개선하기 위한 포괄적인 전략을 마련하였습니다. 회사는 우선 직원들의 업무에 대한 성취감과 자율성을 증진시키기 위해 노력하였으며, 각 직원에게 그들의 역할이 조직의 큰 그림에 어떻게 중요한지를 교육하고 명확히 설명하였습니다. 이러한 노력은 직원들이 자신들의 일에 대해 더 큰 책임감과 만족감을 느끼도록 유도하며, 그 결과로 동기가 부여되는 환경을 조성하였습니다.

더 나아가, 회사는 직원들의 경력 발전을 지원함으로써 자아실현의 욕구를 충족시키는 방향으로 접근하였습니다. 멘토링 프로그램을 활성화하고, 직원들에게 적합한 교육 기회를 제공하여 그들이 전문 기술을 개발하고 경력 목표를 달성할 수 있도록 지원하였습니다. 이러한 전략은 직원들이 조직 내에서 성장할 수 있는 기회가 많다는 것을 느끼게 하여, 장기적인 헌신을 유도하는 중요한 요소가 되었습니다.

물리적인 작업 환경의 개선도 중요한 초점이었습니다. 회사는 근무 공간을 재구성하여 더 개방적이고 협력적인 환경을 조성하였습니다. 이는 직원들이 서로 소통하고 협력하기 쉬운 환경을 만들어, 일의 효율성과 팀워크를 증진시켰습니다. 또한, 업무 시간의 유연성을 도입하여 직원들이 개인적인 생활과 업무를 더욱 효과적으로 균형을 이룰 수 있도록 하였습니다.

급여 구조와 보상 체계에 대한 전면적인 재검토도 이루어졌습니다. 회사는 성과에 기반한 인센티브 제도를 강화하고, 공정하고 투명한 평가 시스템을 구축하여 직원들이 그들의 노력이 적절히 인정받고 보상받는다고 느낄 수 있도록 하였습니다. 이러한 변화는 직원들에게 긍정적인 영향을 미치며, 회사에 대한 충성도와 만족도를 높이는 데 기여하였습니다.

마지막으로, 정기적인 피드백 세션과 직원 참여 프로그램을 통해, 직원들의 의견과 아이디어가 회사의 결정 과정에 반영될 수 있도록 하였습니다. 이러한 상호 작용은 직원들이 조직 내에서 중요한 역할을 수행하고 있다는 인식을 강화시켰으며, 이는 조직 전반의 만족도와 헌신을 증가시키는 중요한 요소가 되었습니다. 이와 같은 종합적인 접근 방식을 통해 XYZ 리테일 회사는 직원 만족도를 개선하고 전반적인 조직 성과를 향상시킬 수 있었습니다.

지금까지 XYZ 리테일 회사의 직원 만족도 개선 사례를 통해 Herzberg의 동기-위생 이론의 적용을 살펴보았습니다. 이와 함께, 직원 동기 부여와 만족도를 높이는 다른 심리학 이론들도 있어 추가적인 통찰을 제공할 수 있습니다.

하나의 예로, Deci와 Ryan의 자기결정이론(Self-Determination Theory, SDT)이 있습니다. 이 이론은 개인이 자율성, 유능감, 관계성의 세 가지 기본적인 심리적 욕구를 충족시킬 때 최고의 동기 부여 상태에 이를 수 있다고 설명합니다. 자율성은 개인이 자신의 행동을 스스로 통제하고 선택할 수 있는 느낌을, 유능감은 어떤 일을 성공적으로 수행할 능력이 있다는 느낌을, 관계성은 다른 사람들과 연결되어 있다고 느끼는 것을 말합니다. 조직에서 이 요소들을 강화함으로써 직원들의 내적 동기를 촉진하고, 보다 지속적이고 긍정적인 업무 태도를 유도할 수 있습니다.

또 다른 중요한 이론은 Adam's Equity Theory (공평 이론)입니다. 이 이론은 개인이 자신과 동료들의 업무 기여와 그에 따른 보상을 비교할 때 공정성을 느끼는지를 중심으로 직무 만족도와 동기 부여의 정도를 설명합니다. 직원들이 자신의 기여와 보상이 동료들과 비교해 공평하다고 느낄 때 더 높은 만족감과 동기를 느낄 것입니다. 이는 관리자들이 보상 시스템의 투명성을 보장하고 모든 직원에게 공정하게 적용되도록 노력해야 하는 이유입니다.

이러한 이론들을 추가로 탐구하고 이해하는 것은 조직에서 직원 만족도와 동기 부여 전략을 더욱 효과적으로 설계하고 실행하는 데 도움이 될 것입니다. 각 이론은 조직 내에서 다양한 동기 부여 요소를 다루며, 이를 통해 조직의 생산성을 최적화하고 직원 이탈률을 최소화할 수 있는 방안을 제공합니다.

3. Vroom의 기대 이론과 성과 관리

성과의 재정의:
Vroom의 기대 이론으로 성과 관리 전략 혁신하기

성과 관리는 조직의 성공에 중요한 역할을 하는 전략적 도구로, 단순히 목표를 설정하고 평가하는 것을 넘어서 조직의 목표를 개인의 목표와 연결시키고, 직원의 행동과 성과를 조직의 전략적 방향에 맞춰 조절함으로써 자원의 최적화, 효율성의 극대화, 경쟁 우위의 확보를 가능하게 합니다. 이러한 성과 관리는 조직 내부의 여러 레벨에서 직원들이 자신의 업무를 얼마나 효과적으로 수행하고 있는지를 파악하고, 필요한 개선 사항을 식별하는데 필수적입니다.

효과적인 성과 관리 시스템은 조직이 명확한 목표를 설정하고, 이러한 목표에 도달하기 위한 구체적인 전략을 수립하는 데 중요한 역할을 합니다. 이 과정에서 조직은 직원들에게 명확한 지침을 제공하고, 각 직원이 조직의 목표 달성에 어떻게 기여할 수 있는지를 이해하게 만듭니다. 또한, 직원들의 성과를 정기적으로 평가하여 그들의 노력이 조직의 전체적인 성공에 어떻게 기여하고 있는지를 명확히 할 수 있습니다.

성과 관리의 효과는 단순히 업무 성과를 높이는 것을 넘어서, 직원의 동기 부여와 직무 만족도를 증진시키는 데에도 중요한 역할을 합니다. 직원들이 자신의 업무가 조직에 중요한 기여를 하고 있다고 느낄 때, 그들의 업무에 대한 만족도는 자연스럽게 높아지고, 이는 전반적인 조직의 생산성을 증가시킬 수 있습니다. 이와 동시에, 성과 관리 과정에서 발견된 문제점이나 개선 사항에 대해 직원들과 지속적으로 소통함으로써, 조직은 변화에 더 유연하게 대응하고 지속적인 개선을 이루어 나갈 수 있습니다.

이러한 과정은 조직과 직원 모두에게 이익이 되며, 성과 관리를 단순한 평가와 보상의 도구가 아니라 조직의 전략적 발전을 위한 핵심 요소로서 활용될 수 있도록 합니다. 이를 위해 조직은 성과 관리 시스템을 지속적으로 갱신하고, 시장의 변화와 조직 내부 상황에 맞게 조절해야 하며, 이 과정에서 직원들의 피드백과 참여를 적극적으로 장려해야 합니다. 이와 같은 포괄적 접근 방식은 조직이 직면한 도전과 변화에 효과적으로 대응하고, 안정적인 성장을 도모하며, 직원들이 변화하는 시장 조건에 능동적으로 대응할 수 있는 역량을 갖추도록 지원하는 데 결정적인 역할을 할 것입니다.

DEF 소프트웨어 개발 회사는 기술 중심의 업계에서 빠르게 성장하고 있던 기업으로, 특히 클라우드 기반 솔루션과 모바일 애플리케이션 개발에 강점을 가지고 있었습니다. 회사는 몇 년 간 눈부신 성장을 이루었고, 이는 창의적이고 헌신적인 직원들의 노력 덕분이었습니다. 그러나 성장이 계속됨에 따라, 프로젝트의 복잡성과 범위도 커졌고, 이는 직원들에게 더 큰 압박으로 다가왔습니다.

최근 몇 년 동안 회사는 여러 국제 시장으로 확장하면서 글로벌 프로젝트를 수행하기 시작했습니다. 이러한 확장은 새로운 기회를 가져다주었지만, 동시에 팀원들 간의 협업과 커뮤니케이션에 상당한 도전을 야기했습니다. 직원들은 각기 다른 시간대에서 작업하면서, 때때로 비효율적인 커뮤니케이션과 프로젝트 관리 문제로 인해 중요한 마감 기한을 놓치는 사례가 발생하기 시작했습니다.

특히, 프로젝트 관리의 일관성 부족은 내부적으로 큰 문제로 부상했습니다. 여러 팀이 동시에 여러 프로젝트를 진행하면서, 각 팀은 자체적으로 프로젝트를 관리하는 방식을 채택했습니다. 이로 인해 회사 전체의 통합된 성과 관리 방식이 부재하게 되었고, 이는 자원 분배와 우선순위 설정에 혼란을 가져왔습니다.

이런 상황은 특히 신입 직원들과 중간 관리자들에게 부담을 주었습니다. 그들은 상반된 지침과 기대치에 직면했고, 때로는 이로 인해 프로젝트의 성과가 불안정해지기도 했습니다. 직원들 사이에서는 높은 스트레스와 직무 불만족이 증가했으며, 이는 결국 생산성 저하로 이어졌습니다. 회사의 실적에 직접적인 영향을 미치기 시작하자, 경영진은 성과 관리 시스템의 전면적인 재평가와 개선이 시급하다고 판단하게 되었습니다.

이러한 배경 속에서, DEF 회사의 경영진은 조직 전반에 걸친 성과 관리 방식을 체계화하고 표준화하는 것이 절실히 필요하다고 인식했습니다. 직원들이 보다 명확한 지침과 지원을 받을 수 있도록 하기 위해, 회사는 효과적인 성과 관리 전략을 수립하고 이를 실행에 옮기기로 결정했습니다. 이를 통해 직원들의 동기 부여를 회복하고, 업무 효율성을 높이며, 전체적인 조직 문화를 강화하려는 목표를 설정하게 되었습니다.

DEF 소프트웨어 개발 회사의 경영진은 조직 전반에 걸친 성과 관리 문제를 해결하기 위해 깊은 문제 파악에 착수했습니다. 이 과정에서 여러 가지 중요한 문제점이 드러났습니다.

첫째, 경영진은 프로젝트 관리의 일관성 부족이 가장 큰 문제로 인식되었습니다. 각 팀이 자체적으로 프로젝트를 관리하다 보니, 회사 전체의 통합된 성과 관리 방식이 부재했습니다. 이는 자원 분배와 우선순위 설정에 혼란을 가져왔고, 중복 작업이나 필요 이상의 리소스가 특정 프로젝트에 집중되는 문제를 야기했습니다. 이러한 상황은 결국 전체적인 조직 효율성을 저하시켰습니다.

둘째, 팀 간의 커뮤니케이션과 협업 부족도 큰 문제로 지적되었습니다. 다양한 시간대에서 작업하는 글로벌 팀들 사이의 정보 교류가 원활하지 않아 프로젝트의 일정과 품질이 영향을 받았습니다. 이는 팀원들 사이의 불신을 조성하고, 업무 분위기를 악화시켜 결국 전반적인 직무 만족도를 떨어뜨렸습니다.

셋째, 직원들의 동기 부여와 직무 만족도가 떨어진 것도 심각한 문제로 인식되었습니다. 직원들은 자신들의 노력이 적절히 인정받지 못하고, 성과가 공정하게 평가되지 않는다고 느꼈습니다. 이는 직원들의 업무에 대한 개인적 투자를 감소시켰고, 고성능을 보여주던 직원들조차 회사에 대한 충성심을 잃게 만들었습니다.

마지막으로, 경영진은 직원들 사이에서 경력 발전 기회의 부족을 우려하는 목소리가 높다는 것을 인식했습니다. 많은 직원들이 자신의 경력 경로가 불분명하다고 느꼈으며, 이는 장기적인 관점에서 회사에 대한 헌신을 저하시키는 요인으로 작용했습니다.

이러한 문제들을 파악한 경영진은 조직의 성과 관리 시스템을 전면적으로 재정비하고, 직원들의 동기 부여를 증진시키기 위한 구체적인 전략을 수립할 필요성을 절감하였습니다. 이를 통해 조직의 안정성을 확보하고 지속 가능한 성장을 도모할 계획입니다.

Victor Vroom의 기대 이론은 1960년대에 개발된 동기 부여에 관한 이론으로, 개인이 특정한 행동을 선택하는 과정에서 기대(expectancy), 도구성(instrumentality), 그리고 가치

(valence)의 세 가지 주요 요소를 중심으로 설명합니다. 이 이론은 특히 조직 내 성과 관리와 동기 부여 전략을 설계할 때 효과적인 틀을 제공합니다.

기대(expectancy)는 개인이 자신의 노력이 성공적인 성과로 이어질 것이라고 믿는 정도입니다. 즉, 직원이 얼마나 확신을 가지고 있느냐가 중요한 요소로, 이는 그들의 노력이 성과에 직접적으로 연결될 것이라는 기대를 포함합니다.

도구성(instrumentality)은 성공적인 성과가 소망하는 결과나 보상으로 이어질 것이라는 직원의 인식을 말합니다. 여기서는 성과가 좋을 경우에 받게 될 보상이나 인정 등이 예측 가능하고 일관되어야 한다는 점이 강조됩니다.

가치(valence)는 보상이 개인에게 얼마나 매력적인지를 나타냅니다. 이는 보상 자체의 가치뿐만 아니라 개인의 목표, 욕구와의 일치 여부도 포함합니다. 즉, 직원이 받는 보상이 그들에게 진정으로 의미 있고 가치 있는 것인지가 중요합니다.

Victor Vroom은 이 세 가지 요소가 모두 긍정적인 상황에서 개인의 동기 부여가 최대화된다고 주장합니다. 이 이론은 동기 부여가 단순히 외부적인 보상으로만 이루어지는 것이 아니라, 개인의 내부적인 기대와 가치 판단에 깊이 영향을 받는다는 점을 강조하며, 성과 관리를 설계할 때 이러한 심리적 요인들을 고려하는 것이 중요함을 시사합니다.

이러한 이론적 배경을 바탕으로, 조직은 각 직원의 역할과 성과에 대한 기대를 명확히 하고, 그들이 기대하는 성과에 대한 보상이 실제로 이루어질 수 있도록 투명하고 일관된 성과 관리 시스템을 구축해야 합니다. 또한, 각 직원이 보상을 진정으로 가치 있게 여기도록 개인의 욕구와 목표에 맞춘 보상을 설계하는 것이 필요합니다. 이를 통해 조직은 직원들의 만족도와 동기를 높이고, 전반적인 조직 성과를 향상시킬 수 있습니다.

DEF 소프트웨어 개발 회사는 성과 관리 문제를 해결하기 위해 Victor Vroom의 기대 이론을 적극적으로 적용했습니다. 이를 통해 각 직원의 노력이 성공적인 결과로 이어질 것이라는 기대감을 형성하고, 이러한 결과가 실제로 가치 있는 보상으로 연결될 것임을 확신시키는 것이 목표였습니다.

회사는 먼저 모든 직원에게 그들의 업무와 성과가 조직 내에서 어떤 역할을 하는지를 명확하게 이해시키기 위해 교육 프로그램을 실시했습니다. 이 교육에서는 각자의 노력이 회사 목표 달성에 어떻게 기여하는지, 그리고 그들의 성과가 어떻게 개인적인 보상으로 연결되는지를 상세히 설명했습니다. 이러한 과정은 기대감을 형성하는 데 중요한 첫걸음이었습니다.

다음으로, 도구성을 강화하기 위해 회사는 성과와 보상 사이의 직접적인 연결 고리를 강화했습니다. 이를 위해, 성과가 우수한 직원에게 제공되는 보상 시스템을 개편하여, 모든 성과가 공정하고 투명하게 평가되어 적절한 보상으로 이어질 수 있도록 보장했습니다. 보상은 단순히 금전적인 인센티브에 그치지 않고, 승진 기회, 개인의 역량 개발을 위한 추가 교육 기회, 그리고 회사 내에서의 인정 등을 포함하여 다양화했습니다.

가치의 측면에서, 회사는 직원들이 실제로 가치 있게 여기는 보상이 무엇인지를 파악하기 위해 직원 설문조사를 실시했습니다. 이를 통해 개인의 선호와 욕구를 반영한 맞춤형 보상 계획을 수립할 수 있었습니다. 예를 들어, 일부 직원은 금전적 보상보다는 유연한 근무 시간이나 원격 근무 옵션을 더 높이 평가했으며, 이러한 의견을 반영하여 보다 유연한 근무 정책을 도입했습니다.

마지막으로, 회사는 정기적으로 성과 리뷰를 실시하여 직원들의 성과를 평가하고, 이 과정에서 직원들의 의견을 적극적으로 수렴했습니다. 이는 직원들이 자신의 성과를 스스로 평가하고, 필요한 지원을 요청할 수 있는 기회를 제공함으로써, 직원과 조직 간의 신뢰를 구축하고, 성과 관리 시스템의 효과성을 지속적으로 개선하는 데 도움을 주었습니다.

이러한 접근은 직원들의 동기 부여를 증진시키고, 조직의 성과 관리 프로세스를 효율적으로 개선하여 회사 전체의 생산성과 만족도를 높이는 데 기여했습니다. 이는 DEF 소프트웨어 개발 회사에게 중요한 변화를 가져왔으며, 조직의 전략적 목표 달성에 큰 도움이 되었습니다.

DEF 소프트웨어 개발 회사의 성과 관리와 직원 동기 부여를 위해 Victor Vroom의 기대 이론을 적용한 것 외에도, 조직은 다른 심리학 이론을 탐색하여 직원 관리와 동기 부여 전략을 더욱 풍부하게 할 수 있습니다. 여기서는 기존의 접근 방식과 다른 몇 가지 심리학 이론을 소개하고자 합니다.

첫 번째로, 자기결정성 이론(Self-Determination Theory, SDT) 은 직원의 동기 부여에 깊은 통찰을 제공합니다. 이 이론은 내재적 동기와 외재적 동기를 구분하며, 사람들이 자신의 행동을 스스로 선택하고 통제할 때 더 높은 동기 부여와 만족감을 경험한다고 설명합니다. 조직에서 이 이론을 적용하면, 직원들에게 업무의 의미와 중요성을 이해시키고, 그들이 스스로의 선택과 행동에 대해 더 큰 자율성을 가질 수 있도록 하는 환경을 조성함으로써, 직원들의 내재적 동기를 강화할 수 있습니다.

두 번째로, 목표 설정 이론(Goal Setting Theory)은 명확하고 구체적인 목표가 성과에 미치는 영향에 초점을 맞춥니다. Edwin Locke에 의해 개발된 이 이론은 특정하고 도전적인 목표를 설정할 때 사람들이 더 좋은 성과를 낼 수 있다고 주장합니다. 조직이 이 이론을 활용하면, 직원들에게 명확하고 도전적인 목표를 설정하여 그들의 업무에 대한 몰입도와 성취감을 높일 수 있습니다.

마지막으로, 인지적 평가 이론(Cognitive Evaluation Theory)은 외부 보상이 내재적 동기에 어떻게 영향을 미치는지를 탐구합니다. 이 이론은 보상이 과도하게 제공될 경우, 개인의 내재적 동기를 저하시킬 수 있다고 설명합니다. 이를 통해 조직은 보상 제공 방식을 조정하여, 직원의 자발적인 참여와 업무에 대한 열정을 유지할 수 있는 균형점을 찾을 수 있습니다.

이와 같은 다양한 심리학 이론들을 탐색하고 적용함으로써, 조직은 직원들의 동기 부여와 성과 관리 방법을 다각화하고, 직원 및 조직 전체의 성장을 촉진할 수 있는 효과적인 전략을 개발할 수 있습니다. 이는 조직이 변화하는 시장 환경 속에서 경쟁력을 유지하고, 지속 가능한 발전을 이루는 데 중요한 역할을 할 것입니다.

4. 인사 평가와 피드백: B.F. Skinner의 행동 강화

피드백의 힘:
B.F. Skinner의 행동 강화 이론으로 인사 평가 혁신하기

인사 평가와 피드백은 조직 내에서 근본적으로 중요한 과정으로, 직원들의 성과를 정확하게 평가하고 그에 따라 필요한 지원과 개선을 제공함으로써 조직의 전략적 목표 달성을 지원합니다. 이 과정은 단순히 숫자와 결과를 기록하는 것을 넘어서, 직원들의 장기적인 성장과 발전을 촉진하고, 조직 전체의 생산성과 효율성을 향상시키는 데 결정적인 역할을 합니다. 효과적인 피드백은 직원에게 그들의 성과가 어떻게 조직의 큰 그림에 기여하고 있는지를 보여주고, 개선할 수 있는 구체적인 방안을 제시하여 동기를 부여하고 자신감을 심어줍니다.

이러한 과정은 조직의 성과 관리 체계와 밀접하게 연결되어야 하며, 직원 개개인의 성과뿐 아니라 그들의 개인적인 성장 및 발전도 고려해야 합니다. 이를 위해 B.F. Skinner의 행동 강화 이론이 매우 유용하게 활용될 수 있습니다. 이 이론은 인간의 행동이 그 결과에 의해 조절된다는 원리에 기반을 두고 있으며, 긍정적인 결과를 통해 바람직한 행동을 증가시키는 강화 기술을 제공합니다. 예를 들어, 긍정적인 피드백과 인정을 통해 직원의 유익한 행동을 강화하고, 이를 통해 조직 내에서 바람직한 행동 모델을 확립할 수 있습니다.

조직에서는 이러한 인사 평가와 피드백 시스템을 설계할 때, 각 직원의 동기 부여 요소를 이해하고 이를 강화할 수 있는 메커니즘을 마련해야 합니다. 이 과정에서는 피드백이 단순히 성과를 알리는 기능을 넘어서, 직원들이 자신의 업무에 대한 가치와 중요성을 인식하게 하고, 개인적인 성취와 조직에 대한 기여를 느끼게 하는 도구로서의 역할을 수행해야 합니다. 따라서, 인사 평가와 피드백 절차는 매우 섬세하게 관리되어야 하며, 각 직원에게 맞춤화된 접근 방식을 제공함으로써 그들의 특성과 필요를 충족시킬 수 있어야 합니다.

결국, 이러한 인사 평가와 피드백 시스템의 목적은 단순히 성과를 평가하고 문제를 지적하는 것이 아니라, 직원들이 자신의 업무에 대해 더 깊이 이해하고, 이를 통해 자발적으로 성장하고 발전할 수 있는 기회를 제공하는 것입니다. 이 과정은 직원의 성과뿐만 아니라 그들의 행동과 태도에 긍정적인 변화를 유도하여, 조직 문화의 긍정적인 발전을 이끌고 전체 조직의 장기적인 성공을 지원하는 중요한 요소로 기능합니다.직 문화를 긍정적으로 변화시키는 중요한 단계가 되었습니다.

GHI 헬스케어 회사는 고객 만족도가 저하되고 직원들의 성과가 일관성을 잃어가는 문제에 직면했습니다. 이 회사는 복잡한 의료 서비스 산업에서 빠르게 성장하고 있었지만, 내부적으로는 직원들의 불만과 성과 저하가 증가하는 상황이었습니다. 특히, 피드백 시스템의 부재가 직원들 사이에서 불확실성과 불안을 증가시켜, 그들의 일상 업무에 부정적인 영향을 미치고 있었습니다.

문제는 직원들이 자신들의 역할에 대해 명확한 지침과 인정을 받지 못하고 있었다는 것에서 시작되었습니다. 많은 직원들이 제공받는 피드백이 불규칙적이었으며, 때로는 관련성이 떨어지고 부정적인 내용에만 초점을 맞추고 있었습니다. 이러한 피드백은 직원들이 자신의 업무에 대해 확신을 가지고 진행할 수 있는 기반을 약화시켰고, 직원들은 점점 더 자신의 역할과 회사 내에서의 위치를 의심하기 시작했습니다.

이러한 상황은 직원들 사이의 커뮤니케이션 부족과 정보의 비대칭이라는 더 큰 문제로 이어 졌습니다. 직원들은 자신들의 직무 성과가 조직의 목표와 어떻게 연결되는지, 자신들의 기여가 어떻게 평가되고 인정받는지에 대한 이해가 부족했습니다. 이는 직원들이 자신의 업무에 대한 책임감을 갖기 어렵게 만들고, 이는 곧 전체 팀의 동기 부여와 생산성에 악영향을 미쳤습니다.

그 결과, 팀 간 협력은 약화되고 개인들은 점점 더 고립되어 갔습니다. 이런 분위기는 팀원들 사이의 긴장을 고조시키고 업무 효율성을 더욱 저하시켰습니다. 성과가 저하됨에 따라 고객 서비스의 질도 하락하였고, 이는 고객 만족도 저하로 직결되어 회사의 명성과 성장에 큰 타격을 주었습니다. 이러한 연쇄적인 문제는 GHI 헬스케어가 시급히 해결해야 할 중대한 도전 과제로 부상하였습니다.

GHI 헬스케어 회사가 겪고 있는 문제의 본질은 여러 요인에서 기인했지만, 가장 중심적인 문제는 비효율적인 피드백과 인사 평가 시스템의 결함에서 비롯되었습니다. 직원들이 받는 피드백이 일관성이 없고, 때때로 무관심하거나 부정적인 내용에 치중되어 있다 보니, 이는 직원들 사이에서 혼란과 불만을 증폭시켰습니다. 이러한 상황은 직원들이 자신들의 역할과 기여도에 대해 명확하게 이해하지 못하게 만들었으며, 이는 다시 자신감의 하락으로 이어져 직원들의 일상적인 성과에 부정적인 영향을 미쳤습니다.

피드백의 불규칙성과 관련성 부족은 직원들에게 자신의 직무 성과를 적절히 반영하고 개선할 기회를 제공하지 못했습니다. 직원들은 자신이 수행한 업무가 평가되고 인정받는 과정에서 일관된 기준이 적용되지 않는다고 느꼈으며, 이는 업무에 대한 동기 부여를 저하시켜 결국 개인과 팀 전체의 성과 저하로 이어졌습니다. 또한, 부정적인 피드백에 치우친 경향은 직원들이 잠재적으로 개선할 수 있는 기회보다는 실패에 집중하게 만들어, 작업 환경 내 스트레스와 불안을 증가시켰습니다.

이러한 문제들은 조직 내 커뮤니케이션의 약화와 직원 간, 그리고 관리진과 직원 간의 신뢰 부족으로도 나타났습니다. 직원들은 자신들의 의견이 충분히 반영되지 않는다고 느끼며, 경영진이 제공하는 방향성과 지원에 대해 의구심을 품기 시작했습니다. 이는 조직의 명확한 방향성 부재를 드러내며, 전략적 목표 달성을 위한 동기 부여가 약화되는 결과를 초래했습니다.

직원들의 불만과 성과 저하는 고객 만족도에도 영향을 미쳤으며, 회사의 전반적인 성장과 경쟁력에 심각한 타격을 주었습니다. 직원들이 자신의 역할에 만족하지 못하고 그 가치를 인식하지 못할 때, 이는 서비스의 질과 고객 경험에 직접적으로 반영되어, 결과적으로 회사의 수익성과 시장 위치에 부정적인 영향을 미치는 악순환을 생성했습니다. 이러한 문제의 심각성을 인지한 GHI 헬스케어의 경영진은 직원들의 동기 부여와 성과 향상을 위한 근본적인 변화를 모색하게 되었습니다.

GHI 헬스케어 회사가 직면한 문제를 해결하기 위해 선택된 이론은 B.F. Skinner의 행동 강화 이론입니다. B.F. Skinner, 전체 이름 Burrhus Frederic Skinner,는 20세기 가장 영향력 있는 심리학자 중 한 명으로, 행동주의 심리학의 발전에 크게 기여했습니다. 그의 이론은 행동이 그 결과에 의해 조절된다는 개념에 중점을 두고 있습니다. 이를 통해 원하는 행동을 증가시키거나 원치 않는 행동을 감소시키는 기법들을 개발하였습니다.

Skinner의 행동 강화 이론은 두 가지 주요 요소, 강화와 처벌을 통해 행동을 조절합니다. 강화는 어떤 행동 뒤에 따르는 결과가 그 행동을 더 자주, 더 강하게 일어나게 만드는 경우를 말하며, 긍정적 강화와 부정적 강화로 나뉩니다. 긍정적 강화는 원하는 행동 후에 즐거운 결과를 제공하여 그 행동을 강화하는 방식이며, 부정적 강화는 원하지 않는 상황이 제거되어 원하는 행동이 강화되는 것을 말합니다. 반면, 처벌은 원치 않는 행동을 감소시키기 위해 사용되며, 이 역시 긍정적 처벌과 부정적 처벌로 구분됩니다.

Skinner는 특히 긍정적 강화의 효과에 중점을 두어, 이를 통해 개인이나 집단의 행동 변화를 유도하는 방법을 모색했습니다. 그의 연구는 교육, 정신 건강, 조직 관리 등 여러 분야에서 응용되어 왔으며, 조직 내 성과 관리 시스템에도 큰 영향을 미쳤습니다.

이러한 배경을 바탕으로, GHI 헬스케어는 피드백과 인사 평가 프로세스에서 Skinner의 행동 강화 이론을 적용하여 직원들의 긍정적인 행동을 촉진하고 원치 않는 행동을 줄이기 위한 전략을 수립했습니다. 이 접근법은 직원들이 긍정적인 결과에 대한 기대를 통해 더욱 적극적이고 생산적으로 행동하도록 동기를 부여하는 데 중점을 두고 있습니다. 이를 통해 조직은 효과적인 성과 관리 및 향상된 직원 만족도를 기대할 수 있습니다.

GHI 헬스케어는 B.F. Skinner의 행동 강화 이론을 적극적으로 인사 평가와 피드백 프로세스에 적용함으로써 직원들의 동기 부여와 성과를 개선하기로 결정했습니다. 이 과정에서 회사는 먼저 강화 이론의 기본 원칙에 따라 직원들의 긍정적인 행동을 적극적으로 강화하는 방법을 도입했습니다. 특히, 직원들이 성공적인 업무 수행을 했을 때 즉각적이고 구체적인 긍정적 피드백을 제공하여 그들의 행동을 강화하고자 했습니다.

이를 위해, GHI는 모든 관리자들에게 피드백을 제공하는 표준 절차를 마련하고 교육했습니다. 관리자들은 직원들의 성공적인 업무 성과에 대해 구체적인 예를 들어 칭찬하고, 이를 팀 미팅이나 내부 뉴스레터를 통해 공개적으로 인정함으로써 직원들의 긍정적 행동을 더욱 강화했습니다. 이러한 긍정적 강화는 직원들에게 자신의 성공이 조직 전체에 긍정적으로 인식되고 가치 있게 여겨진다는 신호를 주어 동기를 크게 증진시켰습니다.

또한, GHI는 부정적인 피드백을 제공할 때도 Skinner의 이론을 적용하여, 단순히 비판을 제공하는 대신 개선이 필요한 영역에 대한 구체적이고 건설적인 피드백을 제공했습니다. 예를 들어, 성과가 기대에 미치지 못하는 직원에게는 단순히 성과 부족을 지적하는 대신, 구체적인 행동 개선 방안과 그들이 성공할 수 있도록 지원하는 자원을 제공했습니다. 이런 접근은 직원이 자신의 행동을 개선할 수 있는 명확한 방향과 동기를 부여받도록 함으로써, 개선의 필요성을 내면화하는 데 도움을 주었습니다.

더 나아가, GHI는 직원들이 일관된 긍정적 강화를 경험할 수 있도록 시스템을 개선하고자 정기적인 피드백 세션을 도입했습니다. 이 세션에서는 개인의 성과뿐만 아니라, 팀의 성과도 리뷰하고, 팀원 간의 협력과 상호 지원을 강화하는 방법에 대해서도 논의했습니다. 이러한 접근은 개인과 팀 모두에 대한 긍정적 강화를 증진시키고, 조직 전체의 성과 향상과 직원 만족도를 높이는 데 기여했습니다.

이러한 행동 강화 기반의 피드백과 인사 평가 접근 방식은 GHI 헬스케어에서 직원들의 성과와 만족도를 개선하는 데 중요한 역할을 했습니다. 직원들은 자신의 성과가 명확하고 공정하게 평가받고 있다고 느끼며, 개인의 성장과 발전을 지원받고 있다는 인식을 갖게 되었습니다. 이로 인해 직원들의 동기 부여가 더욱 강화되었고, 조직 전체의 생산성과 효율성이 향상되는 결과를 가져왔습니다.

직원 동기 부여와 성과 관리에 관심이 있는 경우, 행동 강화 이론 외에도 다양한 심리학 이론들이 적용될 수 있습니다. 여기에는 동기 부여, 의사결정, 그리고 조직 행동과 관련된 다양한 접근 방식이 포함됩니다. 다음은 직원 관리 및 성과 향상에 도움이 될 수 있는 몇 가지 추가 이론과 개념을 소개합니다:

1. 목표 설정 이론 (Goal Setting Theory): Edwin Locke의 목표 설정 이론은 특정하고 도전적인 목표가 성과를 향상시키는 데 중요하다고 강조합니다. 이 이론은 목표의 명확성과 난이도가 직원의 성과에 미치는 영향을 설명하며, 조직에서 목표를 설정하고 이를 달성하기 위한 전략을 제공합니다.

2. 자기 결정 이론 (Self-Determination Theory): Edward Deci와 Richard Ryan이 개발한 자기 결정 이론은 동기 부여가 자율성, 유능함, 관계성의 세 가지 기본적인 욕구에 의해 영향을 받는다고 주장합니다. 이 이론은 직원이 자신의 일에 대해 더 큰 통제권을 느끼고, 역량을 발휘하며, 동료들과의 긍정적인 관계를 유지할 때 더 높은 동기 부여와 만족도를 경험한다고 설명합니다.

3. 정의 이론 (Equity Theory): John Stacey Adams의 정의 이론은 직원들이 자신의 공헌과 그에 대한 보상을 다른 사람들과 비교할 때 불공평을 느끼는 경우 동기 부여에 영향을 받는다고 설명합니다. 이 이론은 공평한 보상 시스템의 중요성을 강조하며, 불공정한 상황이 발생했을 때 직원들의 반응과 조정 방법을 탐구합니다.

4. 감정 노동 이론 (Emotional Labor Theory): Arlie Hochschild의 감정 노동 이론은 특히 서비스 산업에서 직원들이 고객과 상호 작용할 때 기대되는 감정을 관리하는 과정을 다룹니다. 이 이론은 감정의 표현과 경험이 직원의 복지와 성과에 어떻게 영향을 미치는지를 분석하며, 감정 관리가 중요한 역할을 하는 직종에서의 직원 지원 전략을 제공합니다.

이러한 이론들을 이해하고 적절하게 적용함으로써, 경영자와 HR 전문가는 보다 효과적인 인사 관리 전략을 수립하고, 직원들의 만족도와 성과를 극대화할 수 있는 방법을 찾을 수 있습니다.

5. 조직 변화와 Lewin의 변화 모델

변화를 선도하다:
Kurt Lewin의 변화 모델로 조직 변화 마스터하기

조직 변화는 현대 비즈니스 환경에서 불가피하며 필수적인 과정입니다. 기술의 급속한 발전, 시장 요구의 변화, 경쟁 환경의 역동성에 대응하기 위해서는 조직이 유연하게 변화를 수용하고 적응하는 것이 중요합니다. 그러나 변화를 성공적으로 관리하는 것은 매우 도전적인 일이며, 이 과정은 조직 전체의 효율성과 장기적인 성공에 직접적인 영향을 미칩니다. 직원들의 저항, 불안정성, 변화에 대한 불확실성은 변화 과정을 복잡하게 만들며, 이러한 문제들을 해결하지 않으면 조직의 성장과 발전이 저해될 수 있습니다.

이러한 상황에서 효과적인 변화 관리 모델의 필요성이 대두됩니다. 변화 관리 모델은 조직이 직면한 도전을 극복하고 변화를 원활하게 수행할 수 있도록 도와주며, 직원들이 새로운 환경과 조건에 적응하도록 지원합니다. 특히, 변화 과정에서 직원들의 참여와 지지를 얻는 것은 매우 중요한데, 이는 직원들이 변화 과정을 소유하고 그 일부로 자신을 느끼게 만들어 변화에 대한 저항을 최소화할 수 있기 때문입니다.

변화를 효과적으로 관리하기 위해서는 조직이 명확한 비전과 변화의 목적을 설정하고, 이를 모든 직원에게 효과적으로 커뮤니케이션하는 것이 필수적입니다. 이와 동시에, 변화에 대한 직원들의 의견을 듣고 이를 계획에 반영하여, 직원들이 변화 과정에 적극적으로 참여할 수 있는 기회를 제공해야 합니다. 변화의 과정과 결과가 직원들의 일상과 직접적으로 연결되어 있음을 이해시키고, 변화가 각 개인에게 어떤 긍정적인 영향을 미칠 수 있는지를 명확히 하는 것도 중요합니다.

이러한 전략적 접근은 조직이 변화를 성공적으로 관리하고, 변화를 통해 조직의 목표를 달성하는 데 도움을 줄 수 있습니다. 이는 단순한 변화의 실행을 넘어서 조직 문화의 개선, 직원 만족도의 향상, 그리고 최종적으로는 조직의 경쟁력 강화로 이어지며, 조직이 미래의 도전에 효과적으로 대응할 수 있는 기반을 마련합니다.

JKL 금융 기관의 디지털 변환 여정은 마치 한 편의 드라마와 같았습니다. 기존의 서류 중심의 작업 방식에서 벗어나, 디지털 플랫폼으로의 전환은 막대한 잠재적 이점을 제공할 것이라는 기대와 함께 시작되었습니다. 하지만 이 과정은 단순한 기술 업그레이드 이상의 것을 요구했습니다. 그것은 조직 문화와 직원들의 일상 업무 방식에 깊숙이 영향을 미치는 변화였습니다.

처음 몇 달 동안 직원들 사이의 반응은 매우 엇갈렸습니다. 기술에 익숙한 젊은 직원들은 새 시스템에 대한 흥미와 기대감을 보였지만, 오랜 기간 동안 전통적인 방식으로 근무해 온 많은 베테랑 직원들은 새로운 변화를 받아들이기 어려워했습니다. 특히 새로운 소프트웨어와 디지털 도구들이 도입되면서, 일부 직원들은 자신들의 기술 부족을 드러낼까 봐 두려워하며 변화에 저항했습니다.

이러한 변화의 파도는 일선 관리자와 팀 리더들에게도 큰 도전을 제시했습니다. 그들은 팀원들의 기술적 능력을 향상시키고, 새로운 시스템에 대한 교육을 실시하는 동시에, 일상적인 업무의 연속성을 유지해야 했습니다. 더욱이, 디지털 툴의 도입 초기에 발생한 여러 기술적 문제는 프로젝트의 진행을 더디게 했고, 이는 전반적인 업무 효율성에 영향을 미쳤습니다.

직원들 사이에서는 불안과 스트레스가 증가했고, 이는 곧 생산성 저하로 이어졌습니다. 새로운 시스템과 프로세스에 대한 불만이 점점 증가하면서, 회사 내에서는 의사소통이 단절되고 팀 간의 갈등이 생겨나기 시작했습니다. 변화에 대한 불확실성과 일자리의 안정성에 대한 우려는 직원들을 더욱 힘들게 만들었습니다.

이 모든 도전과 우려 속에서 JKL 금융 기관의 리더십 팀은 직원들의 불안을 줄이고, 디지털 변환의 장점을 효과적으로 전달하기 위한 노력을 강화해야 했습니다. 변화 관리의 과정이 순탄치 않음을 인식하고, 직원들과의 소통을 강화하며 변화의 필요성과 장기적인 이점을 명확히 하는 것이 그 어느 때보다 중요해졌습니다.

JKL 금융 기관의 디지털 변환 과정에서 나타난 문제점들은 다양했습니다. 가장 큰 문제 중 하나는 직원들의 저항이었습니다. 많은 직원들이 새로운 기술과 프로세스에 대한 교육과 준비가 충분하지 않다고 느꼈으며, 이로 인해 불안과 스트레스를 경험했습니다. 직원들 사이에서는 이 변화가 자신들의 직무 안정성에 위협이 될 것이라는 우려가 컸고, 이는 변화에 대한 저항으로 이어졌습니다.

또 다른 문제는 새로운 시스템과 도구의 도입 초기에 기술적 문제가 발생했다는 것입니다. 이러한 문제들은 프로젝트의 진행을 지연시켰고, 결국은 전체 업무 효율성에 영향을 미쳤습니다. 초기 기술적 장애와 시스템의 불안정성은 직원들의 일상 업무에 혼란을 야기시켰고, 일부 직원들은 새로운 도구를 사용하는 것에 대해 회의적이 되었습니다.

조직 내 의사소통의 단절도 심각한 문제였습니다. 변화 과정에서 충분한 정보와 지원이 제공되지 않았기 때문에, 많은 직원들이 자신들이 왜 변화해야 하는지, 이 변화가 어떻게 진행되고 있는지를 제대로 이해하지 못했습니다. 이는 직원들 사이의 불신을 증가시켰고, 팀 간에 갈등을 유발했습니다.

직원들의 불안과 스트레스는 생산성 저하로 이어졌고, 이는 조직 전체의 성과에 부정적인 영향을 미쳤습니다. 변화에 대한 부정적인 태도가 확산되면서, 직원들은 새로운 시스템과 프로세스를 적극적으로 수용하기보다는 이전의 방식을 고수하려는 경향을 보였습니다.

이러한 문제들을 해결하기 위해서는 직원들의 우려와 불안을 심도 있게 이해하고, 적절한 지원과 교육을 통해 직원들이 변화를 수용하도록 돕는 것이 필수적이었습니다. 또한, 직원들이 변화의 이점을 명확히 인식할 수 있도록 효과적인 의사소통 전략을 개발하는 것이 중요했습니다. 이 과정에서 JKL 금융 기관은 Kurt Lewin의 변화 모델을 적용하여 조직 내에서의 점진적이고 체계적인 변화 관리를 시도하게 되었습니다.

Kurt Lewin의 변화 모델은 조직 변화 관리의 핵심적인 이론 중 하나로 널리 인정받고 있습니다. Lewin은 독일에서 활동을 시작한 심리학자로서, 그의 연구는 사회적 및 심리적 과정에 깊이 파고들어 현대의 조직 및 행동 심리학에 중요한 기초를 마련했습니다. 그는 종종 "현대 사회심리학의 아버지"라고 칭송받으며, 그의 이론은 개인과 집단의 행동이 그들이 속한 환경에 의해 어떻게 영향을 받는지를 탐구하는 데 중점을 두었습니다.

Lewin의 변화 모델은 조직 변화를 세 가지 기본 단계, 즉 해동, 변화, 재동결로 설명합니다. 이 모델은 조직이나 개인이 변화를 수용하고 적응하는 과정을 체계적으로 안내합니다.

첫 번째 단계인 해동에서는 기존의 관행이나 사고방식을 해체하고 변화의 필요성을 인식하게 하는 것이 목표입니다. 이 단계에서 조직은 직원들과의 소통을 강화하고 변화가 필요한 이유와 이점을 명확히 전달하여 직원들의 변화에 대한 인식을 새롭게 하고, 현재 상태에 대한 의문을 제기하도록 합니다.

두 번째 단계인 변화 단계에서는 새로운 기술과 프로세스를 도입하고, 직원들이 이를 학습하고 적용할 수 있도록 지원합니다. 이는 교육 세션, 멘토링 프로그램을 통해 직원들이 새로운 시스템에 빠르게 적응할 수 있도록 돕고, 새로운 방식을 실제로 학습하고 실험하면서 변화에 대한 경험을 쌓는 과정입니다.

마지막 단계인 재동결에서는 새로운 방식을 조직의 표준 절차로 확립하고, 이를 일상적인 작업에 적용하여 안정화합니다. 이 단계는 새로운 변화가 조직 내에서 지속 가능하고 안정적인 상태를 유지하도록 하는 데 중점을 둡니다. JKL은 새로운 프로세스와 기술을 조직 문화의 일부로 만들어 직원들이 자연스럽게 받아들일 수 있도록 했습니다.

Lewin의 변화 모델은 그 단순성과 명확성으로 인해 많은 조직과 리더들에게 변화 관리의 중요한 틀을 제공하며, 조직 내에서 성공적인 변화 관리를 위한 체계적인 접근 방식을 제시합니다.

JKL 금융 기관에서 적용한 Lewin의 변화 모델은 조직 전반에 걸친 디지털 변환 과정에 깊이 있게 활용되었습니다. 이 과정에서 직원들이 새로운 시스템과 프로세스에 적응하는 데 어려움을 겪으면서, 기존의 업무 방식과 회사 문화에 대한 저항이 나타났습니다. 변화의 필요성을 인지하고 있었지만, 실제로 새로운 방식을 받아들이기까지는 많은 시간과 노력이 필요했습니다.

해동 단계에서 JKL은 우선 직원들이 현재 상황의 문제점을 인지하고, 변화가 왜 필요한지 이해할 수 있도록 소통을 강화했습니다. 회사는 다양한 커뮤니케이션 채널을 통해 변화의 필요성, 예상되는 이점, 그리고 장기적인 회사 목표와의 연결고리를 명확히 전달했습니다. 이는 직원들이 기존의 사고방식에서 벗어나 새로운 변화에 대한 준비를 할 수 있도록 도왔습니다.

변화 단계에서는 새로 도입된 기술과 프로세스에 대한 교육과 멘토링 프로그램이 실행되었습니다. JKL은 외부 전문가를 초빙하여 특별 교육 세션을 제공하고, 내부에서는 경험이 풍부한 직원들이 멘토로 활동하여 새로운 시스템에 대한 실질적인 사용법을 지도했습니다. 이 과정에서 직원들은 직접 새로운 도구를 사용해보고, 발생하는 문제에 대해 즉시 피드백을 받을 수 있었습니다. 실시간으로 문제를 해결하면서 직원들은 자신감을 얻고 변화를 수용하는 데 필요한 기술을 습득할 수 있었습니다.

재동결 단계에서는 새로운 프로세스와 기술이 조직의 일상적인 업무에 통합되었습니다. JKL은 변경된 업무 프로세스를 정규 교육 프로그램의 일부로 만들고, 주기적인 성과 평가를 통해 새로운 시스템의 효율성을 감시했습니다. 또한, 직원들이 새로운 방식을 완전히 내면화할 수 있도록 지원하기 위해, 지속적인 리소스와 지원을 제공했습니다.

이러한 변화 관리 과정을 통해 JKL 금융 기관은 초기의 도전과 저항을 극복하고, 조직의 디지털 전환을 성공적으로 수행할 수 있었습니다. Lewin의 모델을 적용함으로써, JKL은 변화의 각 단계에서 직원들의 참여와 지지를 이끌어내고, 이를 통해 조직 문화 내에서 변화가 자연스럽게 이루어질 수 있는 환경을 조성했습니다. 이는 최종적으로 조직의 효율성을 높이고, 시장에서의 경쟁력을 강화하는 결과로 이어졌습니다.

변화 관리와 관련하여 더 깊이 탐구할 만한 심리학적 이론으로는 존 코터의 8단계 변화 모델이 있습니다. 이 모델은 조직 변화를 효과적으로 이끌기 위해 구체적인 단계를 제시하며, 각 단계에서 필요한 행동과 전략을 명확하게 설명합니다. 코터의 모델은 우리가 지금까지 살펴본 Lewin의 세 단계 모델보다 더 세분화되어 있어, 조직 변화를 실질적으로 실행할 때 발생할 수 있는 다양한 문제들에 대해 더 구체적인 해결책을 제공합니다.

또 다른 중요한 이론으로는 ADKAR 모델이 있습니다. 이 모델은 개인의 변화 관리를 중심으로 하여 Awareness(인식), Desire(욕구), Knowledge(지식), Ability(능력), Reinforcement(강화)의 다섯 가지 요소를 기반으로 변화를 구성합니다. ADKAR 모델은 개별 직원의 변화 과정을 체계적으로 이해하고 지원함으로써 조직 전체의 변화를 성공적으로 이끌어낼 수 있도록 설계되었습니다.

이와 함께, 심리적 소유권 이론도 조직 변화에서 중요한 이론으로 꼽힙니다. 이 이론은 개인이 자신의 업무나 조직의 일부분에 대해 소유감을 느낄 때, 변화에 대한 저항을 줄이고 더욱 적극적으로 참여하게 된다는 개념을 다룹니다. 심리적 소유권을 통해 직원들이 변화 과정에 더욱 몰입하고, 그 결과를 개인적으로 중요하게 여기게 함으로써 변화를 내부적으로 받아들이는 데 큰 도움이 됩니다.

이러한 모델들은 각각의 조직 상황과 필요에 따라 다르게 적용될 수 있으며, 조직 변화를 계획하고 실행하는 데 있어 심도 있는 이해와 효과적인 전략을 제공할 것입니다. 각 모델의 특성을 이해하고 조직에 맞게 적용하는 것이 변화 관리의 성공을 좌우할 중요한 요소입니다.

6. 갈등 해결과 Thomas-Kilmann 모델

갈등 너머의 협력:
Thomas-Kilmann 모델로 갈등 해결 전략 혁신하기

조직 내 갈등은 어떤 형태로든 존재하며, 이는 때로 예상치 못한 문제를 일으키는 원인이 되기도 합니다. 하지만 적절히 관리되면, 이러한 갈등은 조직의 혁신적 성장을 촉진하는 중요한 요소로 전환될 수 있습니다. 갈등이 발생하는 주된 이유 중 하나는 다양한 배경과 전문성을 가진 개인들이 모여 서로 다른 관점과 목표를 가지고 일하기 때문입니다. 이런 다양성은 창의적인 아이디어와 솔루션을 촉진할 수 있는 반면, 관리가 부적절하면 조직의 목표 달성을 저해하고 내부 분열을 초래할 수 있습니다.

실제로, 회의실에서 격렬한 토론이 벌어지는 모습은 조직 내 갈등의 전형적인 예입니다. 한 팀이 기존의 마케팅 전략을 고수하고자 하고, 다른 팀은 디지털 기술을 활용한 혁신적 접근을 주장할 때, 이러한 상반된 의견은 갈등으로 이어질 수 있습니다. 이때 갈등을 효과적으로 관리하지 못하면, 단순한 의견 대립이 조직 전체의 분열로 확대될 위험이 있습니다. 갈등이 적절히 해결되지 않고 내버려진다면, 이는 조직의 동기 부여와 효율성 저하로 이어질 수 있으며, 결국 조직 전체의 생산성에 부정적인 영향을 미칠 수 있습니다.

또한, 갈등은 조직 내 의사결정 과정에서도 중요한 역할을 합니다. 갈등을 통해 다양한 의견이 표출되고, 이를 통해 더욱 균형 잡힌 결정이 이루어질 수 있습니다. 갈등 상황에서 효과적인 의사소통과 협상을 통해 도출된 해결책은 종종 조직에 긍정적인 변화를 가져올 수 있습니다. 이는 팀원들이 서로의 입장을 이해하고 존중하면서도, 공동의 목표를 향해 나아가는 과정에서 중요합니다.

이러한 갈등의 관리는 Thomas-Kilmann 갈등 해결 모델을 통해 체계적으로 접근할 수 있습니다. 이 모델은 갈등 상황에서 선택할 수 있는 다섯 가지 주요 스타일을 제공하며, 이는 조직 리더들이 각각의 상황에 가장 적합한 대응 전략을 선택하는 데 도움을 줍니다. 각 스타일은 특정 상황에서의 효과성에 따라 다르게 적용될 수 있으며, 이는 갈등의 복잡성과 다양성을 고려한 맞춤형 접근 방식을 가능하게 합니다.

예를 들어, 경쟁 스타일은 목표 달성이 시급하고 중요한 상황에서 유용할 수 있으나, 장기적인 팀워크와 관계 유지에는 부정적인 영향을 미칠 수 있습니다. 반면, 협력 스타일은 모든 관련자의 요구를 충족시키려는 노력을 통해 보다 지속적이고 안정적인 해결책을 도출하는 데 효과적입니다. 이러한 다양한 접근 방식은 갈등 상황을 해결하는 동시에 조직 내 협력과 상호 이해를 촉진하는 중요한 역할을 할 수 있습니다.

이처럼 갈등 관리는 조직의 성장과 혁신을 위한 필수적인 과정으로, 리더와 관리자는 갈등 상황을 정확히 파악하고 적절한 해결책을 제시하는 데 중요한 역할을 수행합니다. 갈등을 효과적으로 관리함으로써 조직은 다양한 의견과 전략을 조화롭게 통합하고, 조직의 목표를 효율적으로 달성할 수 있습니다.

PQR 컨설팅 회사의 내부 갈등 사례는 다른 많은 조직에서도 흔히 볼 수 있는 일입니다. IT 부서와 마케팅 부서 간의 충돌은 그들이 추구하는 목표의 근본적인 차이에서 비롯됩니다.

IT 부서는 회사의 기술적 안정성과 보안을 최우선으로 여기는 반면, 마케팅 부서는 시장 동향에 민감하게 반응하며 빠른 변화를 추진하고자 합니다. 이 두 부서의 상충하는 우선순위는 때때로 긴장과 갈등의 원인이 되곤 합니다.

예를 들어, 마케팅 부서가 새로운 캠페인을 위해 신속한 디지털 도구의 도입을 추진할 때, IT 부서는 이러한 변화가 기존 시스템의 보안에 어떤 영향을 미칠지 우려합니다. IT 부서는 충분한 테스트와 검증 절차를 거쳐야 한다고 주장하며, 이는 자연스럽게 마케팅 부서의 빠른 시장 출시 목표와 충돌합니다. 이러한 상황은 팀 간의 의사소통이 단절되기 쉽고, 각 팀은 자신들의 전문성이 충분히 인정받지 못한다고 느낄 수 있습니다.

갈등이 고조되었을 때, 이는 프로젝트 지연은 물론, 팀원들 사이의 불필요한 스트레스로 이어질 수 있습니다. 각 팀은 자신들의 전략이 회사에 가장 이익이 된다고 확신하며, 상대방의 접근 방식을 지나치게 단순화하거나 오해할 위험이 있습니다. 이 과정에서 발생하는 의사소통의 실패는 프로젝트의 효율성을 떨어뜨리고, 결국 회사의 전반적인 성과에 부정적인 영향을 미칠 수 있습니다.

이처럼 내부 갈등은 종종 조직 내에서 고질적인 문제로 자리 잡지만, 적절히 관리된다면 조직의 혁신과 개선을 이끌어낼 수 있는 중요한 기회가 될 수도 있습니다. 각 부서의 요구와 목표를 조화롭게 조정하고, 서로의 입장을 이해하려는 노력이 필요하며, 이 과정에서 효과적인 갈등 관리 전략이 중요한 역할을 하게 됩니다.

PQR 컨설팅 회사의 IT 부서와 마케팅 부서 간의 갈등은 여러 깊이 있는 문제점을 드러냅니다. 이 갈등의 핵심에는 부서 간의 목표와 우선순위의 차이가 있습니다. IT 부서는 회사의 기술적 안정성과 데이터 보안을 최우선으로 여기는 반면, 마케팅 부서는 시장의 변화에 신속하게 반응하고 경쟁 우위를 확보하기 위한 전략을 추구합니다. 이러한 기본적인 목표의 충돌은 일상 업무에서의 긴장과 마찰로 이어지며, 각 팀의 성과와 회사 전체의 성과에도 영향을 미칩니다.

IT 부서는 새로운 기술 도입에 있어 신중한 접근을 주장하며, 모든 새로운 시스템과 소프트웨어가 회사의 기존 인프라와 완벽하게 통합되고 안전하게 작동할 수 있도록 충분한 테스트와 검증을 요구합니다. 이는 기술적 문제를 미연에 방지하고 장기적인 시스템 안정성을 확보하기 위한 필수적인 절차입니다. 반면, 마케팅 부서는 시장 기회를 신속히 포착하고 활용하고자 하는 압박을 받으며, IT 부서의 신중한 접근 방식이 시장의 요구에 빠르게 대응하는 데 장애가 된다고 느낍니다. 이로 인해 마케팅 부서는 IT 부서를 혁신을 저해하는 장애물로 인식할 수 있으며, 이러한 인식은 부서 간의 신뢰와 협력 관계를 약화시킵니다.

또한, 갈등은 커뮤니케이션의 부재에서 기인하는 경우가 많습니다. 각 부서가 자신의 관점과 우선순위만을 강조하며 상대방의 입장을 충분히 이해하려 하지 않을 때, 의사소통은 단절되고 오해는 증폭됩니다. 이러한 의사소통 부재는 갈등의 근본 원인을 해결하기보다는 단편적인 문제 해결에 집중하게 만들며, 결국 지속적인 문제로 자리 잡게 합니다.

이런 상황에서 필요한 것은 각 부서가 서로의 필요와 제약을 인식하고, 공동의 목표를 향해 협력할 수 있는 방법을 찾는 것입니다. 이는 단순히 갈등의 표면적인 증상을 다루는 것을 넘어서, 조직의 근본적인 문화와 접근 방식을 재고하는 복합적인 과정을 요구합니다. 이 과정에서 리더십의 역할이 중요하며, 조직 전체의 갈등 관리 전략과 의사소통 방식에 대한 전반적인 개선이 필요합니다.

갈등 해결의 심리학적 접근에서 특히 주목받는 이론은 Kenneth Thomas와 Ralph Kilmann이 공동으로 개발한 Thomas-Kilmann 갈등 해결 모델입니다. 이 모델은 갈등 상황에서 나타날 수 있는 다양한 행동 양식을 체계적으로 분석하고, 각각의 상황에 가장 적합한 해결 방식을 제안하는 것을 목표로 합니다. 이 이론은 갈등이 불가피하게 발생하는 조직 환경에서 특히 유용하며, 갈등을 구성적으로 관리할 수 있는 방법을 제시하여 조직 내 협력과 효율성을 증진시키는 데 크게 기여합니다.

Kenneth Thomas는 갈등 해결 분야에서 권위 있는 심리학자로, 그의 연구는 개인과 조직이 갈등 상황을 어떻게 인식하고 대응하는지에 대한 깊은 통찰을 제공합니다. Ralph Kilmann 역시 조직 변화와 갈등 관리의 전문가로, Thomas와 함께 갈등 해결 전략을 개발하는 데 중요한 역할을 했습니다. 이들은 갈등이 단순히 해결해야 할 문제가 아니라, 조직의 성장과 발전을 위한 기회로 활용될 수 있음을 강조합니다.

Thomas-Kilmann 모델은 다섯 가지 주요 갈등 해결 스타일을 구분합니다. 첫 번째인 '경쟁' 스타일은 자신의 이익을 적극적으로 추구하며, 갈등 상황에서 자신의 목표를 다른 사람의 목표보다 우선시합니다. 이 스타일은 강력한 주장이 필요할 때 유용할 수 있지만, 과도하게 사용될 경우 다른 사람들과의 관계를 해칠 수 있습니다. '회피' 스타일은 갈등을 회피하거나 무시하려는 경향이 있으며, 때로는 갈등이 자연스럽게 해결되기를 기대할 수 있습니다. 이 방식은 단기적으로는 편안할 수 있지만, 장기적으로는 문제가 더 커질 수 있습니다.

'절충' 스타일은 양측이 일부 양보하여 합의점을 찾는 것을 목표로 합니다. 이 접근은 갈등을 신속하게 해결할 수 있지만, 때로는 양측 모두가 완전히 만족하지 못할 수 있습니다. '협력' 스타일은 갈등 상황에서 모든 관련자의 요구를 충족시키는 최적의 해결책을 찾는 것을 목표로 합니다. 이 방식은 시간과 노력이 많이 소요되지만, 가장 지속 가능하고 만족스러운 결과를 도출할 수 있습니다. 마지막으로, '순응' 스타일은 일방적으로 다른 사람의 요구에 동의하여 갈등을 빠르게 해결하려고 합니다.

이러한 갈등 해결 스타일의 이해와 적용은 조직 내에서 갈등을 효과적으로 관리하고, 각 상황에 가장 적합한 대응 방법을 선택하는 데 필수적입니다. Thomas와 Kilmann의 이론은 조직 리더와 관리자들이 갈등을 긍정적인 방향으로 전환하고, 조직의 혁신적인 발전을 도모하는 데 중요한 도구로 활용될 수 있습니다.

PQR 컨설팅 회사에서 경험한 IT 부서와 마케팅 부서 간의 갈등은 조직의 일상적인 운영에 상당한 장애를 초래했습니다. 이 두 부서는 회사의 전략적 방향과 시장에서의 경쟁력 유지에 필수적인 역할을 하고 있음에도 불구하고, 서로의 업무 방식과 목표에 대해 근본적인 이해와 조화를 이루지 못했습니다. IT 부서는 기술적 안정성과 데이터 보안을 최우선으로 여겼으며, 이는 시스템 변경이나 새로운 기술의 도입에 있어 신중한 접근을 요구했습니다. 반면, 마케팅 부서는 시장의 빠른 변화에 신속하게 대응하기 위해 지속적인 혁신과 민첩한 마케팅 전략을 추구했습니다.

이러한 목표의 차이는 자연스럽게 부서 간의 커뮤니케이션 장애와 불필요한 경쟁을 유발했습니다. IT 부서는 마케팅 부서의 요구가 기술적으로 불안정하거나 보안에 위협이 될 수 있다고 보았고, 마케팅 부서는 IT의 접근 방식이 시장 기회를 놓치게 만든다고 비판했습니다. 이러한 갈등은 프로젝트의 지연, 팀 간의 불신, 그리고 최악의 경우 유능한 직원들의 이직으로 이어지는 부정적인 결과를 낳았습니다.

회사 경영진은 이 문제를 해결하기 위해 Thomas-Kilmann 갈등 해결 모델을 채택하여 갈등의 근본적인 원인을 해결하고자 했습니다. 이 모델은 갈등 상황에서 효과적으로 사용할 수 있는 다섯 가지 주요 스타일을 제시합니다: 경쟁, 회피, 절충, 협력, 순응. 각 스타일은 특정 상황에 따라 더욱 적합할 수 있으며, 각 팀의 상황과 필요에 맞추어 선택적으로 적용할 수 있습니다.

경영진은 특히 협력적 접근 방식을 중심으로 갈등 해결 전략을 수립했습니다. 이 접근 방식은 갈등을 민감하게 다루며, 모든 관련자가 자신의 요구와 목표를 충분히 반영할 수 있도록 합니다. 회사는 워크숍과 팀 빌딩 세션을 조직하여 각 부서가 서로의 입장을 이해하고, 상호 존중의 기반 위에서 협력할 수 있도록 했습니다. 이러한 활동을 통해 부서 간의 긴장을 완화하고, 각 팀의 목표와 우려를 조율하는 과정에서 상호 이해와 신뢰를 구축했습니다.

또한, 경영진은 중립적인 입장에서 갈등을 관리하고 조정할 수 있는 내부 조정자를 지정했습니다. 이 조정자는 각 팀 간의 대화를 중재하고, 공정하고 객관적인 시각에서 갈등 해결책을 제안했습니다. 이 과정은 각 팀이 자신들의 요구를 효과적으로 전달하고, 갈등의 근본 원인을 해결하는 데 중요한 역할을 했습니다.

이러한 조치들을 통해 PQR 컨설팅 회사는 부서 간의 갈등을 성공적으로 관리하고 해결할 수 있었으며, 조직 전체의 협력적 분위기와 창의적 에너지를 증진시켰습니다. 회사는 이 경험을 통해 갈등을 조직의 혁신 도구로 전환하는 방법을 배웠으며, 앞으로 발생할 수 있는 유사한 상황에 대비하여 강력한 갈등 관리 및 해결 프레임워크를 구축했습니다.

갈등 해결에 대한 더 깊은 이해를 위해 추가적으로 탐구할 수 있는 몇 가지 심리학 이론과 관련 분야를 제안합니다:

1. 정서지능(EQ): Daniel Goleman의 정서지능 이론은 갈등 해결에 매우 유용할 수 있습니다. 이 이론은 개인이 자신의 감정을 인식하고 관리하며, 타인의 감정을 이해하고 이에 반응하는 능력을 중시합니다. 정서지능이 높은 사람은 갈등 상황에서 타인의 입장을 더 잘 이해하고, 감정적 충돌을 완화하는데 효과적인 방법을 찾을 수 있습니다.

2. 교섭 및 중재 기술: 갈등 해결에 있어서 교섭과 중재는 핵심적인 기술입니다. William Ury와 Roger Fisher의 저서 "Getting to Yes"는 이해관계가 상충하는 상황에서 양측 모두가 수용할 수 있는 해결책을 찾기 위한 교섭 기술을 제공합니다. 이 기술은 갈등 상황을 구조화하고, 공정한 협상을 통해 합의점을 도출하는 데 중점을 둡니다.

3. 조직 행동: 조직 내 갈등을 이해하기 위해서는 조직 행동 분야의 지식이 중요합니다. 이 분야는 조직 내 다양한 구성원들의 행동 패턴과 그 영향을 연구하며, 조직 문화, 리더십 스타일, 커뮤니케이션 방식 등이 갈등에 어떻게 영향을 미치는지 설명합니다.

4. 시스템 사고: Peter Senge의 "The Fifth Discipline"에서 소개된 시스템 사고는 조직 내 갈등을 다루는 또 다른 접근 방식을 제공합니다. 시스템 사고는 조직을 복잡한 시스템으로 보고, 각 요소가 어떻게 서로 상호작용하는지를 이해하는 데 중점을 둡니다. 이 관점은 갈등의 근본 원인을 파악하고, 조직 전체의 조화를 이루는 해결책을 찾는 데 도움을 줍니다.

이러한 이론과 접근법을 통해 갈등을 더 깊이 있게 이해하고, 효과적으로 관리하는 방법을 배울 수 있습니다. 각 이론은 갈등 상황에서 더욱 세심하고 효과적인 접근을 가능하게 하며, 조직의 장기적인 성공에 기여할 수 있습니다.

7. 조직문화와 Edgar Schein의 문화 이론

문화의 코드 해독:
Edgar Schein의 문화 이론으로 조직문화 혁신하기

조직문화는 조직의 심장과도 같아, 모든 구성원의 행동과 사고에 영향을 미치며, 회사의 전반적인 성공에 직접적인 영향을 줍니다. 좋은 조직문화는 직원들을 동기부여하고, 팀워크를 강화하며, 생산성을 높이는 데 결정적인 역할을 합니다. 반대로, 문제가 있는 조직문화는 내부 갈등, 직원 이직률 증가, 성과 저하와 같은 부정적 결과를 초래할 수 있습니다. 이러한 중요성 때문에 조직문화의 개선과 변화는 매우 중요한 과제가 되었습니다.

RST 기술 회사의 사례를 통해 조직문화의 중요성과 변화의 필요성을 볼 수 있습니다. 이 회사는 스타트업에서 중견 기업으로 성장하는 과정에서, 빠른 확장과 다양한 문화적 배경을 가진 새로운 직원들의 합류로 인해 큰 문화적 도전에 직면했습니다. 새로운 경영진이 도입한 성과 지향적 관리 스타일은 기존의 친근하고 자율적인 근무 환경과 충돌했으며, 이로 인해 조직 내에서 심각한 문화적 충돌이 발생했습니다. 이 충돌은 직원 간의 긴장을 증가시키고, 소통 문제, 프로젝트 지연, 높은 이직률을 포함한 여러 부정적 결과로 이어졌습니다.

이러한 문제를 효과적으로 해결하기 위해 RST 기술 회사는 Edgar Schein의 조직문화 이론을 적용하여 근본적인 변화를 시도했습니다. Schein의 이론은 조직문화를 세 가지 수준에서 설명합니다: 아티팩트(가시적 문화 현상), 공유된 가치(조직의 목표와 기준), 그리고 기본 가정(조직의 근본적인 믿음과 가치). 이 이론을 통해, 조직은 문화적 충돌과 저항을 관리하고, 조직문화를 더 긍정적이고 생산적인 방향으로 유도할 수 있는 전략을 개발할 수 있습니다.

RST는 조직 전체의 참여를 통해 문화 워크숍을 정기적으로 개최하고, 문화적 적응 프로그램을 도입하여 새로운 직원들이 기존 문화에 효과적으로 통합될 수 있도록 지원했습니다. 또한, 개방적인 커뮤니케이션 채널을 구축하여 모든 직원이 자유롭게 의견을 교환할 수 있게 함으로써, 문화적 충돌을 관리하고 조직 내에서의 이해와 협력을 증진시켰습니다. 이러한 조치들은 조직문화를 재정립하고, 변화의 효과를 지속적으로 평가하며 필요에 따라 조정하는 데 중요한 역할을 했습니다.

이 과정을 통해 RST 기술 회사는 조직문화의 변화를 성공적으로 관리하고, 내부 갈등을 줄이며, 조직의 전반적인 조화와 효율성을 크게 향상시킬 수 있었습니다. 조직문화의 긍정적인 변화는 직원들의 만족도와 생산성을 높이는 데 결정적인 역할을 하며, 이는 조직의 장기적인 성공으로 이어집니다.

RST 기술 회사의 변화는 마치 빠르게 흘러가는 강물처럼 급격하고 불가피했습니다. 이 회사는 작고 친근했던 스타트업에서 급속도로 성장하여 중견 기업의 규모로 발돋움했으며, 이 과정에서 많은 내외부적 변화를 경험했습니다. 국제 시장으로의 확장과 함께 다양한 문화적 배경을 지닌 새로운 직원들이 대거 합류하면서, 기존에 조성되어 있던 팀 문화는 점점 더 복잡하고 다양해졌습니다. 또한 새롭게 도입된 경영진은 기존의 자율적이고 협력적인 근무 환경과는 다른, 성과 지향적인 관리 스타일을 선호했습니다. 이는 분명 기존 직원들에게 상당한 문화적 충격과 적응의 어려움을 가져왔습니다.

이러한 변화는 특히 기술 부서와 마케팅 부서 사이에서 두드러졌습니다. 기술 부서는 안정성과 보안을 최우선으로 생각하며 기존의 시스템을 유지하려 했으나, 마케팅 부서는 시장 변화에 신속하게 대응할 수 있는 새로운 도구와 전략을 도입하려 했습니다. 이 두 부서 사이의 목표와 우선순위의 충돌은 점차 심화되어 갔고, 서로의 입장만을 강하게 주장하며 문제를 해결하려는 노력보다는 대립이 더욱 격화되었습니다. 이로 인해 프로젝트의 지연은 물론, 팀 간의 소통 장애가 발생하고, 결국에는 직원들 사이의 긴장과 불안감이 고조되었습니다.

이러한 문화적 충돌과 직원들의 불안은 조직 내에 불필요한 스트레스와 갈등을 증가시켜, 일부 우수 직원들이 회사를 떠나기에 이르렀습니다. 이직률의 증가는 더 많은 불안과 불만을 초래했고, 회사의 전반적인 성과에도 부정적인 영향을 끼쳤습니다. 새로운 경영진과 기존 직원 간의 간극은 점점 넓어져 갔으며, 회사는 큰 문화적 재조정의 필요성을 절실히 느끼게 되었습니다.

이를 해결하기 위해 RST는 Edgar Schein의 조직문화 이론을 적극적으로 활용하기로 결정했습니다. 이 이론을 바탕으로 회사는 문화적 차이를 극복하고 조직의 통합을 이루기 위한 전략을 세웠습니다. 조직문화 워크숍을 정기적으로 개최하여 모든 직원이 함께 참여하도록 했으며, 이를 통해 각 직원이 자신과 타인의 문화적 배경을 이해하고 존중하며, 기존과 새로운 문화적 요소가 어떻게 조화롭게 결합될 수 있는지를 모색했습니다.

또한, 회사는 새로운 직원들이 조직에 빠르게 적응할 수 있도록 문화적 적응 프로그램을 도입했습니다. 이 프로그램은 멘토링, 팀 빌딩 활동, 정기적인 피드백 세션을 포함하여 직원들이 조직 문화를 이해하고 팀의 일원으로서 기여할 수 있도록 도왔습니다. 개방적인 커뮤니케이션 채널의 구축은 모든 직원이 자유롭게 의견을 나누고, 문화적 충돌을 건설적으로 해결할 수 있는 기반을 마련했습니다.

이러한 다각도의 접근 방식은 RST 기술 회사가 문화적 변화를 성공적으로 관리하고, 조직의 안정성과 효율성을 크게 개선하는 데 기여했습니다. 회사는 이 과정에서 직원들이 서로의 차이를 이해하고 수용하며, 공동의 목표를 향해 협력하는 데 필요한 문화적 기반을 확립할 수 있었습니다. 이는 결국 조직 전체의 생산성과 만족도를 높이는 결과를 가져왔으며, 직원들 간의 긴장과 불안을 감소시켰습니다.

RST 기술 회사의 문화적 변화와 관련된 문제는 다양한 요소에서 비롯되었습니다. 빠르게 성장하면서 회사의 구성이 다양해졌고, 이로 인해 발생한 문화적 충돌은 조직 내에서 많은 문제를 야기했습니다. 기존의 친근하고 협력적인 분위기는 점점 성과 지향적이고 경쟁적인 문화로 밀려나기 시작했습니다. 이러한 변화는 특히 새로운 경영진과 기존 직원 간의 갈등으로 뚜렷하게 나타났습니다.

첫째, 문화적 충돌이 가장 큰 문제로, 새로운 경영진이 도입한 성과 지향적 관리 스타일이 기존의 자율적이고 팀 기반의 문화와 충돌했습니다. 새로운 관리 방식은 목표 달성과 KPIs(핵심 성과 지표)에 중점을 두었으며, 이는 기존 직원들이 익숙해진 느슨하고 유연한 작업 방식과 상충되었습니다. 이로 인해 많은 기존 직원들이 자신들의 역할과 기여가 과소평가되고 있다고 느꼈으며, 이는 직원들의 만족도와 헌신도를 크게 저하시켰습니다.

둘째, 새로운 직원들과 기존 직원들 사이의 통합 실패 역시 중요한 문제였습니다. 다양한 배경을 가진 신규 직원들이 대거 합류하면서 조직 내에 존재하는 문화적 다양성이 증가했습니다. 하지만 이러한 다양성이 제대로 관리되지 않아서, 서로 다른 작업 스타일과 의사소통 방식이 충돌하고 이해관계가 엇갈리는 경우가 빈번했습니다. 이는 팀 간 소통의 장애와 프로젝트 지연을 초래하며, 궁극적으로는 조직의 전반적인 효율성을 저하시켰습니다.

셋째, 조직 내에서의 소통 부족은 문제를 더욱 악화시켰습니다. 직원들 사이의 의사소통이 원활하지 않아, 오해와 갈등이 증가했고, 이는 직원들의 불안감과 불만을 증가시켰습니다. 직원들은 자신의 목소리가 경영진에게 제대로 전달되지 않는다고 느꼈으며, 이로 인해 불필요한 갈등과 불신이 조직 내에 팽배해졌습니다.

넷째, 변화 관리에 대한 저항도 큰 문제였습니다. 변화가 필요함을 인지하고 있음에도 불구하고, 많은 직원들은 새로운 시스템이나 절차에 대해 충분히 이해하거나 수용하지 못했습니다. 이는 변화에 대한 두려움, 변화의 이점에 대한 정보 부족, 혹은 새로운 방식이 개인의 업무에 어떠한 긍정적 변화를 가져올지에 대한 불확실성 때문이었습니다.

이러한 문제들은 RST 기술 회사의 성과뿐만 아니라, 직원들의 일상적인 업무 만족도와 조직에 대한 전반적인 충성심에도 영향을 미쳤습니다. 회사는 이러한 문제들을 해결하기 위해 효과적인 문화적 변화 전략을 모색할 필요가 있었습니다.

Edgar Schein의 조직문화 이론은 조직 내 복잡한 사회적 구조를 깊이 있게 분석하고 이해하는 데 중요한 기반을 제공합니다. 그는 조직문화가 단순히 겉으로 드러나는 행동이나 심볼을 넘어서 조직의 기본적인 기능과 성과에 결정적인 영향을 미친다고 주장합니다. MIT의 교수이자 조직 발전 분야의 선구자인 Schein은 조직 내에서 발생하는 다양한 행동과 결정들이 어떻게 근본적인 믿음과 가치에 의해 조율되는지 설명함으로써, 조직의 행동 패턴과 문화적 구조를 명확히 드러냅니다.

Schein은 조직문화를 세 가지 다른 수준으로 구분하여 설명하고 이를 통해 조직의 본질적인 특성과 내부 동력을 파악할 수 있도록 도와줍니다. 첫 번째 수준인 '아티팩트'는 조직문화의 가장 표면적인 층으로, 사무실의 물리적 배치, 직원들의 복장, 공식 문서, 예술 작품 등과 같은 시각적, 청각적 심볼을 포함합니다. 이러한 아티팩트들은 조직의 문화를 외부에 나타내는 신호이며, 조직의 일반적인 특성과 정체성을 반영하지만, 그 자체만으로는 조직문화의 깊은 이해를 제공하지는 못합니다.

두 번째 수준인 '공유된 가치'는 조직 구성원들이 공통으로 인정하고 따르는 가치, 규범, 목표를 포함합니다. 이러한 공유된 가치는 조직의 정책 결정, 목표 설정, 그리고 일상적 의사결정 과정에서 핵심적인 역할을 수행합니다. 공유된 가치는 조직의 공식 선언뿐만 아니라, 비공식적인 규범과 믿음을 통해서도 드러나며, 조직 구성원들의 행동과 태도에 영향을 미치는 중요한 요소입니다.

마지막 수준인 '기본 가정'은 조직 구성원들이 의식적으로 인식하지 못하는 더욱 깊은 수준의 문화적 요소를 다룹니다. 이는 조직의 근본적인 믿음, 가치, 태도를 포함하며, 구성원들의 인식과 행동에 깊이 뿌리박힌 영향을 미칩니다. 기본 가정은 조직 내에서 자동적으로 수용되고, 그것이 진실로 간주되어 비판적으로 재검토되지 않는 경향이 있습니다. 이 수준은 조직의 근본적인 신념과 가치가 어떻게 직원들의 일상적인 결정과 행동을 조절하는지를 이해하는 데 중요합니다.

이 세 가지 수준을 통합적으로 분석하고 이해하는 것은 조직이 내부의 문화적 동력과 갈등을 효과적으로 관리하고 긍정적인 방향으로 변화시키는 데 매우 중요합니다. Schein의 이론은 조직 리더들이 조직문화의 복잡성을 체계적으로 파악하고 개선할 수 있는 방법론을 제공하며, 이를 통해 조직의 전반적인 건강과 성능을 향상시킬 수 있는 기반을 마련합니다. 조직 문화의 각 수준을 깊이 있게 이해하고 적절히 관리하는 것은 조직의 지속 가능한 성공과 진화에 결정적인 역할을 합니다.

RST 기술 회사의 조직문화 변화 프로젝트는 Edgar Schein의 문화 이론을 근거로 진행되었으며, 조직의 심층적인 문화적 요소를 탐구하고 조정하는 방법을 채택했습니다. 이 과정은 세 가지 주요 단계에서 조직문화를 재정립하는 복잡한 접근을 필요로 했습니다.

첫 번째 단계에서 RST는 회사의 '아티팩트', 즉 조직의 물리적 환경과 사회적 상호작용을 새롭게 조명했습니다. 이는 사무실 내 공간의 재배치를 포함해 더 개방적이고 협력적인 분위기를 조성했고, 직원들이 쉽게 상호작용하고 아이디어를 공유할 수 있는 새로운 회의 공간을 마련했습니다. 또한, 공식적인 커뮤니케이션 스타일과 내부 문서들의 언어 사용법을 재편하여 더 포괄적이고 포용적인 문화를 반영하도록 했습니다. 이러한 변화는 직원들이 일상적으로 마주치는 환경에서 시작되어, 변화가 조직 전반에 걸쳐 자연스럽게 느껴지도록 설계되었습니다.

두 번째 단계에서는 '공유된 가치'의 중요성을 인식하고, 회사의 목표와 비전을 모든 직원이 공유하도록 노력했습니다. 이를 위해 경영진은 전사적인 워크숍과 세미나를 주최하여 직원들이 회사의 장기적인 목표와 연결되는 방식을 이해하도록 했습니다. 이 과정에서 직원들은 자신의 역할이 조직 내에서 어떻게 중요한 영향을 미치는지를 명확히 보고, 자신의 일에 대한 새로운 동기부여와 애착을 느끼기 시작했습니다. 이러한 세션은 또한 직원들이 조직의 핵심 가치와 정체성을 내면화하는데 도움을 주었습니다.

마지막으로, '기본 가정'을 재평가하는 과정에서 회사는 직원들의 깊이 있는 믿음과 가치를 식별하고 이해하기 위한 노력을 배가했습니다. 이를 위해 심리학자와 조직 발전 전문가의 도움을 받아 광범위한 면담, 토론 세션, 익명 설문조사를 실시했습니다. 이 과정은 직원들이 자신의 무의식적인 신념과 태도를 탐색하게 하고, 이러한 신념이 어떻게 그들의 일상적 행동과 상호작용에 영향을 미치는지를 이해할 수 있도록 도왔습니다. 그 결과, 경영진은 직원들의 기본 가정과 더욱 부합하는 새로운 관리 전략과 정책을 도입하여, 직원들이 더 큰 만족감과 몰입을 경험할 수 있는 근무 환경을 조성했습니다.

이처럼 포괄적이고 단계별 접근 방식을 통해 RST 기술 회사는 조직문화의 성공적인 변화를 이끌어내었습니다. 변화 과정을 통해 직원들은 자신들의 역할과 조직 내에서의 기여가 중요하다는 것을 인지하게 되었고, 이는 전체 조직의 성과와 만족도 향상으로 이어졌습니다. 이러한 경험은 조직문화가 조직의 성공에 얼마나 중대한 영향을 미칠 수 있는지를 잘 보여주며, 다른 조직들에게도 중요한 교훈을 제공합니다.

조직문화 변화와 관련하여 더욱 깊이 탐구할 수 있는 몇 가지 이론과 접근법을 추천드립니다. 이들은 조직의 문화적 변화를 이해하고 적용하는 데 도움이 될 수 있습니다.

1. 게오르트 호프스테드의 문화 차원 이론: 국가별 문화 차이를 설명하는 데 널리 사용되는 이 이론은 조직 내 다양성과 문화적 차이를 이해하는 데도 유용합니다. 호프스테드는 권력 거리, 불확실성 회피, 개인주의 대 집단주의, 남성성 대 여성성, 장기 지향성 등 여러 차원을 통해 문화를 분석합니다. 이 이론은 글로벌 회사나 다문화 조직에서 특히 유용하게 적용될 수 있습니다.

2. 클리프 오비오의 조직 정체성 이론: 이 이론은 조직 구성원들이 자신들의 조직을 어떻게 인식하고 정의하는지에 초점을 맞춥니다. 조직 정체성은 구성원들이 조직의 목적과 가치에 어떻게 연결되어 있는지 이해하는 데 도움을 줄 수 있습니다. 이 이론은 조직문화를 강화하고, 변화 관리 프로세스 중에 조직 구성원들의 자부심과 소속감을 높이는 데 효과적입니다.

3. 로저스의 혁신 수용 이론: 이 이론은 새로운 아이디어나 기술이 어떻게 시간에 걸쳐 조직 내에서 퍼지고 받아들여지는지를 설명합니다. 혁신 수용 곡선을 통해 혁신자, 조기 수용자, 초기 다수, 후기 다수, 그리고 지체자 등 다양한 그룹을 식별할 수 있습니다. 이 이론은 조직 내에서 혁신적인 변화를 추진할 때 구성원들의 반응을 예측하고 적절한 전략을 수립하는 데 유용합니다.

4. 존 코터의 변화 관리 8단계 모델: 이 모델은 조직 변화를 성공적으로 관리하기 위해 따라야 할 구체적인 단계를 제시합니다. 감각 주기를 만들기, 변화를 이끌어갈 강력한 연합 구축, 비전과 전략 수립 등이 포함됩니다. 코터의 접근법은 조직문화 변화 이니셔티브를 계획하고 실행하는 데 매우 실질적인 가이드를 제공합니다.

이러한 이론과 모델들은 조직문화를 개선하고 조직 변화를 효과적으로 관리하려는 노력에 심층적인 통찰력과 실질적인 도움을 제공할 수 있습니다. 각 이론이 제공하는 독특한 관점과 도구들은 조직의 특정 상황과 필요에 맞게 조정하고 적용할 수 있습니다.

8. 직장 내 스트레스 관리: Lazarus의 스트레스 이론

압박 속에서도 꿋꿋하게:
Lazarus의 스트레스 이론으로 직장 내 스트레스 관리 마스터하기

직장 내 스트레스는 종종 조직에 숨겨진 그림자처럼 존재하며, 이는 현대 조직이 직면하는 가장 큰 도전 중 하나로 꼽힙니다. 이러한 스트레스는 단순히 개인의 건강 문제를 넘어 조직의 생산성과 직원 복지에 깊은 영향을 미칩니다. 스트레스가 적절히 관리되지 않을 경우, 직원들의 업무 만족도 저하, 이직률 증가, 조직 문화의 악화와 같은 심각한 결과를 초래할 수 있습니다. 따라서, 조직은 직원들이 경험하는 스트레스를 효과적으로 관리하고 해결할 수 있는 전략을 개발하는 것이 필수적입니다.

Richard Lazarus의 스트레스 이론은 이러한 문제에 접근하는 데 있어 귀중한 통찰을 제공합니다. 이 이론에 따르면, 스트레스는 개인이 특정 상황을 어떻게 인식하고 평가하는지에 따라 달라집니다. 스트레스 반응은 단순한 자극-반응의 결과가 아니라, 개인이 그 상황을 얼마나 위협적이라고 느끼는지, 그리고 그 상황을 처리할 수 있는 자신의 능력을 어떻게 평가하는지에 기반합니다. 이러한 관점은 스트레스 관리가 단순히 외부 조건을 조정하는 것을 넘어서 개인의 인식과 평가 방식을 변화시키는 것을 포함해야 함을 시사합니다.

조직은 스트레스를 경험하는 상황을 보다 명확히 이해하고, 직원들이 그러한 상황에 대처할 수 있도록 돕기 위해 여러 전략을 마련할 수 있습니다. 예를 들어, 정기적인 스트레스 관리 교육을 제공하여 직원들이 스트레스의 원인을 식별하고 긍정적인 대처 방법을 배울 수 있도록 할 수 있습니다. 이러한 교육은 직원들이 스트레스를 느끼는 상황을 더욱 명확히 이해하고, 그러한 상황에서 자신의 감정과 반응을 조절할 수 있는 기술을 습득하게 돕습니다.

또한, 업무의 유연성을 제공하여 직원들이 업무와 개인 생활 사이의 균형을 더 잘 맞출 수 있도록 할 수 있습니다. 이러한 유연성은 직원들이 스트레스를 더 효과적으로 관리하고, 업무 만족도를 높이는 데 중요한 기여를 할 수 있습니다. HR 팀은 직원 개개인의 필요와 상황을 평가하여 맞춤형 지원을 제공하며, 멘토링 프로그램, 전문 상담 지원, 건강 프로그램 등 다양한 자원을 제공하여 스트레스를 더 잘 관리할 수 있도록 합니다.

이러한 조치들은 조직이 직장 내 스트레스를 효과적으로 관리하고, 전반적인 직원의 건강과 조직의 생산성을 개선하는 데 중요한 역할을 합니다. 이 과정을 통해 조직은 스트레스가 많은 상황에서도 직원들이 효과적으로 협력하고, 개별적으로 그리고 팀으로서 성장할 수 있는 환경을 조성할 수 있습니다.

UVW 통신 회사는 빠르게 변화하는 통신 시장에서 자신의 위치를 공고히 하려고 하면서 직원들 사이에서 급격히 증가하는 스트레스 수준에 직면했습니다. 특히, 마케팅 부서와 고객 서비스 팀은 새로운 제품 출시 일정과 지속적으로 증가하는 고객의 기대를 충족하기 위한 압박감에 시달리고 있었습니다. 이러한 업무 압박은 팀원들 사이의 긴장을 고조시키고, 업무 효율성을 크게 저하시켰으며, 직원들이 겪는 심리적 및 정서적 스트레스를 가중시켰습니다.

상황이 악화되면서, 일부 팀원들은 과중한 업무에 대한 대응으로 업무를 소홀히 하기 시작했고, 이는 프로젝트 지연을 초래했습니다. 동시에, 스트레스가 지속되면서 직원들 사이의 의사소통도 원활하지 못했고, 이는 팀의 협력과 분위기에 부정적인 영향을 미쳤습니다. 직원들은 끊임없는 업무 압박과 변화하는 요구에 적응하기 어렵다고 느껴 회사에 대한 불만을 표출하기 시작했으며, 이는 고객 서비스의 질 저하와 같은 문제로 이어졌습니다. 결과적으로, 이 모든 문제들이 회사의 전반적인 성과에 영향을 주었고, 직원 이직률의 증가라는 형태로 나타나기 시작했습니다.

회사에서 마케팅 부서와 고객 서비스 팀이 겪은 스트레스는 급격한 시장 확장과 경쟁의 심화라는 업계의 광범위한 압박에서 기인했습니다. 이러한 시장 환경은 끊임없이 변화하며, 회사는 지속적으로 새로운 기술과 서비스를 개발하고 출시해야 하는 압박을 받습니다. 이러한 압박은 직원들에게 과도한 업무 부하와 시간적 제약을 가하며, 자연스럽게 고성능을 기대하는 상황에서 자원이 충분히 제공되지 않을 때 발생하는 스트레스로 이어집니다.

특히 마케팅 부서는 신제품 출시와 관련된 데드라인을 맞추기 위해 지속적으로 긴급한 작업에 매달리는 상황에 놓이곤 했습니다. 이로 인해 직원들은 일과 생활의 균형을 잃고, 끊임없는 업무의 압박감 속에서 심리적 피로를 느끼게 되었습니다. 고객 서비스 팀의 경우, 고객의 지속적이고 때로는 불합리한 요구에 응대해야 하는 상황은 팀원들을 더욱 고립되게 만들고, 스트레스를 가중시켰습니다. 고객의 문제와 요구는 예측하기 어렵고 다루기 까다로운 경우가 많으며, 이는 직원들에게 즉각적이고 효과적인 해결책을 요구합니다.

이와 함께, 팀 내에서의 커뮤니케이션 문제도 스트레스를 증가시켰습니다. 긴박한 업무 환경에서는 팀원들 간의 의사소통이 충분히 이루어지지 않는 경우가 많으며, 이는 오해를 불러일으키고 팀 내 긴장을 고조시킬 수 있습니다. 불충분한 의사소통은 업무의 비효율성을 초래하며, 결과적으로는 팀의 업무 효율성 저하와 직원 만족도의 감소로 이어집니다.

이러한 문제들은 직장 내 스트레스가 단순한 개인의 문제가 아니라, 조직 구조와 문화, 업무 프로세스에 깊이 관련되어 있음을 시사합니다. 따라서 스트레스 관리 전략은 단순히 개인을 대상으로 한 솔루션 제공을 넘어, 조직의 전반적인 접근 방식과 문화, 그리고 업무 프로세스의 개선을 포함해야 합니다..

결국 직원들이 맡은 역할과 관련하여 느끼는 스트레스가 업무 수행능력에 직접적으로 영향을 미치고 있음을 보여주었습니다. 업무의 복잡성과 빈번한 변화는 직원들이 적응하기에는 너무나도 벅찬 상황이었고, 이는 조직 전체의 운영 효율성을 저하시키는 주된 요인이 되었습니다. 회사는 이러한 문제를 인식하고, 끊임없이 변화하는 업무 환경에서 직원들이 스트레스를 효과적으로 관리할 수 있는 방안을 모색해야 했습니다. 이 과정에서 Richard Lazarus의 스트레스 이론을 통해 직원들이 겪고 있는 스트레스를 이해하고, 이를 관리하는 새로운 접근 방식을 도입할 필요성이 대두되었습니다.

Richard Lazarus의 스트레스 이론은 심리학 분야에서 매우 중요한 위치를 차지하는 이론 중 하나로, 그는 스트레스를 개인이 상황을 어떻게 인식하고 해석하는지에 따라 다르게 경험한다고 주장합니다. Lazarus는 스트레스 반응이 단순히 외부 상황에 의해 자동적으로 유발되는 것이 아니라, 개인의 주관적 평가에 의해 결정된다고 설명합니다. 그의 이론은 주로 두 가지 요소, 즉 '인지적 평가'와 '대처'에 중점을 둡니다.

인지적 평가는 개인이 자신이 처한 상황을 어떻게 인식하는지를 나타내며, 이는 크게 두 부류로 나뉩니다. 첫 번째는 '일차적 평가'로, 개인이 특정 상황을 위협, 손실, 도전 중 어느 것으로 해석하는지를 결정합니다. 이 평가는 스트레스를 경험할 가능성을 결정합니다. 두 번째는

'이차적 평가'로, 개인이 자신이 처한 상황을 관리할 수 있는 자신의 능력을 평가하는 과정입니다. 이 평가는 개인이 어떤 대처 방식을 선택할지에 영향을 미칩니다.

대처는 개인이 스트레스를 경험했을 때 사용하는 심리적 및 행동적 전략을 말합니다. Lazarus는 대처 방식을 '문제중심 대처'와 '정서중심 대처'로 나누었습니다. 문제중심 대처는 스트레스의 원인이 되는 문제를 해결하려는 노력을 포함하는 반면, 정서중심 대처는 스트레스로 인한 감정을 관리하려는 노력을 포함합니다.

이 이론의 실용성은 개인이 스트레스를 받는 상황에서 이를 어떻게 해석하고 대응하는지에 대한 깊은 이해를 제공합니다. 이를 통해 조직은 직원들이 겪는 스트레스를 보다 효과적으로 관리하고 감소시킬 수 있는 전략을 개발할 수 있습니다. 특히, 직장 내에서 스트레스 관리 프로그램을 설계할 때, Lazarus의 이론은 직원들이 스트레스를 경험하는 방식을 개선하고, 더욱 건강한 대처 메커니즘을 개발하도록 돕는 데 중요한 기준을 제공합니다. 이는 궁극적으로 직원의 복지 향상과 조직의 전반적인 생산성 증진에 기여할 수 있습니다.

UVW 통신 회사는 Lazarus의 스트레스와 대처 이론을 활용하여 직원들의 스트레스 관리 전략을 강화하는 방법을 마련했습니다. 이 과정에서 Lazarus 이론의 핵심인 인지적 평가와 대처 전략을 적용하여, 직원들이 스트레스를 효과적으로 인식하고 관리할 수 있는 기술을 개발하였습니다.

첫째, 회사는 직원들이 스트레스를 인식하고, 그 원인을 파악하며, 가능한 해결책을 모색할 수 있도록 돕기 위해 인지적 재평가 워크숍을 도입했습니다. 이 워크숍에서는 직원들이 자신의 스트레스 반응을 주도적으로 관리할 수 있는 방법을 학습했습니다. 특히, 직원들은 스트레스 상황을 다양한 각도에서 바라보고, 그 상황을 개인의 성장 기회로 재해석하는 연습을 했습니다. 예를 들어, 마케팅 팀은 제품 출시 기한의 압박을 단순한 스트레스 요인으로 보지 않고, 시간 관리와 팀워크 능력을 향상시킬 수 있는 기회로 해석하도록 격려했습니다.

둘째, 회사는 각 직원이 자신의 상황을 해결할 수 있는 자원과 능력을 평가할 수 있도록 지원했습니다. 이를 위해 HR 부서는 개별 상담 세션을 제공하여 각 직원의 현재 스트레스 수준과 그 원인을 파악하고, 각 개인에게 맞는 지원을 계획했습니다. 이러한 세션을 통해 직원들은 자신이 보유한 내부 및 외부 자원을 더욱 효과적으로 활용하는 방법을 배울 수 있었습니다.

셋째, 회사는 문제 중심 대처와 정서 중심 대처 전략을 포함하는 대처 전략 워크숍을 실시했습니다. 문제 중심 대처 워크숍에서는 구체적인 상황을 변경하거나 적응할 수 있는 실질적인 기술, 예를 들어 시간 관리, 의사결정 기술 등을 다뤘습니다. 정서 중심 대처 워크숍에서는 감정 관리 기법, 스트레스 해소를 위한 마음챙김 명상과 같은 기술을 소개하여 직원들이 업무 중 느끼는 감정적 부담을 경감할 수 있도록 했습니다.

이러한 전략들을 통해 UVW 회사는 직원들이 스트레스 상황을 보다 효과적으로 관리하고, 그로 인한 부정적 영향을 최소화하는 동시에 업무 효율성과 개인의 복지를 향상시킬 수 있었습니다. 이 과정은 회사 전체의 문화를 개선하고, 직원들의 직무 만족도와 전반적인 생산성을 증가시키는 데 기여했습니다.

이 사례는 심리학 이론이 직장 내에서 어떻게 구체적으로 활용될 수 있는지를 보여주며, 직원들의 복지와 조직의 생산성 향상에 기여할 수 있는 방법을 제시합니다. 그러나 심리학은 이보다 훨씬 광범위한 분야이며, 조직 내 다양한 문제를 해결하는 데 다른 심리학 이론과 접근법도 매우 유용할 수 있습니다. 다음은 직장 내 스트레스 관리 및 기타 조직 문제에 적용할 수 있는 추가적인 심리학 이론과 자원입니다:

1. 사회 심리학: 이 분야는 인간 행동이 사회적 상호작용에서 어떻게 영향을 받는지 연구합니다. 리더십 스타일, 의사결정 과정, 팀 역동성 등 조직 내 다양한 사회적 상황을 이해하는 데 유용합니다. 리더십 개발 프로그램이나 팀 빌딩 워크숍을 설계할 때 사회 심리학적 원리를 적용할 수 있습니다.

2. 인지 심리학: 이 분야는 인간의 사고 과정, 기억, 주의, 인식 등을 다룹니다. 인지 심리학은 직원들의 문제 해결 능력을 향상시키고, 학습 및 교육 프로그램을 개발하는 데 도움을 줄 수 있습니다. 예를 들어, 복잡한 정보를 처리하고 기억하는 데 도움을 주는 기술을 훈련시킬 수 있습니다.

3. 발달 심리학: 이 분야는 개인이 생애주기 동안 겪는 다양한 발달 단계를 연구합니다. 조직은 직원들의 경력 발달 단계를 이해하고, 그에 맞는 지원을 제공하여 경력 만족도를 높일 수 있습니다.

4. 건강 심리학: 건강 심리학은 심리적 요인이 건강에 어떻게 영향을 미치는지를 연구합니다. 이 이론을 통해 조직은 직원들의 건강 증진 프로그램을 설계하고, 직장에서의 웰빙을 증진시키는 전략을 개발할 수 있습니다.

5. 실험 심리학: 이 분야는 행동과 사고를 이해하기 위해 심리학 실험을 설계하고 수행합니다. 이 접근 방식은 조직 변화 관리, 의사결정 스타일 개선 등에 실제 데이터를 기반으로 한 통찰력을 제공할 수 있습니다.

이와 같이 다양한 심리학 분야는 조직 내에서 발생할 수 있는 다양한 문제를 해결하고, 직원들의 성장과 발전을 지원하는 데 광범위하게 적용될 수 있습니다. 조직은 이러한 심리학적 원리와 기법을 활용하여 직원들의 역량을 강화하고, 조직 문화를 개선하며, 전반적인 생산성을 향상시키는 방향으로 전략을 수립할 수 있습니다.

9. 리더십 스타일과 Fiedler의 상황적 리더십 이론

유동적 리더십:
Fiedler의 상황적 리더십 이론을 통한 효과적인 리더십 변화의 마스터링

리더십은 단순히 지시와 지휘를 넘어서는 복잡하고 다면적인 능력을 요구합니다. 상황에 따라 유연하게 변화하고 적응할 수 있는 능력이 리더를 차별화하며, 이러한 유연성은 조직의 성공과 밀접하게 연결됩니다. Fred Fiedler의 상황적 리더십 이론은 이러한 관점에서 리더와 상황 간의 최적의 일치를 과학적으로 분석하며, 리더가 그들의 자연스러운 리더십 스타일과 그들이 처한 상황을 어떻게 조화롭게 관리해야 하는지에 대한 심층적인 이해를 제공합니다. 이 이론은 리더십 스타일이 리더의 효과성에 어떻게 영향을 미치는지 탐구함으로써, 리더가 각기 다른 상황에서 어떻게 최적의 성과를 낼 수 있는지를 명확히 할 수 있도록 도와줍니다.

세계화가 진행됨에 따라, 많은 기업들이 다양한 문화와 환경에서 활동하고 있습니다. QRS 기업 역시 글로벌 확장 과정에서 다양한 지역의 문화적 차이와 업무 스타일의 다양성을 관리하는 도전에 직면했습니다. 각 지역의 리더십 스타일이 일관되지 않아 초기에는 충돌과 문제가 발생하였으며, 특히 일부 지역에서는 지시적 리더십이 효과적이었던 반면 다른 지역에서는 이러한 접근이 저항을 불러일으켰습니다. 이는 업무 효율성 저하 및 조직의 목표 달성에 차질을 가져왔고, QRS 기업은 이러한 문제를 해결하기 위해 Fiedler의 상황적 리더십 이론을 도입하였습니다.

이 이론은 리더의 효과성이 그들의 선호하는 리더십 스타일과 그들이 처한 상황 사이의 일치 정도에 따라 결정된다고 주장합니다. 리더십 스타일은 임무 지향적 또는 관계 지향적으로 나뉘며, 상황의 세 가지 중요 변수—리더와 구성원 간의 관계, 작업의 구조화 정도, 리더의 위치 강도—에 따라 그 적합성이 평가됩니다. QRS의 CEO는 이 이론을 바탕으로 각 지부의 리더들과 상황을 면밀히 평가하여, 각 지역의 문화와 업무 스타일에 가장 적합한 리더십 스타일을 적용했습니다. 이 과정을 통해 다양한 지역에서의 팀 관리가 효과적으로 이루어졌으며, 전반적인 조직의 성과 개선에 크게 기여했습니다.

QRS 기업은 글로벌 확장을 추진하면서 여러 지역에 지부를 설립했습니다. 각 지역의 문화적 차이와 업무 스타일의 다양성은 팀 관리에 상당한 어려움을 초래했습니다. 예를 들어, 아시아 지역에서는 지시적이고 권위적인 리더십 스타일이 일반적으로 효과적이었으나, 유럽 지역에서는 이러한 접근이 직원들의 저항을 불러일으켰고 팀 간의 긴장을 증가시켰습니다. 이로 인해 프로젝트 진행이 더디어지고, 팀의 협력이 부족해져 전체적인 업무 효율성이 저하되었습니다.

특히 브라질 지부에서는 리더의 변동이 잦았고, 새로운 리더는 종종 현지 직원들과의 관계를 잘 구축하지 못해 팀워크와 생산성에 부정적인 영향을 미쳤습니다. 새 리더는 주로 미국 본사에서 파견된 인물로, 리더십 스타일이 브라질 직원들이 기대하는 상호 존중과 팀워크를 중시하는 문화와 맞지 않았습니다. 이로 인해 직원들은 리더의 지시에 소극적으로 반응하고, 명확한 목표 없이 업무를 수행하는 경우가 많아졌습니다.

아프리카 지부에서도 비슷한 문제가 발생했습니다. 이 지역의 리더는 관계 지향적 접근을 선호했으나, 업무의 긴급성을 요하는 상황에서는 이러한 스타일이 업무 지연을 초래했습니다. 직원들은 리더의 결단력 부족을 느끼고, 필요한 업무 결정이 신속하게 이루어지지 않아 프로젝트 마감 기한을 지키지 못하는 경우가 잦았습니다.

이러한 다양한 문화적 배경과 업무 스타일의 차이는 QRS 기업에게 많은 도전을 안겨주었고, 각 지역의 특성을 이해하고 적절히 대응하지 못하는 것이 주요한 문제로 부상했습니다. 각 지부의 리더십 스타일과 현지 직원들의 업무 스타일 사이의 불일치는 업무 효율성 저하뿐만 아니라, 직원의 직무 만족도와 조직에 대한 충성도까지 감소시켰습니다. 이러한 문제들은 조직의 글로벌 확장 전략에 심각한 차질을 빚게 하며, 전체적인 조직 성과에도 부정적인 영향을 미쳤습니다.

QRS 기업의 글로벌 확장 과정에서 나타난 리더십 스타일과 현지 직원들의 업무 스타일 사이의 불일치는 여러 구체적 문제를 야기했습니다. 이 문제들은 조직 전체의 효율성과 직원 만족도에 부정적인 영향을 끼쳤습니다.

첫 번째 문제는 각 지역별로 리더십 스타일이 다르게 적용되었을 때 발생했습니다. 예를 들어, 아시아 지역에서 지시적 리더십이 효과적이었던 반면, 유럽과 남미 지역에서는 같은 스타일이 저항과 갈등을 일으켰습니다. 이로 인해 각 지역 내에서 팀원들의 협력 부족, 명확한 지휘 체계의 부재, 그리고 궁극적으로는 프로젝트 지연과 목표 달성 실패가 이어졌습니다.

두 번째로, 리더와 직원들 간의 의사소통 부족이 심각한 문제로 부각되었습니다. 리더들이 현지 직원들의 문화적 배경과 업무 기대를 충분히 이해하지 못하고, 각 지부의 특성에 맞는 리더십을 제공하지 못했기 때문에 직원들은 상부의 결정에 대해 불안과 혼란을 느꼈습니다. 이는 직원들의 업무에 대한 동기 부여를 저하시키고, 전반적인 업무 성과를 떨어뜨렸습니다.

세 번째로, 적절한 교육과 지원 부족이 문제를 더욱 악화시켰습니다. 리더들이 자신의 리더십 스타일을 현지 상황에 맞게 조정하는 방법을 배우지 못함으로써, 리더십의 효과성이 크게 저하되었습니다. 또한, 직원들은 새로운 업무 프로세스나 기술에 대한 충분한 훈련을 받지 못해 적응에 어려움을 겪었습니다.

네 번째 문제는 변화에 대한 저항이었습니다. 리더십 변경, 새로운 업무 프로세스 도입, 조직 문화의 변화 등으로 인해 직원들은 불안정성과 불확실성을 느꼈습니다. 이는 직원들 사이에서 불신과 불만을 증가시켜 조직 내 긴장과 분열을 촉진했습니다.

이러한 문제들은 QRS 기업의 글로벌 확장 전략을 위협하고, 조직의 성장 가능성을 저해하는 요소로 작용했습니다. 리더십의 불일치와 직원들의 불만은 회사의 목표 달성과 성장을 지속하기 위해 심각하게 다뤄야 할 핵심 이슈들이었습니다.

Fiedler의 상황적 리더십 이론은 Fred Fiedler가 개발한 모델로서, 리더의 효과성이 그들의 자연스러운 리더십 스타일과 그들이 처한 상황 사이의 조화에 의해 결정된다고 주장합니다. 이 이론은 리더십 연구에서 상황에 따른 리더십의 중요성을 강조하는 최초의 접근 방식 중 하나로 평가받습니다. 리더십 스타일이 절대적인 것이 아니라, 그 효과성은 주어진 상황에 따라 달라질 수 있다는 관점을 제공하며, 리더가 처한 환경과 그 환경 내에서 리더의 행동이 어떻게 해석되고 받아들여지는지를 중요하게 다룹니다.

Fiedler는 리더십을 크게 임무 지향적 스타일과 관계 지향적 스타일로 구분합니다. 임무 지향적 리더는 조직의 목표 달성과 작업의 완수를 최우선으로 여기며, 과업을 효과적으로 수행하기 위해 필요한 구조와 질서를 강조합니다. 반면, 관계 지향적 리더는 팀원들 사이의 관계를 중시하며, 팀의 동기부여와 만족도를 높이는 데 초점을 맞춥니다.

리더십의 효과성은 Fiedler의 이론에 따라 세 가지 주요 상황 변수에 의해 크게 영향을 받습니다. 첫 번째는 리더와 구성원 간의 관계로, 리더가 팀원들과 얼마나 긴밀한 관계를 유지하고 있는지, 팀원들이 리더를 얼마나 신뢰하고 존중하는지에 달려있습니다. 두 번째는 작업의 구조화 정도로, 업무가 어느 정도로 명확하게 정의되어 있으며 성공적인 수행을 위한 명확한 지침이 있는지를 포함합니다. 마지막으로, 리더의 위치 강도는 리더가 조직 내에서 얼마나 큰 권한을 행사할 수 있는지, 그리고 그 권한이 얼마나 강력한지를 나타냅니다.

이러한 요소들을 고려하여 리더는 자신의 스타일과 상황을 적절히 조절하며, 그에 따라 팀을 효과적으로 이끌어 갈 수 있는 전략을 세울 수 있습니다. Fiedler의 이론은 리더가 상황에 따라 유연하게 리더십 스타일을 조정할 필요가 있음을 강조하며, 이는 각기 다른 문화적 배경과 업무 스타일을 가진 팀원들을 효과적으로 관리하는 데 중요한 기반을 제공합니다. 이를 통해 리더는 다양한 상황에서 최적의 팀 성과를 이끌어낼 수 있는 방법을 모색하고 적용할 수 있습니다.

QRS 기업은 Fiedler의 상황적 리더십 이론을 적용하여 글로벌 확장 과정에서의 리더십 문제를 해결하기 위한 전략을 구축했습니다. 초기에 각 지역별로 리더십 스타일이 서로 달라 문제가 발생했을 때, 회사는 이 이론을 기반으로 각 지역의 특성을 분석하고 리더십 스타일을 조정하는 데 집중했습니다.

먼저, 회사는 각 지부 리더들의 성향과 상황적 요인을 평가하기 위해 상세한 진단을 수행했습니다. 이를 위해 리더와 팀원들 사이의 관계, 업무의 구조화 정도, 그리고 리더의 권한 범위를 측정하는 설문과 인터뷰를 실시했습니다. 이 데이터를 통해 각 리더의 임무 지향적 또는 관계 지향적 성향을 파악하고, 각 지역의 문화적 특성과 업무 요구에 맞는 최적의 리더십 스타일을 결정했습니다.

이론에 따라, 임무 지향적 리더십 스타일이 필요한 지역에서는 리더들이 구체적인 목표와 명확한 지침을 제공하도록 했습니다. 이는 업무의 우선 순위를 명확히 하고, 직원들이 업무를 효율적으로 수행할 수 있도록 도왔습니다. 반면, 관계 지향적 접근이 더 효과적인 지역에서는 리더들이 팀원들과의 관계를 강화하고, 의사소통과 팀워크를 증진하는 데 초점을 맞추었습니다.

또한, QRS는 리더들에게 상황에 따라 유연하게 리더십 스타일을 조절할 수 있는 교육 프로그램을 제공했습니다. 이 교육은 리더들이 다양한 상황에서 어떻게 자신의 스타일을 조정해야 하는지를 배울 수 있는 기회를 제공했으며, 각 리더가 자신의 팀과 상황에 가장 적합한 접근 방식을 취할 수 있도록 지원했습니다.

이러한 접근 방식은 각 지역의 특성에 맞게 맞춤화된 리더십 전략을 통해 글로벌 팀을 효과적으로 관리할 수 있게 했고, 팀 간의 긴장을 줄이고 업무 효율성을 증가시키는 데 성공했습니다. 결과적으로 QRS 기업은 각 지역에서 조화롭고 효과적인 팀 운영을 통해 전반적인 조직의 성과를 개선할 수 있었습니다. 이는 Fiedler의 상황적 리더십 이론이 현실의 복잡한 리더십 문제를 해결하는 데 어떻게 적용될 수 있는지를 보여주는 좋은 예가 되었습니다.

조직과 리더십에 대해 더 깊이 이해하고자 한다면 다음의 이론과 관련 자료들을 살펴보는 것도 유익할 것입니다:

1. 변혁적 리더십 이론 (Transformational Leadership Theory):
   변혁적 리더십은 리더와 구성원 간의 동기 부여와 상호작용을 강조합니다. 리더는 구성원들의 가치와 필요에 영향을 미치며, 이를 통해 팀의 목표를 초월하는 성과를 이끌어냅니다. 이 이론을 통해 리더는 구성원의 자발적 참여와 혁신을 촉진하는 방법을 배울 수 있습니다.

2. 서번트 리더십 (Servant Leadership):
   서번트 리더십은 리더가 구성원들의 필요를 우선시하고 이들을 섬기는 것을 중심으로 합니다. 이 리더십 스타일은 팀원들의 성장과 복지를 최우선으로 하며, 이를 통해 조직 전체의 성과를 향상시키려는 접근 방식입니다. 리더는 팀원들이 자신의 잠재력을 최대한 발휘할 수 있도록 지원합니다.

3. 리더십 파이프라인 (The Leadership Pipeline):
   이 책에서는 리더가 조직 내 다양한 수준에서 필요로 하는 기술과 역할의 변화를 어떻게 관리해야 하는지를 설명합니다. 리더십 파이프라인은 리더 개발의 다양한 단계를 제시하며, 각 단계에서 요구되는 리더십 역량의 변화를 이해하는 데 도움을 줍니다.

4. 문화적 지능 (Cultural Intelligence):
   글로벌 환경에서의 리더십에는 문화적 지능이 필수적입니다. 문화적 지능을 개발하는 것은 리더가 다양한 배경을 가진 팀원들과 효과적으로 소통하고 협력하는 데 큰 도움이 됩니다. 이는 각기 다른 문화적 배경을 이해하고 존중하며 이를 조직의 이점으로 전환하는 능력을 포함합니다.

5. 리더십의 심리학 (The Psychology of Leadership):
   이 책은 리더십의 심리학적 측면을 탐구하며, 리더와 팀원 간의 상호작용이 조직 내에서 어떻게 이루어지는지, 그리고 이러한 상호작용이 성과에 어떻게 영향을 미치는지를 분석합니다. 리더십에 관한 심리학적 인사이트는 효과적인 리더십 전략을 수립하는 데 매우 중요합니다.

이러한 자료와 이론은 리더십 스킬을 발전시키고, 다양한 조직 및 문화적 상황에서 효과적으로 리더십을 발휘하는 방법을 이해하는 데 도움이 될 것입니다.

10. 직원 유지 전략과 심리적 계약 이론

충성심을 넘어선 약속:
심리적 계약 이론을 통한 혁신적인 직원 유지 전략

직원 유지 전략은 기업이 직면하는 중대한 도전 중 하나입니다. 이는 단순한 급여 인상이나 보너스 제공을 넘어, 직원들이 조직 내에서 자신의 역할을 중요하게 여기고 지속적으로 기여할 수 있도록 만드는 데까지 이어집니다. 이 과정은 심리적 계약 이론을 통해 더 깊이 이해될 수 있습니다. 심리적 계약은 직원과 조직 간의 명시적이지 않은 약속과 기대감을 포함하며, 이것이 잘 유지될 때 직원의 만족도와 조직에 대한 충성도가 증가합니다. 반면, 이 계약이 무너질 경우, 직원의 불만과 이직률 증가로 이어질 수 있습니다.

VWX 국제 상사는 급속한 시장 성장과 더불어 우수 인재를 유지하는 데 큰 어려움을 겪고 있었습니다. 특히 영업 부서에서는 고성능을 보이는 직원들의 빈번한 이직이 회사의 성장 전략에 심각한 차질을 빚고 있었습니다. 이에 회사는 왜 직원들이 떠나고 있는지, 그리고 어떻게 하면 그들을 유지할 수 있을지에 대해 근본적인 원인 분석을 시작했습니다.

HR 팀은 심층 인터뷰를 통해 많은 직원들이 회사와의 심리적 계약이 파괴되었다고 느끼고 있다는 사실을 발견했습니다. 이 계약은 공식적인 고용 계약서에 명시된 조건을 넘어서, 직원과 조직 간의 비공식적이고 암묵적인 약속을 포함하는데, 직원들은 자신의 노력과 헌신이 충분히 인정받지 못하고, 경력 발전 기회가 제한적이라고 느꼈습니다. 이러한 인식은 결국 높은 이직률로 이어졌으며, 조직에 큰 손실을 가져왔습니다.

이 문제를 극복하기 위해 VWX는 Denise Rousseau의 심리적 계약 이론을 기반으로 새로운 전략을 수립했습니다. 이 이론은 조직과 직원 간의 상호 기대와 약속을 중심으로, 심리적 계약이 잘 유지되면 직원의 만족도와 충성도가 높아지며, 그렇지 않을 경우 이직률이 증가한다고 설명합니다. 이를 통해 VWX는 직원과 조직 간의 균형을 재정립하고, 심리적 계약을 강화하여 직원 유지율을 개선하는 방법을 찾고자 했습니다. 이 과정은 직원의 기대와 조직의 약속이 어떻게 조화를 이루며, 이를 통해 조직 전체의 건강과 성장을 촉진할 수 있는지를 깊이 있게 탐색하는 여정이 될 것입니다.

VWX 국제 상사는 글로벌 시장에서 빠르게 성장하는 기업으로, 다양한 산업 분야에서 혁신적인 솔루션을 제공하며 인정받아 왔습니다. 이 회사의 성공은 탁월한 영업 팀과 그들의 끊임없는 노력에 크게 의존하고 있었습니다. 그러나, 회사는 직원들의 높은 이직률에 직면하게 되었고, 특히 영업 부서에서는 우수한 성과를 내는 직원들이 자주 회사를 떠나는 문제를 겪고 있었습니다. 이는 프로젝트의 지속성과 팀 내 협력에 심각한 차질을 빚었으며, 결국 회사의 전반적인 성과에도 영향을 미쳤습니다.

예를 들어, 한 팀에서는 주요 계약을 앞두고 핵심 영업 담당자가 다른 기회를 찾아 회사를 떠나기로 결정했습니다. 그의 이직은 팀에 큰 충격을 주었고, 남은 팀원들은 갑작스럽게 증가한 업무 부담과 스트레스를 경험하게 되었습니다. 이는 프로젝트의 지연은 물론, 고객과의 관계에도 부정적인 영향을 미쳤습니다. 이러한 상황은 회사 전체의 동기 부여와 직원들의 직무 만족도에도 악영향을 끼쳤습니다.

회사는 이러한 문제의 근본 원인을 파악하기 위해 직원 만족도 조사와 출구 인터뷰를 통해 데이터를 수집하기 시작했습니다. 조사 결과, 많은 직원들이 회사와의 심리적 계약이 파괴되었다고 느끼고 있었습니다. 심리적 계약은 고용 계약서에 명시된 조건을 넘어선 직원과 조직 간의 비공식적이고 암묵적인 약속을 포함하는 개념으로, 직원들은 자신들의 노력이 충분히 인정받지 못하고, 경력 발전 기회가 제한적이라고 느꼈습니다.

직원들의 이러한 인식은 그들의 일상적인 업무 태도와 성과에 부정적으로 영향을 미쳤으며, 결국 높은 이직률로 이어졌습니다. 회사는 이 문제에 대응하기 위해 조직 문화와 내부 커뮤니케이션 전략을 재검토하고, 직원들의 욕구와 기대를 더욱 충족시킬 수 있는 방안을 모색하기 시작했습니다. 이 과정에서 Denise Rousseau의 심리적 계약 이론이 중요한 참고 자료로 활용되었으며, 이 이론은 조직과 직원 간의 상호 기대와 약속을 중심으로 직원의 행동과 태도를 설명하는 데 도움을 주었습니다. 이를 바탕으로 VWX는 직원들의 심리적 계약을 강화하고 복원하는 새로운 전략을 수립하기에 이르렀습니다.

VWX 국제 상사에서 직면한 주요 문제는 높은 이직률과 직원 만족도 저하였습니다. 이는 영업 부서를 중심으로 특히 두드러졌으며, 이러한 상황은 회사의 성장 전략과 직접적으로 연결되어 있었습니다. HR 팀이 실시한 심층 인터뷰와 조사 결과, 여러 직원이 회사와의 심리적 계약이 파괴되었다고 느끼고 있었습니다. 심리적 계약은 공식적인 고용 계약서에 명시된 조건들을 넘어서, 직원과 조직 간의 비공식적이고 암묵적인 약속들을 포함하는 관계입니다.

직원들은 자신들의 노력과 헌신이 조직 내에서 충분히 인정받지 못한다고 느꼈습니다. 특히 성과에 대한 보상과 경력 발전 기회의 부재가 큰 불만 요소로 지목되었습니다. 많은 직원들이 자신들의 업무가 회사의 전체 목표에 어떻게 기여하는지 명확하게 이해하지 못했으며, 그 결과로 자신의 노력이 중요하지 않다고 인식하는 경우가 많았습니다. 이러한 상황은 직원들 사이에서 불안과 불만을 증가시켰고, 결국 회사를 떠나려는 결정으로 이어졌습니다.

또한, 직원들은 회사의 커뮤니케이션과 리더십 스타일에 대해서도 불만을 표출했습니다. 관리자와의 소통 부족, 의사결정 과정에서의 투명성 결여, 그리고 간부진의 지원 부족이 이직을 고려하는 주된 이유 중 하나로 드러났습니다. 이러한 요소들은 직원들이 자신의 업무에 몰입하고 조직에 대한 충성심을 갖는 데 필수적인 요소들입니다. 이러한 문제점들이 해결되지 않는 한, 직원들의 불만족과 이직률 증가는 계속될 것이며, 이는 회사의 장기적인 성장과 직원들의 개인적인 발전 모두에 부정적인 영향을 미칠 것입니다.

이처럼 다양한 요인이 복합적으로 작용하여 VWX 국제 상사의 조직 문화와 직원 만족도 문제가 심화되었고, 이를 해결하기 위해 조직 전반의 문화 변화 및 개선 전략이 요구되었습니다. 이 과정에서 HR 팀은 심리적 계약의 개념을 도입하여 직원들의 기대와 조직의 약속 사이의 불일치를 해소하는 방안을 모색하게 되었습니다.

Denise Rousseau의 심리적 계약 이론은 직원과 조직 간의 미묘하고 암묵적인 약속을 분석하는 데 초점을 맞추고 있습니다. 이 계약은 공식적인 고용 계약이 포함하고 있지 않은 기대와 신뢰를 내포하며, 직원들이 조직에 대해 갖는 믿음과 조직이 직원에게 기대하는 바를 포함합니다. 이러한 믿음은 종종 명시되지 않지만, 직원의 행동, 태도 및 조직에 대한 전반적인 만족도에 큰 영향을 미칩니다.

Rousseau는 조직심리학에서 심리적 계약의 중요성을 강조하는 주요 학자 중 하나로, 그녀의 연구는 조직과 직원 간의 상호작용을 이해하는 데 깊이 있는 통찰을 제공합니다. 그녀의 연구에 따르면, 심리적 계약은 직원이 조직 내에서 경험하는 모든 상호 작용의 기초를 형성하며, 이 계약의 내용은 시간에 따라 변화할 수 있습니다. 예를 들어, 조직의 정책 변경, 경영진의 교체, 또는 경제적 압박과 같은 외부 상황의 변화가 심리적 계약의 성격을 변경할 수 있습니다.

이 이론은 특히 조직 변화가 잦은 현대 비즈니스 환경에서 매우 중요합니다. Rousseau의 연구는 심리적 계약이 파괴되었을 때 직원들이 경험할 수 있는 결과들, 즉 신뢰 상실, 동기 부족, 성과 저하, 높은 이직률 등을 설명하며, 이러한 부정적인 결과를 예방하기 위해 조직이 어떻게 노력해야 하는지에 대한 방향을 제시합니다.

심리적 계약 이론의 적용은 조직이 직원들의 기대를 관리하고, 변경되는 조건 속에서 이들 기대를 적절히 조정함으로써 직원들의 불안과 불만을 최소화하는 데 중요합니다. 또한, 이 이론은 조직이 직원들의 기대를 실제로 어떻게 충족시키고 있는지, 그리고 직원들이 조직의 약속을 어떻게 인식하고 있는지를 평가하는 데 사용할 수 있는 유용한 도구를 제공합니다.

이러한 이론적 배경을 바탕으로 VWX 국제 상사는 자사의 HR 정책과 커뮤니케이션 전략을 재정비하여, 직원과 조직 간의 심리적 계약을 강화하고 직원 유지율을 개선할 수 있는 방안을 모색했습니다. 이 과정에서 회사는 정기적으로 직원 만족도를 조사하고, 피드백을 적극적으로 수집하여 직원들의 기대와 조직의 제공 사이의 괴리를 줄이는 데 집중했습니다. 이러한 노력은 조직 내에서 신뢰를 구축하고, 직원들이 조직에 대한 높은 충성도와 만족도를 유지하도록 돕는 중요한 요소가 되었습니다.

VWX 국제 상사는 심리적 계약 이론을 적용하여 직원 유지 전략을 개선하는 과정에서 매우 구체적인 접근 방식을 채택했습니다. 이 회사는 우선 직원들 사이에서 심리적 계약이 어떻게 파괴되었는지를 이해하기 위해 심층적인 직원 인터뷰와 설문조사를 실시했습니다. 이 과정을 통해 직원들은 자신들이 조직에 기여하는 바가 충분히 인정받지 못하고 있다고 느끼며, 이로 인해 생긴 불만과 불안이 이직으로 이어지고 있음을 표현했습니다. 또한, 직원들은 자신들의 경력 발전이 회사 내에서 제한적이라고 느꼈으며, 이는 궁극적으로 조직에 대한 충성도와 만족도에 부정적인 영향을 미쳤습니다.

회사는 이러한 문제에 대응하기 위해 여러 전략을 수립했습니다. 첫째로, 직원들과의 개방적인 커뮤니케이션을 강화하기 위해 정기적인 피드백 세션과 열린 포럼을 도입했습니다. 이러한 플랫폼을 통해 직원들은 자신의 기대와 우려사항을 자유롭게 공유할 수 있었으며, 이는 직원과 경영진 간의 이해도를 높이는 데 도움이 되었습니다. 둘째로, 회사는 직원들의 노력과 성과를 적절히 인정하고 보상하기 위해 보상 체계를 전반적으로 재검토하고 개선했습니다. 이 체계는 금전적 보상 뿐만 아니라, 승진 기회, 교육 프로그램, 공개적인 칭찬 등 다양한 형태의 인정을 포함하여 직원들이 그들의 기여가 가치 있고 인정받고 있다는 확신을 갖도록 했습니다.

셋째로, 회사는 각 직원의 개인적인 성장을 지원하기 위해 맞춤형 경력 개발 계획을 수립했습니다. 이 계획은 정기적으로 검토하고 업데이트하여, 직원들이 자신의 장기적인 경력 목표를 달성할 수 있도록 도왔습니다. 이와 함께, 직원들이 자신의 의견과 우려를 솔직하게 표현할 수 있는 개방적인 커뮤니케이션 채널을 구축하여, 조직 내에서 문화적 충돌을 효과적으로 관리할 수 있게 했습니다.

마지막으로, 회사는 조직문화의 변화와 그 효과를 지속적으로 평가하고 조정하는 메커니즘을 마련했습니다. 이는 정기적인 직원 만족도 조사, 이직률 분석, 프로젝트 성과 리뷰 등을 통해 이루어졌습니다. 이러한 조치들을 통해 VWX는 조직문화의 강화와 직원 만족도를 크게 향상시킬 수 있었으며, 이는 직원 유지율을 높이고 조직의 전반적인 성과 개선으로 이어졌습니다. 이 과정에서 심리적 계약 이론의 적용이 직원들의 동기 부여와 충성도 향상에 중요한 역할을 했으며, VWX는 이를 통해 우수 인재를 보다 효과적으로 유지할 수 있게 되었습니다.

직원 유지와 관련하여 다양한 심리학 이론들이 추가적으로 탐구할 가치가 있습니다. 여기에는 다음과 같은 이론들이 포함될 수 있습니다:

1. 헤르츠버그의 동기-위생 이론 : 이 이론은 직원의 동기 부여와 만족도를 높이기 위해 어떤 요소들이 긍정적으로 작용하는지, 그리고 무엇이 불만을 초래하는지를 구분합니다. 이론에 따르면, 동기 요인(예: 업무의 성취감, 인정, 책임감)과 위생 요인(예: 근무 조건, 급여, 회사 정책)은 직원의 만족도에 다르게 영향을 미칩니다. 이를 통해 조직은 직원의 만족과 유지에 더 중점을 둘 수 있는 구체적인 개선점을 찾을 수 있습니다.

2. 맥클리랜드의 성취동기 이론: 이 이론은 개인의 성취욕구, 권력욕구, 소속욕구가 그들의 작업 성과와 직업 선택에 어떻게 영향을 미치는지 설명합니다. 조직은 이 이론을 활용하여 직원 개개인의 욕구를 파악하고 이에 맞는 업무 환경을 조성함으로써 직원의 유지율을 높일 수 있습니다.

3. 조직 정체성 이론: 이 이론은 개인이 조직의 일원으로서 어떻게 자신을 인식하고, 그 인식이 조직에 대한 그들의 행동과 태도에 어떻게 영향을 미치는지를 탐구합니다. 직원이 조직의 가치와 목표에 깊이 공감하고 자신의 역할을 중요하게 여길 때, 더 높은 만족도와 충성도를 보일 가능성이 큽니다.

4. 조직 정의 이론: 이 이론은 조직 내의 공정성이 직원의 태도와 행동에 어떻게 영향을 미치는지에 대해 설명합니다. 직원들이 공정한 대우를 받고 있다고 느낄 때, 그들은 더욱 긍정적으로 조직에 기여하고 이직률을 낮출 수 있습니다.

이러한 이론들은 각기 다른 방식으로 직원의 동기 부여와 만족도에 접근하며, 조직문화를 긍정적으로 변화시키고 직원을 유지하는 데 도움을 줄 수 있습니다. 각 조직의 구체적인 상황과 필요에 맞추어 적절한 이론을 선택하고 적용하는 것이 중요합니다.

II. 마케팅과 심리학

마케팅의 마법, 심리학의 힘

상상해 보세요. 어떤 광고가 당신의 마음을 움직이게 만들었다면, 그것은 단순히 우연이 아닙니다. 마케팅 전문가들은 소비자의 심리를 깊이 파고들어, 우리의 감정과 욕구를 자극하는 메시지를 만들어냅니다. 이는 단순히 제품을 판매하는 것이 아니라, 소비자의 마음과 행동을 설계하는 과정입니다. 어떤 광고가 여러분의 관심을 끌고, 구매로 이어지게 만들었다면, 그것은 결코 우연이 아닙니다. 마케팅 전문가들은 심리학의 힘을 빌어 우리의 감정과 욕구를 정교하게 자극합니다.
마케팅과 심리학의 결합은 이처럼 강력한 효과를 발휘하며, 우리의 구매 결정을 넘어서 생각과 느낌에까지 영향을 미칩니다.

이 장에서는 마케팅과 심리학이 어떻게 서로 강력하게 연결되어 있는지, 그리고 이 두 분야의 지식을 결합하여 어떻게 더욱 효과적인 마케팅 전략을 개발할 수 있는지를 탐구합니다. 마케팅 전문가들이 소비자의 행동을 이해하고 예측하는 데 필수적인 다양한 심리학 이론과 그 적용 방법을 심도 있게 다루며, 이론적인 배경과 실제 적용 사례를 통해 광범위한 통찰을 제공할 것입니다.

우리는 Freud의 정신 분석 이론에서부터 시작하여, 무의식적 욕구가 소비자 행동에 어떻게 영향을 미치는지를 살펴봅니다. Cialdini의 설득의 원칙을 통해 광고가 어떻게 설득력을 발휘하는지 분석하고, Aaker의 브랜드 개성 차원을 활용해 브랜드가 소비자와 어떻게 감정적 연결을 형성하는지 탐구합니다. Kahneman의 전망 이론을 통해 소비자 결정 과정에서 나타나는 인지적 편향을 검토하고, 행동 경제학을 적용해 경제적 결정이 항상 합리적이지 않음을 이해합니다.

또한, 사회적 증거와 정보의 사회적 영향을 통해 소비자 구매 결정에 미치는 외부 영향을 분석하고, 고객 충성도 형성의 심리적 과정을 들여다봅니다. Pine & Gilmore의 체험 경제를 검토하며 소비자에게 기억에 남는 경험을 제공하는 중요성을 강조하고, Mehrabian의 커뮤니케이션 법칙을 통해 비언어적 요소가 소비자 인식에 어떻게 큰 영향을 미치는지를 분석합니다. 마지막으로, 디지털 마케팅과 온라인 행동 심리학을 통해 디지털 환경에서 소비자 행동이 어떻게 변화하는지, 그리고 이를 어떻게 마케팅 전략에 효과적으로 통합할 수 있는지를 살펴봅니다.

이 장을 통해 마케팅 전문가들은 소비자의 마음을 더 깊이 이해하고, 그들의 행동을 예측할 수 있는 강력한 도구를 얻을 수 있을 것입니다. 심리학과 마케팅의 결합은 단순한 전략을 넘어서, 효과적인 소통과 깊은 고객 이해로 이어지는 길을 제시할 것입니다. 더 효과적인 전략을 설계하고 실행하는 데 필요한 지식을 제공할 것입니다.

1. 소비자 행동 이해와 Freud의 정신 분석 이론

마케팅의 무의식적 장치들:
Freud의 정신 분석 이론을 통한 소비자 행동 분석

우리가 일상에서 내리는 소비 결정들이 정말로 모두 의식적인 선택인지 자문해 보세요. 사실 많은 결정은 우리가 인식하지 못하는 사이에, 무의식 깊숙이 자리 잡은 욕구와 갈망에 의해 이끌리고 있습니다. 프로이트의 정신 분석 이론은 이러한 무의식의 힘을 밝혀내며, 우리가 왜 특정 제품에 끌리는지, 어떤 광고에 반응하는지에 대한 근본적인 이유를 제공합니다. 이 깊은 심리적 메커니즘을 이해하는 것은 마케터에게 있어 소비자의 마음을 사로잡는 데 필수적인 능력이며, 이는 마치 예술과도 같은 섬세함을 요구합니다.

상상해 보세요. 어느 날 아침, 일상적으로 브라우징하던 중 갑자기 눈길을 끄는 광고 하나가 나타납니다. 그 광고는 단순히 상품을 전시하는 것이 아니라, 어딘가 모르게 여러분의 감정을 자극하고, 그 상품을 소유하고 싶다는 강렬한 욕구를 불러일으킵니다. 왜 그럴까요? 바로 여기에서 마케팅과 심리학이 교차하는 지점이 존재합니다. 마케팅 전문가들은 심리학적 원리를 활용하여 소비자의 심리를 파고들고, 그들의 행동을 유도하는 미묘한 기술을 사용합니다. 이는 단순한 광고를 넘어서, 소비자의 내면 깊숙이 자리 잡은 감정과 욕구를 파악하고, 그것을 자극하는 과학입니다.

이 장에서는 마케팅과 심리학이 어떻게 결합되어 소비자의 마음을 움직이는지를 탐구합니다. 우리는 심리학의 다양한 이론을 적용하여 소비자의 무의식적 욕구, 감정의 본질, 그리고 그들의 결정 과정에 미치는 심오한 영향을 깊이 있게 분석할 것입니다. Freud의 정신 분석 이론에서부터 최신의 행동 경제학에 이르기까지, 마케팅 전략에 심리학적 통찰을 적용하는 방법을 살펴봄으로써, 마케팅 전문가들이 어떻게 소비자의 마음을 읽고, 그들의 행동을 예측하며, 마침내는 변화시킬 수 있는지를 탐색합니다.

소비자의 마음은 복잡하고 예측하기 어려운 미로와 같습니다. 마케터들은 이 미로 안에서 길을 찾아야 하며, 그 과정에서 심리학은 강력한 나침반 역할을 합니다. 각 장과 절에서 우리는 이 미로를 탐험하며, 심리학이 제공하는 다양한 도구와 전략을 통해 소비자 행동의 복잡성을 이해하고, 효과적으로 영향을 미칠 수 있는 방법을 모색할 것입니다. 이렇게 함으로써, 마케팅 전문가들은 더욱 깊이 있는 접근 방식을 개발하고, 소비자와의 강력한 감정적 연결을 구축할 수 있습니다.

전 세계적으로 인지도가 높은 의류 브랜드인 ZetaWear가 최근 시장 조사를 통해 충격적인 발견을 했습니다. 이 브랜드의 주요 고객층인 젊은 세대가 브랜드의 이미지를 "구식이고 매력적이지 않은" 것으로 인식하고 있다는 사실입니다. 이러한 인식은 특히 ZetaWear의 최신 봄 컬렉션이 출시된 후 소비자 피드백에서 두드러졌습니다. 고객들은 제품의 디자인과 색상 선택이 현대적이지 않고, 경쟁 브랜드들이 제안하는 트렌드와 동떨어져 있다고 느꼈습니다.

이 시점에서 ZetaWear는 향후 제품 라인과 마케팅 전략에 대한 전면적인 재검토를 결정합니다. 회사 내부에서는 이 문제가 단순히 시각적 요소와 트렌드의 문제라고 보는 시각과, 더 깊은 브랜드 이미지와 정체성의 문제라고 보는 시각이 충돌합니다. 마케팅 팀은 각기 다른 소비자 그룹을 대상으로 집중 그룹 인터뷰를 실시하여 더 깊이 있는 통찰을 얻기로 합니다.

집중 그룹 인터뷰 결과, 소비자들은 ZetaWear의 광고 캠페인이 너무 전통적이며, 현대적 감각이 결여되어 있다고 지적합니다. 특히 젊은 소비자들은 브랜드가 자신들의 가치와 일치하지 않는다고 느끼며, 브랜드가 제공하는 "라이프스타일"이 자신들의 일상과 동떨어져 있다고 생각합니다. 이러한 피드백은 ZetaWear에게 큰 충격을 주었으며, 브랜드가 시장에서의 위치를 재정립하고, 소비자와의 연결을 강화할 필요가 있음을 깨닫게 합니다.

ZetaWear의 경영진은 이 문제를 해결하기 위해 새로운 전략을 모색하기 시작합니다. 이 과정에서 경영진은 브랜드 이미지를 젊고 현대적으로 탈바꿈시키는 동시에, 소비자의 심리적 욕구와 더욱 깊이 연결될 수 있는 마케팅 전략을 개발할 필요성을 인지합니다. 이러한 상황에서 경영진은 심리학적 접근을 통해 브랜드가 소비자의 무의식적 욕구와 감정을 어떻게 자극할 수 있는지를 파악하고자 합니다.

이 상황 사례는 마케팅과 심리학이 어떻게 서로 연결될 수 있는지를 보여주는 완벽한 예입니다. ZetaWear가 직면한 문제는 단순히 제품의 시각적 개선을 넘어서 브랜드의 전반적인 이미지와 정체성을 재구성하는 복잡한 과제로, 소비자의 심리적 요소를 깊이 이해하고 이를 마케팅 전략에 통합하는 것이 중요합니다.
ZetaWear의 상황을 더 깊이 들여다보면, 그들이 직면한 문제는 단순한 시각적 또는 표면적인 요소들을 넘어선다는 것을 알 수 있습니다. 이 문제의 근본적인 원인은 브랜드가 시대의 변화와 소비자의 변화하는 기대에 발맞추지 못한 데에 있습니다. 젊은 세대는 단순히 제품을 구매하는 것이 아니라, 그 브랜드가 자신들의 가치관과 어떻게 연결되는지를 중요시합니다. 이들은 자신의 소비 행위를 통해 개인적 정체성을 표현하며, 이는 브랜드 선택에 있어 결정적인 요소가 됩니다.

브랜드 이미지와 정체성의 불일치: ZetaWear의 경우, 브랜드 이미지가 과거의 성공에 머물러 있어 현재의 시장 동향과 소비자 기대를 반영하지 못하고 있습니다. 소비자들은 브랜드가 제시하는 생활 방식이 자신들의 현실과 동떨어져 있다고 느끼며, 이로 인해 브랜드에 대한 감정적 연결이 약화되었습니다.

소통의 실패: ZetaWear의 마케팅 메시지는 소비자들이 현재 갖고 있는 가치와 욕구를 반영하지 못하고 있습니다. 광고 캠페인이 전통적이고 보수적인 접근을 유지함으로써, 혁신적이고 창의적인 것을 추구하는 젊은 소비자들에게 어필하지 못했습니다. 이는 브랜드가 소비자와의 심리적 거리를 좁히는 데 실패했다는 것을 의미합니다.

시장 트렌드에 대한 둔감: 시장의 빠른 변화와 소비자 행동의 변동성을 감지하고 이에 적응하는 것이 중요합니다. ZetaWear는 트렌드를 선도하기보다는 따라가는 위치에 머무르며, 경쟁 브랜드들이 이미 채택하고 있는 혁신적인 전략들을 늦게나마 도입하려 하고 있습니다.

이러한 문제들은 ZetaWear가 시장에서의 위치를 재정립하고, 소비자와의 연결을 강화할 필요가 있음을 시사합니다. 브랜드가 직면한 이러한 문제들을 극복하기 위해서는 단순히 외적인 이미지를 개선하는 것을 넘어서, 브랜드가 소비자의 심리와 감정에 어떻게 호소할 수 있는지를 깊이 있게 이해하고 전략을 수립해야 합니다. 이 과정에서 심리학적 접근이 중요한 역할을 할 수 있습니다.

ZetaWear가 직면한 도전은 브랜드의 이미지가 소비자들의 현대적 가치와 어긋난다는 점에서 출발합니다. 이 문제에 접근하기 위해 가장 적합한 심리학 이론은 Sigmund Freud의 정신 분석 이론입니다. Freud의 이론은 개인의 행동이 대부분 무의식적인 욕구와 동기에 의해 주도된다고 보며, 이는 마케팅 전략에서 소비자의 깊은 심리적 동기를 이해하고 이에 호응하는 방식을 개발하는 데 근본적인 역할을 할 수 있습니다.

Sigmund Freud, 심리학의 아버지로 불리는 인물, 그의 정신 분석 이론은 현대 심리학뿐만 아니라 마케팅, 문화 연구, 예술 등 다양한 분야에 깊은 영향을 미쳤습니다. Freud의 이론은 인간의 행동과 감정, 사고가 무의식적인 동기와 충동에 의해 어떻게 주도되는지에 대한 통찰을 제공합니다. 그의 접근 방식은 인간의 마음을 세 부분으로 나누어 설명합니다.

의식은 우리가 인지하고 있는 생각과 감정들을 포함하며, 우리가 일상적으로 접근하고 사용하는 정신의 일부입니다. 전의식은 의식에 쉽게 접근할 수 없지만 필요할 때 의식의 영역으로 가져올 수 있는 기억이나 정보를 담고 있습니다. 무의식은 가장 깊은 정신의 영역으로, 우리가 의식적으로 접근할 수 없는 욕구, 본능, 기억들이 자리잡고 있습니다. Freud는 특히 무의식이 인간의 행동과 정서에 중대한 영향을 미친다고 보았으며, 이러한 무의식적 요소들이 우리의 결정과 행동을 강력하게 주도한다고 주장했습니다.

Freud는 또한 인간의 심리적 발달을 설명하기 위해 성격의 세 구조적 요소인 이드(id), 자아(ego), 초자아(superego) 를 도입했습니다. 이드는 본능적 욕구와 충동을 대표하며, 쾌락 원칙에 따라 행동합니다. 즉, 즉각적인 만족을 추구하는 심리적 요소입니다. 자아는 현실 원칙을 따르며, 이드의 욕구와 외부 세계 사이에서 균형을 맞추려고 노력합니다. 초자아는 도덕성과 이상을 대표하며, 자아에 도덕적 제약을 가하고 "올바른 일"을 하도록 강요합니다. 이 세 요소 간의 상호작용은 개인의 행동과 감정의 복잡성을 생성하며, 마케팅에서는 이러한 심리적 동기를 이해하고 활용하여 소비자의 행동을 예측하고 영향을 미칠 수 있습니다.

Freud의 정신 분석 이론을 마케팅에 적용하면, 브랜드는 소비자의 무의식적 욕구와 어떻게 교감하고 자극할 수 있는지에 대한 깊은 이해를 얻을 수 있습니다. 이를 통해 브랜드는 강력한 광고 메시지를 개발하고, 소비자의 감정과 욕구를 자극하는 마케팅 전략을 설계할 수 있습니다. 이러한 전략은 소비자가 자신도 몰랐던 욕구를 충족시키거나, 특정 제품에 대한 강한 욕망을 불러일으킬 수 있어, 브랜드 충성도 및 구매 결정에 중요한 역할을 합니다.

ZetaWear의 마케팅 팀은 Freud의 정신 분석 이론을 깊이 이해하고, 이를 바탕으로 브랜드 이미지를 젊고 현대적으로 재창조하는 전략을 수립하기로 결정했습니다. 이 과정은 몇 가지 중요한 단계로 진행되었으며, 각 단계에서 Freud의 이론이 어떻게 적용되었는지를 상세히 살펴보겠습니다.

첫 번째 단계로, ZetaWear의 마케팅 팀은 소비자 무의식에 깊이 파고들어 그들의 기본적인 욕구와 동기를 이해하는 데 중점을 두었습니다. Freud의 이론에 따르면, 소비자의 구매 결정은 종종 무의식적 욕구에 의해 크게 영향을 받습니다. 예를 들어, 안전, 자유, 소속감, 권력 등과 같은 근본적인 인간의 욕구가 이에 해당합니다.

ZetaWear의 팀은 브랜드가 젊은 소비자들의 자유와 모험에 대한 욕구를 어떻게 자극할 수 있는지 연구했습니다. 이를 위해 그들은 새로운 광고 캠페인을 기획하면서, 이러한 욕구를 시각적 및 언어적 메시지로 효과적으로 전달하는 방법을 개발했습니다. 예를 들어, 광고에서는 젊은이들이 도시의 번잡함을 벗어나 자연 속에서 자유롭게 모험을 즐기는 모습을 통해, ZetaWear의 의류가 그들의 모험적이고 자유로운 라이프스타일을 가능하게 한다는 메시지를 강조했습니다.

두 번째 단계에서는 브랜드 스토리텔링을 통해 소비자의 감정과 더 깊은 심리적 연결을 구축했습니다. Freud의 이론에서 강조하는 바와 같이, 사람들은 자신들의 정체성과 일치하거나 자신들의 이상적 자아를 반영하는 브랜드에 강하게 끌립니다. ZetaWear는 자신들의 브랜드 이야기를 재구성하여, 젊음, 혁신, 그리고 개성을 강조하는 내용으로 전환했습니다.

이를 위해 ZetaWear는 실제 소비자들의 이야기를 포함시킨 광고를 제작하여, 실제 사람들이 제품을 사용하며 겪는 경험과 그 경험을 통해 얻은 자유감과 만족감을 전달했습니다. 이러한 스토리텔링은 소비자가 자신의 경험과 감정을 브랜드 스토리와 동일시하게 하여, 브랜드에 대한 신뢰와 충성도를 높이는 데 기여했습니다.

마지막 단계에서는 소비자로부터의 피드백을 적극적으로 수집하고 분석하여, 캠페인의 효과를 지속적으로 모니터링하고 개선해 나갔습니다. Freud의 이론을 통해 이해된 무의식적 동기와 욕구는 변할 수 있으므로, ZetaWear는 시장의 변화와 소비자의 반응을 면밀히 관찰하며 전략을 조정했습니다.

이러한 접근 방식을 통해 ZetaWear는 젊은 세대와의 심리적 거리를 좁히고, 그들의 무의식적 욕구에 호소하는 성공적인 마케팅 전략을 실행할 수 있었습니다. 이 과정에서 심리학 이론의 깊이 있는 적용이 브랜드 재창조에 핵심적인 역할을 했으며, 소비자와의 강력한 감정적 연결을 구축하는 데 결정적인 기여를 했습니다.

마케팅과 심리학의 결합은 소비자 행동을 이해하고 예측하는 데 매우 효과적입니다. Freud의 정신 분석 이론 외에도, 다양한 심리학 이론들이 마케팅 전략을 보다 깊이 있고 효과적으로 설계하는 데 도움을 줄 수 있습니다. 다음은 마케팅 전문가들이 고려할 수 있는 심리학의 몇 가지 주요 영역입니다.

행동 심리학: 이 분야는 인간의 행동 패턴을 연구하고, 이를 통해 행동을 예측하고 변경하는 방법을 탐구합니다. 마케팅에서는 행동 심리학을 통해 소비자의 구매 결정 과정에 영향을 미치는 요인들을 파악하고, 이를 기반으로 소비자 행동을 유도할 수 있는 전략을 개발할 수 있습니다. 예를 들어, 제품 배치, 가격 책정, 판촉 활동 등이 소비자의 구매 결정에 미치는 심리적 영향을 분석할 수 있습니다.

인지 심리학: 인지 심리학은 인간의 인지 과정, 즉 사고, 인식, 기억, 문제 해결 등을 연구합니다. 마케팅에서 인지 심리학은 광고 메시지가 소비자의 주의를 어떻게 끌고, 정보를 어떻게 처리하며, 기억에 어떻게 남는지를 이해하는 데 사용됩니다. 또한, 소비자가 정보를 받아들이고 해석하는 방식을 고려하여, 메시지의 표현과 전달 방법을 최적화할 수 있습니다.

사회 심리학: 사회 심리학은 개인의 행동이 사회적 상황과 어떻게 상호작용하는지를 다룹니다. 이는 광고가 소비자에게 어떻게 인식되고, 사람들이 어떻게 그룹 내에서 의사 결정을 하는지를 이해하는 데 유용합니다. 또한, 사회적 증거, 권위의 원칙 등을 활용하여 소비자의 구매 결정을 유도하는 전략을 개발할 수 있습니다.

감정 심리학: 이 분야는 감정이 인간의 판단과 행동에 어떻게 영향을 미치는지를 연구합니다. 마케팅에서는 감정의 역할을 이해하고, 광고나 브랜드 경험이 소비자의 감정을 어떻게 자극하고, 이로 인해 소비자의 행동 변화를 어떻게 유도할 수 있는지를 분석합니다. 이는 특히 브랜드 충성도 형성이나 감정적 브랜드 연결을 강화하는 데 중요합니다.

이러한 다양한 심리학 이론들은 마케팅 전략의 설계와 실행에 깊이를 더하며, 소비자의 복잡한 행동과 심리적 동기를 보다 정교하게 이해하고 대응할 수 있는 기반을 마련합니다. 마케팅 전문가들은 이러한 이론들을 창의적으로 활용하여 소비자와의 더욱 강력한 연결을 구축하고, 시장에서의 경쟁력을 강화할 수 있습니다.

2. 광고와 설득의 심리: Cialdini의 설득의 원칙

마술처럼 마음을 움직이는 광고의 심리:
Cialdini의 설득의 원칙 탐구

마케팅은 단순히 상품과 서비스를 소비자에게 판매하는 행위를 넘어서, 소비자의 마음을 이해하고, 그들의 무의식에 깊숙이 파고들어 결정을 이끌어내는 심리학적 과정입니다. 우리가 일상에서 만나는 광고들이 어떻게 우리의 선택을 조종하는지 자세히 들여다보면, 그 배후에는 강력한 심리학적 메커니즘이 자리잡고 있습니다. Robert Cialdini의 설득의 원칙은 이러한 마케팅 심리학을 과학적으로 분석하고, 마케터들이 소비자의 행동을 정확하게 예측하고 조종할 수 있도록 돕는 이론적 기반을 제공합니다.

Cialdini의 이론은 마케터가 소비자의 의사결정 과정에 영향을 미칠 수 있는 여섯 가지 핵심 원칙을 제시합니다. 이 원칙들은 각각 상호성, 일관성, 사회적 증거, 권위, 호감, 그리고 희소성을 중심으로 소비자의 심리를 교묘하게 이용합니다. 예를 들어, 상호성의 원칙은 사람들이 무언가를 받았을 때 그것에 대해 갚아야 한다는 내부적 강박을 활용합니다. 마케터들은 무료 샘플이나 선물을 제공함으로써 소비자에게 무언가를 '받은 빚'이 있다는 느낌을 주어, 결국 그 상품이나 서비스를 구매하도록 유도합니다.

이러한 원칙들은 소비자가 상품을 선택하는 데 있어 무의식적으로 작동하는 강력한 힘을 발휘하며, 마케터는 이를 이해하고 적절하게 활용함으로써 더욱 효과적인 광고와 마케팅 전략을 개발할 수 있습니다. 예컨대, 일관성의 원칙은 소비자가 일단 작은 약속을 하고 나면 그것을 지키려는 경향이 있다는 점을 이용해, 큰 구매로 이어지도록 유도하는 전략에 활용됩니다. 또한, 사회적 증거의 원칙은 특히 불확실성이 높은 상황에서 강력하게 작용하며, 소비자들은 다른 사람들이 선택한 것을 보고 그것을 따르는 경향이 있습니다.

이렇게 각각의 원칙이 마케팅 캠페인에 적용될 때, 소비자는 자신도 모르는 사이에 광고의 메시지에 끌리고, 제품에 호감을 갖게 되며, 결국 구매로 이어지는 무의식적인 과정을 밟게 됩니다. 이는 마케팅의 마술사와 같은 역할을 하는 심리학의 힘을 보여주며, 마케터가 이를 어떻게 활용하느냐에 따라 광고와 마케팅의 성공이 크게 달라질 수 있음을 시사합니다. 이러한 심리학적 접근은 광고와 마케팅 전략을 설계할 때 중요한 고려 사항이 되며, 소비자의 깊은 심리적 동기와 연결되는 효과적인 마케팅 전략의 핵심입니다.

InnoWear, 세계적으로 유명한 패션 브랜드는 최근 트렌드 변화와 소비자 기대치의 급격한 변동에 직면하고 있습니다. 이 브랜드는 특히 기술적으로 혁신적인 제품을 개발하며 시장에 새로운 방향을 제시해왔으나, 고객 인식 조사 결과, 소비자들은 InnoWear의 제품이 너무 기술 중심적이어서 패션 감각이 떨어진다고 느끼고 있다는 것을 발견했습니다. 이는 특히 패션을 통해 자신의 개성을 표현하고자 하는 젊은 소비자층에서 두드러졌습니다.

이 상황은 InnoWear의 마케팅 전략 회의에서 중요한 논의 주제가 되었습니다. 최근 시장 조사 보고서에서는 InnoWear의 스포츠웨어 라인이 기능성은 뛰어나지만 스타일 면에서 경쟁 브랜드에 비해 뒤처진다는 의견이 지배적이었습니다. 예를 들어, InnoWear의 스마트 워치는 다양한 피트니스 추적 기능을 제공하지만, 소비자들은 이 제품이 패션 액세서리로서의 매력이 부족하다고 평가했습니다. 이러한 제품들은 기술 애호가에게는 적합할 수 있으나, 일상적인 착용을 선호하는 젊은 소비자들에게는 매력적이지 않은 것으로 나타났습니다.

또한, InnoWear의 디지털 마케팅 캠페인 또한 이와 유사한 도전에 직면해 있습니다. 소셜 미디어 분석 결과에 따르면, InnoWear의 광고들이 주로 기술적인 세부사항에 초점을 맞추고 있어, 스타일과 패션을 중시하는 젊은 소비자들에게 다소 무겁게 느껴지고 있습니다. 특히, 이들은 패션을 통해 자신의 정체성을 표현하려는 욕구가 강하며, InnoWear의 현재 메시지가 이러한 욕구를 충족시키지 못하고 있는 것으로 보입니다.

이 정보는 InnoWear가 자사의 마케팅 전략과 브랜드 메시징을 재고하고, 특히 패션과 스타일을 강조하는 방향으로 재정립할 필요가 있음을 시사합니다. 브랜드가 기술적 우수성뿐만 아니라 패션 센스를 강조하여 젊은 세대와의 관계를 개선하려면, 브랜드 이미지를 보다 현대적이고 동적으로 재창조하는 전략이 요구됩니다. 이러한 상황은 InnoWear가 현재 직면한 시장 포지셔닝의 도전을 극복하기 위해 심리학적 접근과 설득의 원칙을 적극적으로 활용할 수 있는 기회를 제공합니다.

InnoWear가 직면한 문제의 근본적인 원인을 분석하면, 이는 주로 브랜드 이미지와 시장 트렌드, 그리고 소비자 기대 사이의 불일치에서 기인합니다. InnoWear는 기술적인 혁신을 브랜드의 주된 가치로 내세우며, 그들의 제품이 제공하는 고유의 기능적 이점들을 시장에 강조해왔습니다. 이 접근법은 과학과 기술에 관심이 많은 소비자 집단에게는 매우 효과적으로 작용했으나, 패션과 스타일을 중시하는 더 넓은 젊은 소비자 층에게는 그다지 매력적으로 다가가지 못했습니다.

이러한 상황은 특히 소셜 미디어와 온라인 마케팅 채널에서 두드러지게 나타났습니다. InnoWear의 디지털 마케팅 캠페인은 종종 제품의 기술적 세부 사항에 초점을 맞추며, 이러한 기능이 어떻게 사용자의 일상에 유용하게 적용될 수 있는지를 설명하는 데 많은 자원을 소모했습니다. 그러나 이러한 정보 중심의 접근 방식은 소비자가 제품을 선택할 때 고려하는 감성적이거나 심미적인 요소들을 소홀히 했습니다. 젊은 소비자들은 자신들의 라이프스타일과 개성을 반영할 수 있는 패션 제품을 찾고 있으며, 단순히 기능적인 측면만을 강조하는 브랜드에는 크게 끌리지 않는 경향이 있습니다.

더욱이, InnoWear의 시장 조사와 소비자 피드백 수집 과정에서도 일관된 패턴이 발견되었습니다. 많은 소비자들이 브랜드가 제공하는 메시지와 자신들의 실제 생활 방식 사이에 괴리를 느끼고 있음을 나타냈습니다. 이들은 브랜드가 자신들의 사회적 및 문화적 맥락을 충분히 이해하고 반영하지 못한다고 느꼈으며, 이로 인해 브랜드에 대한 충성도나 재구매 의사가 저하되었습니다.

이 모든 문제의 핵심에는 InnoWear의 브랜드 포지셔닝이 시대의 변화와 소비자의 변화하는 기대에 발맞추지 못했다는 사실이 있습니다. 이는 브랜드가 소비자와의 감정적 연결을 잃어가고 있으며, 이를 회복하기 위해서는 브랜드 메시지와 커뮤니케이션 전략을 전반적으로 재고해야 할 필요성을 시사합니다. InnoWear는 기존의 기술 중심적 접근 방식을 넘어서, 소비자의 감성과 라이프스타일을 적극적으로 반영하고, 시각적 및 감성적 매력을 강화하는 새로운 마케팅 전략을 개발해야 할 것입니다.

InnoWear의 마케팅 전략에 유용하게 적용할 수 있는 Robert Cialdini의 설득의 원칙은 광고와 소비자 행동 연구에 깊은 영향을 미쳐왔습니다. Cialdini는 사회 심리학자로서, 그의 연구는 인간의 의사결정 과정과 그 과정에서 타인의 영향을 받는 방식에 초점을 맞추고 있습니다. 그의 저서 "Influence: The Psychology of Persuasion"에서 제시한 설득의 여섯 가지 기본 원칙은 마케팅, 판매, 협상 등 다양한 분야에서 사람들의 행동을 이해하고 예측하는 데 사용됩니다.

첫째, 상호성(Reciprocity). 상호성의 원칙은 사람들이 받은 호의나 서비스에 대해 갚아야 할 의무감을 느낀다는 심리적 경향을 설명합니다. 마케팅에서는 무료 샘플, 할인 쿠폰, 추가 서비스 제공 등을 통해 이 원칙을 활용하며, 소비자는 이러한 호의에 보답하고자 제품을 구매하게 됩니다.

둘째, 일관성(Consistency). 사람들은 일단 공개적으로 어떤 선택이나 약속을 하면 그것에 일관되게 행동하려는 경향이 있습니다. 이 원칙을 마케팅에 적용하면, 브랜드는 소비자로 하여금 소규모의 초기 약속(예: 무료 회원 가입)을 하게 한 후, 그 약속과 일관된 행동(예: 유료 서비스 가입)을 유도할 수 있습니다.

셋째, 사회적 증거(Social Proof). 사람들은 다른 사람들이 어떻게 행동하는지 보고 그것을 따라 하려는 경향이 있습니다. 이 원칙은 특히 불확실한 상황에서 두드러지며, 마케팅에서는 제품 리뷰, 사용자 테스트, 소셜 미디어에서의 언급 등을 통해 소비자의 구매 결정을 유도합니다.

넷째, 호감(Liking). 사람들은 자신이 좋아하는 사람들의 의견에 더 쉽게 영향을 받습니다. 이는 외모, 유사성, 칭찬, 협력 등을 통해 증가될 수 있으며, 광고 캠페인에서 친근하고 매력적인 캐릭터나 유명 인사를 활용하여 호감을 구축하고 제품에 대한 긍정적인 인식을 심어줍니다.

다섯째, 권위(Authority). 전문가의 의견이나 권위 있는 인물의 추천은 사람들의 신뢰와 설득력을 높입니다. 마케팅에서는 제품이나 서비스의 효능을 강조하기 위해 전문가 리뷰, 과학적 연구 결과, 공인 인증 등을 사용하여 권위를 부각시킵니다.

마지막으로 희소성(Scarcity). 제한된 자원에 대한 접근은 그 자원을 더 가치 있게 만듭니다. 마케팅에서는 '한정판', '시간 제한 할인', '마지막 기회' 등의 표현을 사용하여 제품의 희소성을 강조하고, 구매를 서두르도록 유도합니다.

Cialdini의 설득의 원칙을 통해 InnoWear는 자신의 마케팅 전략을 보다 정교하게 조정할 수 있습니다. 이 원칙들은 소비자의 심리를 이해하고, 그들의 구매 결정 과정에 효과적으로 영향을 미칠 수 있는 강력한 도구를 제공합니다.

InnoWear가 직면한 도전을 극복하기 위해, 회사는 Cialdini의 설득 원칙을 기반으로 광범위하고 전략적인 마케팅 캠페인을 전개했습니다. 이 과정에서 각 원칙은 브랜드와 소비자 사이의 강력하고 긍정적인 연결을 구축하는 데 중요한 역할을 수행했습니다.

첫째, 상호성 원칙을 활용하여 InnoWear는 소비자에게 초기 가치를 제공함으로써 장기적인 관계를 구축하는 전략을 채택했습니다. 이를 위해 브랜드는 고객에게 무료 패션 스타일링 세션을 제공하고, 첫 구매에 사용할 수 있는 할인 쿠폰을 제공했습니다. 이러한 행위는 소비자가 받은 혜택에 대한 감사의 마음을 표현하고자 구매로 이어지는 경향이 있으며, 이는 또한 고객이 자신의 경험을 소셜 미디어 등에서 공유하도록 자극하여 자연스러운 입소문을 생성했습니다.

둘째, 일관성 원칙에 따라, InnoWear는 소비자들이 자신들이 선택한 스타일과 일관되게 제품을 구매하도록 유도하기 위해 개인화된 마케팅 전략을 펼쳤습니다. 이메일 마케팅을 통해 고객의 이전 구매 내역과 선호도를 분석하고, 이에 기반한 제품 추천을 제공하여 고객의 구매 결정을 일관되게 유지하도록 격려했습니다.

셋째, 사회적 증거 원칙을 활용하는 방법으로, InnoWear는 인플루언서 마케팅을 강화하여 소비자의 구매 결정에 영향을 미치는 사회적 신호의 힘을 활용했습니다. 유명 인플루언서들이 InnoWear 제품을 사용하는 모습을 소셜 미디어에 게시함으로써, 소비자들은 이러한 사회적 증거를 보고 제품의 인기와 품질에 대해 더 확신하게 되었습니다.

넷째, 호감 원칙을 통해 InnoWear는 광고 캠페인에서 친근하고 매력적인 이미지를 전면에 내세웠습니다. 친근하게 느껴지는 인물을 캠페인의 중심에 배치하여 소비자가 브랜드 메시지에 더 개방적이고 수용적으로 반응하도록 했습니다. 이러한 인물들은 브랜드의 이미지와 가치를 효과적으로 전달하면서 동시에 고객과의 감정적 유대를 강화했습니다.

마지막으로, 희소성 원칙을 적용하여, InnoWear는 특정 제품의 한정된 수량이나 특별 판매 이벤트를 강조했습니다. 이러한 전략은 제품에 대한 긴급감을 조성하고, 소비자가 구매 결정을 서두르도록 유도했습니다. 이는 특히 새로운 컬렉션이나 한정판 제품 출시 때 효과적으로 작동했습니다.

이렇게 Cialdini의 설득의 원칙을 전략적으로 적용함으로써, InnoWear는 자신의 브랜드 포지셔닝을 개선하고 시장에서의 경쟁력을 강화할 수 있었습니다. 각 원칙은 소비자의 심리적 요인을 깊이 이해하고, 이를 바탕으로 설득력 있는 마케팅 메시지를 구축하는 데 중요한 역할을 했습니다.

InnoWear의 경우처럼, 마케팅 전략을 개선하고 소비자와의 관계를 강화하기 위해 여러 심리학적 이론을 적용할 수 있습니다. Cialdini의 설득의 원칙 외에도, 다른 심리학적 접근들이 마케팅 전략의 효과를 극대화하는 데 도움을 줄 수 있습니다. 이러한 이론들은 소비자의 구매 결정과 브랜드 충성도 형성에 중요한 영향을 미칩니다.

1. 감정 이입의 이론 (Empathy Theory): 이 이론은 사람들이 다른 사람의 감정을 이해하고 공감할 수 있는 능력에 기반을 둡니다. 마케팅에서 감정 이입을 활용하면, 소비자의 필요와 욕구를 더 깊이 이해하고, 이에 맞춤화된 커뮤니케이션을 제공할 수 있습니다. 광고에서 감정 이입을 효과적으로 사용하면 소비자와의 감정적 유대를 강화하고, 브랜드에 대한 긍정적인 감정을 촉진할 수 있습니다.

2. 앵커링 효과 (Anchoring Effect): 이는 사람들이 제시된 초기 정보(앵커)를 기준으로 후속 정보를 평가하는 경향을 설명합니다. 가격 책정 전략에서 특히 유용하게 사용되며, 예를 들어 높은 가격을 먼저 제시한 후 할인 가격을 제시함으로써 소비자의 구매 의사 결정에 영향을 미칠 수 있습니다.

3. 확증 편향 (Confirmation Bias): 이는 사람들이 자신의 기존 신념이나 가정을 확증할 수 있는 정보에 더 많은 주의를 기울이고, 그 정보를 더 중요하게 여기는 경향을 나타냅니다. 마케팅에서는 이 편향을 활용하여 브랜드에 대한 긍정적인 이미지를 강화하고, 소비자가 브랜드에 대해 이미 가지고 있는 긍정적인 인식을 강조함으로써 브랜드 충성도를 높일 수 있습니다.

4. 프레이밍 효과 (Framing Effect): 이는 같은 정보라도 그것이 어떻게 제시되는지에 따라 사람들의 반응이 달라질 수 있음을 설명합니다. 마케팅 메시지를 긍정적인 방향으로 프레임 하거나, 제품의 이점을 강조하는 방식으로 제시하면, 소비자의 구매 결정에 유리하게 작용할 수 있습니다.

이러한 심리학적 접근은 마케팅 전략을 더욱 효과적으로 만들며, 소비자의 행동을 깊이 있게 이해하는 데 중요한 역할을 합니다. 이를 통해 마케팅 전문가들은 소비자의 구매 경험을 최적화하고, 브랜드와 소비자 간의 지속적인 관계를 구축하는 데 필요한 전략을 개발할 수 있습니다.

3. 브랜드 개성과 Aaker의 브랜드 개성 차원

브랜드의 인간화:
Aaker의 브랜드 개성 차원으로 소비자 마음 사로잡기

브랜드를 단순히 제품이나 서비스의 집합으로 보는 시대는 이미 지났습니다. 현대 마케팅에서 브랜드는 각자의 고유한 '인격'을 지니며, 이 인격 즉 브랜드 개성은 소비자와의 감정적 연결을 만들고 브랜드 충성도를 구축하는 데 매우 중요한 역할을 합니다. Jennifer Aaker의 브랜드 개성 차원 이론은 마케터가 브랜드의 이미지를 어떻게 구체적으로 형성해야 하는지에 대한 과학적이고 체계적인 가이드를 제공합니다.

예를 들어, 어떤 스포츠웨어 브랜드가 '활동적이고 역동적인' 이미지를 가지고 있다면, 이는 그 브랜드를 선택하는 소비자가 스스로를 활동적인 사람으로 보고 싶어하는 욕구를 반영합니다. 이와 같은 감정적 연결은 브랜드와 소비자 사이에 강력한 정서적 유대를 생성하며, 결국 장기적인 고객 충성도로 이어질 수 있습니다.

Jennifer Aaker는 브랜드 개성을 다섯 가지 주요 차원으로 분류했습니다: 성실성, 흥분성, 유능함, 소피스티케이션, 그리고 견고함. 이러한 차원들은 마케터가 브랜드의 이미지를 명확하게 하고, 소비자의 감정과 깊은 연결을 형성할 수 있도록 도와줍니다. Aaker의 이론을 마케팅 전략에 통합함으로써, 브랜드는 시장에서 독특한 위치를 확보하고, 소비자와의 감정적 유대를 강화할 수 있습니다.

브랜드 개성은 단순한 마케팅 도구를 넘어, 소비자와의 심리적 연결을 형성하는 중요한 수단입니다. 이는 브랜드 충성도를 높이고, 시장에서의 경쟁력을 강화하는 데 결정적인 역할을 합니다. 브랜드 개성을 통해 소비자는 브랜드를 인격화하여 더 깊이 이해하고, 브랜드에 대한 신뢰와 애정을 느끼게 됩니다. 이로 인해 브랜드와 소비자 간의 감정적 유대는 더욱 강화되며, 소비자의 구매 결정에 큰 영향을 미치게 됩니다.

브랜드의 개성은 브랜드가 시장 내에서 어떻게 인식되어야 하는지를 명확히 하고, 브랜드를 소비자의 일상 생활과 감정에 깊숙이 연결시키는 역할을 합니다. Jennifer Aaker의 이론을 적용함으로써, 마케터는 각 브랜드의 독특한 개성을 조성하고, 이를 통해 소비자와의 감정적인 교류를 촉진할 수 있습니다. 이는 고객의 충성도와 브랜드에 대한 강한 애착을 유도하며, 브랜드의 장기적 성공을 위한 기반을 마련합니다.

글로벌 패션 브랜드가 겪고 있는 상황은 매우 복잡하며, 이는 시장의 변화에 민첩하게 대응하지 못한 결과로 보입니다. 이 브랜드는 오랫동안 고급스러움과 클래식함을 자랑하며 성숙한 고객층에게 인기를 끌었습니다. 그러나 최근의 시장 조사 결과에 따르면, 이러한 전통적인 브랜드 이미지가 젊은 소비자들에게는 과거의 유물처럼 인식되고 있어, 이들로부터 외면받고 있는 상황입니다. 브랜드가 신세대 소비자들에게 매력적으로 다가가지 못하고 있다는 사실은 브랜드의 미래 성장 가능성에 심각한 제약을 가하고 있습니다.

이 문제는 소셜 미디어와 디지털 마케팅의 활용에서도 명확히 드러납니다. 경쟁 브랜드들이 온라인에서 활발히 활동하며 새로운 소비층을 적극적으로 끌어들이는 동안, 이 브랜드는 전통적인 광고 방식과 한정된 디지털 존재감으로 인해 시장 변화에 적절히 대응하지 못하고 있습니다. 디지털 마케팅이 중심이 된 오늘날의 시장 환경에서 이는 브랜드에게 치명적인 약점으로 작용하고 있습니다. 특히 젊은 소비자들은 온라인에서 활동하는 브랜드에 더 많은 관심을 보이고, 구매 결정 과정에서 디지털 콘텐츠의 영향을 크게 받습니다.

이러한 상황은 브랜드 경영진에게 심각한 고민을 안겨주고 있습니다. 기존의 브랜드 이미지와 전략만으로는 신규 고객층을 유치하고 기존 고객층을 유지하기 어려운 상황에 직면했기 때문입니다. 경영진은 브랜드 개성을 새롭게 정의하고, 시장에서의 경쟁력을 강화하기 위한 전략적 변화가 필요함을 인식하고 있습니다. 이는 브랜드가 젊은 소비자들의 기대와 트렌드에 부응하는 방식으로 제품 라인을 혁신하고, 브랜드 커뮤니케이션 방식을 전반적으로 개편하는 것을 포함할 필요가 있습니다.

따라서, 브랜드는 현 상황을 타개하고 장기적인 성장을 이루기 위해 브랜드 이미지와 마케팅 전략에 근본적인 변화를 도입할 계획입니다. 이를 통해 브랜드는 다양한 소비자 기반에 보다 효과적으로 접근하고, 특히 디지털 플랫폼을 적극적으로 활용하여 젊은 세대와의 소통을 강화할 것입니다. 이 과정에서 브랜드는 전통적인 강점을 유지하면서도 혁신적인 요소를 도입하여 시장에서 새로운 위치를 확립하고자 합니다.

글로벌 패션 브랜드가 직면한 문제는 다양하고 복잡하며, 이는 브랜드가 시장에서 계속 경쟁력을 유지하기 위해 즉각적인 조치를 요구합니다. 이 브랜드는 전통적인 가치와 고급스러움을 내세웠으나, 최근 시장 조사에서는 특히 젊은 세대 사이에서 브랜드 이미지가 오래되고 구식으로 인식되고 있다는 것이 밝혀졌습니다. 현대 소비자, 특히 밀레니얼과 Z세대는 혁신, 개성, 지속 가능성과 같은 가치를 중시하며, 이들은 브랜드의 디지털 존재감과 소셜 미디어 활동을 중요하게 생각합니다. 이에 따라, 전통적인 마케팅 전략만으로는 이 새로운 소비자 기반을 끌어들이기에 충분하지 않습니다.

더욱이, 이 브랜드는 디지털 마케팅과 온라인 소통에서 상당한 지체를 겪고 있습니다. 경쟁 브랜드들이 빠르게 변화하는 디지털 마케팅 환경에 발 빠르게 적응하고 소비자들과 직접적으로 상호 작용하는 동안, 이 브랜드는 여전히 전통적인 광고와 프로모션에 의존하고 있어, 특히 젊은 소비자들 사이에서 매력적으로 다가가지 못하고 있습니다. 이는 온라인에서의 브랜드 인지도 부족과 낮은 소비자 참여로 이어져, 최종적으로는 판매 저하와 브랜드 가치 하락을 초래하고 있습니다.

커뮤니케이션 전략 또한 주요 문제로 지적되었습니다. 브랜드 메시지가 일관되지 않고 소비자의 감정적 욕구와 깊이 연결되지 못하는 경우가 많습니다. 이는 브랜드와 소비자 사이의 감정적 유대감을 약화시키고, 소비자의 브랜드 충성도 감소로 이어질 수 있습니다. 소비자들은 브랜드가 전달하는 메시지에서 일관성과 진정성을 찾으며, 이를 통해 자신들의 선택을 정당화하려고 합니다. 따라서, 메시지가 분명하지 않거나 소비자의 기대와 일치하지 않을 때, 이는 브랜드에 대한 신뢰도 손상으로 직결됩니다.

이러한 문제들은 브랜드가 신규 고객층을 유치하고 기존 고객층을 유지하는 데 중대한 장애로 작용하고 있으며, 경쟁이 치열한 시장에서 브랜드의 위치를 약화시킬 위험을 높이고 있습니다. 이를 해결하기 위해서는 브랜드가 시장과 소비자의 변화하는 요구에 더욱 민감하게 반응하고, 내부적으로 이 문제들을 깊이 있게 분석하며, 효과적으로 대응할 수 있는 전략을 마련해야 합니다.

이는 브랜드 이미지의 재정립, 디지털 마케팅 전략의 강화, 소비자 참여를 높이는 창의적인 캠페인 개발을 포함할 수 있으며, 모든 조치는 시장에서의 경쟁력을 회복하고 장기적인 성장을 보장하는 데 초점을 맞추어야 할 것입니다.

Jennifer Aaker의 브랜드 개성 차원 이론은 브랜드를 인간과 같이 다양한 성격을 가진 존재로 바라보며, 마케터가 소비자와 감정적 연결을 형성할 수 있도록 돕습니다. 이 이론은 마케팅의 효과를 높이는 도구로써, 브랜드의 인성을 다양한 차원에서 분석하고 이해할 수 있게 해줍니다. Aaker는 브랜드의 개성을 성실성, 흥분성, 유능함, 소피스티케이션, 견고함의 다섯 가지 주요 차원으로 구분했습니다. 각 차원은 브랜드가 시장에서 어떻게 인식되어야 하는지, 소비자와 어떤 정서적 유대를 구축해야 하는지에 대한 명확한 지침을 제공합니다.

성실성은 브랜드가 소박하고 진실되며 친근감을 주는 특성을 강조하며, 소비자에게 신뢰감을 주는 진정성 있는 이미지를 연출합니다. 흥분성은 브랜드를 현대적이고 대담하며 활동적으로 표현함으로써 특히 젊은 소비자들에게 강한 호소력을 발휘합니다. 유능함은 브랜드가 신뢰성과 전문성을 갖추었음을 나타내며, 기술적으로 진보된 제품이나 서비스를 마케팅할 때 강점을 보입니다. 소피스티케이션은 세련되고 글래머러스한 이미지를 강조하여 고급 브랜드나 럭셔리 상품의 매력을 높입니다. 견고함은 강인하고 거친 면모를 부각시켜 모험적이거나 야외 활동과 관련된 제품에 적합한 이미지를 제공합니다.

이러한 개성 차원을 이해하고 적용함으로써 마케터는 브랜드가 소비자의 심리에 깊숙이 파고들어 감정적 연결을 형성하고, 구매 결정에 영향을 미칠 수 있습니다. Aaker의 이론은 브랜드를 단순한 제품의 집합이 아니라 각각의 개성을 가진 존재로 바라보게 함으로써, 마케터가 보다 섬세하게 소비자의 심리와 감정에 접근할 수 있도록 돕습니다. 이는 브랜드 충성도를 높이고, 시장에서의 경쟁력을 강화하는 데 결정적인 역할을 합니다.

회사는 Aaker의 브랜드 개성 차원 이론을 심층적으로 적용하여 각 브랜드의 개성을 세분화하고 구체화하는 전략을 펼쳤습니다. 이 과정에서, 브랜드가 갖는 성실성과 소피스티케이션 차원에 초점을 맞추어 두 가지 주요 캠페인을 전개했습니다. 성실성을 강조하기 위해 회사는 자사 제품의 진정성과 친환경적 가치를 전면에 내세우는 캠페인을 기획했습니다. 이를 위해, 제품의 원재료가 어디서 오는지, 어떤 공정을 거쳐 만들어지는지를 투명하게 소비자에게 공개하며, 이 과정에서의 환경적 책임과 윤리적 사업 관행을 강조했습니다.

이러한 캠페인은 소셜 미디어, 블로그, 그리고 웹사이트를 통해 다양한 스토리텔링과 함께 전달되었습니다. 이를 통해 소비자들은 브랜드가 단순한 상업적 목적을 넘어서 사회적, 환경적 책임을 지고 있음을 인식하게 되었고, 이는 소비자들로 하여금 브랜드에 대한 강한 신뢰감을 형성하도록 도왔습니다. 또한, 이러한 접근은 브랜드를 더 인간적이고 접근하기 쉬운 것으로 만들었으며, 고객과의 감정적 유대를 강화하는 결과를 가져왔습니다.

소피스티케이션을 강조하기 위해 회사는 고급스러움과 독특함을 전달하는 광고 캠페인을 실시했습니다. 이 캠페인에서는 세련된 이미지와 고급스러운 디자인을 강조하며, 특정 타겟 시장을 겨냥한 맞춤형 메시지를 전달했습니다. 예를 들어, 고급 패션 브랜드를 대상으로 하는 광고에서는 유명 디자이너와의 협업이나, 특별한 소재 사용을 강조했으며, 이는 소비자에게 제품의 독특한 가치를 전달하고 소유욕을 자극했습니다. 이 광고들은 영화관, 고급 매거진, 그리고 온라인 플랫폼을 통해 배포되어, 타겟 고객층에 효과적으로 도달할 수 있었습니다.

이렇게 재정의된 브랜드 개성은 소비자와의 감정적 연결을 깊게 하고, 브랜드 충성도를 현저히 향상시켰습니다. 소비자들은 브랜드가 전달하는 메시지에 공감하고, 브랜드를 통해 자신의 정체성과 가치를 표현할 수 있었습니다. 이 과정에서 브랜드는 단순한 제품을 넘어 소비자의 삶의 일부가 되었으며, 이는 궁극적으로 시장에서 브랜드의 지속 가능한 성장을 보장하는 중요한 요소가 되었습니다.

회사 내부에서도 이러한 전략은 긍정적인 영향을 미쳤습니다. 마케팅 팀은 브랜드의 개성을 명확히 이해하고 이를 모든 광고와 프로모션 활동에 일관되게 반영했습니다. 이 일관성은 소비자들이 브랜드 메시지를 더욱 명확하게 인식하도록 돕고, 브랜드에 대한 강한 식별력을 형성하는 데 기여했습니다.

브랜드 개성을 넘어, 마케팅 전략을 개선하고 소비자와의 관계를 더욱 강화할 수 있는 다양한 심리학적 이론과 접근법이 있습니다. Aaker의 브랜드 개성 차원 외에도, 여러 심리학적 이론이 브랜드의 효과적인 관리와 소비자 행동의 이해에 도움을 줄 수 있습니다. 이러한 이론들은 소비자의 구매 결정 과정에 깊이 있는 통찰을 제공하고, 브랜드와 소비자 간의 감정적 연결을 더욱 강화할 수 있습니다.

1. 인지 부조화 이론 (Cognitive Dissonance Theory): 이 이론은 소비자가 자신의 신념, 태도, 행동 간에 일관성을 유지하려는 심리적 경향을 설명합니다. 마케팅에서는 이 이론을 활용하여 소비자가 브랜드에 대해 긍정적인 인식을 유지하도록 유도하며, 이것이 구매 결정과 브랜드 충성도에 긍정적인 영향을 미치게 할 수 있습니다.

2. 자기 효능감 이론 (Self-Efficacy Theory): 이 이론은 사람들이 자신의 행동이 성공적인 결과를 낼 것이라는 믿음을 갖고 행동하려는 경향을 다룹니다. 브랜드가 소비자에게 자신감을 부여하거나, 제품 사용이 개인의 성공에 기여한다는 인식을 강화할 때 특히 유용합니다.

3. 대조 이론 (Contrast Theory): 이 이론은 사람들이 정보를 처리할 때 이전 경험이나 기대와 비교하여 대조적으로 정보를 인식하는 경향을 설명합니다. 마케팅에서는 이를 통해 브랜드가 경쟁 브랜드와의 비교에서 돋보이도록 할 수 있으며, 제품의 독특한 특성을 강조하는 데 활용됩니다.

4. 문화적 적합성 이론 (Cultural Congruence Theory): 이 이론은 브랜드 메시지와 소비자의 문화적 가치가 어떻게 일치하는지를 다룹니다. 브랜드가 특정 문화적 배경을 가진 소비자 집단에 맞춤화된 메시지를 제공함으로써 더 큰 공감과 호응을 얻을 수 있습니다.

이러한 심리학적 접근법은 브랜드가 소비자의 미묘한 심리적 요인을 파악하고 이를 마케팅 전략에 효과적으로 통합할 수 있도록 도와줍니다. 각 이론은 브랜드가 시장에서 어떻게 더욱 세심하고 차별화된 접근을 개발할 수 있는지에 대한 통찰을 제공하며, 소비자와의 지속 가능한 관계를 구축하는 데 중요한 역할을 합니다.

4. 소비자 결정 과정과 Kahneman의 전망 이론

마케팅과 소비자의 마음의 게임:
Kahneman의 전망 이론과 소비자 결정 과정

마케팅 세계에서 소비자의 구매 결정 과정을 이해하는 것은 마치 마법과도 같습니다. 이 복잡한 과정은 겉보기에 단순한 결정처럼 보이지만, 실제로는 소비자의 심리적, 감정적 요소가 크게 작용합니다. 이를 효과적으로 파악하고 관리하는 데 필수적인 이론이 바로 Daniel Kahneman의 전망 이론입니다. 이 이론은 소비자의 판단과 행동에 영향을 미치는 비합리적 패턴을 과학적으로 설명하며, 마케터에게 깊은 통찰력을 제공합니다.

전망 이론의 핵심은 소비자가 잠재적 손실과 이득을 어떻게 인식하고, 이러한 인식이 소비자의 행동을 어떻게 결정하는지에 초점을 맞춥니다. Kahneman에 따르면, 사람들은 손실을 피하는 것을 이득을 얻는 것보다 더 중요하게 여기며, 이는 소비자의 구매 결정에 강력한 영향을 미칩니다. 이를 '손실 회피'라고 하는데, 이는 사람들이 손실을 경험할 가능성에 대해 더 강한 감정적 반응을 보이고, 이 감정이 구매 결정 과정에서 중요한 역할을 한다는 것을 의미합니다.

이러한 심리적 현상을 마케팅 전략에 적용함으로써, 기업들은 소비자의 심리를 깊이 파악하고 이를 기반으로 보다 효과적인 마케팅 전략을 수립할 수 있습니다. 예를 들어, 제품의 가격을 인상하는 대신 할인이나 가격 인하를 강조하는 전략을 사용하여 소비자의 손실 회피 경향을 이용할 수 있습니다. "오늘만 할인!"이나 "한정 수량 세일"과 같은 전략은 긴급성과 손실 회피를 자극하여 소비자로 하여금 빠른 구매를 유도하게 만듭니다.

또한, 제품의 특성을 강조할 때 소비자가 겪을 수 있는 손실을 감소시킬 수 있는 점을 부각함으로써 제품을 더욱 매력적으로 만들 수 있습니다. 예를 들어, 건강 보조 식품을 광고할 때 "질병을 예방하고 건강을 유지하세요"와 같은 메시지를 사용하여 소비자의 건강에 대한 손실에 대한 두려움을 감소시키는 방식으로 유도할 수 있습니다.

마지막으로, 프로모션 메시지를 통해 소비자가 행동을 취하지 않을 경우 발생할 수 있는 손실을 강조하는 것도 효과적입니다. "재고 소진 시 종료" 또는 "놓치면 후회할 것입니다"와 같은 메시지는 소비자에게 구매 기회를 놓칠 수 있다는 두려움을 심어주어 구매를 촉진할 수 있습니다.

Kahneman의 전망 이론을 이해하고 마케팅 전략에 효과적으로 적용함으로써, 마케터들은 소비자의 비합리적 결정 과정을 파악하고 이에 영향을 미칠 수 있습니다. 이는 브랜드가 시장에서 강력한 영향력을 행사하고, 소비자와의 지속적인 관계를 구축하는 데 도움을 줄 수 있습니다. 이처럼 심리학적 접근을 마케팅에 통합하는 것은 소비자의 마음을 깊이 이해하고 그들의 구매 결정에 능동적으로 개입할 수 있는 중요한 방법입니다.

XYZ 회사는 홈 퍼니싱 산업에서 중상위 시장을 목표로 고급 제품 라인을 출시하며 시장 진입에 큰 기대를 걸었습니다. 이 회사는 이전까지 주로 중저가 제품을 제공하며 견고한 시장 지위를 구축했었지만, 브랜드 이미지를 강화하고 이익 마진을 높이기 위해 고급 시장으로의 전환을 추진하기로 결정했습니다. 제품은 천연 소재와 고급 디자인을 특징으로 하며, 환경적 지속 가능성을 강조하는 마케팅 전략으로 소비자들의 관심을 끌고자 했습니다.

출시 초기, 제품은 시각적으로 매력적이고 혁신적인 디자인을 자랑했으며, 마케팅 캠페인은 대대적으로 전개되었습니다. 그러나 예상과 달리 판매 실적은 저조했고, 초기 피드백은 소비자들이 가격에 대해 높은 민감성을 보인다는 것을 나타냈습니다. 특히 기존 고객층은 XYZ의 가격대가 기존 제품 대비 현저히 높아진 것에 대해 불만을 표현했습니다.

시장 분석을 진행한 결과, XYZ의 타겟 고객층은 제품의 가치를 인정하면서도 높은 가격 때문에 구매 결정을 망설이는 경향이 뚜렷하게 나타났습니다. 경쟁사 제품과의 가격 비교에서도 XYZ 제품은 비싼 편에 속했으며, 이는 소비자들이 경쟁 브랜드로 기울게 만드는 요소로 작용했습니다. 또한, 소비자들은 XYZ 브랜드가 고급 제품을 제공하는 브랜드로서의 이미지를 아직 확립하지 못했다고 느꼈으며, 이는 브랜드 신뢰성에 대한 의구심으로 이어졌습니다.

XYZ는 이러한 문제를 해결하기 위해 추가 조치가 필요하다는 것을 깨닫고, 소비자 인식을 개선하고 시장에서의 입지를 강화하기 위한 전략 수정을 고려하기 시작했습니다. 회사는 소비자들의 심리적 장벽을 낮추고, 제품의 품질과 가치를 보다 효과적으로 전달하는 방안을 모색해야 했습니다.

XYZ 회사가 고급 홈 퍼니싱 시장으로의 전환 과정에서 직면한 판매 저조 문제는 여러 요인에 의해 복합적으로 발생했습니다. 첫 번째 주요 원인은 소비자 인식의 불일치였습니다. XYZ 회사는 고급 시장으로의 이미지 전환을 시도했지만, 소비자들은 여전히 이전의 중저가 이미지를 가지고 있었습니다. 새로운 고급 제품군이 시장에 도입되었을 때, 소비자들은 브랜드의 가치와 품질을 고급 가격대와 연관 지어 인식하는 데 어려움을 겪었습니다.

두 번째 원인은 가격 책정 전략의 실패였습니다. XYZ의 제품 가격은 기존 제품보다 현저히 높았으며, 이는 대상 고객층의 구매 결정에 부정적인 영향을 미쳤습니다. 소비자들은 높은 가격에 대한 충분한 가치를 느끼지 못했으며, 이는 직접적으로 구매 저항으로 이어졌습니다. 경쟁 브랜드와의 가격 비교에서도 XYZ 제품이 상대적으로 비싼 것으로 나타나, 가격 경쟁력에서 불리함을 느꼈습니다.

세 번째 문제는 마케팅 전략의 부족이었습니다. XYZ 회사는 제품의 고급스러움을 소비자에게 효과적으로 전달하지 못했습니다. 고급 제품의 특성과 이점을 강조하는 마케팅 캠페인이 충분히 실행되지 않았고, 소비자들에게 제품의 독특한 가치를 인식시키는 데 실패했습니다. 이로 인해 소비자들은 제품의 높은 가격을 정당화할 만큼의 정보를 제공받지 못했습니다.

마지막으로, 내부 실행의 문제도 있었습니다. 제품 출시와 마케팅 전략 사이의 조율이 부족했으며, 이는 시장의 요구와 실제 제품이 제공하는 가치 사이에 간극을 만들었습니다. 또한, 소비자 피드백을 제대로 수집하고 분석하는 시스템이 갖추어지지 않아 초기 시장 반응에 신속하게 대응하지 못했습니다.

이러한 문제들은 XYZ 회사가 고급 시장에서 성공적으로 자리 잡기 위해 직면한 핵심 도전과제로, 이를 해결하기 위해서는 근본적인 전략적 접근과 실행의 개선이 필요함을 시사합니다.

XYZ 회사가 직면한 마케팅 문제를 해결하기 위해 적용할 수 있는 심리학적 이론으로는 Daniel Kahneman의 전망 이론이 있습니다. 이 이론은 소비자의 결정 과정에서 나타나는 비합리적인 행동을 설명하고, 특히 손실 회피와 참조점 설정이라는 개념을 중심으로 합니다.

Kahneman은 소비자가 경제적 결정을 내릴 때 잠재적 손실을 이득보다 더 크게 느끼는 경향이 있음을 발견했으며, 이는 마케팅 전략을 설계할 때 중요한 고려사항이 될 수 있습니다.

전망 이론에 따르면, 사람들은 손실에 대해 과도하게 민감하게 반응하며, 이는 손실을 최소화하려는 강력한 동기를 만들어냅니다. 이를 마케팅에 적용하면, XYZ 회사는 제품의 특징과 이점을 강조하여 소비자가 감지할 수 있는 잠재적 손실(예: 비용, 기회의 손실)을 완화함으로써 구매를 유도할 수 있습니다. 예를 들어, 제품의 독특한 기능이나 브랜드가 제공하는 독보적인 가치를 강조하여, 이 제품을 구매하지 않을 경우 놓칠 수 있는 이점들을 명확히 할 수 있습니다.

또한, 전망 이론은 참조점의 중요성을 강조합니다. 이는 소비자가 자신의 현재 상태나 특정 기준에 따라 가치 판단을 내리며, 이 참조점이 긍정적으로 조정될 경우 소비자의 구매 결정에 긍정적인 영향을 미칠 수 있음을 의미합니다. XYZ 회사는 이를 활용하여 소비자의 참조점을 재조정할 수 있으며, 이를 통해 제품의 특별함과 필요성을 더욱 강조할 수 있습니다. 예를 들어, 특정 제품이 갖는 유니크한 디자인이나 기능을 부각시키고, 이를 시장에서 경쟁하는 다른 제품과 비교하여 소비자의 기대치를 높이는 전략을 사용할 수 있습니다.

Kahneman의 이론을 깊이 이해하고 적용함으로써 XYZ 회사는 소비자의 비합리적인 행동 양식을 이해하고 이를 기반으로 효과적인 마케팅 전략을 수립할 수 있습니다. 이러한 전략은 소비자의 구매 결정 과정에 깊숙이 개입하여, 손실 회피와 참조점 조정을 통해 보다 능동적으로 소비자의 행동을 유도할 수 있습니다. 이와 같은 접근 방식은 소비자의 심리적 패턴을 보다 세밀하게 분석하고 이를 마케팅에 활용함으로써, 제품의 매력을 극대화하고 시장에서의 성공적인 위치를 확보하는 데 기여할 것입니다.

XYZ 회사는 Kahneman의 전망 이론을 기반으로 소비자의 심리를 이해하고 이를 마케팅 전략에 효과적으로 통합하는 데 중점을 두었습니다. 이 회사는 특히 소비자의 손실 회피 경향을 타겟팅하여, 제품의 판매 전략을 조정하고 광고 캠페인을 최적화했습니다.

다음은 XYZ 회사가 이러한 심리학적 접근을 어떻게 구체적으로 실행에 옮겼는지에 대한 상세한 설명입니다.

첫 번째 전략으로, XYZ 회사는 제품의 가격 정책을 재조정하여 소비자가 느끼는 손실의 두려움을 극대화했습니다. 회사는 특정 제품에 대해 시간 제한 할인 이벤트를 실시하여, "한정된 시간 동안만 할인가로 제공됩니다"라는 메시지를 강조했습니다. 이러한 전략은 소비자에게 임박한 손실의 가능성, 즉 할인이 끝나고 나면 더 높은 가격을 지불해야 할 수도 있다는 두려움을 강조하여 구매를 촉진했습니다. 또한, 이벤트는 '지금 구매하지 않으면 큰 이익을 놓칠 수 있습니다'라는 긴급성을 부여하여 소비자의 구매 결정을 서두르게 만들었습니다.

두 번째로, XYZ는 제품 광고에서 손실 회피의 심리를 직접적으로 자극하는 메시지를 사용했습니다. 예를 들어, 고가의 가전 제품 광고에서는 "지금 구매하지 않으면, 최신 기술의 혜택을 누릴 수 있는 기회를 놓칠 수 있습니다"라는 메시지를 통해 소비자가 기술 발전을 따라잡지 못할 수 있다는 두려움을 강조했습니다. 이런 접근은 소비자가 겪을 수 있는 잠재적 손실에 초점을 맞추어 그들의 구매 결정을 강하게 유도했습니다.

세 번째 전략으로, XYZ 회사는 소비자의 참조점을 재설정하기 위해 노력했습니다. 이를 위해 회사는 제품의 독특한 특징과 장기적인 이점을 강조하는 새로운 마케팅 캠페인을 개발했습니다. 예를 들어, 친환경 차량에 대한 캠페인에서는 장기적으로 연료 비용을 절약할 수 있다는 점과 환경 보호에 기여할 수 있다는 점을 강조하여, 소비자가 자동차 구매 결정을 내릴 때 고려해야 할 새로운 기준을 제시했습니다. 이는 소비자의 구매 결정 과정에 새로운 참조점을 도입하고, 장기적인 이득을 강조함으로써 손실 회피의 심리를 효과적으로 활용했습니다.

이러한 전략들은 Kahneman의 전망 이론을 실제 마케팅 활동에 적용하여 소비자의 심리적 반응을 극대화하는 데 초점을 맞췄습니다. XYZ 회사는 이러한 접근을 통해 소비자의 구매 패턴을 더 잘 이해하고 예측할 수 있게 되었으며, 이는 고객의 행동을 효과적으로 유도하고 전반적인 판매 성과를 개선하는 데 기여했습니다.

다음으로, 심리학과 마케팅의 교차점을 더 깊이 탐구하고자 할 때 참고할 만한 몇 가지 추가적인 이론들을 추천합니다:

1. 반응성 격차 이론(Reactance Theory): 이 이론은 소비자가 자신의 자유가 제한된다고 느낄 때, 그 제한을 회피하거나 반발함으로써 자유를 회복하려는 경향을 설명합니다. 마케터는 이 이론을 사용하여 과도한 강압적 판매 기법이 소비자에게 어떻게 역효과를 낼 수 있는지 이해하고, 더 섬세하고 유연한 접근 방식을 개발할 수 있습니다.

2. 앵커링 효과(Anchoring Effect): 이 심리학 원리는 사람들이 처음 제시된 정보(앵커)에 지나치게 의존해 후속 결정을 내린다는 것을 설명합니다. 마케팅에서, 처음 제시된 가격이 소비자의 가격 인식과 기대를 형성하는 방식을 이해하면, 가격 전략과 프로모션을 보다 효과적으로 설계할 수 있습니다.

3. 인지 부조화 이론(Cognitive Dissonance Theory): 이 이론은 개인이 자신의 신념이나 가치와 모순되는 행동을 할 때 경험하는 불편함을 설명합니다. 마케팅에서는 이 이론을 활용하여 소비자가 자신의 구매 결정을 정당화하도록 돕는 메시지와 캠페인을 구성함으로써, 제품에 대한 충성도와 만족도를 높일 수 있습니다.

4. 프레이밍 효과(Framing Effect): 같은 정보라도 어떻게 제시하느냐에 따라 사람들의 반응이 달라질 수 있습니다. 이 원칙을 이해하고 활용함으로써, 마케터는 제품 정보, 혜택, 그리고 위험 요소를 소비자에게 보다 효과적으로 전달할 수 있는 방법을 찾을 수 있습니다.

5. 확증 편향(Confirmation Bias): 이 개념은 사람들이 자신의 기존 신념을 뒷받침하는 정보를 선호하고 찾는 경향을 설명합니다. 마케터는 이를 이용하여 소비자의 기존 신념과 일치하거나 이를 강화할 수 있는 광고 메시지를 제작하여 더욱 효과적으로 소비자를 설득할 수 있습니다.

이러한 이론들을 추가로 공부하고 마케팅 전략에 통합함으로써, 당신은 소비자의 심리적 동기와 행동을 보다 깊이 이해하고, 그에 따른 마케팅 전략을 세밀하게 조정할 수 있을 것입니다. 이는 궁극적으로 브랜드와 제품의 시장 내 입지를 강화하고, 소비자와의 관계를 깊게 하는 데 기여할 것입니다.

5. 행동 경제학과 마케팅 전략

소비자 심리의 미로를 헤쳐나가기:
행동 경제학이 마케팅 전략을 혁신하는 방법

행동 경제학은 마케팅에서 점점 중요해지는 영역으로, 전통적 경제학의 이론이 가정하는 완벽한 합리성을 넘어서 인간의 비합리적인 결정 과정을 탐구합니다. 실제 소비자의 구매 결정은 단순한 경제적 이득을 넘어 개인의 감정, 사회적 영향력, 심지어는 때때로 의식하지 못하는 무의식적 동기에 의해서도 크게 좌우될 수 있습니다. 이러한 복잡한 심리적 과정을 이해하는 것은 마케터에게 소비자의 구매 행위를 더욱 정확하게 예측하고, 매우 효과적인 마케팅 전략을 개발할 수 있는 기반을 제공합니다.

행동 경제학의 주요 개념 중 하나는 '멘탈 어카운팅(Mental Accounting)'으로, 이는 소비자가 자신의 자금을 마치 여러 개의 서로 다른 '계정'에 할당하듯이 다루며, 각각의 계정에 따라 지출을 다르게 인식한다는 이론입니다. 예를 들어, 사람들은 선물 카드나 특정 목적으로 지정된 돈을 일반 현금보다 더 자유롭게 지출하는 경향이 있습니다. 이러한 인식은 마케터가 프로모션 전략을 설계할 때 매우 중요한 고려 사항이 될 수 있습니다.

또 다른 중요한 개념은 '앵커링 효과(Anchoring Effect)'로, 이는 소비자가 처음 접한 정보에 지나치게 의존하여 후속 결정을 내릴 때 발생합니다. 예를 들어, 소비자가 처음에 상품의 높은 가격을 보고 나서 할인된 가격을 접하게 되면, 할인된 가격이 훨씬 매력적으로 느껴지게 됩니다. 이 효과를 활용한 마케팅 전략은 소비자가 상대적으로 더 나은 거래를 하고 있다고 느끼게 만들어 구매를 유도할 수 있습니다.

마지막으로 '손실 회피(Loss Aversion)'는 인간이 손실을 경험하는 것을 극도로 기피한다는 개념으로, 이는 마케팅에서 "마지막 기회", "한정 수량" 같은 메시지를 통해 소비자의 구매를 촉진하는 데 사용됩니다. 소비자는 잠재적인 손실, 즉 좋은 거래나 기회를 놓칠지도 모른다는 두려움에 매우 민감하게 반응하기 때문에, 이러한 전략은 특히 효과적입니다.

이와 같이 행동 경제학은 소비자의 구매 결정 과정에 깊숙이 관여할 수 있는 강력한 도구를 마케터에게 제공합니다. 소비자의 비합리적인 결정을 예측하고 이해함으로써, 마케터는 보다 세밀하고 효과적인 마케팅 캠페인을 설계할 수 있습니다. 이러한 접근은 마케팅 전략을 풍부하게 하고, 소비자와의 강력한 정서적 연결을 형성하여 장기적인 고객 충성도를 구축하는 데 도움이 됩니다.

블루테크는 최근 스마트홈 기기 시장에서 새로운 제품 라인을 출시하였으나, 예상 외로 판매량이 저조한 상황입니다. 이 회사는 스마트홈 기술을 활용하여 사용자의 일상 생활을 편리하게 만드는 다양한 기능을 제공하는 제품을 개발해왔습니다. 하지만 신제품 출시 후 기대했던 시장 반응을 얻지 못하고 있는데, 이는 소비자들이 제품의 실제 가치와 기능을 제대로 인식하지 못하고 있기 때문으로 분석됩니다.

회사의 내부 조사에 따르면, 소비자들은 제품의 고가에 대한 정보에 민감하게 반응하고 있으며, 기존에 사용하던 저가의 대체 제품과 비교하여 가격 대비 효용을 충분히 느끼지 못하고 있습니다. 또한, 제품의 기능과 장점이 충분히 알려지지 않아, 고객들은 높은 가격에 대한 정당성을 찾지 못하고 있습니다. 특히, 이들은 제품이 제공하는 혁신적인 기능들이 자신들의 일상에 실제로 어떤 혜택을 줄 수 있는지를 명확히 인지하지 못하는 상황입니다.

블루테크는 이러한 문제를 극복하기 위해 시장 조사를 더 깊이 진행했으며, 소비자들이 기술에 대해 가지고 있는 주요 우려 사항들을 식별했습니다. 소비자들은 특히 제품의 복잡성과 사용의 어려움, 그리고 장기적인 제품 지원과 관련된 불안감을 표현했습니다. 이러한 피드백을 바탕으로, 회사는 제품의 사용자 친화성을 높이고, 제품 지원에 대한 신뢰를 구축하는 방향으로 전략을 수정할 필요가 있음을 인지하게 되었습니다.

이 상황은 블루테크에게 소비자 심리와 구매 동기를 보다 정밀하게 이해하고, 그에 맞춰 제품 설명과 마케팅 전략을 재조정할 기회를 제공합니다. 제품의 가치와 이점을 명확히 전달하고, 소비자가 가질 수 있는 가능한 의문점을 사전에 해소함으로써, 회사는 시장 내 입지를 강화하고 장기적인 고객 관계를 구축하는 데 성공할 수 있을 것입니다.

블루테크가 직면한 판매 저조의 문제는 여러 요인에 의해 복합적으로 발생했습니다.
첫 번째 원인은 소비자의 가격 인식과 관련이 깊습니다. 블루테크의 스마트홈 기기는 시장에서 비교적 높은 가격대를 형성하고 있으나, 소비자들은 이러한 높은 가격에 상응하는 가치를 느끼지 못하고 있습니다. 이는 소비자들이 제품의 고유 기능과 장기적 이점을 충분히 인지하지 못하기 때문으로 보입니다.

두 번째 문제는 제품의 복잡성과 관련된 사용자 경험입니다. 고객 피드백을 통해 확인된 바에 따르면, 많은 소비자들이 제품의 설정과 일상적인 사용에서 직면하는 어려움을 보고하고 있습니다. 이는 기술적인 배경 지식이 부족한 일반 소비자들에게 제품의 특징을 이해하고 활용하는 데 상당한 장벽으로 작용하고 있습니다.

세 번째 원인은 시장의 불확실성과 경쟁의 심화입니다. 블루테크는 다수의 경쟁 업체와의 경쟁 속에서도 독창적인 제품을 선보여야 하는 압박을 받고 있습니다. 경쟁사들이 유사한 기능을 더 낮은 가격에 제공함으로써, 소비자들 사이에서 비교 평가가 이루어지고 있으며, 이는 블루테크 제품의 가치 인식을 더욱 약화시키고 있습니다.

이러한 문제들을 종합적으로 분석할 때, 블루테크는 소비자의 심리적 인식과 시장 내의 위치를 재평가하고, 제품의 가격 전략, 사용자 경험, 그리고 마케팅 접근 방식에 대한 전반적인 수정이 필요함을 인지할 수 있습니다. 이는 소비자의 요구와 시장의 요구를 더욱 효과적으로 충족시키기 위한 전략적 변화를 요구하는 상황입니다.

행동 경제학은 전통적 경제학의 이론에 도전하며, 인간의 결정이 항상 합리적이지 않다는 것을 강조합니다. 이 분야에서 중요한 역할을 하는 개념 중 하나는 멘탈 어카운팅, 앵커링 효과, 그리고 손실 회피입니다. 이 이론들은 특히 리처드 탈러(Richard Thaler)와 다니엘 카너먼(Daniel Kahneman)의 연구에서 크게 발전했습니다.

멘탈 어카운팅(Mental Accounting)은 리처드 탈러에 의해 발전된 개념으로, 사람들이 자금을 목적별로 다른 '계정'에 할당하고 관리하는 심리적 과정을 설명합니다. 이 개념에 따르면, 사람들은 예를 들어 '여행'이나 '교육' 등 특정 목적을 위해 돈을 따로 구분하여 생각하며, 이는 지출 결정에 큰 영향을 미칩니다. 탈러는 이를 통해 경제적 의사결정에서의 비합리성을 보여주고, 사람들이 어떻게 재정적 결정을 내리는지에 대한 깊은 이해를 제공합니다.

앵커링 효과(Anchoring Effect)는 다니엘 카너먼과 에이모스 트버스키(Amos Tversky)에 의해 개발된 개념으로, 초기에 제시된 정보(앵커)가 후속 판단이나 결정에 큰 영향을 끼치는 현상입니다. 예를 들어, 소비자가 가격 표시에서 처음 보는 숫자에 강하게 영향을 받아 이후의 가격 판단이 그 숫자에 '고정'되는 현상을 설명합니다. 이는 마케팅 전략에서 가격 설정과 할인 전략에 활용되어, 소비자의 구매 결정을 유도하는 데 사용됩니다.

손실 회피(Loss Aversion)는 카너먼과 트버스키에 의해 발전된 또 다른 중요한 개념으로, 사람들이 손실을 피하려는 경향이 이득을 추구하는 것보다 강하다는 원리입니다. 이는 '전망 이론'의 중심 개념 중 하나로, 소비자가 잠재적인 손실(예: 할인 종료, 제품 매진 등)에 더 크게 반응하는 경향을 보여줍니다. 마케팅에서는 이 개념을 이용해 소비자에게 제품이나 서비스의 구매를 놓칠 수 있다는 두려움을 자극하여 구매 결정을 촉진합니다.

이러한 개념들은 행동 경제학이 마케팅 전략에 근본적으로 기여하는 방식을 보여줍니다. 멘탈 어카운팅은 소비자가 자신의 지출을 어떻게 구분하는지, 앵커링 효과는 초기 정보가 소비자의 판단을 어떻게 왜곡할 수 있는지, 손실 회피는 소비자가 손실을 얼마나 강하게 피하려 하는지를 통해, 마케터는 소비자의 구매 행동을 더 효과적으로 이해하고 영향을 미칠 수 있습니다. 이는 마케팅 캠페인의 설계와 실행에 있어 중요한 역할을 하며, 소비자의 비합리적인 결정 패턴을 파악하고 이를 활용하는 전략을 구축하는 데 도움을 줍니다.

블루테크는 최근 소비자 행동을 보다 깊이 이해하고 이를 바탕으로 고객 유치와 매출 증대를 목표로 행동 경제학의 원리를 적극적으로 활용하기 시작했습니다. 회사는 특히 멘탈 어카운팅, 앵커링 효과, 손실 회피 등의 개념을 마케팅 전략에 통합하여 소비자의 구매 결정 과정에 깊숙이 관여하는 방식을 선택했습니다. 이 접근 방식은 소비자의 비합리적인 행동 패턴을 이해하고 이를 기반으로 마케팅 메시지를 최적화하는 데 중요한 역할을 했으며, 실제 소비자 행동에 근거한 전략적 결정을 가능하게 했습니다.

블루테크는 멘탈 어카운팅 원리를 적용해 고객이 제품 구매 시 사용할 수 있는 포인트 시스템을 도입했습니다. 이 시스템은 고객이 각 포인트를 실제 현금처럼 인식하도록 유도하여, 포인트를 사용할 때의 심리적 저항을 줄였습니다. 고객들은 포인트를 사용해 추가 구매를 하는 것이 실제 돈을 사용하는 것보다 쉽다고 느꼈기 때문에, 더 자주 그리고 더 많이 구매하도록 동기를 부여 받았습니다. 이 시스템을 통해 고객은 자신의 지출을 '즐거운 경험'으로 인식하게 되어 브랜드 충성도가 높아졌습니다.

앵커링 효과를 활용하여, 블루테크는 제품의 초기 가격을 고의적으로 높게 책정한 후 할인을 적용했습니다. 이 전략은 소비자에게 제품의 가치가 높다는 인식을 심어주면서 할인된 가격에 구매하는 것이 큰 이익이라는 인상을 주었습니다. 예를 들어, 원래 가격이 $100인 제품을 $150로 표시한 후, 50% 할인을 제공하여 실제 구매 가격을 $75로 만드는 방식입니다. 이러한 접근은 소비자가 큰 절약을 하고 있다고 느끼게 만들어 구매 욕구를 자극했습니다.

손실 회피 전략을 통해, 블루테크는 제품이 곧 품절될 것이라는 긴급성을 강조하는 메시지를 사용하여 소비자의 구매를 촉진했습니다. "재고가 얼마 남지 않았습니다"나 "마지막 기회"와 같은 표현은 소비자가 기회를 놓칠 수 있다는 두려움을 자극하여 즉시 구매 결정을 내리도록 유도했습니다. 이 방법은 소비자의 두려움과 손실 회피 본능을 자극하여, 구매 결정을 서두르게 만드는 데 매우 효과적이었습니다.

이러한 전략들은 블루테크가 소비자의 구매 패턴을 더욱 효과적으로 이해하고 조절할 수 있게 해주었으며, 최종적으로 매출 증대와 고객 충성도 향상에 크게 기여했습니다. 행동 경제학의 원칙들을 실제 비즈니스 상황에 적용함으로써, 블루테크는 마케팅 메시지와 전략을 깊이 있는 심리적 접근으로 재구성할 수 있었습니다. 이를 통해 소비자의 구매 결정에 깊숙이 관여하고, 효과적인 광고 캠페인을 설계할 수 있었습니다.

블루테크의 사례에서 본 행동 경제학의 원칙을 활용한 마케팅 전략 외에도, 다른 심리학적 이론들과 마케팅에 적용할 수 있는 몇 가지 추가적인 접근 방식을 추천합니다:

1. 내러티브 광고 전략: 이야기 형식을 사용하여 광고 내용을 전달하는 방식으로, 소비자에게 감정적인 연결을 제공합니다. 스토리텔링은 소비자가 광고 내용을 더 깊이 이해하고 기억에 오래 남게 하는 효과가 있습니다.

2. 확증 편향 활용: 소비자들이 자신의 믿음이나 가치관을 확증하는 정보를 선호하는 경향을 이용하는 전략입니다. 예를 들어, 환경 보호에 초점을 맞춘 소비자에게 친환경 제품을 홍보함으로써 그들의 환경에 대한 책임감을 강화할 수 있습니다.

3. 빈도 일루전 활용: 노출 빈도가 높은 제품은 더욱 신뢰할 수 있고 선호된다고 인식되는 경향이 있습니다. 광고를 통해 일정하게 브랜드를 노출시켜 소비자의 인지도와 선호도를 높일 수 있습니다.

4. 프레이밍 효과: 정보를 제시하는 방식을 변경함으로써 소비자의 해석과 반응을 조절할 수 있는 전략입니다. 예를 들어, "95% 성공률" 대신 "5% 실패율"로 표현하는 것은 소비자의 인식에 큰 차이를 만들 수 있습니다.

5. 기대 이론 활용: 소비자의 기대를 형성하고 이를 충족시키거나 초과하는 방식으로 긍정적인 브랜드 경험을 제공합니다. 제품이나 서비스가 소비자의 기대를 초과할 때, 높은 만족도와 충성도로 이어질 수 있습니다.

이러한 접근 방식은 브랜드가 다양한 소비자 기반과의 강력한 심리적 연결을 구축하고, 효과적인 마케팅 전략을 개발하는 데 도움이 됩니다. 행동 경제학 외에도 이러한 다양한 심리학적 원칙을 이해하고 활용하면, 마케터는 더 깊은 소비자 이해와 강력한 시장 영향력을 발휘할 수 있습니다.

6. 사회적 증거와 정보의 사회적 영향

다수의 힘, 사회적 증거:
사회적 증거와 그 영향력 탐구

우리가 매일 접하는 수많은 마케팅 메시지와 광고들, 정말로 우리는 그 모든 선택을 전적으로 독립적으로 결정하고 있다고 생각할 수 있을까요?

현대의 마케팅 전략에서는 단순히 제품의 기능이나 가치를 알리는 것을 넘어서, 소비자의 심리에 깊숙이 파고들어 그들의 구매 결정을 유도하는 방법을 찾습니다. 이러한 과정 중에서 '사회적 증거'라는 개념이 매우 중요한 역할을 하게 됩니다. 사회적 증거는 소비자가 다른 사람들의 행동, 의견, 경험을 관찰하고 이를 자신의 구매 결정 과정에 반영하는 심리적 현상을 말합니다. 특히 제품이나 서비스에 대한 정보가 부족하거나 불확실할 때, 소비자는 다른 사람들의 선택을 참고로 하여 자신의 불확실성을 감소시키려는 경향이 있습니다. 이는 특히 온라인 쇼핑에서 두드러지며, 제품 리뷰, 사용자 평점, 소셜 미디어에서의 언급 등이 구매 결정에 큰 영향을 미치게 됩니다.

사회적 증거의 힘은 여러 형태로 나타납니다.
첫째, 사용자 리뷰와 평점은 제품의 품질과 만족도를 간접적으로 나타내는 지표로 작용합니다. 예를 들어, 온라인 쇼핑몰에서 높은 별점과 긍정적인 리뷰를 보유한 제품은 신규 구매자에게 큰 신뢰를 줄 수 있습니다.
둘째, 유명인이나 전문가의 추천 역시 강력한 사회적 증거입니다. 예를 들어, 유명 셰프가 추천하는 주방용품이나 유명 연예인이 사용하는 스킨케어 제품은 그 자체로 소비자에게 큰 설득력을 발휘합니다.
셋째, 친구나 가족의 추천도 마찬가지로 중요합니다. 친구가 좋아하는 카페나 가족이 선호하는 여행지는 개인적인 네트워크를 통해 전달되며, 이는 개인에게 매우 신뢰할 수 있는 정보원이 됩니다.

이러한 사회적 증거를 마케팅 전략에 효과적으로 적용하기 위해서는 몇 가지 방법을 고려할 수 있습니다.
첫째, 제품 페이지나 광고에서 소비자 리뷰와 평점을 적극적으로 강조하는 것이 중요합니다. 이를 통해 신규 방문자에게 제품의 품질을 간접적으로 보증하고, 긍정적인 첫인상을 심어줄 수 있습니다.
둘째, 인플루언서 마케팅을 활용하여 제품의 가치와 신뢰도를 높일 수 있습니다. 영향력 있는 인플루언서가 제품을 사용하고 그 경험을 공유함으로써, 그들의 팔로워들에게 직접적인 영향을 미칠 수 있습니다.
셋째, 소셜 미디어 캠페인을 통해 소비자가 직접 제품을 사용하는 모습을 공유하도록 장려함으로써, 브랜드에 대한 긍정적인 인식을 즉각적으로 확산시킬 수 있습니다.

이와 같이 사회적 증거는 마케팅 전략에서 빼놓을 수 없는 중요한 요소입니다. 이를 통해 소비자의 구매 결정에 영향을 미치고, 브랜드의 신뢰성과 인지도를 강화할 수 있습니다. 마케터가 이를 전략적으로 활용함으로써, 소비자의 신뢰를 빠르게 구축하고, 제품의 매력을 증대시킬 수 있습니다. 이러한 전략은 정보의 홍수 속에서 소비자가 올바른 결정을 내리는 데 필요한 지표를 제공하며, 마케팅 목표 달성에 큰 도움을 줍니다.

최근 뷰티 산업의 한 중견 기업, XYZ 뷰티는 신제품 라인의 출시와 마케팅 전략을 펼치면서 소비자의 반응을 측정하기 위한 도전에 직면했습니다. 이 회사는 고급 스킨케어 제품을 새롭게 출시했으나, 시장에서 예상보다 낮은 판매량을 기록하고 있었습니다. 경쟁이 치열한 뷰티 시장에서 XYZ 뷰티의 제품들은 다른 유명 브랜드와의 경쟁에서 두드러진 차별점을 제시하지 못하고 있었습니다.

이 회사는 자체적으로 실시한 시장 조사를 통해 소비자들이 제품 선택 시 주로 타인의 사용 경험과 리뷰를 중시한다는 것을 발견했습니다. 특히, 소비자들은 온라인 쇼핑몰과 소셜 미디어 플랫폼에서 제품에 대한 리뷰와 평점을 꼼꼼히 확인한 후 구매 결정을 내렸습니다. 그러나 XYZ 뷰티의 신제품에 대한 온라인 리뷰는 많지 않았고, 초기 소비자들의 피드백도 기대에 미치지 못하는 것이 대부분이었습니다.

또한, XYZ 뷰티는 신제품에 대한 소비자의 인식을 개선하기 위해 유명 인플루언서를 통한 홍보 활동을 강화하려 했으나, 인플루언서들의 효과도 제한적이었습니다. 이는 인플루언서들이 제품에 대해 진정성 있게 호응하지 않거나, 팔로워들이 이들의 추천을 신뢰하지 않는 경우가 많았기 때문입니다.

이러한 상황에서 XYZ 뷰티는 자신들이 직면한 문제를 해결하기 위해 더 전략적인 접근이 필요함을 깨닫고, 소비자의 심리적 요인과 사회적 증거의 중요성을 이해하는 데 더 많은 주목을 기울이기 시작했습니다. 이들은 제품의 진정성 있는 사회적 증거를 구축하고, 신뢰할 수 있는 소비자 피드백을 적극적으로 활용하여 시장에서의 위치를 강화할 필요가 있음을 인식했습니다.

XYZ 뷰티가 직면한 상황의 문제 원인을 깊이 분석해보면, 여러 핵심 요소들이 그 원인으로 드러납니다.
첫째, 제품의 차별화 실패가 큰 문제로 보입니다. 시장에 이미 많은 스킨케어 제품들이 존재하고 있으며, XYZ 뷰티의 신제품이 기존 제품들과의 유의미한 차별점을 제시하지 못했습니다. 소비자들이 제품을 선택할 때 차별화된 특성이나 명확한 이점이 없다면 새로운 제품으로의 전환을 주저하게 됩니다.

둘째, 소비자 신뢰의 부족도 문제의 원인 중 하나입니다. 신제품에 대한 리뷰가 부족하고 초기 피드백이 부정적이거나 미온적인 반응이었다면, 이는 다른 잠재 고객들의 구매 의사 결정에도 부정적인 영향을 미칩니다. 특히, 온라인에서의 소비자 리뷰와 평점은 신제품의 성공에 결정적인 요소가 될 수 있는데, XYZ 뷰티의 제품이 이러한 영역에서 성과를 보이지 못했습니다.

셋째, 마케팅 전략의 미흡함도 문제입니다. 인플루언서 마케팅을 시도했으나 그 효과가 제한적이었던 것은, 인플루언서와 소비자 사이의 신뢰 구축이 충분히 이루어지지 않았기 때문일 수 있습니다. 인플루언서들이 제품을 단순히 홍보하는 수준에 그쳤고, 그들의 추천이 진정성 있게 다가가지 못했을 가능성이 있습니다.

넷째, 시장의 빠른 변화와 소비자 요구의 다양화를 제대로 반영하지 못한 점도 큰 문제로 볼 수 있습니다. 소비자들의 요구는 지속적으로 변화하며, 이에 발 빠르게 대응하지 못하는 기업은 경쟁에서 뒤처질 수밖에 없습니다.

이러한 문제들은 XYZ 뷰티가 시장에서 성공적으로 자리 잡기 위해 극복해야 할 주요 장애물들임을 시사합니다. 회사는 이 문제들을 해결하기 위한 전략적 접근법을 모색하고, 소비자의 신뢰와 만족을 높일 수 있는 방안을 개발할 필요가 있습니다.

사회적 증거 이론은 심리학자 로버트 치알디니의 연구에 기반을 두고 있으며, 그의 저서 "영향력의 심리학"에서 설명된 설득의 여섯 원칙 중 하나입니다. 이 원칙은 사람들이 불확실한 상황에서 다른 사람들의 행동을 참고하여 자신의 행동을 결정하는 경향을 설명합니다. 치알디니는 이를 통해 사람들이 어떻게 대중의 행동을 보고 그것을 '올바른 행동'으로 인식하는지를 설명하며, 이는 마케팅과 광고에서 특히 유용하게 활용됩니다.

로버트 치알디니는 아리조나 주립대학교에서 교수로 재직하면서 사회심리학 분야에서 중요한 연구를 수행했습니다. 그의 이론은 단순히 학술적 연구에 그치지 않고 실제 비즈니스 환경, 특히 마케팅과 광고 분야에서 사람들의 결정과 행동을 예측하고 이해하는 데 중요한 도구로 활용됩니다. 사회적 증거의 개념은 소비자가 제품을 선택할 때 다른 사람들의 리뷰, 평가, 그리고 추천 등을 참고하는 행동을 근거로 하며, 이는 소비자가 더욱 신뢰하고 안심하며 결정할 수 있도록 돕습니다.

이러한 배경 지식은 마케터가 소비자의 구매 결정 과정에 깊이 관여하고 이를 유리하게 조작할 수 있는 전략을 수립하는 데 기여합니다. 예를 들어, 온라인 쇼핑몰에서는 제품 페이지에 소비자 리뷰와 평점을 강조하여 신규 방문자의 신뢰를 구축하고 제품에 대한 긍정적인 인식을 심어줄 수 있습니다. 이러한 접근은 소비자의 심리적 인식을 이해하고 그에 따라 마케팅 전략을 조정함으로써, 브랜드의 신뢰성을 높이고 소비자와의 지속적인 관계를 구축하는 데 중요합니다.

블루테크의 사례에서 회사는 직면한 마케팅 문제를 해결하기 위해 사회적 증거의 원칙을 전략적으로 활용하여 소비자의 불확실성과 주저함을 극복하고자 했습니다. 이 회사는 제품의 진정성과 효능에 대한 고객의 불확실성을 해소하기 위해 다양한 마케팅 전략을 실행하였으며, 각 전략은 소비자의 심리적 행동에 깊은 영향을 미쳤습니다.

첫 번째 전략으로, 블루테크는 온라인 플랫폼에서 제품 리뷰와 평점을 강조하는 대대적인 캠페인을 시작했습니다. 이 회사는 제품 페이지와 온라인 광고에 실제 사용자의 긍정적인 후기와 높은 평점을 전면적으로 배치하여, 신규 방문자들에게 제품의 신뢰성을 간접적으로 인증하였습니다. 이 리뷰들은 실제 소비자의 경험에 기반한 것이었으므로, 새로운 소비자들에게 강한 신뢰감을 줄 수 있었고, 제품의 긍정적인 이미지를 구축하는 데 크게 기여하였습니다.

두 번째 전략으로, 블루테크는 영향력 있는 인플루언서와의 협력을 강화했습니다. 회사는 업계에서 잘 알려진 인플루언서들을 활용하여 제품을 홍보하고, 이들이 제품을 사용하는 모습을 소셜 미디어를 통해 공유하게 함으로써, 그들의 추천이 팔로워들에게 큰 영향을 미치게 하였습니다. 이러한 전략은 인플루언서의 개인적인 추천이 그들의 팔로워에게 신뢰성 있는 증거로 작용하게 만들어, 제품에 대한 긍정적인 인식을 증가시켰습니다.

세 번째로, 회사는 소셜 미디어 캠페인을 통해 일반 소비자들이 자신들의 제품 사용 경험을 공유하도록 유도했습니다. 이 캠페인은 소비자들로 하여금 자신들의 진솔한 사용 경험을 공유하게 만들었으며, 이 과정에서 생성된 콘텐츠는 다른 잠재 고객들에게 제품의 실제 효과와 만족도를 보여주는 강력한 증거가 되었습니다. 이러한 사용자 생성 콘텐츠는 자발적이고 진정성이 느껴지므로, 신규 고객들이 제품을 신뢰하고 최종적으로 구매 결정을 내리는 데 결정적인 역할을 하였습니다.

이러한 전략들은 모두 사회적 증거의 원칙에 기반하여 구축되었으며, 각각은 소비자의 구매 결정 과정에서 중요한 역할을 했습니다. 소비자들 사이에서 제품에 대한 신뢰를 구축하고, 긍정적인 인식을 강화하는 데 큰 기여를 하여, 회사는 마케팅 목표를 성공적으로 달성할 수 있었습니다. 이러한 접근은 소비자의 불확실성을 줄이고, 신속하게 제품에 대한 신뢰를 쌓아 나가는 효과적인 방법이 되었습니다.

블루테크 사례에서 활용된 사회적 증거 전략을 근거로 추가적으로 참고할 만한 접근 방법을 아래와 같이 추천합니다:

1. 사례 연구와 성공 스토리: 제품이나 서비스의 성공적인 사용 사례를 자세히 소개하는 콘텐츠를 개발합니다. 이러한 사례 연구는 제품의 효과와 가치를 실질적인 결과와 함께 보여주며, 신뢰성을 높입니다.

2. 영상 콘텐츠 활용: 사용자가 제품이나 서비스를 사용하는 모습을 담은 영상을 통해 소비자의 경험을 생생하게 전달합니다. 이는 특히 소셜 미디어에서 큰 영향력을 발휘할 수 있으며, 사용자의 리얼한 반응과 만족도를 직관적으로 보여줄 수 있습니다.

3. 커뮤니티 구축: 제품 사용자들이 서로 의견을 교환하고 소통할 수 있는 온라인 포럼이나 커뮤니티를 만듭니다. 이 공간에서 사용자들은 서로의 경험을 공유하고 질문을 주고받으며, 신제품에 대한 피드백을 제공할 수 있습니다.

4. 체험 마케팅 이벤트: 제품을 직접 체험해볼 수 있는 이벤트나 팝업 스토어를 운영하여 소비자가 직접 제품을 경험하고 평가할 수 있는 기회를 제공합니다. 이러한 직접적인 체험은 소비자의 구매 결정에 강력한 영향을 미칩니다.

5. 컨텐츠 마케팅을 통한 교육: 제품이나 서비스와 관련된 교육적인 컨텐츠를 제공하여 소비자가 제품을 더 잘 이해하고 사용할 수 있도록 돕습니다. 이러한 정보 제공은 제품의 필요성과 유용성을 강조하고, 소비자의 신뢰를 쌓는 데 도움을 줍니다.

6. 디지털 인증 마크 사용: 제품 페이지나 광고에 고객 만족도, 보안 인증, 품질 보증과 같은 인증 마크를 표시함으로써, 제품의 신뢰도를 간접적으로 높입니다. 이러한 인증은 소비자가 제품을 안심하고 선택할 수 있게 하는 중요한 요소입니다.

이러한 전략들은 사회적 증거의 원칙을 활용하여 소비자의 구매 결정 과정에 긍정적인 영향을 미치고, 브랜드의 신뢰도와 시장에서의 경쟁력을 높이는 데 기여할 수 있습니다.

7. 고객 충성도와 심리학적 편향

심리학의 렌즈를 통한 충성도의 심층적 이해:
브랜드의 마음을 움직이는 고객 충성도의 심리학

고객 충성도는 단순히 제품의 품질이나 서비스의 우수성을 넘어서는 개념입니다. 이는 고객의 심리적 경향과 감정적 연결이 얽히고설킨 복잡한 현상으로, 기업의 장기적 성공에 결정적인 영향을 미칩니다. 이번 장에서는 왜 고객들이 특정 브랜드에 대한 깊은 충성을 발전시키는지, 그리고 마케팅 전문가들이 이 충성도를 어떻게 이해하고 더욱 강화할 수 있는지를 탐구합니다. 우리는 심리학적 편향과 고객의 행동 패턴을 분석함으로써, 이들이 어떻게 마케팅 전략에 통합될 수 있는지를 살펴볼 것입니다.

고객의 충성도는 단순한 만족을 넘어서 강력한 감정적 유대를 포함합니다. 이 유대감은 고객이 브랜드에 대해 느끼는 긍정적인 감정, 신뢰, 그리고 브랜드에 대한 깊은 애착에서 비롯됩니다. 이러한 감정적 연결은 심리학적 편향이라는 렌즈를 통해 더욱 명확하게 이해될 수 있으며, 이 편향들은 고객이 정보를 처리하고 결정을 내리는 방식에 깊이 관여합니다. 예를 들어, 확증 편향은 고객이 이미 선호하는 브랜드에 대한 긍정적 정보를 적극적으로 수집하고 부정적 정보를 무시하는 경향을 설명합니다. 이는 한 번 브랜드에 충성을 시작한 고객이 지속적으로 그 브랜드에 좋은 감정을 품고 계속해서 충성하게 만드는 메커니즘을 제공합니다.

이러한 심리학적 이해를 바탕으로, 마케터들은 개인화된 마케팅 전략을 구현하여 고객 개개인의 심리적 프로필과 매칭할 수 있습니다. 이는 고객 맞춤형 이메일, 맞춤형 광고, 그리고 고객의 과거 구매 데이터를 기반으로 한 개인화된 제품 추천 등을 포함할 수 있습니다. 이와 같은 전략은 고객의 충성도를 강화하고, 브랜드에 대한 지속적인 애착을 촉진하여, 결국 장기적인 고객 유지와 높은 수준의 고객 만족을 이끌어 낼 수 있습니다.

고객 충성도는 비즈니스의 성공에 결정적인 요소로, 강력한 심리학적 편향과 감정적 연결의 이해를 통해 마케터들은 더욱 효과적으로 고객의 마음을 움직이고, 브랜드와의 지속적인 관계를 구축할 수 있습니다.

디지털 시대에서 고객 충성도를 구축하는 방법은 전통적인 방식과는 다를 수 있습니다. 소셜 미디어와 온라인 플랫폼은 고객과 브랜드 간의 상호작용을 더욱 자주하고, 직접적으로 만들어주며, 이러한 상호작용은 고객 충성도 형성에 큰 영향을 미칩니다. 예를 들어, 브랜드가 온라인 커뮤니티를 형성하거나, 인터랙티브한 콘텐츠를 제공하는 것은 고객의 참여를 유도하고, 장기적인 관계를 구축하는 데 중요합니다. 또한, 디지털 플랫폼에서의 즉각적인 피드백과 리뷰는 신규 방문자에게 사회적 증거를 제공하며, 이는 신뢰와 충성도로 이어질 수 있습니다.

Zeta Electronics는 최신 전자 제품을 제조 및 판매하는 글로벌 기업으로, 혁신적인 기술과 사용자 친화적인 디자인으로 잘 알려져 있습니다. 그러나 최근 몇 년간 경쟁이 심화되면서 고객 충성도 유지에 어려움을 겪고 있습니다. 특히 스마트 기기 시장에서 신흥 경쟁업체들이 급부상하면서 Zeta Electronics의 기존 고객들이 다른 브랜드로 이동하는 현상이 늘고 있습니다.

분석에 따르면, Zeta Electronics는 특히 젊은 소비자 층에서 이탈률이 높은 것으로 나타났습니다. 이들은 기술적으로 더 혁신적이거나 가격 대비 가치가 높다고 인식되는 경쟁 브랜드의 제품을 선호하는 경향이 있습니다. 또한, Zeta Electronics의 제품이 품질 면에서는 우수하지만, 브랜드가 전달하는 감성적 메시지나 소비자와의 감정적 연결에서 부족함을 느끼는 소비자가 많았습니다.

고객 충성도에 대한 도전은 Zeta Electronics에 큰 경제적 타격을 주고 있습니다. 재구매율 감소는 직접적인 매출 하락으로 이어졌고, 신제품 출시 때마다 기존 고객의 관심을 끌지 못하는 상황이 반복되었습니다. 마케팅 팀은 고객의 충성도를 높이기 위해 다양한 전략을 시도했지만, 단기적 프로모션과 할인 외에 장기적으로 고객을 끌어들일 수 있는 효과적인 방안을 찾지 못했습니다.

이러한 상황에서 Zeta Electronics는 고객의 행동과 심리적 편향을 보다 깊이 이해하고 이를 기반으로 한 전략을 수립할 필요가 있음을 인지하게 되었습니다. 회사는 소비자의 심리적 요인이 구매 결정 과정에서 어떤 역할을 하는지, 그리고 이를 어떻게 자사의 마케팅 전략에 통합할 수 있는지에 대한 심층적인 분석을 계획하고 있습니다. 이를 통해 Zeta Electronics는 고객의 브랜드 충성도를 강화하고, 특히 젊은 소비자들이 겪는 브랜드 이탈을 최소화할 수 있는 방안을 모색할 것입니다.

Zeta Electronics가 직면한 고객 충성도 문제를 분석하면, 이는 주로 시장 경쟁의 심화, 브랜드 메시지와 고객 감정의 불일치, 제품 경험의 일관성 부족과 같은 복합적인 요소에서 비롯된 것으로 보입니다. 이 회사는 글로벌 시장에서 치열한 경쟁에 직면해 있으며, 신규 경쟁자들은 혁신적인 기술과 경쟁력 있는 가격으로 시장에 빠르게 진입하고 있습니다. 이런 상황은 특히 가격에 민감한 젊은 소비자층을 끌어들이는 경쟁 브랜드들에게 유리하게 작용하고 있습니다.

더불어, Zeta의 브랜드 메시지가 고객의 감정적 욕구와 일치하지 않는 문제도 있습니다. 소비자들은 제품을 구매할 때 기능적인 측면뿐만 아니라 제품이 자신들의 감정과 어떻게 연결되는지도 중요하게 생각하는데, Zeta의 제품들이 이런 감정적 연결고리를 제공하지 못하고 있다는 인식이 팽배합니다. 예를 들어, 회사의 스마트 기기들이 사용하기에 복잡하고 사용자 친화적이지 않다는 피드백이 많아, 사용자 경험의 일관성이 부족하다는 문제점이 지적되고 있습니다.

이러한 문제들은 고객 충성도 저하로 직결되며, 소비자가 경험한 부정적인 감정들이 쌓여 브랜드에 대한 불신을 증가시키고 있습니다. 고객들이 느끼는 이러한 불만족은 소셜 미디어와 온라인 리뷰를 통해 빠르게 퍼지며, 신규 고객의 구매 결정에도 부정적인 영향을 미치고 있습니다. 따라서 Zeta Electronics는 이러한 내부적 문제와 시장에서의 도전을 극복하기 위해 제품의 품질, 고객 경험, 브랜드 메시지의 일관성을 강화할 필요가 있습니다.

Zeta Electronics의 고객 충성도 문제를 해결하기 위해 적용할 수 있는 심리학적 이론에 대해 깊이 탐구해보면, 특히 고객의 행동과 선호에 영향을 미치는 심리학적 편향을 이해하는 것이 중요합니다. 확증 편향(Confirmation Bias), 상태 편향(Status Quo Bias), 집단 사고(Groupthink)는 모두 고객의 결정과 충성도에 중대한 영향을 끼치는 요소들입니다.

확증 편향은 소비자들이 자신의 기존 믿음이나 가치관을 확인할 수 있는 정보를 선호하고, 부정적인 정보는 무시하는 경향을 말합니다. 이는 고객이 한 번 브랜드에 긍정적인 경험을 하게 되면, 그 브랜드에 대한 긍정적인 인상을 지속적으로 강화하고자 하는 심리에서 비롯됩니다. Zeta Electronics가 이 편향을 전략적으로 활용하기 위해서는 고객에게 지속적으로 긍정적인 브랜드 경험을 제공하고, 소셜 미디어와 온라인 리뷰 등을 통해 긍정적인 피드백을 적극적으로 홍보하며, 고객들이 브랜드에 대해 좋은 인상을 갖도록 장려할 필요가 있습니다.

상태 편향은 소비자가 이미 사용하고 있는 제품이나 서비스를 변경하는 것에 대한 저항감을 보이는 현상입니다. 이는 새로운 선택을 시도하는 것보다 현재의 상황을 유지하려는 경향에서 기인하며, 소비자들이 불확실성을 피하고자 하는 욕구가 반영된 것입니다. Zeta Electronics는 이를 이해하고 고객이 익숙해진 제품 기능을 유지하면서 점진적으로 개선하는 방식으로 제품을 업데이트하면, 고객이 새로운 변화에 저항감 없이 제품을 계속 사용할 가능성이 높아집니다.

집단 사고는 소비자가 주변 사람들의 의견이나 행동에 영향을 받아 결정을 내리는 현상을 말합니다. 사람들은 종종 자신의 선택이 다수의 사람들에게 받아들여지는지 확인하려고 합니다. 이 현상은 특히 사회적 증거가 중요한 역할을 하는 상황에서 두드러집니다. 이러한 특성을 마케팅 전략에 활용하려면, Zeta Electronics는 인플루언서 마케팅이나 고객의 추천 캠페인을 강화하여 브랜드에 대한 긍정적인 사회적 증거를 생성하고, 이를 통해 브랜드 신뢰성을 향상시킬 수 있습니다.

이러한 심리학적 이해를 바탕으로 Zeta Electronics는 고객의 충성도를 높이기 위한 다양한 마케팅 전략을 개발하고 실행할 수 있습니다. 이 과정에서 고객의 심리를 세심하게 분석하고, 이를 기반으로 한 맞춤형 전략을 통해 고객과의 감정적 연결을 깊게 하고, 결국 브랜드와 고객 사이의 장기적인 관계를 구축하는 데 큰 도움이 될 것입니다.

Zeta Electronics는 최근 고객 충성도 저하 문제에 직면해 있습니다. 이 문제를 해결하기 위해, 회사는 고객의 심리학적 편향을 이해하고 이를 기반으로 한 전략을 적용하기로 결정했습니다. 고객의 행동과 브랜드에 대한 충성도는 확증 편향, 상태 편향, 집단 사고 등 다양한 심리적 편향에 의해 영향을 받을 수 있으므로, 이러한 편향들을 효과적으로 관리하는 것이 중요합니다.

확증 편향을 활용하기 위해 Zeta Electronics는 긍정적인 브랜드 경험을 강조하는 마케팅 캠페인을 진행합니다. 소비자가 브랜드에 대해 이미 형성한 긍정적인 인상을 강화하기 위해, 회사는 제품의 성공 사례와 고객 만족 사례를 소셜 미디어와 온라인 플랫폼을 통해 적극적으로 홍보합니다. 또한, 신제품 출시 시 소비자에게 무료 샘플을 제공하거나 체험 기회를 마련함으로써 실질적인 체험을 통해 긍정적인 리뷰와 평가를 유도합니다.

상태 편향을 이용한 전략으로는 제품의 일관성과 신뢰성을 강조합니다. 변화에 대한 소비자의 저항을 최소화하기 위해 Zeta Electronics는 제품 업데이트와 혁신을 점진적으로 도입합니다. 예를 들어, 기존 제품의 인터페이스는 유지하되 기능을 개선하거나 추가하는 방식으로 제품 개선을 진행하며, 이러한 변화를 고객에게 사전에 충분히 알리고 이해시키는 데 중점을 둡니다. 이는 고객이 새로운 변화를 수용하면서도 익숙한 브랜드 경험을 유지할 수 있도록 도와줍니다.

집단 사고를 활용하여, Zeta Electronics는 제품에 대한 긍정적인 사회적 증거를 생성합니다. 이를 위해 인플루언서와의 협업을 강화하고, 만족한 고객들의 이야기를 공유하는 '고객의 목소리' 캠페인을 진행합니다. 소셜 미디어 플랫폼에서 실시간으로 사용자의 리뷰와 피드백을 소개하며, 이러한 긍정적인 사회적 증거가 다른 소비자의 구매 결정에 긍정적인 영향을 미치도록 합니다.

이러한 전략들은 모두 고객의 심리적 편향을 기반으로 하며, Zeta Electronics는 이를 통해 고객의 충성도를 높이고 장기적인 고객 관계를 구축하는 데 중점을 둡니다. 회사는 이러한 접근을 통해 고객과의 감정적 연결을 강화하고, 브랜드에 대한 긍정적인 인식을 지속적으로 유지할 수 있기를 기대합니다.

고객 충성도와 심리학적 편향을 더 깊이 탐구할 수 있는 이론과 개념들을 소개하겠습니다.

1. 엔도우먼트 효과 (Endowment Effect):
   이 이론은 사람들이 자신이 소유한 것을 소유하지 않은 것보다 더 높게 평가하는 경향이 있다고 설명합니다. 이는 소비자가 한 번 구매한 브랜드에 대해 강한 충성심을 갖게 만드는 심리적 요인 중 하나입니다.

2. 프레이밍 효과 (Framing Effect):
   의사 결정은 제시되는 정보의 틀(프레임)에 따라 달라질 수 있습니다. 마케터는 긍정적 또는 부정적인 프레이밍을 통해 고객의 선택을 유도할 수 있으며, 이는 충성도 형성에 영향을 줄 수 있습니다.

3. 자기 일관성 이론 (Self-consistency Theory):
   개인은 자신의 이전 행동과 일관성을 유지하려는 경향이 있습니다. 이론에 따르면, 한 번 특정 브랜드를 선택한 소비자는 자신의 선택을 정당화하기 위해 계속 같은 브랜드를 선택하게 됩니다.

4. 가용성 휴리스틱 (Availability Heuristic):
   사람들은 쉽게 떠올릴 수 있는 정보를 더 중요하게 여깁니다. 마케터는 이 휴리스틱을 활용하여 브랜드가 소비자의 마음속에 쉽게 떠오르도록 만들어 충성도를 높일 수 있습니다.

5. 모방의 법칙 (Law of Imitation):
   사람들은 다른 사람들이 하는 행동을 모방하는 경향이 있습니다. 이는 사회적 증거와 관련이 있지만, 특히 문화적 트렌드나 인기 있는 행동을 따르는 경향에 초점을 맞춥니다. 브랜드가 이런 트렌드를 선도하면 소비자 충성도를 더욱 증가시킬 수 있습니다.

이 이론들을 통해 마케터는 고객의 심리를 더욱 효과적으로 이해하고, 이를 기반으로 한 충성도 강화 전략을 개발할 수 있습니다.

8. 체험 마케팅과 Pine & Gilmore의 체험 경제

감각을 깨우다:
체험 마케팅

현대 시대의 소비자들은 단순한 제품이나 서비스의 구매를 넘어, 그 구매 과정에서의 경험을 중요시하게 되었습니다. 이러한 변화를 이해하고 활용하는 것은 기업들에게 매우 중요한 과제가 되었으며, 이를 통찰력 있게 설명하는 이론이 바로 Pine & Gilmore의 체험 경제 이론입니다. 이 이론은 기업이 단순히 물리적 제품이나 서비스를 넘어서, 소비자에게 의미 있는 경험을 제공함으로써 어떻게 시장에서 독특한 위치를 확보하고 경쟁 우위를 갖출 수 있는지를 설명합니다. 체험 경제는 소비자의 감정과 기억에 깊은 인상을 남기는 경험을 제공하는 것을 목표로 하며, 이는 기업과 소비자 사이의 감정적 연결을 깊게 하고, 소비자의 장기적인 충성도를 구축하는 데 결정적인 역할을 합니다.

Pine & Gilmore는 경제가 상품 경제, 서비스 경제를 넘어 체험 경제로 진화했다고 설명하며, 이 새로운 경제 단계에서 소비자들은 더 이상 단순한 제품이나 서비스에 대한 비용을 지불하지 않습니다. 대신, 그들은 자신들의 감정과 기억에 긍정적인 영향을 미칠 수 있는 '경험'에 대해 투자를 하고, 이러한 경험을 통해 더 깊은 만족과 가치를 추구합니다. 기업들은 이러한 변화를 이해하고 소비자에게 맞춤화된, 감성적으로 연결될 수 있는 경험을 제공함으로써 브랜드의 이미지를 강화하고, 시장 내에서의 독특한 자리를 마련할 수 있습니다.

체험 마케팅의 전략은 다양하며, 그 중심에는 개인화와 참여가 있습니다. 기업들은 이벤트, 팝업 스토어, 사용자 참여 캠페인 등을 통해 소비자에게 직접적이고 개인적인 경험을 제공하고, 이를 통해 소비자의 감정을 자극하고 기억에 남는 인상을 남깁니다. 이러한 전략은 소비자가 자신의 경험을 소셜 미디어를 통해 공유하도록 장려함으로써 더 큰 파급 효과를 발휘하며, 소비자와의 관계를 더욱 강화할 수 있습니다. 또한, 기업들은 데이터 분석을 활용하여 소비자의 취향과 선호를 파악하고, 이를 기반으로 한 맞춤형 경험을 제공하여 고객 만족도를 높이고, 브랜드에 대한 충성도를 증진시킵니다.

체험 경제에서 성공적인 마케팅은 소비자가 경험하는 모든 순간을 특별하게 만들고, 각각의 경험이 소비자의 감정과 기억에 긍정적으로 자리잡도록 설계됩니다. 이러한 접근 방식은 단순히 제품을 판매하는 것을 넘어서, 고객과의 강력한 감정적 연결을 형성하고 장기적인 관계를 구축하는 데 중요한 역할을 하며, 기업이 지속 가능한 성장을 이루는 데 결정적인 기여를 합니다.

현대 마케팅 환경에서 체험을 중심으로 한 전략은 소비자의 관심과 충성도를 유지하는 결정적 요소가 되었습니다. 하지만 모든 기업이 이러한 전략을 효과적으로 실행하는 것은 아닙니다. 예를 들어, 대형 가전 제품 회사인 'ElectroMax'는 최근 소비자 경험 개선을 목표로 다양한 체험 마케팅 전략을 도입하였습니다. 그러나 이러한 변화에도 불구하고, 회사는 예상치 못한 어려움에 직면하게 되었습니다.

ElectroMax는 고가의 가전 제품을 판매하는 데 집중해왔으며, 제품의 품질과 기술력에 자부심을 가지고 있습니다. 회사는 최근 고객의 쇼핑 경험을 강화하기 위해 대규모 팝업 이벤트를 개최하고, 가상 현실(VR)을 통한 제품 체험을 제공하기 시작했습니다. 이 이벤트들은 고객들에게 직접 제품을 체험할 수 있는 기회를 제공하여 제품의 특징과 사용법을 심도 있게 이해할 수 있도록 기획되었습니다.

그러나 이러한 전략은 몇 가지 큰 문제에 직면했습니다.
첫째, 고객 참여율이 기대보다 낮았습니다. 많은 고객들이 이벤트나 VR 체험에 대해 사전에 충분히 인지하지 못했으며, 홍보가 충분히 이루어지지 않았다는 피드백을 받았습니다.
둘째, 일부 고객들은 기술적인 문제로 인해 VR 체험에서 원활한 경험을 하지 못했고, 이로 인해 부정적인 인상을 받기도 했습니다. 이러한 문제들은 ElectroMax가 체험 마케팅을 통해 기대했던 긍정적인 고객 경험을 제공하는 데 실패하게 만들었습니다.

이러한 상황은 ElectroMax가 체험 마케팅을 계획하고 실행하는 과정에서 고려해야 할 중요한 요소들을 간과했음을 보여줍니다.
첫째, 대규모 이벤트와 고도의 기술을 활용한 체험은 충분한 준비와 테스트 없이는 고객에게 부정적인 체험을 초래할 수 있습니다.
둘째, 체험 마케팅 전략은 단순히 이벤트를 개최하는 것 이상의 준비와 세심한 고객 관리가 필요함을 시사합니다. 이러한 전략은 고객의 참여를 끌어내고, 실제로 그 체험을 통해 브랜드에 대한 긍정적인 인식을 심어줄 수 있도록 설계되어야 합니다.

결국, ElectroMax의 경우처럼 체험 마케팅 전략이 성공하려면, 명확한 목표 설정, 효과적인 고객 소통, 기술적 준비의 완성도, 그리고 고객 피드백의 적극적 수렴과 개선이 매우 중요합니다. 이러한 요소들을 체계적으로 관리하고 개선하는 것이 체험 마케팅의 성공을 좌우합니다.

ElectroMax의 체험 마케팅 전략에 대한 문제 원인 분석을 보다 깊이 있게 살펴보면, 이 회사가 마주한 문제들은 대부분 신중하지 못한 계획과 실행, 기술적 미숙, 그리고 소비자의 심리적 기대를 잘못 관리한 데서 비롯된 것입니다.

첫 번째 큰 문제는 고객 참여 부족과 관련된 것입니다. ElectroMax는 그들의 체험 마케팅 이벤트를 위해 충분한 마케팅 활동을 전개하지 못했으며, 특히 디지털 채널과 소셜 미디어를 활용한 홍보가 미흡했습니다. 이는 잠재 고객층에게 이벤트에 대한 정보가 제대로 전달되지 않아 참여율이 낮아진 주요 원인이었습니다. 또한, 이벤트 자체의 매력을 효과적으로 전달하지 못한 마케팅 메시지는 고객이 체험의 가치를 충분히 인지하지 못하게 만들었습니다.

두 번째 문제는 체험의 기술적 측면에서의 실패였습니다. VR 체험 같은 신기술을 도입한 이벤트는 충분한 기술 지원과 사전 테스트가 필수적입니다.
하지만, ElectroMax는 이러한 기술적 준비를 제대로 갖추지 못했고, 이로 인해 발생한 기술적 오류는 참여한 고객들에게 실망감을 주었고, 이는 전반적인 브랜드 이미지에 부정적인 영향을 미쳤습니다. 이러한 기술적 문제는 체험의 품질을 저하시키고, 고객의 체험 만족도를 크게 떨어뜨리는 결과를 초래했습니다.

세 번째 주요 원인은 고객의 심리적 편향과 기대를 제대로 관리하지 못한 점입니다. 고객들은 자신들의 선택을 정당화하기 위해 긍정적인 정보를 찾고, 부정적인 정보를 무시하는 확증 편향을 보입니다.
ElectroMax는 초기 고객 경험이 부정적이었기 때문에, 이러한 심리적 편향은 고객이 브랜드에 대한 부정적인 인식을 더욱 강화시키는 요인이 되었습니다. 또한, 새로운 기술을 도입하는 과정에서 충분한 정보 제공과 지원이 이루어지지 않아 고객의 불안과 불만이 증가했습니다.

이러한 문제들을 해결하기 위해서는 ElectroMax가 마케팅 전략을 전면적으로 재검토하고, 고객 참여를 높이기 위한 더욱 효과적인 커뮤니케이션 방안을 모색해야 합니다. 기술적 준비에 더 많은 투자와 관리를 할당하고, 고객의 기대와 심리적 편향을 적극적으로 관리하여 체험 마케팅 전략의 성공을 도모해야 할 것입니다

이러한 개선 조치는 고객의 만족도를 향상시키고, 장기적으로는 브랜드 충성도를 증진시키는 결과를 가져올 수 있습니다.

체험 마케팅과 체험 경제 이론에 관한 심층적 이해는 Joseph Pine과 James Gilmore의 연구를 통해 이루어집니다. 이들은 "체험 경제(The Experience Economy)"라는 책을 통해 현대 경제에서 체험의 중요성을 강조하며, 이를 마케팅 전략에 통합할 방법을 제시했습니다. 이들의 이론은 소비자의 구매 결정 과정에서 체험 자체가 중요한 판매 요소가 될 수 있음을 설명하며, 기업들이 제품이나 서비스를 넘어 체험을 판매해야 한다는 관점을 제공합니다.

Pine과 Gilmore에 따르면, 경제는 상품이나 서비스를 제공하는 단계를 넘어서, 소비자에게 기억에 남을 체험을 제공하는 단계로 진화하고 있습니다. 이들은 경제의 발전 단계를 상품 경제, 서비스 경제, 그리고 체험 경제로 분류하며, 각 단계가 소비자에게 더 깊은 감정적 가치를 제공한다고 설명합니다. 체험 경제에서는 소비자가 경험 자체를 제품으로 인식하고, 그 경험을 통해 감정적 만족을 추구합니다.

이러한 이론은 마케팅 전략에서 매우 중요한 역할을 합니다. 기업들은 이 이론을 바탕으로 소비자에게 단순한 제품이나 서비스를 넘어서, 감정적으로 공감하고 참여하게 만드는 체험을 설계해야 합니다. 이를 통해 소비자는 브랜드와의 강력한 감정적 유대를 형성하며, 이는 결국 브랜드 충성도와 장기적인 고객 관계로 이어질 수 있습니다.

체험 마케팅은 소비자가 직접 참여하고 상호작용하는 활동을 통해 이루어집니다. 예를 들어, 브랜드가 주최하는 이벤트나 활동에 참여함으로써 소비자는 그 브랜드의 일부가 되는 느낌을 경험하고, 이는 소비자의 기억 속에 깊이 각인됩니다. 또한, 이러한 체험은 소셜 미디어를 통해 공유되어 다른 소비자들에게도 영향을 미칠 수 있으며, 이는 브랜드의 시장에서의 입지를 강화하는 데 기여합니다.

최근 디지털 기술의 발전은 체험 마케팅의 범위를 크게 확장시켰습니다. 가상 현실(VR), 증강 현실(AR), 그리고 인터랙티브 플랫폼은 소비자들에게 실제와 가상을 결합한 새로운 경험을 제공합니다. 예를 들어, 소비자가 가상 현실을 통해 제품을 체험하거나, 증강 현실을 사용하여 자신의 집에서 제품을 가상으로 배치해볼 수 있는 기술은 체험의 질을 극대화합니다. 이러한 기술은 소비자의 구매 결정 과정에서 강력한 영향을 미치며, 특히 젊은 세대 소비자들에게 매력적인 요소로 작용합니다. 디지털 체험 마케팅의 사례로는 IKEA의 AR 앱 'IKEA Place'가 있습니다. 이 앱은 사용자가 모바일 기기를 통해 가구를 자신의 공간에 가상으로 배치해보고, 실제 구매 전에 어떤 모습일지를 체험할 수 있게 해 줍니다.

Pine과 Gilmore의 체험 경제 이론은 기업이 체험을 중심으로 한 마케팅 전략을 개발하고 실행하는 데 필수적인 틀을 제공합니다. 이 이론을 통해 마케터는 소비자의 감정과 기억에 깊은 인상을 남길 수 있는 창의적이고 혁신적인 마케팅 방안을 모색할 수 있으며, 이는 경쟁 시장에서의 성공적인 차별화 전략이 될 수 있습니다.

ElectroMax가 직면한 문제를 해결하기 위해 Pine & Gilmore의 체험 경제 이론을 적용하는 접근은 기업이 소비자에게 의미 있는 경험을 제공하고 경쟁 우위를 확보하는 데 중요합니다. 이 회사는 팝업 이벤트와 VR 체험을 통해 고객에게 감성적으로 다가가려 했으나, 여러

실행상의 문제로 인해 기대했던 결과를 얻지 못했습니다. 체험 마케팅의 성공은 단순히 기술적인 실행을 넘어, 고객과의 감정적 연결과 깊은 인상을 남기는 것에 달려있습니다.

먼저, ElectroMax는 이벤트와 VR 체험에 대한 인지도를 높이기 위해 고객과의 소통 방식을 개선해야 합니다. 소셜 미디어 캠페인, 타겟 이메일 마케팅, 그리고 온라인 광고를 통해 행사를 홍보하고, 고객이 이러한 체험에 쉽게 접근하고 참여할 수 있도록 해야 합니다. 또한, 고객의 기대와 경험을 충족시키기 위해 이벤트 전에 충분한 시장 조사와 고객 의견 수렴이 필수적입니다.

체험 마케팅에서 기술의 역할은 중요하지만, 기술만으로는 충분하지 않습니다. VR 체험 같은 기술을 활용할 때는 철저한 테스트를 거쳐 고객이 원활하게 경험할 수 있도록 해야 하며, 기술적 문제가 고객 경험을 저해하지 않도록 사전에 완벽을 기해야 합니다. 이와 함께, 이벤트나 체험의 모든 단계에서 고객 피드백을 실시간으로 모니터링하고, 문제가 발생하면 즉시 대응할 수 있는 체계를 갖추는 것이 중요합니다.

고객의 감정적 연결을 강화하기 위해, ElectroMax는 개인화된 경험을 제공하여 고객의 감정에 호소해야 합니다. 이는 고객 데이터를 분석하여 개인의 선호와 행동 패턴에 맞는 맞춤형 콘텐츠를 제공함으로써 이루어질 수 있습니다. 예를 들어, 고객이 과거에 관심을 보인 제품을 바탕으로 개인화된 제품 추천이나 맞춤형 프로모션을 제공할 수 있습니다.

마지막으로, 체험 마케팅의 성공은 지속적인 관계 구축에 달려 있습니다. 이벤트나 체험을 통해 단발적인 인상을 넘어 고객과의 장기적인 관계를 형성하려면, 이벤트 후에도 지속적으로 고객과 소통하고 그들의 의견을 적극적으로 반영하는 마케팅 전략을 펼쳐야 합니다. 이는 고객이 브랜드에 대해 지속적으로 긍정적인 이미지를 가지고 관계를 유지하도록 하는 열쇠가 됩니다.

체험 마케팅과 관련하여 더 깊이 탐구할 만한 다양한 이론과 접근 방식들이 있습니다. 이러한 개념들을 이해하면, 기업들이 더 풍부하고 효과적인 소비자 경험을 설계하는 데 도움이 될 수 있습니다:

1. 감정적 브랜딩 (Emotional Branding): 마크 고푸(Marc Gobé)에 의해 개발된 이 이론은 브랜드가 소비자의 감정과 직접 연결되어야 한다고 주장합니다. 감정적 브랜딩은 제품이나 서비스가 소비자의 심리적 욕구와 감정적 욕구를 어떻게 충족시키는지를 중심으로 전략을 구축합니다.

2. 서비스 설계 (Service Design): 이 접근 방식은 서비스를 설계하는 과정에서 사용자 중심의 사고를 적용하여, 사용자 경험을 최적화하는 방법을 탐구합니다. 서비스 설계는 모든 접점에서 고객의 경험이 일관되고 긍정적이도록 보장하는 것을 목표로 합니다.

3. 스토리텔링 마케팅 (Storytelling Marketing): 브랜드 스토리를 효과적으로 전달하여 소비자와 감정적 연결을 구축하는 방법입니다. 스토리텔링은 고객이 브랜드와의 관계에서 개인적인 의미와 가치를 발견하게 만듭니다.

4. 멀티센서 마케팅 (Multisensory Marketing): 소비자의 모든 감각을 활용하여 브랜드 경험을 강화하는 전략입니다. 시각, 청각, 미각, 촉각 및 후각을 통해 소비자의 경험을 풍부하게 하여 브랜드 기억을 강화합니다.

5. 감각 마케팅 (Sensory Marketing): 멀티센서 마케팅과 유사하게, 감각 마케팅은 소비자의 감각을 자극하여 강력한 브랜드 연결을 만들어냅니다. 이는 특히 소매 환경에서 효과적으로 사용될 수 있습니다, 예를 들어, 특정 향기나 소리를 매장에 통합시켜 쇼핑 경험을 강화할 수 있습니다.

이러한 이론과 전략들은 기업들이 체험 마케팅을 통해 소비자의 충성도를 높이고 시장에서의 경쟁력을 강화하는 데 도움을 줄 수 있습니다. 각각의 접근 방식은 고객과의 깊은 심리적 연결을 형성하고, 그들의 구매 결정 과정에 긍정적으로 영향을 미치는 데 중점을 두고 있습니다.

9. 마케팅 커뮤니케이션과 Mehrabian의 7%-38%-55% 법칙

메시지의 마법:
비언어적 요소와 Mehrabian의 법칙

커뮤니케이션의 심리학적 측면을 이해하는 것은 마케팅 전문가들에게 중요한 역량 중 하나입니다. 특히 Albert Mehrabian의 7%-38%-55% 법칙은 이 분야에서 중요한 이론으로 간주됩니다. 이 법칙은 커뮤니케이션에서 단어의 선택이 전체 메시지 전달 효과에 미치는 비율이 7%에 불과하다는 사실을 밝히면서, 나머지 비중은 목소리의 톤과 비언어적 요소가 차지한다고 설명합니다. 이러한 통찰은 메시지를 설계할 때 단순히 언어적 내용에만 집중하는 것이 아니라, 어떻게 말하는지와 그 말이 전달되는 방식에 더 많은 주의를 기울여야 함을 시사합니다.

Mehrabian의 법칙에 따르면, 성공적인 마케팅 커뮤니케이션은 소비자와의 감정적 연결을 형성하는 데 중요한 역할을 합니다. 광고나 브랜드 커뮤니케이션에서 긍정적인 감정을 자극하는 비언어적 신호는 소비자의 인식과 태도에 결정적인 영향을 미칠 수 있습니다. 이는 특히 시각적 매체를 통한 광고에서 중요하며, 브랜드의 이미지와 메시지가 소비자에게 어떻게 인식되는지를 크게 결정짓는 요소가 됩니다. 따라서 마케터는 이러한 비언어적 요소를 효과적으로 관리하고 활용하여 메시지의 전달력을 극대화할 필요가 있습니다.

또한, 이 법칙은 소셜 미디어 상호작용, 비디오 콘텐츠 제작, 광고 디자인 등 다양한 마케팅 활동에서 구체적인 전략을 수립하는 데 활용될 수 있습니다. 예를 들어, 비디오 콘텐츠에서는 목소리의 톤이나 배경 음악이 소비자의 감정을 어떻게 조작할 수 있는지, 소셜 미디어에서는 실시간 피드백과 상호작용을 통해 어떻게 고객의 감정적 반응을 이끌어낼 수 있는지 등을 세밀하게 분석할 필요가 있습니다.

이러한 접근은 기업이 소비자와의 깊은 감정적 연결을 구축하고, 시장에서의 경쟁력을 강화하는 데 결정적인 역할을 할 수 있습니다. 결국, Mehrabian의 법칙은 마케터에게 소비자의 감정과 행동에 미치는 비언어적 요소의 중요성을 일깨워 주며, 이를 통합한 통찰력 있는 커뮤니케이션 전략을 개발하는 데 중요한 기준을 제공합니다. 이러한 심리학적 접근은 소비자와의 지속적인 관계를 형성하고, 장기적인 브랜드 충성도를 높이는 데 기여할 것입니다.

패션포워드, 의류 브랜드는 시장에서 젊은 소비자층의 관심을 끌기 위해 다양한 체험 마케팅 전략을 도입했습니다. 특히 온라인 비디오 광고, 인스타그램 라이브 세션, 그리고 인터랙티브 웹사이트 요소를 활용하여 브랜드 이미지를 젊고 활동적으로 부각시키고자 했습니다. 이러한 캠페인은 소비자에게 직접적이고 개인적인 경험을 제공함으로써 제품의 특성을 더 깊이 이해할 수 있도록 설계되었습니다.

그러나 이러한 전략들이 효과적으로 작동하지 않는 문제에 직면하였습니다. 먼저, 온라인 비디오 광고에 사용된 시각적 및 음향적 요소들이 예상과 달리 소비자에게 혼란을 주거나 메시지의 전달을 방해하는 경우가 발생했습니다. 예를 들어, 광고에서 사용된 배경 음악의 볼륨이 너무 높아 중요한 메시지를 듣지 못하는 사례가 있었습니다. 또한, 비디오 내 모델들의 표현

방식이 때때로 과장되거나 브랜드 이미지와 일치하지 않아 소비자의 신뢰를 저하시키는 결과를 초래했습니다.

인스타그램 라이브 이벤트도 유사한 문제점을 겪었습니다. 이벤트 진행 중 기술적 문제로 인해 중단되는 사례가 잦았으며, 이로 인해 참여하려던 소비자들의 기대감과 흥미가 급격히 떨어졌습니다. 또한, 소비자와의 실시간 상호작용을 시도하였지만, 진행자의 준비 부족이나 부적절한 반응으로 인해 브랜드의 전문성을 의심받는 경우가 발생하기도 했습니다.

이러한 상황은 패션포워드가 체험 마케팅을 적극적으로 도입하고자 했음에도 불구하고, 실행 단계에서의 미흡한 준비와 부적절한 커뮤니케이션 기법이 소비자 경험을 저해했다는 것을 보여줍니다. 소비자들은 이러한 노력이 오히려 브랜드에 대한 부정적인 인식을 남기는 결과를 초래하였고, 이는 패션포워드가 시장에서의 경쟁력을 강화하기 위해 고려해야 할 중요한 사항들을 간과했다는 점을 드러냈습니다.

패션포워드의 체험 마케팅 전략이 기대한 만큼의 성공을 거두지 못한 주된 원인은 여러 가지 복합적인 요소에서 비롯됩니다.
첫 번째로, 기획 단계에서의 미흡한 시장 조사와 소비자 분석이 문제의 핵심입니다. 패션포워드는 젊은 소비자들의 선호와 기대를 제대로 파악하지 못했으며, 그들이 실제로 원하는 경험과 브랜드가 제공하려고 한 경험이 일치하지 않았습니다. 예를 들어, 비디오 광고와 인스타그램 라이브 이벤트가 시각적으로나 내용적으로 타겟 소비자의 감성과 맞지 않았던 것입니다.

두 번째로, 커뮤니케이션의 전달 방식에 문제가 있었습니다. Mehrabian의 7%-38%-55% 법칙에 따르면, 비언어적 요소가 커뮤니케이션의 대부분을 차지한다는 점에서, 패션포워드의 비디오 광고와 라이브 이벤트는 효과적인 목소리의 톤, 몸짓, 표정 사용이 부족했습니다. 특히, 광고에서 사용된 과도한 배경 음악과 과장된 연기는 메시지의 진정성을 훼손시키고 소비자의 신뢰를 저하시켰습니다.

세 번째 문제는 기술적 실행의 실패였습니다. 체험 마케팅에서 기술은 중요한 요소이나, 패션포워드는 VR 체험과 같은 고도의 기술적 요구를 충족시키지 못했습니다. 기술적 결함은 사용자 경험을 심각하게 저해하고, 브랜드에 대한 부정적인 첫 인상을 남겼습니다. 이러한 기술적 문제는 소비자가 체험에서 원활하게 몰입할 수 없게 만들어, 전체적인 체험의 효과를 떨어뜨렸습니다.

네 번째로, 마케팅 전략의 홍보 부족이 문제를 야기했습니다. 패션포워드는 이벤트와 VR 체험에 대한 충분한 홍보와 소비자 교육을 진행하지 못했습니다. 이로 인해 많은 타겟 소비자가 이러한 체험의 존재 자체를 인지하지 못하였고, 그 결과 참여율이 저조했습니다.

이러한 원인 분석을 통해, 패션포워드가 겪은 문제들은 체험 마케팅을 계획하고 실행하는 데 있어서 세심한 준비와 체계적인 접근의 부재에서 비롯된 것임을 알 수 있습니다. 이는 앞으로의 마케팅 전략을 수정 및 개선함에 있어서 중요한 교훈을 제공합니다.

패션포워드의 마케팅 문제를 해결하기 위해 적용할 수 있는 심리학 이론은 Albert Mehrabian의 7%-38%-55% 법칙입니다. 이 법칙은 커뮤니케이션 과정에서 단어의 의미 (7%), 목소리의 톤(38%), 그리고 비언어적 요소(55%)가 어떻게 전달되는지에 따라 정보의 효과적인 전달이 결정된다고 설명합니다. Mehrabian의 연구는 처음에는 인간 대 인간 상호작용에 초점을 맞추었지만, 마케팅 커뮤니케이션, 특히 광고와 브랜드 메시징에서도 광범위하게 적용됩니다.

이 이론은 마케터가 소비자와의 커뮤니케이션을 설계할 때 감정적 요소를 고려하도록 강조합니다. 따라서 패션포워드가 실시하는 모든 광고 캠페인, 특히 비디오 및 소셜 미디어 콘텐츠 제작 시 목소리의 톤과 비언어적 요소를 신중하게 고려해야 합니다. 예를 들어, 비디오 광고에서 사용되는 배우의 몸짓, 표정, 목소리의 톤이 브랜드의 이미지를 강화하고 소비자의 감정을 움직이는 데 결정적인 역할을 할 수 있습니다.

또한, 패션포워드의 경우처럼 체험 마케팅 이벤트에서는 실시간으로 소비자와의 상호작용이 이루어지기 때문에, 직원들의 비언어적 커뮤니케이션 훈련이 중요합니다. 이벤트 진행자나 판매 직원이 소비자와 긍정적으로 상호작용하며, 친절하고 따뜻한 목소리 톤, 환영하는 몸짓을 사용한다면, 이는 고객 경험을 크게 향상시키고 브랜드에 대한 긍정적인 인상을 남길 수 있습니다.

디지털 커뮤니케이션, 특히 소셜 미디어와 온라인 광고에서 비언어적 요소의 중요성은 계속해서 증가하고 있습니다. 디지털 미디어에서의 비언어적 요소로는 이미지, 비디오, 이모티콘, 애니메이션 등이 포함됩니다. 이러한 요소들은 글자로 표현하기 어려운 감정적 뉘앙스를 전달하고, 소비자의 관심을 끌며, 강력한 감정적 반응을 유발합니다. 예를 들어, 영상 광고에서의 배경 음악과 캐릭터의 표정은 소비자가 메시지를 어떻게 받아들일지에 큰 영향을 미칩니다. 디지털 시대의 마케터들은 이러한 비언어적 요소들을 신중하게 조합하여 소비자와의 깊은 감정적 연결을 구축할 수 있습니다.

심리학자 Mehrabian의 이론은 마케팅 전략을 세우는 데 있어서 소비자의 심리를 이해하고, 효과적으로 감정에 호소하는 방식을 개발하는 데 도움을 줍니다. 이를 통해 패션포워드는 보다 성공적인 커뮤니케이션 전략을 수립하고, 감정적 연결을 통해 소비자의 충성도를 높일 수 있을 것입니다. 이러한 접근 방식은 소비자와의 지속적인 감정적 연결을 구축하는 데 결정적인 역할을 하며, 이는 궁극적으로 브랜드 선호도와 충성도를 증가시키는 데 기여할 것입니다.

패션포워드는 알버트 메라비안의 7%-38%-55% 법칙을 깊이 이해하고 이를 마케팅 전략에 통합함으로써, 비디오 광고, 소셜 미디어 상호작용, 그리고 개인화된 마케팅 메시지를 통해 소비자와의 감정적 연결을 강화할 수 있습니다. 이 이론은 비언어적 요소가 메시지 전달에 중요한 역할을 한다고 강조하는데, 이는 소비자의 심리적 반응을 형성하는 데 결정적인 영향을 미칩니다. 패션포워드가 직면한 문제는 고객 참여율의 저조와 기술적 문제로 인한 부정적인 체험으로 인해 발생했습니다. 이를 해결하기 위해 회사는 각 광고 요소에 감정적 영향을 극대화하는 방식으로 접근할 필요가 있습니다.

비디오 광고에서는 목소리의 톤과 배경 음악을 신중하게 선택하여 소비자가 긍정적인 감정을 느낄 수 있도록 해야 합니다. 부드럽고 친절한 목소리 톤은 신뢰감을 줄 수 있고, 밝고 활기찬 배경 음악은 제품의 에너지를 전달하는 데 효과적입니다. 또한, 배우의 몸짓과 표정은 제품과 브랜드에 대한 소비자의 인상을 강하게 좌우하므로, 이들이 자연스럽고 친근감을 주는 방식으로 표현되어야 합니다.

소셜 미디어를 활용한 상호작용에서는 실시간 이벤트와 직접적인 소통이 중요합니다. 라이브 스트리밍을 통해 제품을 소개하고 고객의 질문에 즉시 응답함으로써, 고객과의 실시간 연결을 강화할 수 있습니다. 이러한 상호작용은 고객이 브랜드에 대해 더 깊은 애착을 느끼게 하고, 신뢰와 충성도를 구축하는 데 기여합니다.

개인화된 마케팅은 고객의 개별적인 취향과 선호를 분석하여 맞춤형 커뮤니케이션을 제공함으로써 더욱 강력한 감정적 연결을 만들어냅니다. 고객의 과거 구매 데이터와 상호작용을 기반으로 한 타겟팅은 개인에게 특별히 맞춰진 경험을 제공하며, 이는 고객이 브랜드에 대해 더 긍정적으로 반응하게 만드는 요소입니다.

이러한 전략들을 통해 패션포워드는 메라비안의 법칙을 체계적으로 적용하여 각 커뮤니케이션 채널에서 최대의 효과를 누릴 수 있습니다. 단순히 정보를 전달하는 것을 넘어서, 감정을 자극하고 소비자의 행동을 유도하는 커뮤니케이션 방식은 브랜드의 성공적인 이미지 구축과 소비자의 장기적인 충성도 확보에 결정적인 역할을 합니다.

마케팅 커뮤니케이션과 감정적 연결을 심화시키는 데 도움이 될 몇 가지 이론과 콘셉트를 소개합니다. 이들은 마케팅 전략을 다각화하고 브랜드와 소비자 간의 관계를 강화하는 데 유용할 수 있습니다:

1. 감정적 조율 이론 (Emotional Contagion Theory): 이 이론은 사람들이 다른 사람의 감정을 inconsciously mimic하고, 이러한 mimicry를 통해 그 감정을 경험하게 된다는 것을 설명합니다. 마케팅에서 이를 적용하면, 광고나 콘텐츠를 통해 긍정적 감정을 전달하여 소비자의 감정적 반응을 유도할 수 있습니다.

2. 이야기 마케팅 (Storytelling Marketing): 강력한 이야기는 소비자에게 감동을 주고 감정적인 반응을 이끌어낼 수 있습니다. 이야기 마케팅은 브랜드와 제품을 둘러싼 스토리를 통해 소비자와의 깊은 감정적 연결을 형성하는 전략입니다.

3. 행동 디자인 (Behavioral Design): 이는 사용자의 행동을 설계하고 예측하는 데 초점을 맞춘 디자인 접근 방식입니다. 소비자의 행동과 결정 과정에 영향을 미치는 다양한 심리적 요소를 이해하고 이를 제품 디자인에 반영하여 소비자의 행동을 유도합니다.

4. 다중 감각 마케팅 (Multisensory Marketing): 소비자의 다섯 가지 감각을 자극하여 더 깊은 브랜드 경험을 제공하는 마케팅 접근법입니다. 예를 들어, 시각적 요소, 소리, 향기 등을 통합하여 소비자의 몰입도를 높이고 기억에 오래 남는 경험을 만듭니다.

5. 소비자 심리학과 행동 경제학의 연구: 최신 연구와 사례를 지속적으로 탐색하고 적용하여, 변화하는 소비자 행동 패턴을 이해하고 이에 맞는 전략을 개발합니다.

이러한 접근 방법은 기업이 브랜드 메시지와 커뮤니케이션 전략을 보다 효과적으로 설계하고 소비자의 감정과 행동에 긍정적인 영향을 미치는 데 도움이 될 것입니다. 각각의 전략은 브랜드가 시장에서 독특한 위치를 확보하고 소비자와의 지속 가능한 관계를 구축하는 데 중요한 역할을 할 수 있습니다.

10. 디지털 마케팅과 온라인 행동 심리학

디지털 시대의 심리적 마케팅: 온라인 행동의 미로를 탐험하다

디지털 시대의 마케팅은 소비자의 행동과 심리를 이해하는 데서 출발합니다. 기술의 급속한 발전과 함께 소비자들의 온라인 행동은 더욱 다양해지고 예측하기 어려운 양상을 보이고 있습니다. 이러한 복잡한 디지털 환경 속에서 기업들은 소비자의 심리를 파악하고 이에 맞춘 효과적인 마케팅 전략을 수립하는 데 큰 도전을 맞닥뜨리고 있습니다. 소비자의 마음을 움직이는 것은 더 이상 단순한 메시지의 전달을 넘어서, 깊은 심리적 이해와 정교한 데이터 분석을 통해 이루어져야 합니다.

온라인 소비자의 행동은 빠르게 변하고 있으며, 이들의 심리적 동기와 행동 양식을 이해하는 것은 디지털 마케팅 전략의 핵심입니다. 이를 위해, 온라인 행동 심리학은 소비자가 왜 특정한 방식으로 행동하는지, 어떠한 요인들이 그들의 결정을 동기화하는지를 연구합니다. 이 과정에서 인지부조화, 보상의 심리학, FOMO (Fear of Missing Out) 등 다양한 심리학적 개념이 적용되어 소비자의 온라인 상의 결정 과정을 설명해 줍니다.

디지털 마케팅 전략은 이러한 심리적 이해를 바탕으로 소비자와의 깊은 연결을 구축합니다. 예를 들어, 데이터 분석을 통해 개인화된 광고를 제작하거나, 소비자가 직접 참여할 수 있는 콘텐츠를 제공하여 강력한 커뮤니티를 형성할 수 있습니다. 이러한 전략은 소비자의 참여를 높이고, 브랜드에 대한 긍정적인 감정을 촉진하여 최종적으로는 구매로 이어질 수 있도록 돕습니다.

디지털 시대의 마케팅은 단순히 기술의 사용을 넘어서, 소비자의 심리적 패턴과 행동을 깊이 이해하고 예측하는 데 중요한 역할을 합니다. 이는 브랜드가 시장에서 경쟁력을 유지하고, 소비자와의 지속 가능한 관계를 구축하는 데 필수적인 요소입니다. 이러한 접근은 브랜드가 디지털 환경에서 소비자의 변화하는 요구와 기대에 효과적으로 대응할 수 있도록 지원하며, 마케팅 전략의 성공을 좌우하는 결정적인 요인이 됩니다.

TechForward는 혁신적인 전자 제품을 제공하는 선도적인 기술 회사로, 최근 디지털 마케팅 전략의 개선을 시도했습니다. 회사는 특히 젊은 소비자들을 타깃으로 새로운 소셜 미디어 캠페인과 광고 전략을 펼쳤으나, 예상과 달리 소비자 참여도와 반응이 저조했습니다. 예를 들어, 최신 스마트폰과 관련된 캠페인에서 고급 기능을 강조했음에도 불구하고 소비자들은 제품의 실용적인 측면이나 일상적인 사용의 이점을 더 선호했던 것으로 나타났습니다.

또한, TechForward의 웹사이트와 온라인 쇼핑 경험은 사용자 친화적이지 않아 특히 모바일 사용자들로부터의 불편함을 자주 들었습니다. 이는 구조가 복잡하고, 페이지 로딩 시간이 길며, 사용자 인터페이스가 직관적이지 않아 소비자들이 쉽게 원하는 정보를 찾지 못하고 구매 과정에서 이탈하는 경우가 많았습니다. 이러한 요소들이 결합되어 전반적인 구매 전환율을 저하시켰으며, 잠재 고객들의 구매 경험을 부정적으로 만들었습니다.

이와 함께, TechForward는 광고와 프로모션 활동에서 소비자의 감정적 반응을 고려하지 못한 채, 기술적 세부사항과 제품 사양에 중점을 두어 마케팅 커뮤니케이션이 소비자에게 충분히 감동을 주지 못했습니다. 디지털 광고의 내용과 형식이 소비자들의 감정적 욕구나 생활 스타일과 맞지 않았기 때문에, 메시지의 효과가 크게 감소했습니다.

이러한 문제들을 해결하기 위해 TechForward는 소비자의 온라인 행동을 더 정확하게 파악하고 예측할 수 있는 분석 도구와 데이터 기반 접근 방식을 채택할 필요가 있었습니다. 회사는 소비자 데이터를 철저히 분석하여 소비자의 선호, 행동 패턴 및 구매 경로를 이해하려고 시도했으며, 이를 통해 더 효과적인 개인화된 마케팅 전략을 개발하는 데 집중했습니다. 이 과정에서 온라인 행동 심리학의 원리를 적극적으로 통합하여, 소비자와의 감정적 연결을 강화하고 신뢰를 구축할 수 있는 방법을 모색했습니다.

TechForward의 디지털 마케팅 전략이 실패한 주된 원인은 여러 가지 복합적인 요소들에서 비롯되었습니다.
첫째, 회사의 마케팅 커뮤니케이션이 소비자의 심리적 욕구와 감정적 반응을 제대로 파악하지 못했습니다. 광고 캠페인에서 제품의 기술적인 사양과 고급 기능을 강조하면서 실제 소비자들이 일상에서 겪는 문제들을 해결해 줄 수 있는 실용적인 정보는 부족했습니다. 이는 소비자들이 제품에 대해 갖는 감정적 연결고리를 형성하지 못하게 만들어, 구매 전환율이 낮아지는 결과로 이어졌습니다.

둘째, TechForward의 웹사이트와 온라인 쇼핑 경험은 사용자 친화적이지 않았습니다. 웹사이트의 복잡한 구조와 느린 로딩 시간은 특히 모바일 사용자들에게 큰 불편을 초래했습니다. 이로 인해 사용자들은 구매 과정 중간에 쉽게 이탈하고, 경쟁사의 더 간편하고 빠른 서비스로 전환하였습니다. 사용자 인터페이스가 직관적이지 않아 소비자들이 제품을 쉽게 찾고 비교할 수 없었던 점도 큰 문제였습니다.

셋째, 마케팅 활동의 부족한 홍보와 정보 제공이 문제를 야기했습니다. TechForward가 실시한 팝업 이벤트나 VR 체험과 같은 마케팅 이벤트는 충분한 사전 홍보 없이 진행되어 많은 잠재 고객들이 이벤트의 존재 자체를 인지하지 못했습니다. 이는 참여율 저하로 이어졌고, 투입된 마케팅 자원에 비해 효과가 미미했습니다.

넷째, 기술적 문제와 관련된 불편함이 고객 만족도에 부정적인 영향을 미쳤습니다. 특히 VR 체험에서 기술적 결함이 발생하여 소비자들이 원활한 경험을 하지 못했고, 이는 브랜드에 대한 부정적인 인식으로 이어졌습니다. 기술적인 준비와 테스트가 충분히 이루어지지 않은 점이 소비자 경험을 저해한 주요 요인이었습니다.

이러한 문제들은 TechForward가 체험 마케팅 전략을 재고하고, 소비자의 심리적 욕구와 기술적 요구를 충족시키는 방향으로 마케팅 접근 방식을 수정할 필요가 있음을 시사합니다. 특히 디지털 시대에 소비자의 심리적 반응을 이해하고 이에 맞는 마케팅 전략을 세우는 것이 중요하며, 이를 통해 소비자 참여와 브랜드 충성도를 증진시키는 것이 핵심적입니다.

디지털 마케팅에서 소비자 행동을 이해하고 예측하는 데 중요한 역할을 하는 심리학 이론 중 하나는 '인지부조화 이론'입니다. 이 이론은 레온 페스팅거에 의해 개발되었으며, 사람들이 겪는 심리적 불편함을 설명합니다. 인지부조화 이론에 따르면, 개인이 자신의 신념, 태도, 행동 간에 일관성이 없을 때 불편함을 느낍니다. 이 불편함을 해소하기 위해 개인은 이러한 요소들을 조화롭게 만들려고 노력합니다. 디지털 마케팅에서 이 이론을 적용하면, 소비자들이 자신의 구매 결정을 정당화하도록 돕는 내용을 제공함으로써 브랜드 충성도를 강화할 수 있습니다. 예를 들어, 환경 친화적인 제품을 구매한 소비자에게 해당 제품이 어떻게 환경 보호에 기여하는지에 대한 정보를 지속적으로 제공함으로써, 그들의 구매 결정이 올바른 것임을 느끼게 할 수 있습니다.

또 다른 중요한 이론은 '보상의 심리학'입니다. 이는 행동주의 심리학에서 유래하며, 보상이 행동을 강화할 수 있다는 개념을 다룹니다. 디지털 마케팅에서는 이를 게이미피케이션 요소와 결합하여 소비자 참여를 유도하고 장기적인 브랜드 충성도를 구축할 수 있습니다. 예를 들어, 소비자가 제품 리뷰를 작성하거나 SNS에서 브랜드를 홍보할 때 포인트나 할인 쿠폰을 제공함으로써, 소비자는 긍정적인 보상을 통해 브랜드에 대한 긍정적인 감정을 더욱 강화할 수 있습니다.

'FOMO (Fear of Missing Out)'도 디지털 마케팅에서 효과적으로 활용되는 심리학적 개념입니다. 이는 사람들이 다른 사람들이 경험하는 것을 놓칠까 봐 두려워한다는 개념으로, 마케터는 이러한 두려움을 이용하여 제한된 시간 동안만 제공되는 특별 할인이나 독점 제품을 홍보함으로써 긴급한 구매를 유도할 수 있습니다. 이러한 전략은 특히 온라인에서 소비자의 구매 결정을 신속하게 촉진하는 데 매우 효과적입니다.

이러한 이론들은 모두 디지털 환경에서 소비자의 심리적 반응을 이해하고 예측하는 데 중요한 도구입니다. 마케터가 이러한 심리학적 이해를 바탕으로 전략을 수립하면, 소비자의 온라인 행동을 보다 효과적으로 안내하고, 브랜드와의 긍정적인 상호작용을 촉진할 수 있습니다. 이는 최종적으로 구매로 이어지는 변화를 가져오고, 디지털 시대에 기업이 경쟁 우위를 확보하는 데 결정적인 역할을 할 것입니다.

TechForward는 심리학적 접근을 깊이 통합하여 자사의 디지털 마케팅 전략을 재정비함으로써, 다양한 문제들을 해결하고 소비자 참여를 극대화하는 데 성공했습니다. 이 과정에서 각 심리학적 이론이 어떻게 적용되었는지 구체적으로 살펴보겠습니다.

첫째, TechForward는 광고 캠페인을 개편하여 소비자가 겪을 수 있는 인지부조화를 최소화했습니다. 기존에는 제품의 고급 기능을 중심으로 메시지가 구성되었지만, 많은 소비자가 이러한 기능을 일상적인 사용법과 연결지어 이해하는데 어려움을 느꼈습니다. 새로운 전략에서는 실제 소비자가 제품을 사용하는 모습을 담은 시나리오를 광고에 포함시켜, 소비자가 제품을 사용할 때 얻을 수 있는 직접적인 이익을 강조했습니다. 예를 들어, 스마트폰의 카메라 기능을 광고할 때, 단순히 카메라 스펙을 나열하는 대신, 사용자가 중요한 순간을 어떻게 쉽고 아름답게 캡처할 수 있는지를 보여주는 실제 사례를 제시했습니다. 이러한 접근은 소비자가 제품을 보다 효율적으로 활용할 수 있음을 이해하고, 제품 구매 후 만족도를 높이는 데 기여했습니다.

둘째, TechForward는 소비자의 '놓칠까 두려움(FOMO)'을 자극하는 캠페인을 설계하여 소비자의 구매 결정을 촉진했습니다. 이를 위해 회사는 제한된 시간 동안만 제공되는 독점 할인이나 특별 판매 이벤트를 주기적으로 진행했습니다. 이벤트는 소셜 미디어와 이메일 마케팅을 통해 홍보되었으며, '지금 바로 행동하지 않으면 큰 혜택을 놓칠 수 있다'는 메시지를 강조했습니다. 이러한 전략은 소비자가 즉각적인 구매로 이어지는 강한 동기를 부여했으며, 전반적인 판매 증가로 연결되었습니다.

셋째, TechForward는 소비자의 구매 결정에 큰 영향을 미치는 사회적 증거의 힘을 활용했습니다. 회사는 고객 리뷰와 평점을 제품 페이지의 전면에 배치하여 신제품에 대한 긍정적인 평가를 적극적으로 전시했습니다. 또한, 실제 사용자의 경험담을 담은 비디오나 사례 연구를 공유하여 제품의 실질적인 가치를 입증했습니다. 이러한 정보는 신규 방문자들에게 신뢰감을 제공하고, 제품에 대한 호감도를 높이는 데 기여했습니다.

마지막으로 TechForward는 고급 데이터 분석을 통해 각 소비자의 행동 패턴과 선호도를 파악하고, 이를 바탕으로 개인화된 마케팅 메시지를 제공했습니다. 예를 들어, 소비자가 과거에 관심을 보였던 제품 유형에 기반하여 맞춤형 추천을 제공하는 것입니다. 이러한 개인화된 접근은 소비자의 관심을 끌고, 맞춤형 경험을 통해 브랜드 충성도를 높이는 데 중요한 역할을 했습니다.

이러한 다양한 심리학적 전략을 통합함으로써, TechForward는 디지털 마케팅의 효과를 극대화하고, 도전적인 디지털 환경에서 성공적으로 경쟁할 수 있는 기반을 마련했습니다. 이 접근법은 소비자 참여를 높이고, 전환율을 개선하며, 궁극적으로는 브랜드와 소비자 간의 강력한 관계를 구축하는 데 결정적인 역할을 하였습니다.

디지털 마케팅과 온라인 행동 심리학에 관심이 있는 경우, 다음의 심리학 이론과 접근 방식을 추가로 탐구할 수 있습니다. 이 이론들은 목차에 포함되지 않은 내용으로, 마케팅 전략을 심화시키고 소비자 행동을 더 깊이 이해하는 데 도움이 될 것입니다:

1. 정보 처리 이론 (Information Processing Theory): 이 이론은 소비자가 정보를 어떻게 수집, 처리, 저장하는지에 초점을 맞추고 있습니다. 디지털 콘텐츠가 소비자의 인지 과정에 어떤 영향을 미치는지 이해함으로써, 보다 효과적인 메시지와 광고를 설계할 수 있습니다.

2. 프라이밍 효과 (Priming Effect): 이 심리학적 효과는 특정 자극이 사람들의 반응이나 행동을 어떻게 조건화할 수 있는지를 설명합니다. 마케터는 프라이밍을 사용하여 소비자의 구매 결정에 영향을 미치는 특정 인식이나 기대를 형성할 수 있습니다.

3. 동기 부여 이론 (Motivation Theory): 이론은 사람들이 특정 행동을 취하도록 동기를 부여하는 내부 및 외부 요인을 연구합니다. 이는 디지털 마케팅 캠페인에서 소비자를 행동으로 유도하기 위한 인센티브를 설계할 때 유용합니다.

4. 사회적 학습 이론 (Social Learning Theory): Albert Bandura의 이론은 사람들이 다른 사람들의 행동을 관찰하고 모방함으로써 학습한다는 점을 강조합니다. 이는 소셜 미디어에서의 영향력 있는 인플루언서 마케팅 전략을 설계하는 데 적용할 수 있습니다.

5. 감정 이론 (Affect Theory): 감정 이론은 소비자의 감정이 그들의 행동과 결정에 어떻게 영향을 미치는지 연구합니다. 감정적 메시징을 통한 광고가 소비자의 태도와 행동에 미치는 영향을 이해하고 적용함으로써, 더 강력한 고객 관계를 구축할 수 있습니다.

현대의 디지털 마케팅 전략은 인공지능(AI)과 빅데이터의 힘을 빌려 소비자 심리를 더욱 정밀하게 분석하고 예측합니다. 인공지능은 소비자 데이터를 분석하여 개인화된 마케팅 메시지를 생성하고, 빅데이터는 소비자 행동의 패턴을 식별하여 마케팅 전략을 최적화하는 데 사용됩니다. 예를 들어, AI는 고객의 구매 이력과 온라인 행동을 분석하여, 가장 관심을 가질 만한 제품을 추천하고, 이는 고객 만족도와 재구매율을 증가시키는 데 도움을 줍니다. 빅데이터를 활용한 마케팅 전략은 시장의 트렌드를 빠르게 파악하고, 실시간으로 마케팅 캠페인을 조정하여, 효과적으로 소비자에게 다가갈 수 있게 합니다.

이러한 심리학 이론들은 디지털 마케팅 전략의 설계와 실행에 깊이를 더하고, 소비자와의 연결을 강화하는 데 도움이 될 수 있습니다. 각 이론을 현재의 디지털 트렌드와 결합하여 새로운 통찰력과 전략을 개발하는 것이 좋습니다.

III. 제품 개발과 심리학

제품 개발에서의 심리학적 마스터리

제품 개발은 단순히 기술의 결실이 아니라, 소비자의 심리와 깊게 연결된 창의적인 과정입니다. 이 과정에서 심리학적 원리를 적절히 통합하면 제품은 소비자의 심리를 자극하여 강력한 감정적 반응을 유도하고 깊은 충성도를 이끌어낼 수 있습니다. 복잡하고 빠르게 변화하는 현대 시장에서 소비자의 마음을 사로잡는 것은 더 이상 선택이 아닌 필수 조건이 되었습니다.

이 장에서는 심리학과 제품 개발의 교차점에서 어떻게 소비자의 미묘한 기대와 감정을 포착하고, 이를 제품 설계와 마케팅 전략에 반영할 수 있는지를 깊이 있게 탐구합니다. 우리는 제품 디자인의 초기 단계에서부터 마케팅 전략의 실행에 이르기까지, 각 단계에서 심리학이 어떻게 중요한 역할을 하는지 살펴보며, 이를 통해 제품이 시장에서 어떻게 소비자의 요구와 감정에 호응할 수 있는지를 분석합니다.

제품 디자인은 사용자의 직관과 경험을 중심으로 이루어져야 합니다. Don Norman의 디자인 원칙에서는 제품이 사용성, 접근성, 그리고 효율성을 갖추어야 한다고 강조합니다. 이 원칙은 소비자가 제품을 쉽게 이해하고 사용할 수 있도록 설계함으로써 제품에 대한 긍정적인 첫인상을 심어주고, 이를 통해 지속적인 만족감을 보장하게 합니다.

Csikszentmihalyi의 몰입 이론을 적용한 사용자 경험 설계는 소비자가 제품 사용 중 '플로우' 상태에 이르도록 도와, 사용자의 만족도를 크게 향상시킬 수 있습니다. 이 상태는 사용자가 완전히 몰입하여 시간 가는 줄 모르고 제품을 사용하는 경험을 말하며, 이러한 경험은 제품에 대한 강한 긍정적 인식과 충성도로 이어질 수 있습니다.

또한, 제품 개발 과정에서는 창의성이 필수적입니다. Amabile의 창의성 이론은 팀 구성원 각자가 창의적 아이디어를 자유롭게 제시하고, 이 아이디어가 실제 제품으로 발전할 수 있도록 돕는 환경을 조성해야 한다고 주장합니다. 이 과정에서는 팀원들의 동기 부여와 창의적 문제 해결 능력을 촉진시켜, 혁신적인 제품 개발을 가능하게 하는 조직 문화가 매우 중요합니다.

소비자의 피드백 또한 제품 개발에 있어 중요한 자원입니다. 소비자로부터의 직접적인 피드백을 통해 제품에 대한 인지적 부조화를 관리하고, 이를 제품 개선과 사용자 교육에 활용함으로써 브랜드에 대한 긍정적인 인식을 높일 수 있습니다. 이는 소비자가 제품에 대해 가지고 있는 기대와 실제 경험 사이의 괴리를 줄이는 데 도움을 주며, 최종적으로는 제품과 브랜드에 대한 충성도를 높이는 데 기여합니다.

이처럼 제품 개발과 심리학의 교차점에서 발견되는 깊이 있는 통찰은 기업이 시장에서 성공적으로 경쟁하고 소비자의 마음을 사로잡는 제품을 창조할 수 있게 합니다. 이 모든 과정에서 심리학은 단순한 이론을 넘어 제품 디자인 및 마케팅 전략의 핵심 요소로 자리 잡고 있습니다, 제품 개발자들에게는 심리학적 원리가 제품의 성공을 좌우하는 결정적인 요소가 됩니다.

1. 제품 디자인과 Don Norman의 디자인 원칙

디자인이 만드는 첫인상:
Don Norman의 디자인 원칙이 제품 성공에 미치는 영향

제품 디자인은 단순히 기능을 형성하는 것 이상의 의미를 가집니다. 그것은 사용자의 경험을 형태화하고, 감성을 자극하며, 심지어 사용자의 행동까지 변화시킬 수 있는 힘을 지닙니다. 디자인의 이러한 힘을 이해하고 잘 활용하기 위해서는 Don Norman의 디자인 원칙을 깊이 파악하는 것이 중요합니다. Norman은 사용성과 인간 중심 디자인을 강조하며, 제품이 사용자에게 직관적이고 즐거운 경험을 제공해야 한다고 주장합니다.

이 장에서는 Don Norman의 디자인 원칙을 살펴보며, 이 원칙들이 현대 제품 디자인에 어떻게 적용되고 있는지, 그리고 이 원칙들이 소비자의 만족도와 제품의 시장 성공에 어떠한 영향을 미치는지 탐구할 것입니다. Norman의 이론은 세 가지 주요 요소—유용성, 이해성, 그리고 즐거움—에 초점을 맞추어 설계된 제품이 어떻게 사용자의 일상과 깊이 통합될 수 있는지를 설명합니다.

제품 디자인은 단지 외관을 아름답게 꾸미는 것을 넘어서, 사용자가 제품을 사용할 때 느끼는 편리함과 만족감을 극대화해야 합니다. Norman의 원칙을 통해 디자이너들은 사용자의 니즈를 정확히 파악하고, 이를 제품에 반영하여 사용자가 직관적으로 이해할 수 있고, 사용 과정에서 불편함 없이 목표를 달성할 수 있는 제품을 만들 수 있습니다. 이 과정에서 디자이너는 기술적 제약과 시장의 요구 사이에서 균형을 찾아야 하며, 동시에 사용자의 감성적 요구도 충족시켜야 합니다.

이 장을 통해 우리는 제품 디자인이 단순한 물리적 형태를 넘어서 사용자의 생활 방식을 향상시킬 수 있는 중요한 요소임을 이해하고, 이를 기반으로 더 나은 디자인 전략을 수립하는 방법을 모색할 것입니다. Norman의 디자인 원칙은 제품이 어떻게 소비자의 일상에 자연스럽게 스며들 수 있는지, 그리고 이를 통해 어떻게 소비자의 삶의 질을 향상시킬 수 있는지에 대한 깊은 통찰을 제공합니다.

TechDesign은 스마트홈 디바이스 시장에서 혁신적인 디자인을 선보이며 주목받는 기업이었습니다. 그러나 최근 출시한 새로운 스마트홈 제품군에서 사용자 경험과 관련하여 여러 문제가 발생하였습니다. 이 제품들은 시각적으로는 매력적이었지만, 사용자 인터페이스의 복잡성으로 인해 소비자들로부터 예상치 못한 부정적인 반응을 얻게 되었습니다.

이 제품들은 특히 테크놀로지에 익숙하지 않은 사용자들에게 많은 도전을 안겨주었습니다. 사용자들은 다기능적이고 고도로 진보된 인터페이스를 직관적이지 않다고 느꼈으며, 일부는 기본적인 기능의 사용조차 어려움을 겪었습니다. 이러한 인터페이스 문제는 소비자들로 하여금 제품 전반에 대한 불만으로 이어지게 만들었고, 심지어는 제품을 완전히 포기하게 만드는 경우도 있었습니다.

또한, TechDesign의 제품은 호환성 문제에 직면하게 되었습니다. 회사가 제안한 중앙 집중식 스마트홈 시스템은 이론적으로는 여러 디바이스를 효율적으로 연동시키는 방안이었으나, 실제로는 여러 단계의 복잡한 설정과 조정을 요구했습니다. 이로 인해 소비자들은 시스템의 효율성에 의문을 제기하기 시작했으며, 제품 간의 원활하지 않은 통합은 소비자 경험을 저하시키는 주요 요인으로 작용했습니다.

TechDesign의 웹사이트 및 온라인 상점도 문제를 겪고 있었습니다. 이 플랫폼들은 사용자 친화적이지 못하고 복잡한 구조로 되어 있어, 특히 모바일 사용자들로부터 사용상의 불편함을 호소 받았습니다. 이는 온라인에서의 제품 탐색 및 구매 과정을 어렵게 만들었고, 이는 잠재적인 구매 전환율 감소로 이어졌습니다.

이러한 상황은 TechDesign에게 디지털 환경에서의 소비자 행동과 심리를 더 깊이 이해하고 이에 맞는 적절한 접근 방식을 개발할 필요성을 강조하였습니다. 회사는 사용자 경험을 강화하기 위해 체계적인 사용자 행동 분석과 데이터 기반 접근 방식을 도입할 필요가 있음을 깨달았습니다. 이 과정에서 사용자 중심 디자인의 중요성이 더욱 부각되었으며, 이는 TechDesign이 향후 제품 개발 및 마케팅 전략에 있어 중요한 고려 사항이 되었습니다.

TechDesign이 직면한 사용자 경험 문제는 여러 근본적 원인에서 비롯되었습니다. 이 회사의 제품 디자인은 현대적이고 세련된 외관에 중점을 두었지만, 실제 사용자 인터페이스(UI)와 사용자 경험(UX) 설계에서 중요한 인간 중심의 디자인 원칙이 무시되었습니다. 이로 인해 제품은 사용하기 어렵다는 인식이 확산되었고, 특히 기술에 미숙한 사용자들 사이에서 불만이 증가하였습니다.

첫 번째 원인은 과도하게 복잡한 사용자 인터페이스입니다. TechDesign의 제품들은 다양한 기능과 설정을 제공함으로써 사용자에게 높은 수준의 제어를 가능하게 했으나, 이는 동시에 사용자가 인터페이스를 이해하고 효과적으로 사용하기 어렵게 만들었습니다. 제품의 기능이 많을수록 사용자는 그 기능들을 어떻게 사용해야 하는지 배우는 데 시간과 노력을 더 많이 투자해야 했으며, 이는 사용 초기 단계에서 큰 장벽이 되었습니다.

두 번째 원인은 충분하지 않은 사용자 교육과 지원입니다. TechDesign은 제품의 고급 기능을 강조하며 마케팅하였지만, 실제로 사용자들이 이러한 기능들을 최대한 활용할 수 있도록 돕는 충분한 정보와 지원을 제공하지 못했습니다. 사용자 매뉴얼과 온라인 자료는 종종 전문적인 용어로 가득했으며, 평균 사용자가 쉽게 이해할 수 없는 수준이었습니다.

세 번째 원인은 부적절한 타깃 마케팅 전략입니다. TechDesign은 주로 기술 애호가들을 대상으로 제품을 마케팅하려 했으나, 실제 소비자 베이스는 훨씬 다양했습니다. 이로 인해 기술에 미숙한 소비자들도 회사의 제품을 구매했지만, 그들의 기대와 실제 제품 사용 경험 간에 큰 간극이 있었습니다.

네 번째 원인은 기술적 문제와 제품의 호환성 문제입니다. 회사의 다양한 제품들이 원활하게 통합되지 못하고, 특히 새로운 업데이트나 시스템 변화가 이루어질 때 사용자들이 겪는 문제들은 종종 사용자의 불만으로 직결되었습니다. 모바일 사용자 경험의 저하와 웹사이트의 사용자 친화성 부족도 큰 문제점으로 지적되었습니다. 이러한 문제들은 사용자가 기술적 장애물에 부딪혔을 때 쉽게 해결책을 찾지 못하게 만들었고, 이는 전반적인 불만과 제품에 대한 부정적 인식으로 이어졌습니다.

이러한 문제들은 TechDesign이 제품 디자인과 마케팅 전략에서 인간 중심 접근법을 간과했음을 드러내는 것으로, 사용자의 실제 필요와 기대를 충족시키기 위한 근본적인 변화가 요구되었습니다. 회사는 이러한 인식을 바탕으로 사용자 경험을 개선하고, 소비자와의 더 긴밀한 연결을 구축하는 방향으로 전략을 재정립할 필요가 있었습니다.

Don Norman의 디자인 원칙은 사용자 중심의 디자인 접근 방식을 강조하면서, 제품이나 서비스가 사용자에게 직관적이고 접근하기 쉬워야 한다는 개념을 전달합니다. Norman은 특히 사용자 경험을 최우선으로 고려하는 디자인을 지향하며, 사용자가 제품을 사용할 때 겪는 불편함을 최소화하려는 목표를 가지고 있습니다. 이를 위해 그는 디자인이 단순히 기능적인 측면을 넘어서 사용자의 감성과도 연결되어야 한다고 봅니다.

주요 원칙 중 하나인 '가시성'은 모든 중요한 옵션이 사용자에게 명확하게 보이도록 하여, 사용자가 필요한 정보를 쉽게 알아차릴 수 있도록 합니다. 이는 사용자가 어떤 기능을 사용해야 할지, 다음에 무엇을 해야 할지를 쉽게 인지하게 만들어 줍니다. 또한 '피드백' 원칙은 사용자의 모든 액션이 시스템에 의해 인식되었을 때 적절한 반응을 제공함으로써, 사용자가 자신의 행동이 성공적으로 반영되었는지를 알 수 있게 해 줍니다. 이는 혼란을 방지하고 사용자의 만족도를 높이는 데 기여합니다.

'구조화'와 '일관성'은 사용자가 예측 가능한 결과를 얻을 수 있도록 돕고, 유사한 작업을 일관된 방법으로 수행할 수 있게 하여 사용자의 학습 곡선을 감소시킵니다. 예를 들어, 같은 종류의 작업에 대해 항상 같은 위치에 있는 버튼을 사용하는 것은 사용자가 시스템을 더 빨리 이해하고 효과적으로 사용할 수 있게 합니다.

오류 방지는 설계 단계에서부터 잠재적 오류를 예측하고 이를 방지하는 메커니즘을 포함함으로써 사용자가 실수를 범할 가능성을 최소화합니다. 예를 들어, 폼을 작성할 때 잘못된 데이터 입력을 방지하기 위해 실시간으로 입력 데이터를 검증하고 사용자에게 즉각적인 피드백을 제공할 수 있습니다.

마지막으로 '닫힌 회로' 원칙은 작업의 시작과 끝이 사용자에게 명확해야 함을 강조합니다. 이는 사용자가 작업을 완료했음을 인지하고, 다음 필요한 조치를 취할 수 있게 만듭니다. 이 모든 원칙들은 합쳐져서 사용자가 제품이나 서비스를 보다 효율적으로 이해하고 사용할 수 있게 도와줍니다.

현대의 디지털 제품 디자인에서 Don Norman의 디자인 원칙은 더욱 중요해졌습니다. 디지털 인터페이스와 모바일 애플리케이션은 사용자 경험을 최적화하기 위해 접근성, 사용성, 그리고 효율성을 중시해야 합니다. 예를 들어, 애플리케이션의 사용자 인터페이스(UI)는 직관적이어야 하며, 사용자가 필요한 기능을 쉽게 찾고 이해할 수 있도록 설계되어야 합니다. 또한, 반응형 디자인은 다양한 디바이스에서의 일관된 사용자 경험을 보장하여, 모든 사용자에게 동일한 접근성을 제공합니다. 이러한 디자인 접근 방식은 사용자의 만족도를 높이고, 제품에 대한 긍정적인 인식을 강화하는 데 기여합니다.

Don Norman의 접근법은 디자인이 단지 외적인 아름다움을 넘어서 사용자와의 상호작용에서 중요한 역할을 한다는 것을 강조하며, 최종 사용자의 경험을 최적화하는 데 초점을 맞추고 있습니다. 그의 이론은 제품 디자인은 물론 서비스 디자인과 인터페이스 디자인에까지 광범위하게 적용될 수 있으며, 사용자가 보다 만족스러운 경험을 할 수 있도록 디자인을 통해 지원합니다.

TechDesign은 Don Norman의 사용자 중심 디자인 원칙을 적극적으로 적용하여 디지털 마케팅 전략을 개선하는 데 착수했습니다. 이 회사는 특히 웹사이트와 온라인 상점의 사용자 인터페이스(UI)와 사용자 경험(UX)을 중심으로 개선 작업을 진행했습니다.

첫 번째 단계로, TechDesign은 사용자의 피드백과 웹사이트 사용 데이터를 분석하여 가장 많은 문제가 보고된 영역을 식별했습니다. 이 데이터를 통해 회사는 웹사이트 내에서 사용자가 가장 많이 방문하는 페이지와 사용자가 빠져나가는 지점을 파악할 수 있었습니다. 이를 기반으로 가시성 원칙을 적용하여 필수 정보와 기능이 사용자에게 명확하게 드러나도록 디자인을 개선했습니다. 예를 들어, 제품 상세 페이지와 결제 프로세스의 버튼 및 메뉴는 더 눈에 띄고 이해하기 쉬운 위치와 색상으로 조정되었습니다.

두 번째로, TechDesign은 웹사이트의 피드백 메커니즘을 강화하여, 사용자의 모든 액션이 적절한 반응을 유발하도록 했습니다. 예를 들어, 사용자가 상품을 장바구니에 추가하면 즉시 시각적으로 만족스러운 피드백이 제공되어 사용자가 액션이 성공적으로 이루어졌음을 확인할 수 있도록 했습니다. 이러한 즉각적인 피드백은 사용자의 만족감을 높이고, 웹사이트에 대한 신뢰감을 증진시킵니다.

세 번째로, 구조와 일관성을 강화하기 위해 TechDesign은 웹사이트 전체의 네비게이션 구조를 단순화했습니다. 모든 페이지에서 일관된 레이아웃과 스타일을 사용하여 사용자가 사이트를 더 쉽게 탐색할 수 있도록 했습니다. 또한, 반복되는 작업에 대해 사용자가 기대하는 일관된 상호작용을 제공하여 사용자가 더 쉽게 익숙해질 수 있도록 했습니다.

네 번째로, 오류 방지 설계를 적용하여 사용자가 실수를 할 가능성을 최소화했습니다. 예를 들어, 입력 양식에는 실시간 유효성 검사 기능을 추가하여 사용자가 정보를 입력할 때 발생할 수 있는 오류를 즉시 알 수 있도록 했습니다. 이는 사용자가 오류를 수정할 수 있는 기회를 즉시 제공함으로써 전반적인 사용자 경험을 개선했습니다.

마지막으로, TechDesign은 폐쇄 회로 원칙을 적용하여 사용자가 웹사이트에서의 작업을 완료했을 때 이를 명확하게 인지할 수 있도록 했습니다. 구매 과정의 마지막 단계에 명확한 확인 페이지를 제공하여 사용자가 자신의 주문이 성공적으로 처리되었다는 것을 알 수 있도록 했습니다.

이러한 개선 사항을 통해 TechDesign은 웹사이트 방문자의 만족도를 크게 향상시켰고, 이는 더 높은 전환율로 이어졌습니다. Don Norman의 디자인 원칙을 적용한 이 변화는 사용자의 니즈를 충족시키는 동시에 브랜드 신뢰성을 증진시켜, 회사의 디지털 마케팅 전략을 효과적으로 지원하였습니다.

추가로 고려해볼 수 있는 심리학적 이론 및 관련 주제들은 다음과 같습니다:

1. 동기부여 이론: 사용자가 특정 행동을 취하도록 동기를 부여하는 다양한 심리학적 요인을 이해하는 것은 제품 디자인에 중요합니다. 예를 들어, Deci와 Ryan의 자기결정이론은 사용자가 자신의 행동을 스스로 통제하고 있다고 느낄 때 더 높은 만족도와 참여를 보인다고 설명합니다. 이 이론을 활용하여 사용자 인터페이스를 설계하면, 사용자의 자발적 참여와 만족도를 높일 수 있습니다.

2. 행동 경제학: 소비자의 비합리적 결정 패턴을 이해하고 예측하는 행동 경제학은 디지털 마케팅 전략에 중요한 통찰을 제공할 수 있습니다. 예를 들어, 소비자가 놓칠까 봐 두려워하

는 FOMO (Fear of Missing Out) 현상은 특정 제품이나 서비스에 대한 긴급성을 강조할 때 효과적으로 활용할 수 있습니다.

3. 사회적 학습 이론: Albert Bandura의 사회적 학습 이론에 따르면, 사람들은 다른 사람들의 행동을 관찰하고 모방함으로써 새로운 행동을 배울 수 있습니다. 이를 제품 디자인과 마케팅 전략에 적용하여, 사용자 행동을 변화시키거나 새로운 제품 사용법을 교육하는 데 활용할 수 있습니다.

4. 감정의 이해와 활용: Paul Ekman의 감정 이론은 사람들이 경험할 수 있는 기본적인 감정을 정의하고, 이 감정이 어떻게 표현되는지를 설명합니다. 마케팅 커뮤니케이션에서는 이러한 감정의 이해를 바탕으로 감정적인 호소를 통해 소비자와의 강력한 연결을 만들 수 있습니다.

5. 인지 부하 이론: 사용자가 정보를 처리하고 의사결정을 내리는 과정에서 경험하는 정신적 부담을 최소화하는 방법을 제공합니다. 이론에 따라, 제품 디자인과 사용자 인터페이스는 가능한 한 간단하고 직관적이어야 하며, 사용자가 쉽게 정보를 소화하고 효과적으로 의사결정을 할 수 있도록 해야 합니다.

이러한 이론들을 추가로 공부하고 이해함으로써, TechDesign 같은 기업은 더욱 효과적인 제품 디자인과 마케팅 전략을 수립할 수 있습니다. 이는 고객 경험을 극대화하고, 시장에서의 경쟁력을 강화하는 데 도움이 될 것입니다.

2. 사용자 경험과 Csikszentmihalyi의 몰입 이론

완전히 몰입하다:
사용자 경험을 극대화하는 Csikszentmihalyi의 몰입 이론

디지털 시대가 점점 진화함에 따라 사용자 경험의 중요성이 더욱 부각되고 있습니다. 오늘날 사용자들은 단순히 제품을 사용하는 것을 넘어서 그 경험이 제공하는 가치를 중시합니다. 이러한 변화는 특히 테크놀로지 기업들에게 중대한 영향을 미치며, 그 중에서도 'InnovateX'와 같은 기업들은 사용자의 깊은 몰입을 이끌어내는 경험을 제공하기 위해 노력하고 있습니다. Csikszentmihalyi의 몰입 이론은 이러한 맥락에서 매우 중요한 역할을 합니다. 이 이론은 사용자가 활동에 완전히 몰입하여 최대의 만족을 느낄 때 경험하는 '플로우' 상태를 설명합니다.

'플로우'는 사용자가 자신의 기술 수준과 도전 사이에 완벽한 균형을 찾았을 때 발생하는 심리적 상태로, 이때 사용자는 주변의 방해를 잊고 활동에 집중하게 됩니다. 이 상태를 경험한 사용자는 높은 만족도와 함께 강력된 브랜드 충성도를 보이게 됩니다. 디지털 제품의 디자인과 사용자 경험(UX) 설계에서 이러한 몰입 경험을 설계하는 것은 사용자 만족도를 극대화하고 장기적인 브랜드 충성도를 확보하는 데 결정적입니다.

사용자 경험 설계에서의 몰입은 단순히 사용자가 제품에 만족하는 것을 넘어서, 그들이 경험하는 모든 순간을 특별하게 만드는 심리학적 기술입니다. 이 과정에서 Csikszentmihalyi의 몰입 이론은 중심적인 역할을 하며, 사용자가 그들의 활동에 완벽하게 몰두하게 함으로써 최고의 성취와 만족을 경험하도록 유도합니다. 이 몰입 상태, 또는 '플로우'는 사용자가 제품을 사용하면서 시간이 어떻게 흐르는지조차 잊게 만들며, 이러한 경험은 제품에 대한 강력한 긍정적 반응을 불러일으키고 궁극적으로 브랜드 충성도를 높입니다.

이 절에서는 몰입 이론이 제품 디자인과 사용자 인터페이스에 어떻게 적용될 수 있는지를 탐구합니다. 우리는 사용자가 어떻게 특정 제품의 기능에 깊이 빠져들 수 있는지, 그리고 이 과정에서 심리학적 요소들이 어떤 역할을 하는지를 상세히 분석할 것입니다. 제품 디자이너와 개발자들은 이 이론을 이해하고 적용함으로써, 사용자가 자신의 활동에 더 깊이 몰입하고, 이를 통해 더욱 풍부하고 만족스러운 사용 경험을 제공할 수 있는 제품을 만들 수 있습니다.

또한, 이 절에서는 몰입을 최적화하는 다양한 디자인 전략을 소개하고, 이 전략들이 실제 제품 설계에 어떻게 통합될 수 있는지를 살펴볼 것입니다. 이를 통해, 제품 개발자들은 사용자의 필요와 기대를 충족시키는 동시에, 사용자가 경험 중에 몰입할 수 있는 여러 방법을 설계할 수 있게 됩니다. 몰입 이론의 적용은 단순한 디자인의 변화를 넘어서 사용자의 생활 방식과 상호작용하는 방법에 깊은 영향을 미치며, 이는 제품의 성공에 결정적인 요소가 될 수 있습니다.

디지털 시대에서 사용자 경험이 중심이 되면서, 기술 회사 'InnovateX'는 제품 디자인과 사용자 경험(UX)을 개선하기 위한 도전에 직면했습니다. InnovateX는 고급 소비자 전자 제품을 개발하고 판매하는 회사로, 시장에서의 성공을 위해 사용자가 완전히 몰입할 수 있는 제품 경험을 제공하기를 원했습니다.

이 회사는 최근 사용자들로부터 인터페이스가 너무 복잡하고 사용하기 어렵다는 피드백을 받았습니다. 특히 신제품인 스마트 홈 디바이스에 대한 사용자 경험이 기대에 미치지 못해, 제품 반환률이 증가하고 고객 만족도가 하락하는 문제에 직면했습니다. 사용자들은 디바이스의 기능을 최대한 활용하지 못했고, 특히 새로운 기술에 익숙하지 않은 사용자들 사이에서 불만이 커졌습니다.

이와 더불어, InnovateX의 모바일 앱도 비판을 받았습니다. 앱은 기능적으로 풍부했지만 사용자 인터페이스가 직관적이지 않아 사용자들이 앱의 다양한 기능을 쉽게 찾고 사용할 수 없었습니다. 또한, 앱의 로딩 시간이 길고 반응 속도가 느려 사용자의 플로우 상태를 방해했으며, 이로 인해 사용자들은 경험에 대한 만족감을 느끼지 못했습니다.

InnovateX는 이러한 문제를 해결하기 위해 사용자 경험을 개선하고자 했으나, 적절한 사용자 연구 없이 진행된 기능 추가와 디자인 변경은 오히려 사용자 경험을 더욱 악화시켰습니다. 디자인 팀은 사용자의 피드백과 행동 데이터를 충분히 분석하고 반영하지 못해, 제품과 서비스 개선이 사용자의 기대와 요구를 충족시키지 못했습니다.

이러한 상황은 InnovateX에게 사용자의 기대를 정확히 파악하고, 사용자 중심의 설계 접근 방식을 채택하여 제품과 서비스의 사용자 경험을 전반적으로 재평가할 필요성을 강조했습니다. 회사는 이를 위해 제품 디자인과 UX 개선에 있어 심리학적 원칙과 사용자 데이터를 기반으로 한 명확한 전략을 수립할 필요가 있었습니다.

InnovateX가 직면한 사용자 경험 문제의 원인을 분석할 때, 여러 중요한 심리학적 및 디자인 관련 요소가 드러납니다.

첫째, 사용자 인터페이스의 복잡성이 높아 사용자가 제품을 직관적으로 이해하고 사용할 수 없었다는 점입니다. 이는 사용자가 기술에 대한 초기 학습 곡선을 극복하지 못하게 하며, 특히 기술에 익숙하지 않은 사용자들에게 큰 장벽이 되었습니다.

둘째, 회사의 디자인 및 개발 프로세스에 사용자 중심의 접근 방식이 충분히 통합되지 않았다는 문제입니다. InnovateX는 기능과 혁신에 중점을 두었지만, 실제 사용자의 일상 생활에서의 요구와 편의를 고려하지 않은 채로 제품을 설계하였습니다. 이로 인해 사용자는 제품의 고급 기능을 충분히 활용하지 못했고, 제품 사용에 있어서 실용적인 이점을 경험하지 못했습니다.

셋째, InnovateX의 디지털 플랫폼, 특히 모바일 앱의 기술적 문제들이 사용자의 몰입 경험을 방해했습니다. 앱의 반응성이 떨어지고 로딩 시간이 긴 것은 사용자가 원활하게 탐색하고 상호작용하는 데 필요한 즉각적인 피드백을 제공하지 못했습니다. 이는 사용자가 지속적으로 앱을 사용하는 동기를 감소시켜, 전반적인 만족도와 충성도에 부정적인 영향을 미쳤습니다.

이러한 문제들은 InnovateX가 디자인과 사용자 경험 개선을 위해 고객의 행동과 심리를 더 깊이 이해하고, 이를 제품 개발에 반영할 필요가 있음을 보여줍니다. 제품과 서비스의 사용자 경험을 개선하기 위해서는 사용자의 요구와 기대를 정확히 파악하고, 이를 바탕으로 한 설계 전략을 수립하는 것이 중요합니다. 이 과정에서 사용자 연구와 피드백의 적극적인 활용이 필수적이며, 사용자의 목소리를 제품 개발의 모든 단계에 통합하는 것이 핵심적입니다.

Mihaly Csikszentmihalyi의 몰입 이론은 사용자 경험 디자인에서 매우 중요한 역할을 합니다. 이 이론은 사용자가 활동에 완전히 몰입하여 외부의 방해를 받지 않고 활동에 집중할 때 경험하는 최적의 경험 상태인 '플로우'를 설명합니다. 플로우 상태는 사용자가 자신의 기술과 활동의 도전 수준이 완벽하게 일치할 때 발생하며, 이 상태에서 사용자는 큰 만족과 성취감을 느낍니다. 이 이론은 디지털 제품의 설계와 개발에 있어 사용자의 몰입도를 최대화하는 데 필수적인 가이드라인을 제공합니다.

Csikszentmihalyi는 플로우가 발생하기 위해서는 활동이 사용자의 기술 수준에 적합하면서도 충분한 도전을 제공해야 하며, 사용자가 명확한 목표를 가지고 즉각적인 피드백을 받을 수 있어야 한다고 강조합니다. 이 조건들이 충족될 때, 사용자는 활동에 완전히 몰입할 수 있으며, 이는 사용자의 만족도와 제품에 대한 긍정적인 태도를 증진시킬 수 있습니다. 디지털 환경에서 이러한 요소들을 고려한 디자인은 사용자가 자주 사용하고 싶어하는 제품을 만드는 데 결정적인 요인이 됩니다.

이 몰입 이론을 적극적으로 활용하는 것은 디지털 제품과 서비스가 제공하는 경험의 질을 향상시키고, 사용자의 참여를 극대화하는 데 중요합니다. 예를 들어, 게임 디자인에서는 플레이어의 기술 수준에 맞춰 난이도를 조정하여 지속적인 도전과 성취의 경험을 제공함으로써 플레이어가 게임에 더 오랫동안 몰입하도록 합니다. 비슷하게, 교육용 소프트웨어는 사용자가 새로운 지식을 효과적으로 학습하면서도 도전을 느낄 수 있는 활동을 제공함으로써 교육적 몰입을 촉진할 수 있습니다.

또한, 몰입 이론은 사용자 경험을 설계할 때 사용자의 기대와 요구를 충족시키는 맞춤형 경험을 제공하는 데도 도움을 줍니다. 제품이나 서비스가 사용자의 기술 수준과 잘 맞고, 사용자가 행동의 결과를 즉시 확인할 수 있을 때, 사용자는 더 긍정적인 경험을 하고 제품이나 서비스에 대한 충성도가 높아질 가능성이 큽니다. 이러한 접근은 고객 맞춤형 마케팅 전략에도 매우 중요하며, 개인화된 사용자 경험을 통해 고객과의 장기적인 관계를 구축하는 데 기여할 수 있습니다.

Csikszentmihalyi의 몰입 이론은 디지털 제품과 서비스를 설계하고 개선하는 과정에서 중요한 이론적 기반을 제공하며, 사용자가 각 제품이나 서비스를 사용할 때 경험하는 감정적 반응과 만족도를 이해하고 예측하는 데 귀중한 통찰력을 제공합니다. 이 이론은 디자이너와 개발자가 사용자 중심의 접근 방식을 채택하고, 사용자 경험을 최적화하기 위해 필수적인 가이드라인을 제공합니다.

몰입 이론은 다양한 산업에서 사용자 경험을 향상시키는 데 활용됩니다. 예를 들어, 비디오 게임 디자인에서는 사용자가 게임에 완전히 몰입할 수 있도록 스토리텔링, 챌린지 수준, 그래픽 디자인을 조정합니다. 교육 기술 분야에서는 학습자가 학습 활동에 몰입하도록 콘텐츠와 상호작용을 설계하여, 학습 효율을 최대화합니다. 디지털 미디어와 온라인 콘텐츠 제작에서도, 사용자가 콘텐츠에 더 깊이 몰입하도록 비디오 길이, 내러티브 구조, 인터랙티브 요소를 최적화합니다. 이러한 적용 사례들은 몰입 이론이 어떻게 다양한 산업에서 소비자의 경험을 극대화하고 제품의 성공에 기여하는지를 보여줍니다.

InnovateX는 최근 소비자 전자제품의 디지털 마케팅 전략을 강화하는 과정에서 몇 가지 도전에 직면했습니다. 회사는 Csikszentmihalyi의 몰입 이론을 적용하여 이 문제를 해결하기로 결정했습니다. 이 이론은 개인이 활동에 완전히 몰입하여 최대한의 만족과 성취감을 느끼는 경험을 설명합니다. 몰입 경험은 개인의 기술 수준과 도전의 난이도가 완벽하게 매칭될 때 발생하는데, 이는 사용자가 기술을 사용하면서 경험하는 개인적인 경험의 깊이를 극대화하는 데 중요합니다.

회사는 제품 디자인과 사용자 인터페이스를 개선하여 이 이론을 실용화하기 시작했습니다. 사용자가 제품과 상호작용하는 방식을 단순화하고 보다 직관적으로 만들어 사용자가 기술적 장벽을 느끼지 않도록 조치했습니다. 이를 통해 사용자는 제품을 사용하는 동안 불필요한 스트레스 없이 효율적으로 작업을 수행할 수 있게 되었으며, 이는 전반적인 사용 경험을 개선했습니다.

또한 InnovateX는 사용자의 행동 데이터를 분석하여 각 사용자의 선호도와 필요에 맞는 맞춤형 사용자 경험을 제공하고자 했습니다. 이 데이터는 사용자가 어떤 기능을 자주 사용하는지, 어떤 기능에서 문제를 겪는지 등을 파악하는 데 사용되었습니다. 이 정보를 바탕으로 회사는 제품의 기능을 개선하고 사용자가 더 쉽게 접근하고 사용할 수 있도록 인터페이스를 조정했습니다.

사용자의 몰입을 촉진하기 위해 InnovateX는 또한 사용자가 자신의 진행 상황을 실시간으로 확인할 수 있는 피드백 시스템을 도입했습니다. 이 시스템은 사용자가 작업을 완료할 때마다 긍정적인 피드백을 제공하여 동기를 부여하고, 사용자가 자신의 성과를 쉽게 추적할 수 있도록 도왔습니다. 이는 사용자가 몰입 경험을 더 자주 경험하게 하며, 전반적인 제품 만족도를 높이는 데 기여했습니다.

이러한 접근 방식은 InnovateX가 디지털 환경에서 소비자의 변화하는 행동과 기대를 더 잘 이해하고 충족시키는 데 중요한 역할을 했습니다. 몰입 이론을 기반으로 한 이러한 전략적 변화는 소비자와의 강력한 감정적 연결을 구축하고, 고객 충성도와 브랜드 가치를 상당히 향상시켰습니다. InnovateX의 이러한 접근 방식은 소비자 전자제품 분야에서의 경쟁 우위를 확보하고, 시장에서의 성공을 지속적으로 보장하는 데 결정적인 요소가 되었습니다.

InnovateX의 사례를 고려할 때, 다음과 같은 추가적인 심리학 이론들이 제품 개발 및 디지털 마케팅 전략에 유용할 수 있습니다:

1. 행동 경제학: 이 분야는 전통적 경제학의 가정과는 달리, 사람들이 비합리적이고 예측 불가능한 방식으로 결정을 내리는 방법을 연구합니다. Dan Ariely의 연구와 같은 행동 경제학 이론은 소비자의 구매 결정에 영향을 미치는 비합리적 요인들을 이해하는 데 도움을 줄 수 있습니다.

2. 감정적 설계: 도널드 노먼의 감정적 설계 이론은 제품이 사용자에게 어떻게 감정적 반응을 일으키는지를 설명합니다. 이는 사용자가 제품을 사용할 때 느끼는 즐거움과 만족도를 높이는 데 중요합니다.

3. 사회적 학습 이론: Albert Bandura의 사회적 학습 이론은 사람들이 다른 사람들을 관찰하고 모방함으로써 새로운 행동을 배운다고 설명합니다. 이 이론은 소셜 미디어 마케팅 전략에서 특히 유용할 수 있으며, 온라인에서 긍정적인 사용자 경험을 공유함으로써 다른 소비자의 행동을 유도할 수 있습니다.

4. 영향력의 심리학: 로버트 치알디니의 영향력의 심리학은 사람들이 결정을 내릴 때 어떻게 다른 사람들의 행동에 영향을 받는지를 설명합니다. 이는 소비자가 제품을 구매할 때 중요한 사회적 증거를 제공하는 마케팅 전략을 개발하는 데 도움이 됩니다.

5. 기대 이론: Victor Vroom의 기대 이론은 개인의 행동이 기대, 가치, 인식된 노력과 결과 간의 관계에 의해 결정된다고 설명합니다. 이 이론은 제품의 특징과 소비자 기대가 어떻게 연결되어야 하는지에 대한 통찰력을 제공할 수 있습니다.

이러한 이론들은 InnovateX가 직면한 문제를 극복하고, 사용자 경험을 개선하며, 제품의 시장 적합성을 높이는 데 도움을 줄 수 있습니다. 각 이론은 제품 개발과 마케팅 전략에 다양한 관점과 접근 방식을 제공함으로써, 보다 깊이 있는 소비자 이해와 효과적인 커뮤니케이션을 가능하게 합니다.

3. 혁신과 창의력: Amabile의 창의성 구성요소

창의성의 촉매:
Amabile의 창의성 이론과 혁신적인 제품 개발

혁신과 창의력은 현대 비즈니스 환경에서 기업이 지속 가능한 경쟁 우위를 확보하는 데 필수적인 요소입니다. 특히 기술이 빠르게 발전하는 오늘날, 기업들은 지속적으로 혁신적인 아이디어와 솔루션을 개발해야만 시장에서 성공할 수 있습니다. 이러한 혁신적인 사고를 이해하고 촉진하는 데 있어, 테레사 애머빌의 창의성 구성요소 이론은 깊은 통찰을 제공합니다.

애머빌의 이론은 창의적인 성과가 세 가지 기본 요소의 상호 작용에 의해 결정된다고 설명합니다: 전문성, 창의적 사고 기술, 그리고 동기부여. 전문성은 해당 분야의 지식, 기술, 기술에 대한 폭넓은 이해를 포함하며, 창의적 사고 기술은 문제를 새롭고 비전통적인 방식으로 접근하는 능력을 말합니다. 마지막으로 동기부여는 개인이 어떤 일을 왜 하는지, 그리고 그 일에 얼마나 많은 에너지와 열정을 쏟는지를 나타냅니다. 이 세 요소는 서로 긴밀히 연결되어 있으며, 창의적인 성과를 이끌어내는 데 결정적인 역할을 합니다.

혁신을 추구하는 기업들은 이러한 구성 요소를 강화함으로써 창의적 잠재력을 최대화할 수 있습니다. 전문성을 높이기 위해 지속적인 교육과 훈련을 제공하고, 창의적 사고를 장려하기 위한 환경을 조성하며, 직원들이 자신의 일에 대해 높은 내재적 동기부여를 갖도록 지원하는 것이 중요합니다. 이러한 접근은 직원들이 더 많은 혁신적 아이디어를 생성하고, 기업의 전반적인 혁신 능력을 향상시키는 데 기여할 수 있습니다.

이 장에서는 Amabile의 창의성 구성요소 이론을 통해 혁신과 창의력의 심리학적 기초를 탐구하고, 이를 어떻게 실제 비즈니스 상황에 적용할 수 있는지에 대해 자세히 살펴볼 것입니다. 이 이론이 제공하는 통찰을 통해 기업은 창의적 문제 해결, 제품 개발, 그리고 시장에서의 차별화를 실현하는 방법을 발견할 수 있을 것입니다.

현대 비즈니스 환경에서 창의성은 중요한 경쟁 요소로 자리 잡고 있습니다. 예를 들어, 혁신적인 스마트 기기를 제조하는 기업 'SmartTech Innovations'는 시장에서 두각을 나타내기 위해 지속적으로 독창적인 제품을 개발해야 하는 도전에 직면해 있습니다. 이 회사는 특히 사용자 경험을 혁신하는 것을 목표로 하고 있으며, 이를 통해 소비자의 일상에 통합될 수 있는 새로운 기기들을 제공하고자 합니다.

SmartTech Innovations는 최근에 출시한 스마트 홈 디바이스 시리즈로 큰 주목을 받았지만, 제품 개발 과정에서 몇 가지 중대한 문제에 부딪혔습니다. 이 기기들은 기술적으로 선진적이었으나 소비자의 실제 사용 경험과는 다소 동떨어져 있었습니다. 사용자들은 제품의 복잡성을 지적하며, 더 직관적이고 간편하게 사용할 수 있는 제품을 선호한다는 피드백을 제공했습니다.

또한, 회사의 내부 창의성 촉진 메커니즘이 충분히 효과적이지 못한 것으로 드러났습니다. 개발팀은 종종 외부의 트렌드에 지나치게 의존하고 내부적인 창의적 해결책을 모색하는 데는 소홀했습니다. 이로 인해 제품이 시장의 기대와 일치하지 않는 경우가 빈번했으며, 창의적 아이디어의 부족은 제품의 차별화를 어렵게 만들었습니다.

회사는 또한 직원들의 창의적 잠재력을 제대로 활용하지 못하고 있었습니다. 직원들이 보유한 다양한 배경과 경험을 통해 새로운 아이디어를 도출할 수 있는 기회가 충분히 제공되지 않았으며, 창의적 사고를 장려하는 기업 문화의 부재가 문제로 지적되었습니다. 이러한 상황은 SmartTech Innovations가 창의성을 기반으로 한 제품 혁신을 추구하는 데 있어 상당한 장애물이 되었습니다.

이러한 문제들은 SmartTech Innovations가 창의력과 혁신을 촉진하는 더 효과적인 방법을 모색할 필요성을 강조합니다. 회사의 지속 가능한 성장과 시장 내 경쟁력을 유지하기 위해서는 내부 창의성을 극대화하고, 직원들의 창의적 기여를 촉진하는 환경을 조성하는 것이 필수적입니다.

SmartTech Innovations가 직면한 문제의 근본 원인을 분석해보면, 여러 측면에서 창의력과 혁신의 장애물이 드러납니다.

첫 번째 문제는 제품 개발 접근법에 있습니다. 이 회사는 기술적 진보에 중점을 두었지만, 실제 소비자의 사용 경험과는 동떨어진 기능을 개발하는 경향이 있었습니다. 이러한 접근은 소비자의 요구와 기대를 제대로 파악하지 못하고 제품 설계를 시작했기 때문에 발생했습니다. 소비자 조사와 시장 분석의 부족은 제품이 최종 사용자에게 실질적인 가치를 제공하지 못하게 만들었습니다.

두 번째 문제는 내부 창의성 촉진 방식에 있습니다. 회사의 기업 문화와 조직 구조가 창의적 아이디어를 충분히 지원하지 않았습니다. 창의적 사고를 장려하기보다는 기존의 성공 모델을 반복하려는 경향이 강했으며, 이는 직원들 사이에서 새로운 아이디어를 시도하려는 의지를 저하시켰습니다. 또한, 팀 간의 협업 부족은 다양한 관점과 아이디어가 융합되는 기회를 제한했습니다.

세 번째 중요한 원인은 기술의 적용 방법에 있습니다. SmartTech Innovations는 고급 기술을 제품에 적용하는 데 중점을 두었지만, 이 기술들이 사용자의 일상 생활과 어떻게 통합될 수 있는지에 대한 충분한 고려가 이루어지지 않았습니다. 기술이 제공하는 혜택을 사용자가 쉽게 이해하고 활용할 수 있도록 만드는 것이 미흡했습니다. 이는 사용자 경험을 저해하고 제품의 직관성을 떨어뜨리는 결과를 초래했습니다.

이러한 문제들은 SmartTech Innovations가 혁신적인 제품을 개발하고자 할 때 반드시 고려해야 할 심리적, 조직적 요소들을 간과했다는 것을 보여줍니다. 제품 디자인의 초기 단계부터 사용자의 심리를 이해하고 이를 제품 개발에 효과적으로 통합하는 방법을 찾는 것이 필요합니다. 이를 위해서는 더욱 체계적인 소비자 연구와 직원들의 창의적 잠재력을 활용하는 문화적 변화가 요구됩니다.

SmartTech Innovations의 문제를 해결하기 위해 Teresa Amabile의 창의성 구성요소 이론을 적용하는 것이 매우 유익할 것입니다. Amabile는 창의성이 전문성, 창의적 사고 기술, 그리고 동기부여 이 세 가지 주요 요소에 의해 영향을 받는다고 합니다.

전문성은 개인이 특정 분야에서 축적한 지식, 기술, 기술에 대한 이해를 포함합니다. 이는 창의적 문제 해결의 기반을 제공하며, 제품 개발 팀이 충분한 배경 지식과 기술적 능력을 갖추고 있어야 창의적인 솔루션을 도출할 수 있음을 시사합니다. SmartTech은 제품 디자인과 개발에 있어 다양한 기술적 전문성을 활용하여 혁신적인 제품을 만들 수 있습니다.

창의적 사고 기술은 문제를 새롭고 비표준적인 방식으로 접근하는 능력을 말합니다. 이는 유연성, 독창성, 문제 정의 및 해결에 대한 능력을 포함합니다. SmartTech은 자신의 팀 내에서 이러한 사고방식을 장려하여 기존의 생각에서 벗어나 새로운 아이디어를 적극적으로 모색해야 합니다. 창의적 사고를 촉진하기 위해 다양한 부서 간 협업을 강화하고, 다학제적 팀을 구성하는 것이 효과적일 수 있습니다.

동기부여는 개인이 얼마나 열정적으로 창의적인 활동에 몰두하는지를 나타냅니다. Amabile에 따르면, 내재적 동기부여(즉, 행동이 그 자체로 보람 있고 즐거운 경우)는 창의성을 가장 강력하게 촉진합니다. 이를 통해 SmartTech은 직원들이 자신의 작업에 더욱 몰입하고, 회사의 목표와 일치하는 개인적인 만족을 추구할 수 있도록 환경을 조성해야 합니다. 이를 위해 직원들에게 자율성을 제공하고, 그들의 아이디어와 제안을 실제로 적용할 수 있는 기회를 제공함으로써 그들의 내재적 동기를 높일 수 있습니다.

이 세 가지 구성 요소를 제품 개발 프로세스와 팀 관리에 통합함으로써, SmartTech Innovations는 실질적인 창의력 증진과 혁신 촉진을 위한 구체적인 전략을 수립할 수 있습니다. Amabile의 이론은 단순히 창의적 아이디어를 생성하는 것을 넘어서, 그러한 아이디어가 팀 내외부의 다양한 스테이크홀더들에 의해 받아들여지고 실행될 수 있는 환경을 조성하는 데 중점을 둡니다.

SmartTech Innovations는 창의적 문제 해결을 위해 Teresa Amabile의 창의성 구성요소 이론을 적용하여 자사의 혁신 프로세스를 전면 재검토하고 개선하기 시작했습니다. 이 회사는 창의성이 단순히 뛰어난 아이디어를 생성하는 것을 넘어, 전체 조직의 문화와 구조에 깊이 뿌리내리도록 하기 위해 여러 단계의 전략을 실행에 옮겼습니다.

첫 번째 단계로, SmartTech은 자사의 제품 개발 팀에 대한 내부 교육 프로그램을 확대하여, 직원들이 최신 기술 동향과 사용자 경험 디자인 원칙에 대해 더 깊이 이해하고 실제 업무에 적용할 수 있도록 했습니다. 이 교육 세션은 특히 창의적 사고와 문제 해결 능력을 강조하였고, 직원들이 사용자 중심 디자인을 실현하는 데 필수적인 다양한 기술과 방법론을 습득하게 했습니다.

두 번째로, 회사는 다학제적 협업을 촉진하기 위해 다양한 배경을 가진 직원들로 구성된 혁신 팀을 신설했습니다. 이 팀들은 정기적인 브레인스토밍 세션과 워크숍을 통해 서로 다른 분야의 지식을 교류하고, 새로운 아이디어를 실험적으로 테스트할 수 있는 기회를 가졌습니다. 이러한 활동은 팀원들이 서로의 전문 지식을 활용하여 고객의 문제를 보다 창의적으로 해결할 수 있도록 도왔습니다.

셋째, SmartTech은 직원들이 자유롭게 의견을 제시하고 실험할 수 있는 조직 문화를 조성하기 위해 노력했습니다. 회사는 실패를 허용하고, 실패에서 배울 수 있는 환경을 강조함으로써, 직원들이 두려움 없이 새로운 아이디어를 제안하고 시도할 수 있도록 했습니다. 이는 창의적 리스크를 감수할 때 발생할 수 있는 부담을 줄이고, 혁신적인 사고를 장려하는 데 중요한 역할을 했습니다.

넷째, 회사는 고객 피드백을 제품 개발 과정의 핵심 요소로 삼아, 실시간으로 고객의 의견을 수집하고 반영할 수 있는 시스템을 구축했습니다. 이를 통해 개발 중인 제품이 시장의 요구와 잘 부합하는지 확인하고, 필요한 조정을 신속하게 진행할 수 있었습니다. 고객의 목소리를 직접적으로 제품 개발에 반영하는 것은 사용자 만족도를 높이는 데 결정적이었습니다.

이러한 전략들을 통해 SmartTech Innovations는 창의성이 회사의 지속적인 성장과 혁신을 이끄는 핵심 동력이 되도록 했습니다. Amabile의 창의성 구성요소 이론을 통합한 이 접근 방식은 제품 개발뿐만 아니라 회사 전반의 운영에 긍정적인 변화를 가져왔으며, 시장에서의 경쟁력을 강화하는 데 기여했습니다. 이 모든 과정은 직원들이 창의성을 발휘하여 혁신적인 제품을 만들어낼 수 있는 환경을 조성하는 데 초점을 맞추었습니다.

현대적인 사례로는 스타트업과 기술 중심의 회사들이 Amabile의 창의성 이론을 어떻게 활용하고 있는지를 살펴볼 수 있습니다. 예를 들어, 실리콘 밸리의 스타트업들은 종종 빠른 속도로 변화하는 기술 환경에서 창의적인 해결책을 요구합니다. 이들 회사는 Amabile의 이론에 기반한 프레임워크를 도입하여, 직원들이 새로운 아이디어를 자유롭게 제시하고, 실험할 수 있는 문화를 조성합니다. 이러한 접근은 빠른 혁신을 가능하게 하며, 시장에서의 경쟁력을 강화합니다. 이와 같은 사례는 Amabile의 이론이 현대의 도전적인 비즈니스 환경에서 어떻게 효과적으로 적용될 수 있는지를 보여줍니다.

SmartTech Innovations의 창의성 향상을 위한 접근 방식과 관련하여 추가로 탐구할 만한 심리학 이론 및 관련 주제들을 추천하겠습니다. 이러한 이론들은 창의적 사고와 혁신을 더욱 촉진하는 데 유용할 수 있습니다.

1. 흐름 이론(Flow Theory): 이미 몰입 이론으로 언급된 Csikszentmihalyi의 흐름 이론은 개인이 자신의 작업에 완전히 몰입하여 최대의 만족과 성과를 경험하는 상태를 설명합니다. 이 이론을 깊이 있게 연구하여, 직원들이 자신의 업무에서 '흐름' 상태를 경험할 수 있는 작업 환경을 조성하는 방법을 모색할 수 있습니다.

2. 다중 지능 이론(Multiple Intelligences Theory): 하워드 가드너의 다중 지능 이론은 사람들이 가지고 있는 다양한 종류의 지능을 설명하며, 이를 통해 개인의 잠재력을 다각도에서 이해하고 활용할 수 있습니다. 이 이론을 적용하여 다양한 지능을 가진 직원들의 재능을 인식하고, 이를 팀 및 프로젝트 구성에 반영함으로써 창의적 결과를 극대화할 수 있습니다.

3. 디자인 사고(Design Thinking): 이는 문제 해결을 위한 반복적이고 사용자 중심의 접근 방식을 제공합니다. 디자인 사고 프로세스를 통해, 팀은 사용자의 요구를 깊이 파악하고, 이를 바탕으로 혁신적인 솔루션을 개발할 수 있습니다.

4. 창의적 자기 효능감(Creative Self-Efficacy): 개인이 창의적인 업무를 수행할 수 있다는 자신감을 갖는 정도를 설명하는 이 심리학 개념을 통해, 조직은 직원들의 창의적 자신감을 증진시키는 전략을 개발할 수 있습니다.

5. 감성 지능(Emotional Intelligence): 감성 지능은 개인이 자신과 타인의 감정을 인식하고 관리하는 능력을 나타냅니다. 이는 팀 내 의사소통과 협력을 개선하여, 창의적인 작업 환경을 조성하는 데 중요한 역할을 할 수 있습니다.

6. 포지티브 심리학(Positive Psychology): 이 분야는 개인의 긍정적인 측면과 자산을 강조하여, 직원들의 복지와 동기 부여를 증진시키는 데 중점을 둡니다. 행복과 만족이 높은 직원은 더 창의적이 될 가능성이 높다는 연구 결과가 있습니다.

이러한 이론들을 추가로 탐구하고 적용함으로써, SmartTech Innovations는 지속적인 혁신과 창의성을 뒷받침하는 더욱 풍부하고 다층적인 접근 방식을 개발할 수 있을 것입니다.

4. 소비자 피드백과 인지 부조화 이론

소비자의 마음을 읽는 법:
인지 부조화 이론과 피드백의 파워

소비자의 마음을 사로잡는 과정은 단순한 제품 판매를 넘어서는 예술입니다. 이 예술에서 중심적인 역할을 하는 것은 바로 소비자 피드백입니다. 소비자가 경험하는 인지 부조화는 제품 개발 및 마케팅 전략의 근본을 형성합니다. 이 장에서는 인지 부조화 이론을 심층적으로 탐구하며, 소비자 피드백이 브랜드의 전략적 방향과 제품 개선에 어떻게 결정적인 영향을 미치는지를 분석합니다.

인지 부조화 이론은 소비자가 자신의 기대치와 실제 제품 경험이 일치하지 않을 때 느끼는 심리적 불편함을 설명합니다. 이 불편함은 소비자가 제품에 대해 가지는 인식을 바꾸거나, 제품 자체를 변경해야 할 필요성을 느끼게 만듭니다. 이러한 이론은 마케터와 제품 개발자가 소비자의 피드백을 보다 전략적으로 활용하고, 브랜드 충성도를 높이는 방법을 모색하는 데 중요한 통찰을 제공합니다.

이 장에서는 실제 사례 연구를 통해 인지 부조화 이론이 어떻게 현장에서 적용될 수 있는지 보여줍니다. 예를 들어, 고객의 기대를 충족시키지 못한 새로운 제품 출시 후에, 회사가 수집한 피드백을 바탕으로 제품을 어떻게 수정하고 개선했는지를 상세히 분석합니다. 또한, 이 과정에서 회사가 어떻게 고객의 실망을 전화위복의 기회로 전환했는지에 대한 통찰도 제공됩니다.

마지막으로, 이론적 배경과 실제 적용 사례를 통해, 인지 부조화 이론이 디지털 시대의 마케팅 전략을 어떻게 재정의할 수 있는지에 대해 깊이 있는 분석을 제공합니다. 이를 통해 독자들은 소비자 피드백을 통한 심층적인 심리적 이해가 현대 마케팅에서 어떻게 중요한 역할을 하는지에 대한 명확한 이해를 얻을 수 있습니다. 이 장은 마케터와 제품 개발자가 소비자 피드백을 기반으로 전략적 결정을 내리는 데 필요한 핵심적인 도구와 통찰력을 제공하며, 소비자와의 감정적 연결을 강화하는 방법을 제시합니다.

최근의 디지털 변화 속에서 'SmartTech'라는 중견 기업이 마주한 도전은 시장에서의 경쟁력을 유지하기 위한 신속한 조치가 요구되는 상황이었습니다. SmartTech은 소비자 전자 분야에서 중견 기업으로, 다양한 고성능 제품들을 제공해 왔습니다. 그러나, 소비자들의 불만이 점차 증가하면서 제품에 대한 부정적인 피드백이 온라인으로 확산되기 시작했습니다. 고객들은 특히 제품 사용 중 겪는 문제들과 제품의 실제 사용성에 대한 기대와의 괴리를 지적했습니다.

SmartTech의 관리팀은 이 문제를 심각하게 받아들였습니다. 특히, 신제품 출시 후 초기 호응이 좋지 않자, 이를 둘러싼 인지 부조화가 브랜드 이미지를 손상시키고 있다는 사실에 주목했습니다. 소비자들은 SmartTech의 제품을 사용할 때 편리함과 혁신을 기대했으나, 실제 경험은 종종 그 기대를 충족시키지 못했습니다. 이로 인해 고객은 자신들의 구매 결정에 대해 두 번 생각하게 되었고, 일부는 공개적으로 불만을 표출하기 시작했습니다.

회사는 이 문제를 극복하기 위해 고객 피드백을 보다 체계적으로 수집하고 분석할 필요가 있다고 판단했습니다. 그들은 소셜 미디어, 고객 서비스 콜 센터, 그리고 제품 리뷰 사이트에서 수집된 데이터를 통해 고객의 불만과 문제점들을 집중적으로 조사하기 시작했습니다. 이 데이터는 제품 개선의 기초가 되었고, 고객의 기대치와 회사 제품 간의 격차를 좁히는 데 중요한 역할을 했습니다.

또한, 회사는 고객의 실제 사용 경험을 개선하기 위해 사용성 테스트와 포커스 그룹을 새롭게 도입했습니다. 이러한 접근은 제품 설계 초기 단계에서부터 소비자의 의견을 반영하여, 인지 부조화를 최소화하는 데 중점을 뒀습니다. 이 과정을 통해 SmartTech은 제품의 사용성을 높이고, 고객의 실제 필요와 기대를 더욱 정확히 반영할 수 있었습니다.

SmartTech의 이러한 노력은 점차 결실을 맺기 시작했습니다. 새로 개선된 제품들은 시장에서 긍정적인 반응을 얻었고, 고객 만족도 조사에서도 이전보다 높은 점수를 기록했습니다. 회사의 이러한 변화는 고객과의 신뢰를 회복하는 데 중요한 첫 걸음이었으며, 장기적으로 브랜드 충성도를 높이는 기반을 마련했습니다.

SmartTech이 직면한 문제는 제품 디자인과 고객 피드백 메커니즘의 두 가지 주요 원인에서 비롯되었습니다.
첫 번째 문제는 사용자 인터페이스의 복잡성과 사용성의 부족에서 기인합니다. SmartTech의 제품들은 기술적으로 진보된 기능을 탑재하여 시장에 출시되었지만, 실제 사용자들이 이러한 기능을 일상적으로 사용하는 데에는 많은 어려움을 겪었습니다. 특히, 이들 제품의 사용자 인터페이스가 너무 복잡하여 평균 소비자가 쉽게 접근하고 이해할 수 없었던 점이 큰 문제였습니다. 이로 인해 소비자들은 제품의 고급 기능을 제대로 활용하지 못하고, 제품에 대한 만족도가 저하되었습니다.

두 번째 원인은 효과적인 고객 피드백 시스템의 부재였습니다. SmartTech은 고객 피드백을 수집하고 이를 제품 개선에 반영하는 체계적인 방법을 갖추지 못했습니다. 고객들로부터 수집된 피드백이 제대로 분석되고 관리되지 않았기 때문에, 반복되는 문제들이 해결되지 않고 계속 발생했습니다. 이는 고객 불만의 증가로 이어지고, 결국 브랜드에 대한 신뢰도 하락과 함께 재구매율 저하로 직결되었습니다.

이러한 상황은 SmartTech에게 제품의 사용성을 향상시키는 동시에 고객 의견을 보다 효과적으로 수집하고 반영할 수 있는 새로운 접근법이 필요함을 시사합니다. 고객이 직면한 문제들을 정확히 이해하고 이에 적극적으로 대응하기 위해서는, 먼저 사용자 인터페이스를 간소화하여 더 직관적으로 만들 필요가 있습니다. 또한, 고객 서비스 프로세스를 개선하여 고객의 피드백이 신속하게 수집되고, 이를 기반으로 제품 개선이 이루어질 수 있도록 해야 합니다.

이를 위해 SmartTech은 고객 피드백을 실시간으로 수집하고 분석할 수 있는 디지털 플랫폼을 도입할 수 있으며, 고객 서비스 팀과 제품 개발 팀 간의 원활한 소통을 위한 내부 프로세스를 강화해야 합니다. 또한, 고객의 사용 패턴을 분석하여 이들이 제품을 어떻게 사용하고 있는지에 대한 깊은 이해를 바탕으로, 사용자 경험을 중심으로 한 제품 디자인 철학을 재정립할 필요가 있습니다. 이와 같은 조치들은 제품의 사용성을 크게 향상시키고 고객 만족을 높여, 장기적인 고객 충성도와 브랜드 가치를 제고하는 데 기여할 것입니다.

이번 사례에서는 인지 부조화 이론을 중심으로 심리학적 개념을 적용합니다. 이 이론은 레온 페스팅거(Leon Festinger)에 의해 1950년대에 개발되었으며, 사람들이 자신의 태도, 신념, 행동 간에 일관성을 유지하려는 심리적 경향을 설명합니다. 인지 부조화 이론에 따르면,

개인은 자신의 신념체계와 반대되는 정보나 행동을 경험할 때 불편함을 느끼며, 이 불편함은 사람들이 그들의 태도나 행동을 변경하여 부조화를 줄이려는 동기를 부여합니다.

인지 부조화는 소비자 행동과 밀접한 관련이 있습니다. 예를 들어, 소비자가 고가의 제품을 구매한 후 제품의 성능이 기대에 미치지 못하면, 이로 인한 심리적 불편함을 해소하기 위해 소비자는 제품의 긍정적인 면을 더욱 강조하거나 부정적인 정보를 무시하는 방식으로 태도를 조정할 수 있습니다. 이러한 현상은 마케팅에서 고객 피드백과 사용자 경험을 관리하는 데 중요한 시사점을 제공합니다.

SmartTech 기업이 직면한 문제를 해결하는 데 이 이론을 적용할 때, 기업은 소비자의 인지 부조화를 최소화하고 긍정적인 사용자 경험을 강화함으로써 제품에 대한 만족도를 높일 수 있습니다. 예를 들어, 제품 사용 중 발생할 수 있는 문제점에 대해 투명하게 소통하고, 실시간으로 피드백을 수집하여 즉각적인 개선 조치를 취함으로써 소비자의 불만을 해소하고, 긍정적인 브랜드 인식을 강화할 수 있습니다.

이러한 접근은 제품 개발 초기 단계에서부터 소비자의 기대와 제품의 실제 성능 사이의 간극을 줄이는 데 중점을 두어야 합니다. 또한, 마케팅 커뮤니케이션은 소비자의 기대를 현실적으로 설정하고, 제품의 진정한 가치와 이점을 정확히 전달하는 데 초점을 맞추어야 합니다. 이를 통해 SmartTech은 소비자의 신뢰를 재구축하고 장기적인 고객 충성도를 확보하는 데 기여할 수 있습니다.

SmartTech은 인지 부조화 이론을 기반으로 소비자의 불만과 그 원인을 분석하여 문제를 해결하고자 했습니다. 이 회사는 소비자가 자사 제품의 기능성에 대해 부정적인 경험을 한 후에도, 제품을 지속적으로 사용하며 불만을 느끼는 현상에 주목했습니다. 이는 인지 부조화 이론에서 말하는, 행동과 태도 사이의 불일치에서 비롯된 심리적 불편함과 연관이 있습니다.

SmartTech은 먼저 소비자들이 제품 사용 중 경험하는 구체적인 불편 사항을 파악하기 위해 광범위한 설문조사와 피드백 세션을 실시했습니다. 이를 통해, 사용자 인터페이스(UI)가 직관적이지 않다는 점과 제품의 기능이 사용자의 일상적 필요와 잘 맞지 않는다는 중요한 데이터를 얻었습니다.

이러한 피드백을 바탕으로 SmartTech은 UI 디자인을 전면적으로 개편하여 더 사용자 친화적으로 만들기로 결정했습니다. 또한, 제품의 기능을 사용자의 일상 생활과 더 밀접하게 연결되도록 조정함으로써 실용성을 높였습니다. 예를 들어, 스마트 가전 제품에 에너지 절약 모드를 추가하고, 자동 업데이트 기능을 통해 사용자의 불편을 최소화할 수 있는 솔루션을 개발했습니다.

더불어, SmartTech은 소비자와의 소통을 강화하기 위해 새로운 커뮤니케이션 채널을 개설했습니다. 소셜 미디어와 온라인 포럼을 활용하여 소비자가 실시간으로 피드백을 제공하고, 이에 대한 회사의 신속한 응답을 가능하게 했습니다. 이는 소비자의 심리적 불편함을 감소시키고, 브랜드에 대한 신뢰와 만족도를 증가시키는 데 기여했습니다.

이러한 조치들을 통해 SmartTech은 소비자의 인지 부조화를 줄이고, 제품에 대한 만족도를 높이며, 장기적으로 브랜드 충성도를 향상시킬 수 있었습니다. 회사는 이 과정에서 얻은 교훈을 바탕으로 지속적으로 제품과 서비스를 개선하고, 소비자 중심의 접근 방식을 더욱 강화할 계획입니다. 이러한 전략적 접근은 심리학적 이론을 효과적으로 적용하여 실질적인 비즈니스 문제를 해결하는 좋은 예로 평가받고 있습니다.

소비자 피드백을 해석할 때, 인지 부조화 이론은 다양한 소비자 세그먼트에서 다르게 작용할 수 있습니다. 문화적 배경, 연령, 성별 등에 따라 소비자들의 기대와 경험 사이의 부조화를 해결하는 방식이 달라질 수 있습니다. 예를 들어, 젊은 소비자들은 기술 기반 제품에서 더 높은 기대를 가질 수 있으며, 이들의 기대가 충족되지 않았을 때 보다 강한 부정적 피드백을 제공할 가능성이 있습니다. 반면, 다른 연령대나 문화적 배경을 가진 소비자들은 다른 요인에 더 민감할 수 있습니다. 이러한 차이를 이해하고 적절하게 대응하는 것은 제품 개발과 고객 서비스 전략을 세밀하게 조정하는 데 중요합니다.

SmartTech의 사례와 관련하여 추가로 탐구할 만한 심리학 이론들을 다음과 같이 제안합니다:

1. 사회적 증거 이론 (Social Proof Theory): 사람들이 다른 사람들의 행동을 모방하는 경향을 설명합니다. 이 이론을 통해 SmartTech은 사용자 리뷰, 평가, 소셜 미디어에서의 언급을 활용하여 신제품이나 개선된 기능에 대한 긍정적 인식을 높일 수 있습니다.

2. 기대 이론 (Expectancy Theory): 개인이 특정 행동을 할 때 그 결과로 어떤 보상을 기대하게 되는지 설명합니다. 이 이론을 활용하면 SmartTech은 소비자의 기대를 관리하고 충족시키는 방향으로 제품 개선을 계획할 수 있습니다.

3. 감정 전염 이론 (Emotional Contagion Theory): 감정이 한 사람에서 다른 사람으로 전달될 수 있다는 개념입니다. 광고나 마케팅 캠페인에서 긍정적 감정을 전달함으로써, 소비자의 제품에 대한 긍정적인 감정을 유도할 수 있습니다.

4. 행동 경제학 (Behavioral Economics): 전통적 경제학의 예측 가능한 합리성에 도전하며, 사람들이 실제로 어떻게 결정을 내리는지에 초점을 맞춥니다. 이 분야에서의 통찰을 활용하면, 비합리적이거나 감정에 기반한 소비자 결정을 이해하고 예측할 수 있습니다.

5. 집단 다이내믹스 (Group Dynamics): 집단 내에서 개인의 행동이 어떻게 영향을 받고, 집단의 결정과 행동이 어떻게 형성되는지를 설명합니다. 이 이론을 통해 SmartTech은 소비자 그룹 내에서 제품의 인식과 선호도를 증진시킬 전략을 개발할 수 있습니다.

이러한 이론들은 모두 SmartTech이 소비자의 행동과 심리를 더 깊이 이해하고, 이를 바탕으로 더 효과적인 마케팅 전략을 수립하는 데 도움을 줄 수 있습니다.

5. 제품 포지셔닝과 Perceptual Mapping

시장 내에서 당신의 제품을 어디에 두어야 할까요?: 제품 포지셔닝과 Perceptual Mapping의 역할

시장에서의 성공은 단순히 우수한 제품을 만드는 것을 넘어서, 그 제품을 어떻게 포지셔닝하고 소비자에게 어떻게 인식시키느냐에 달려 있습니다. 제품 포지셔닝과 지각 매핑은 이러한 과제를 해결하는 데 중요한 역할을 합니다. 이 도구들은 마케터에게 시장 내에서 제품의 위치를 정확하게 분석하고, 경쟁 제품과의 관계를 시각적으로 표현하여, 소비자의 인식을 측정하고 이해하는 데 필수적입니다.

이번 장에서는 제품 포지셔닝의 중요성과 지각 매핑이 어떻게 마케팅 전략에 통합되어 제품의 시장 내 위치를 최적화하는지를 깊이 있게 다룹니다. 우리는 지각 매핑의 기본 원리와 이를 활용하여 소비자의 미묘한 인식 차이를 어떻게 포착하고 이해할 수 있는지 탐구할 것입니다.

또한, 경쟁이 치열한 시장에서 소비자가 수많은 제품 사이에서 어떻게 선택을 내리는지, 그리고 특정 제품이 소비자의 기대와 요구를 어떻게 충족시키는지를 분석합니다. 제품의 특성, 소비자의 요구, 그리고 경쟁 제품과의 관계를 매핑함으로써, 마케터는 더 명확한 시장 포지셔닝 전략을 개발할 수 있습니다.

제품 포지셔닝과 지각 매핑을 통한 전략 개발은 광고, 판촉, 제품 개발 및 고객 서비스 전략에 깊이를 더해줍니다. 이러한 접근 방식은 제품을 시장에 소개하고 소비자와의 지속적인 관계를 구축하는 데 결정적인 요소가 됩니다. 특히, 지각 매핑을 통해 마케터는 소비자의 눈에 어떻게 보이는지, 어떤 감정적 연결을 만들어내는지를 이해하고 이를 기반으로 브랜드 메시지를 최적화할 수 있습니다.

이 과정은 단순한 매핑을 넘어서, 시장 내에서 브랜드가 지속 가능한 경쟁 우위를 확보하고, 소비자와의 깊은 감정적 연결을 구축하는 전략을 수립하는 데 중요한 통찰력을 제공합니다. 우리는 이 장에서 제품 포지셔닝과 지각 매핑을 통해 어떻게 시장에서의 성공을 이끌어낼 수 있는지, 그리고 소비자의 마음속에 어떻게 자리 잡을 수 있는지에 대한 전략적 접근법을 살펴볼 것입니다.

VisionTech는 혁신적인 소비자 전자 기업이자 시장에서의 혁신을 선도하는 기업으로 최근 제품 포지셔닝과 지각 매핑의 전략적 중요성을 깊이 있게 체감하고 있습니다. 이 회사는 최첨단 기술을 사용한 고급 스마트 가전 제품을 개발하여 그 명성을 쌓아왔지만, 변화하는 시장과 소비자 기대에 부응하기 위한 새로운 도전에 직면했습니다.

VisionTech의 포트폴리오에는 다양한 제품이 포함되어 있으며, 각 제품은 특정 소비자 층을 타깃으로 하고 있습니다. 그러나 회사는 최근 제품들이 시장 내에서 예상했던 만큼의 인지도를 얻지 못하고, 경쟁 제품들에 비해 눈에 띄지 않는 문제를 경험했습니다. 특히, 새롭게 출시한 스마트 홈 기기 라인이 기대한 만큼의 시장 반응을 이끌어내지 못한 것입니다.

소비자 조사와 내부 분석을 통해, VisionTech는 제품들이 소비자에게 충분히 차별화되지 않고, 경쟁 제품들과 유사하게 인식되고 있음을 발견했습니다. 또한, 이러한 문제는 제품의 기능성과 품질이 우수함에도 불구하고 제품의 감성적 요소와 연결이 부족하여 발생한 것으로 분석되었습니다. 소비자들은 VisionTech의 제품이 기술적으로 우수하다는 점은 인지하고 있지만, 이 제품들이 자신들의 일상 생활과 어떻게 연결되는지, 또는 어떠한 감성적 가치를 제공하는지에 대한 인식은 상대적으로 낮았습니다.

이러한 문제 인식을 바탕으로 VisionTech는 제품 포지셔닝과 지각 매핑 전략을 재정립하기로 결정했습니다. 회사는 각 제품의 시장 내 위치를 명확히 하고, 소비자의 감성적 요구와 기술적 요구를 모두 만족시킬 수 있는 방향으로 제품 전략을 수정할 필요가 있었습니다. 이를 위해 소비자의 지각과 기대를 보다 정확하게 매핑하고, 이 데이터를 기반으로 각 제품의 포지셔닝을 더욱 명확하게 다듬어 나가는 작업에 착수했습니다.

VisionTech는 이 과정에서 시장 조사와 소비자 피드백을 중요한 자원으로 활용하여, 각 제품이 소비자의 일상에 어떻게 자연스럽게 녹아들 수 있는지에 대한 인사이트를 획득하고자 했습니다. 이러한 노력은 제품 개발 초기 단계부터 소비자의 의견을 반영하여, 실제 사용자의 경험과 기대를 제품 디자인과 기능에 효과적으로 통합하는 것을 목표로 삼았습니다.

VisionTech가 직면한 문제의 근본적인 원인은 몇 가지 핵심 요소에서 비롯되었습니다. 첫 번째로, 시장 내에서의 제품 차별화 부족이 주요 이슈로 대두되었습니다. 이 회사의 제품들이 기술적으로 뛰어난 성능을 제공하긴 하지만, 소비자들이 이러한 기능을 실생활에 적용 가능하다고 느끼지 못하는 경우가 많았습니다. 기존의 마케팅 전략은 제품의 기술적 우수성에 집중하여 소비자들에게 전달했지만, 이는 소비자들이 제품을 구매할 때 고려하는 감성적 요소나 개인적인 가치와는 동떨어진 접근이었습니다.

두 번째 문제는 제품의 시장 포지셔닝이 모호하다는 점입니다. VisionTech의 제품들은 경쟁 제품들과 비교했을 때 뚜렷한 차별점을 제공하지 못했으며, 소비자들은 VisionTech의 제품이 자신들의 필요나 욕구를 어떻게 충족시킬 수 있는지 명확히 인식하지 못했습니다. 이로 인해 소비자들은 브랜드에 대한 강한 연결고리나 충성도를 형성하지 못하고, 단순히 기능적인 측면에서만 제품을 평가하게 되었습니다.

세 번째로, VisionTech의 온라인 마케팅 채널과 소셜 미디어 전략이 효과적으로 관리되지 않았습니다. 디지털 마케팅은 현대 비즈니스에서 중요한 역할을 하지만, VisionTech는 이 채널을 통해 소비자와의 상호작용을 극대화하고, 소비자 참여를 유도하는데 실패했습니다. 특히, 소셜 미디어 캠페인의 실행이 소비자의 참여와 반응을 이끌어내기에는 충분히 매력적이지 않았으며, 이는 전반적인 브랜드 인식에 부정적인 영향을 끼쳤습니다.

마지막으로, VisionTech의 웹사이트와 온라인 쇼핑 경험은 사용자 친화적이지 않았습니다. 사이트의 내비게이션 구조가 복잡하고, 모바일 최적화가 제대로 이루어지지 않아 사용자들이 제품 정보를 쉽게 찾거나 구매 프로세스를 원활하게 진행할 수 없었습니다. 이는 특히 모바일 기기 사용자들에게 큰 불편을 초래했으며, 온라인 판매 전환율의 저하로 직결되었습니다.

이러한 다양한 문제들은 VisionTech가 제품 개발과 마케팅 전략에서 심리학적 이해와 소비자의 행동 패턴 분석을 통해 접근해야 할 필요성을 강조합니다. 회사는 이 문제들을 인식하고, 각각의 원인에 맞는 해결책을 모색함으로써 브랜드 포지셔닝을 강화하고, 소비자와의 관계를 개선할 수 있는 기회를 찾아야 합니다.

제품 포지셔닝과 관련하여 이야기할 때, 페셉추얼 매핑(Perceptual Mapping)은 제품의 시장 내 위치를 시각적으로 분석하고 이해하는 데 매우 중요한 도구입니다. 이 기법은 소비자가 제품을 어떻게 인식하고 있는지를 파악하고, 경쟁 제품과의 비교를 통해 자사 제품의 차별점과 위치를 명확히 할 수 있게 해줍니다. 이 과정에서 중요한 심리학적 개념인 '포지셔닝'은 제품이 소비자 마음 속에서 차지하는 고유한 자리를 의미하며, 이는 마케팅 전략 수립에 있어 핵심적인 역할을 합니다.

페셉추얼 매핑은 다차원 척도법(Multidimensional Scaling, MDS)을 활용하여 소비자의 인식 데이터를 기반으로 제품 간의 유사성과 차이를 그래픽으로 표현합니다. 이 방법은 소비자의 무의식적 인식과 명시적 선호를 포착하여, 제품이나 브랜드가 시장에서 어떻게 포지셔닝되어야 할지에 대한 인사이트를 제공합니다. 예를 들어, 소비자가 높은 품질과 신뢰성을 중시한다면, 이 두 요소를 강조하는 브랜드 포지셔닝이 중요하다는 결론을 도출할 수 있습니다.

이러한 분석은 마케팅 전략과 제품 개발에 있어 중요한 결정을 내리는 데 있어서 강력한 근거를 제공합니다. 제품의 특성, 소비자의 기대, 그리고 경쟁 상황을 종합적으로 고려하여, 기업은 자신의 제품을 시장에 맞게 조정할 수 있습니다. 또한, 페셉추얼 매핑은 기업이 자신의 제품 라인을 확장하거나 새로운 시장 세그먼트를 타겟팅할 때 효과적인 전략을 수립하는 데 도움을 줍니다.

이 과정에서의 핵심은 소비자의 인식과 심리를 얼마나 잘 이해하고 있느냐에 달려 있습니다. 소비자의 심리를 파악하는 것은 단순히 통계적 데이터를 넘어서, 그들의 생활 방식, 가치관, 그리고 구매 결정에 영향을 미치는 심리적 요인들을 포괄적으로 이해하는 것을 요구합니다. 이를 통해 기업은 소비자의 기대를 충족시키거나 뛰어넘을 수 있는 제품을 설계하고 마케팅할 수 있습니다.

결국, 제품 포지셔닝과 페셉추얼 매핑은 제품 개발과 마케팅의 교차점에서 심리학적 원리를 적용하여 보다 세밀하고 효과적인 전략을 수립할 수 있는 길을 제시합니다. 이러한 접근은 기업이 소비자의 마음을 사로잡고, 시장에서 지속 가능한 경쟁 우위를 확보하는 데 필수적인 요소로 작용합니다.

테크놀로지 회사인 'InnovateX'는 페셉추얼 매핑을 활용하여 소비자의 인식과 제품 포지셔닝 간의 불일치를 해결하는 복잡한 과제에 직면했습니다. 이 회사는 고성능 컴퓨팅 기기를 제조하는데, 시장 조사 결과 소비자는 InnovateX의 제품을 고가이면서 사용하기 복잡하다고 인식하고 있었습니다. 이러한 인식은 판매에 부정적인 영향을 미쳤고, 제품 포지셔닝을 재정립할 필요성이 대두되었습니다.

InnovateX는 먼저 다차원 척도법을 이용하여 현재 시장에서 자사 제품의 인식 위치를 시각화했습니다. 이 데이터는 소비자가 InnovateX 제품을 어떻게 인식하는지, 경쟁 제품과 비교했을 때 어떤 차이점이 있는지 명확하게 드러냈습니다. 분석 결과, InnovateX 제품은 기술적으로 우수하지만 접근성과 사용 용이성에서 뒤쳐지는 것으로 나타났습니다.

이를 해결하기 위해 InnovateX는 제품 디자인을 개선하여 사용자 친화적인 인터페이스를 도입했습니다. 동시에 마케팅 커뮤니케이션 전략도 재조정하여, 제품의 고급 기능뿐만 아니라 일상적인 사용에서의 편리함을 강조하는 메시지를 전면에 내세웠습니다. 이러한 변화는 소비자의 제품에 대한 인식을 재구성하는 데 중점을 두었으며, 페셉추얼 매핑을 통해 얻은 인사이트가 기초가 되었습니다.

또한, InnovateX는 소비자 피드백을 적극적으로 수집하고 분석하여, 제품 개발 과정에 소비자의 의견을 반영했습니다. 이 과정에서 소비자들이 제품 사용 중 경험한 문제점들을 신속하게 파악하고, 이를 개선하여 신제품에 적용했습니다. 이는 고객 만족도를 높이고, 제품에 대한 긍정적인 인식을 촉진하는 데 기여했습니다.

마지막으로, InnovateX는 온라인 마케팅과 소셜 미디어 전략을 강화하여 디지털 채널을 통한 고객 접점을 확대했습니다. 이러한 노력은 제품의 온라인 가시성을 높이고, 실시간 소통을 통해 소비자와의 관계를 강화하는 데 중점을 두었습니다. 이 과정에서 콘텐츠 마케팅과 타겟 광고가 중요한 역할을 했으며, 이 모든 활동은 페셉추얼 매핑을 통해 얻은 데이터에 기반하여 계획되고 실행되었습니다.

이렇게 InnovateX는 페셉추얼 매핑과 심리학적 이론을 통합적으로 적용하여 시장에서의 제품 포지셔닝을 성공적으로 개선할 수 있었습니다. 이는 제품 개발부터 마케팅 전략까지, 다양한 비즈니스 영역에 걸쳐 체계적이고 과학적인 접근 방식을 취하는 것이 얼마나 중요한지를 잘 보여줍니다.

디지털 시대에는 데이터 분석 및 소비자 행동 분석 도구가 Perceptual Mapping을 혁신하고 있습니다. 최신 기술을 활용하여, 마케터들은 실시간으로 대량의 소비자 데이터를 분석하고, 이를 통해 제품의 시장 내 위치를 더 정확하고 동적으로 매핑할 수 있습니다. 예를 들어, 소셜 미디어 상에서 소비자의 반응과 행동 패턴을 분석하여, 제품의 포지셔닝을 실시간으로 조정하고 마케팅 전략을 민첩하게 적응시킬 수 있습니다. 이러한 접근은 전통적인 방법보다 더 정밀하고 효과적인 시장 분석을 가능하게 하며, 기업이 경쟁력을 유지하고 시장 변화에 신속하게 반응할 수 있도록 돕습니다.

다음으로 고려할 만한 심리학 이론들은 InnovateX의 사례에 더욱 깊은 통찰을 제공할 수 있습니다. 여기에는 다음과 같은 이론들이 포함됩니다:

1. 조직 행동과 문화 변화 모델: 이는 조직 내에서 행동과 문화가 어떻게 변화하는지 설명합니다. 이론들은 조직 변화를 이끌어내는 요인들을 명확히 하며, 제품 포지셔닝 전략을 재정립하는 과정에서 직원들의 태도와 행동 변화를 관리하는 데 도움이 될 수 있습니다.

2. 동기부여 이론: Deci와 Ryan의 자기결정이론(Self-Determination Theory)과 같은 동기부여 이론은 개인의 내재적 및 외재적 동기를 설명합니다. 이는 직원들의 창의력과 혁신을 촉진하는 인센티브 시스템 설계에 적용할 수 있습니다.

3. 기술 수용 모델 (Technology Acceptance Model, TAM): 이 모델은 사용자가 새로운 기술을 어떻게 받아들이고 사용하게 되는지를 설명합니다. 제품 디자인을 개선하는 과정에서 사용자 인터페이스(UI)와 사용자 경험(UX)의 중요성을 강조하는데 유용합니다.

4. 매력의 법칙 (Law of Attraction): 이 이론은 긍정적인 생각이 긍정적인 결과를 끌어들인다고 주장합니다. 브랜드가 소비자와의 긍정적인 감정적 연결을 구축하려 할 때, 이 이론을 활용하여 소비자의 긍정적 인식을 증진시킬 수 있습니다.

5. 행동 경제학 (Behavioral Economics): 이 분야는 경제적 결정이 항상 합리적이지 않다는 점을 강조합니다. 할인, 보상 및 가격 책정 전략을 개발할 때, 행동 경제학적 원칙을 적용하여 소비자의 구매 결정에 영향을 줄 수 있습니다.

이러한 이론들은 InnovateX가 소비자의 행동과 심리를 더 깊이 이해하고, 이를 기반으로 더욱 효과적인 마케팅 전략을 수립하는 데 도움을 줄 수 있습니다. 각 이론은 다양한 비즈니스 시나리오에 적용 가능하며, 특히 디지털 마케팅 및 제품 개발 분야에서 중요한 영향을 미칠 수 있습니다.

6. 기능적 디자인과 Gibson의 생태심리학 이론

환경을 담은 디자인:
Gibson의 생태심리학 이론으로 탐구하는 기능적 디자인의 미학

우리가 일상적으로 사용하는 제품들은 단순히 기능을 넘어서 우리의 감각과 상호작용하는 방식에서 중요한 역할을 합니다. 제임스 J. 기브슨의 생태심리학 이론은 이러한 상호작용의 본질을 탐구하며, 제품 디자인과 사용자 경험(UX)을 혁신하는 데 깊은 영향을 미칩니다. 이 이론은 제품이 사용자의 환경에 어떻게 자연스럽게 통합되고 사용자의 행동에 어떻게 영향을 미치는지를 설명함으로써, 디자이너들이 더욱 직관적이고 자연스러운 사용자 경험을 창출할 수 있도록 돕습니다.

Gibson의 생태심리학 이론은 환경과의 지속적인 상호작용 속에서 인간의 지각이 어떻게 발달하는지를 설명합니다. 이 이론은 '능력 인식(affordance)' 개념을 중심으로 구성되어 있는데, 이는 객체가 사용자에게 제공하는 행동 가능성을 의미합니다. 예를 들어, 의자는 '앉을 수 있는' 가능성을 제공하며, 이는 그 형태와 구조에서 자연스럽게 파악됩니다. 이러한 관점에서 볼 때, 제품 디자인은 단순한 미적 요소를 넘어서 사용자의 생활 방식과 행동 패턴을 고려해야 할 필요가 있습니다.

현대의 디자이너들은 이 이론을 적용하여, 사용자가 제품을 더 쉽고 효과적으로 사용할 수 있도록 돕는 디자인을 창출하고 있습니다. 이는 특히 모바일 기기, 스마트 홈 디바이스, 그리고 사용자 친화적인 웹 인터페이스 디자인에 있어서 중요한 역할을 하고 있습니다. Gibson의 이론은 제품이 사용자의 신체적, 인지적 요구에 어떻게 부응할 수 있는지를 이해함으로써, 더욱 효율적이고 직관적인 제품 솔루션을 개발하는 데 기여합니다.

이러한 접근은 기술의 급속한 발전과 디지털 환경의 복잡성이 증가함에 따라 특히 중요해지고 있습니다. 사용자 경험을 최적화하고 제품과 서비스가 제공하는 실질적인 가치를 극대화하려는 현대 기업들에게 Gibson의 생태심리학 이론은 귀중한 통찰을 제공합니다. 따라서 이 이론은 제품 디자인을 넘어 전략적 비즈니스 결정에도 영향을 미치며, 기업이 시장에서의 경쟁 우위를 확보하고 지속 가능한 성장을 이루는 데 중요한 역할을 합니다.

기능적 디자인을 중심으로 혁신을 추구하는 가상의 기술 회사인 'SmartDesign Technologies'는 사용자 친화적인 스마트홈 디바이스를 개발하는 데 전념하고 있습니다. 이 회사는 최근 몇 년간 빠르게 성장했으며, 그 과정에서 사용자의 일상 생활 속에서 자연스럽게 통합될 수 있는 제품들을 창출해왔습니다. 그러나 이들이 직면한 주요 문제 중 하나는 제품 개발 초기 단계에서의 과도한 기술 중심 접근이었습니다. 회사는 기술적 성능을 최우선으로 고려하다 보니, 실제 사용자의 필요와 경험을 충분히 반영하지 못하는 경우가 잦았습니다.

특히, SmartDesign이 최근 출시한 스마트 조명 시스템은 기술적으로는 앞서 있었지만, 실제 사용자들에게는 복잡하고 사용하기 어렵다는 피드백을 받았습니다. 이 제품은 다양한 조명 모드와 색상 조절 기능을 제공했지만, 평범한 사용자가 이해하고 사용하기에는 인터페이스가 직관적이지 않았습니다. 소비자들은 제품의 기능을 완전히 활용하지 못했고, 그 결과 많은 기능이 무용지물이 되어버렸습니다.

또한, 회사는 제품 디자인에서의 심미적 측면과 기능적 측면 사이의 균형을 맞추는 데 어려움을 겪었습니다. 제품의 외관은 현대적이고 세련된 디자인을 자랑했지만, 일부 사용자들은 디자인이 사용의 편리함을 해치고 있다고 느꼈습니다. 예를 들어, 슬림한 디자인의 리모트 컨트롤은 손에 쥐기 어렵고 버튼이 작아 실제로 사용할 때 불편함을 초래했습니다.

이러한 피드백을 받은 SmartDesign은 자사의 제품 개발 전략을 재검토할 필요성을 느끼고, 사용자 경험을 중심에 둔 디자인 접근 방식으로의 전환을 고민하게 되었습니다. 회사는 제품의 사용성과 기능성 사이에서 더욱 균형 잡힌 접근을 모색하고, 실제 사용자의 일상 생활에 어떻게 더 자연스럽게 통합될 수 있을지에 대한 연구를 강화하기로 결정했습니다. 이 과정에서 Gibson의 생태심리학 이론이 제공하는 통찰력이 매우 중요한 역할을 하게 되었으며, 이를 통해 회사는 사용자의 필요와 환경에 보다 잘 맞는 제품을 설계할 수 있는 방향을 모색하기 시작했습니다.

SmartDesign Technologies가 직면한 문제의 근본적인 원인은 여러 층위에서 파악할 수 있습니다.

첫 번째로, 회사의 개발 프로세스가 기술 중심적인 접근 방식에 치중하였기 때문에, 사용자의 직관적인 사용 경험과는 다소 동떨어진 결과를 초래했습니다. 이러한 접근은 제품의 기능적인 특성은 강화시켰지만, 일반 사용자가 이해하고 사용하기에는 복잡하고 접근하기 어려운 인터페이스를 만들어냈습니다. 이는 제품 사용 시 사용자의 만족도를 저하시키는 주된 요인으로 작용했습니다.

두 번째 문제는 제품 디자인의 심미성과 기능성 사이에 균형을 맞추지 못한 것입니다. SmartDesign의 제품들은 현대적이고 스타일리시한 외관으로 시각적으로 눈길을 끌었지만, 일상 사용에서 요구되는 편의성과 사용 용이성은 간과되었습니다. 예를 들어, 리모트 컨트롤의 슬림하고 세련된 디자인은 손에 쥐기 불편하고 조작하기 어려웠던 것이 실제 사용자 경험과 맞지 않았습니다.

세 번째로, SmartDesign의 마케팅 및 홍보 전략이 충분히 효과적이지 못했던 점도 문제로 지적됩니다. 제품의 고급 기능과 디자인을 강조하는 캠페인은 실행되었지만, 소비자가 이러한 기능을 일상생활에서 어떻게 활용할 수 있는지에 대한 구체적인 예시나 설명이 부족했습니다. 이로 인해 소비자들은 제품의 실질적인 가치와 필요성을 충분히 이해하지 못하고, 제품에 대한 감정적인 연결이나 충성도를 형성하기 어려웠습니다.

이러한 문제들은 결국 SmartDesign에게 사용자 중심의 디자인 접근법으로 전환할 필요성을 강조하게 만들었습니다. 제품 개발 초기 단계부터 사용자의 삶에 통합될 수 있는 방식을 고민하고, 사용자 친화적인 인터페이스 디자인에 더 많은 투자를 할 필요가 있음을 인식하게 되었습니다. 이 과정에서 피드백을 적극적으로 수집하고 반영하며, 제품이 사용자의 실제 필요와 기대에 부합하도록 개선하는 것이 중요한 전략적 방향이 되었습니다.

제임스 J. 기브슨(James J. Gibson)은 1904년에 태어나 1979년에 세상을 떠난 미국의 심리학자로, 그의 주요 연구 분야는 시각 인식과 관련된 심리학이었습니다. 특히 그의 생태심리학 이론은 인간과 환경 사이의 상호작용을 이해하는 데 중요한 기여를 하였습니다. 기브슨은 행동주의 심리학이 지배적이던 시대에, 인간의 지각을 단순히 자극과 반응의 연결로 보는 것을 넘어, 환경 속에서의 인간의 지각이 어떻게 이루어지는지에 대해 설명하려 했습니다. 그의 이론은 '지각된 세계는 의미 있는 세계'라는 관점을 제시하며, 우리가 인식하는 세계가 단순한 감각 데이터의 집합이 아니라, 우리의 행동을 유도하는 의미와 기능을 내포하고 있음을 강조합니다.

기브슨의 가장 중요한 개념 중 하나는 '능력 인식(affordance)'입니다. 이 개념은 특정 환경 내에서 객체나 환경이 개인에게 제공하는 행동 가능성을 의미합니다. 예를 들어, 의자는 앉는 행동을 가능하게 하는 '앉을 수 있는' 특성을 가지고 있으며, 이는 그 객체의 물리적 형태와 직접적인 관계가 있습니다. 또한 이 개념은 객체가 가지는 잠재적 기능을 인식할 수 있도록 돕습니다. 이는 사용자 경험 디자인(UX)에 있어서 중요한 요소로, 제품이나 서비스가 사용자에게 자연스럽고 직관적으로 다가갈 수 있도록 하는 데 기여합니다.

기브슨의 생태심리학 이론은 디자인과 기술의 발전에 매우 중요한 영향을 미쳤습니다. 특히, 디자이너들이 제품을 설계할 때, 단순히 외형적인 아름다움이나 기능성만을 고려하는 것이 아니라, 제품이 사용자의 환경 속에서 어떻게 인식되고 사용될 수 있는지를 고민하게 만들었습니다. 이는 제품이나 서비스가 제공하는 실질적인 사용 가치를 높이고, 사용자의 만족도를 극대화하는 데 중요한 역할을 합니다.

따라서, 기브슨의 이론은 현대 기업들이 기술적 성능 뿐만 아니라 사용자의 경험을 설계하는 데 있어서 지침을 제공합니다. 이를 통해 기업들은 제품 개발 초기 단계부터 사용자의 삶에 통합될 수 있는 제품을 만들어낼 수 있으며, 시장에서의 경쟁력을 강화할 수 있습니다.

Gibson의 이론을 이해하고 적용함으로써, 우리는 제품과 서비스가 사용자에게 어떻게 인식되고, 그 사용성이 어떻게 극대화될 수 있는지를 더 깊이 이해할 수 있습니다. 이러한 관점에서 볼 때, 기브슨의 생태심리학은 단순한 이론이 아니라, 실제적인 디자인 및 제품 개발의 실천적 지침이 될 수 있습니다.

SmartDesign Technologies는 제임스 J. 기브슨의 생태심리학 이론을 적극적으로 활용하여 스마트 조명 시스템의 사용성 문제를 근본적으로 해결하기 위한 노력을 기울였습니다. 초기 단계에서 이 회사는 제품 사용 과정에서 발생하는 문제점들을 파악하기 위해 사용자의 집을 방문하여 실제 상황에서 제품을 사용하는 모습을 관찰했습니다. 이 과정에서 사용자들이 제품의 인터페이스를 이해하지 못하고, 기능의 활용 방법을 제대로 파악하지 못하는 상황을 목격했습니다.

이를 바탕으로 SmartDesign은 제품의 인터페이스 디자인을 전면 재검토하기로 결정했습니다. 특히, 기브슨의 '능력 인식(affordance)' 개념을 적용하여 각 기능이 사용자에게 어떻게 인식되어야 하는지를 중점적으로 고려했습니다. 예를 들어, 조명 조절 기능은 사용자가 물리적으로 느끼기 쉬운 슬라이더 형태로 변경되었습니다. 이 슬라이더는 조명의 밝기를 조절하는데 직관적인 동작인 슬라이드를 통해 쉽게 조절할 수 있도록 설계되었습니다. 색상 변경 기능에 있어서는 색상 휠을 도입하여 사용자가 원하는 색상을 직관적으로 선택할 수 있도록 만들었습니다. 이 색상 휠은 터치스크린 인터페이스에 통합되어, 사용자가 직접 손가락으로 색상을 눌러 변경할 수 있는 방식으로 구현되었습니다.

또한, SmartDesign은 제품의 각 기능을 사용할 때 필요한 동작과 제스처를 최소화하여 사용자가 불필요한 학습 과정 없이도 제품을 쉽게 사용할 수 있도록 디자인을 단순화했습니다. 이를 위해 제품의 사용 설명서도 재작성하여, 각 기능의 사용 방법을 그림과 함께 단계별로 설명하는 방식으로 변경했습니다.

이러한 디자인 변경은 사용자의 피드백을 통해 지속적으로 검증되었습니다. 제품을 사용하는 일부 사용자 그룹을 대상으로 초기 프로토타입을 테스트하고, 그들의 반응을 분석하여 추가적인 수정이 필요한 부분을 파악했습니다. 이 과정에서 얻은 피드백은 디자인 개선을 위한 중요한 자료로 활용되었으며, 최종 제품이 시장에 출시되기 전에 여러 차례의 수정과 조정이 이루어졌습니다.

결과적으로, SmartDesign은 기브슨의 생태심리학 이론을 통해 제품의 사용성을 향상시키는 중요한 전략을 성공적으로 수행할 수 있었습니다. 이러한 접근 방식은 제품의 기술적 성능뿐만 아니라 사용자 경험을 최적화하는 데 중점을 둠으로써, 최종적으로 사용자로부터 높은 만족도를 얻을 수 있는 제품을 개발하는 데 기여했습니다.

현대의 스마트 홈 기술은 Gibson의 생태심리학 이론과 자연스럽게 통합될 수 있습니다. 예를 들어, 스마트 홈 시스템은 사용자의 일상 행동을 학습하고, 이에 기반하여 환경을 자동으로 조정함으로써, 사용자의 자연스러운 생활 패턴과 완벽하게 조화를 이룹니다. 조명, 온도, 심지어 음악 선택까지도 사용자의 현재 활동과 기분에 맞춰 최적화되어, 사용자가 더 편안하고 생산적인 환경에서 생활할 수 있도록 합니다. 이러한 기술적 적용은 Gibson의 이론이 현대 생활 공간 디자인에 어떻게 의미있게 적용될 수 있는지 보여줍니다.

SmartDesign Technologies의 스마트 조명 시스템 사례에 적용해 볼 수 있는 다른 심리학 이론들을 제시해 드리겠습니다. 이 이론들을 통해 제품 개선과 사용자 경험의 이해를 더욱 깊게 할 수 있습니다.

1. 인지 부하 이론 (Cognitive Load Theory):
    이 이론은 학습 과정에서 인지적 자원이 어떻게 사용되는지 설명합니다. 제품 디자인에 적용할 경우, 스마트 조명 시스템의 인터페이스를 설계하여 사용자가 쉽게 이해하고 사용할 수 있도록 인지적 부담을 최소화하는 방향으로 개선할 수 있습니다. 예를 들어, 복잡한 기능을 간단하고 직관적인 명령으로 단순화하여 사용자의 인지 부하를 줄일 수 있습니다.

2. 사용성 테스트 (Usability Testing):
    이는 직접적인 심리학 이론보다는 사용자 경험(UX) 연구의 방법론에 속하지만, 사용자가 제품을 사용하는 과정에서 겪는 경험을 시스템적으로 분석하여 인사이트를 제공합니다. SmartDesign은 사용성 테스트를 통해 사용자가 스마트 조명 시스템의 인터페이스를 어떻게 인식하고 상호 작용하는지 파악할 수 있으며, 이 데이터를 바탕으로 더 나은 디자인 결정을 내릴 수 있습니다.

3. 사회적 학습 이론 (Social Learning Theory):
    앨버트 반두라의 사회적 학습 이론은 관찰을 통한 학습을 강조합니다. 제품 사용에서 이 이론을 적용하면, 사용자가 다른 사용자의 사용 패턴을 관찰하고 배울 수 있는 기능을 추가하여 제품 사용을 촉진할 수 있습니다. 예를 들어, 스마트 조명의 설정을 공유하거나 추천할 수 있는 기능을 통해 사용자들이 서로의 설정을 보고 배울 수 있도록 만드는 것입니다.

4. 감성 공학 (Kansei Engineering):
    감성 공학은 제품이 사용자의 감정과 어떻게 연결되는지를 고려하는 디자인 접근 방식입니다. 스마트 조명 시스템의 경우, 사용자의 감정 상태나 시간에 따라 조명 색상이나 밝기가 자동으로 조절되어 사용자의 기분을 조정할 수 있는 기능을 개발할 수 있습니다.

이러한 다양한 심리학 이론과 방법론을 SmartDesign의 스마트 조명 시스템 개선에 적용해보면, 제품의 기능성과 사용자 만족도를 더욱 향상시킬 수 있을 것입니다. 각 이론이 실제 상황에서 어떻게 적용될 수 있는지에 대해 더 깊이 있는 분석이 필요할 수 있습니다.

7. 사용자 테스트와 Piaget의 인지 발달 이론

발달 단계를 이해하는 디자인:
사용자 테스트와 Piaget의 인지 발달 이론

심리학이 제품 디자인과 사용자 경험을 어떻게 혁신할 수 있는지를 이해하는 것은 누구에게나 흥미로운 여정입니다. 특히, 장 피아제의 인지 발달 이론은 사용자의 인식 방식과 이를 기반으로 한 제품 사용 경험을 깊이 있게 파악할 수 있는 강력한 도구를 제공합니다. "사용자의 눈을 통해 보는 세상"이라는 관점에서 출발하여, 피아제의 이론이 제품 개발에 어떻게 적용될 수 있는지, 그리고 이로 인해 사용자 경험에 어떤 긍정적 변화가 발생할 수 있는지를 탐구해 보겠습니다.

피아제의 인지 발달 이론은 센서리-모터, 전조작, 구체적 조작, 형식적 조작의 네 단계로 구분되며, 이 각각은 사용자가 세계를 인식하고 처리하는 방식에 중요한 통찰을 제공합니다. 사용자 테스트를 설계하고 실행하는 과정에서 이러한 단계별 특성을 고려하면, 제품이 실제로 사용자의 요구와 어떻게 부합하는지를 더 명확히 이해할 수 있습니다.

예를 들어, 어린이 대상의 디지털 학습 도구를 개발하는 경우, 전조작 단계의 아동들이 아직 논리적이고 체계적인 사고를 완전히 발달시키지 못했다는 점을 고려해야 합니다. 이 단계의 아동들에게는 상징적 사고와 직관적 이해를 도울 수 있는 시각적 요소와 간단한 인터랙션 디자인이 필요합니다. 반면, 형식적 조작 단계에 있는 사용자들은 추상적 사고와 체계적 문제 해결 능력을 갖추고 있으므로, 복잡한 기능과 높은 수준의 사용자 설정을 제공하는 것이 적절합니다.

이러한 심리학적 접근은 사용자 테스트를 단순한 오류 검출 과정에서 사용자의 깊은 심리적 요구와 기대를 이해하고 충족시키는 과정으로 전환시킵니다. 제품 디자인과 사용자 경험에 심리학적 원리를 통합함으로써, 우리는 사용자에게 더욱 친숙하고 만족스러운 제품을 제공할 수 있으며, 이는 최종적으로 시장에서의 성공으로 이어질 수 있습니다. 이 장에서는 피아제의 이론을 사용자 테스트에 적용하는 구체적인 방법과 그 결과를 사례를 통해 상세히 살펴볼 것입니다. 이러한 이해는 제품 개발자와 디자이너가 사용자의 복잡한 인지 과정을 더욱 효과적으로 다룰 수 있도록 도와줄 것입니다.

SmartDesign Technologies는 최근 사용자 피드백과 시장 조사를 통해 중대한 문제에 직면했습니다. 기술이 급속도로 발전함에 따라 제품들이 점점 더 복잡해지고 있었고, 특히 중년층 이상의 사용자들 사이에서 이로 인한 혼란과 불만이 증가하고 있었습니다. 많은 사용자들이 스마트 기기의 조작법을 익히는 데 어려움을 겪고 있었으며, 그 결과 제품에 대한 만족도가 떨어지고 있었습니다. 이는 회사의 장기적인 성장과 브랜드 신뢰도에 심각한 영향을 미칠 수 있는 문제였습니다.

이러한 상황을 타개하기 위해, 회사는 제품 개발 접근 방식을 재고하기로 결정했습니다. 특히, 사용자 친화적인 디자인을 강화하고, 모든 연령대가 쉽게 사용할 수 있는 제품을 개발하는 것을 목표로 삼았습니다. 그 중심에는 심리학 이론을 활용한 새로운 디자인 전략이 자리 잡고 있었습니다.

R&D 부서는 장 피아제의 인지 발달 이론을 적극적으로 연구하기 시작했습니다. 피아제의 이론은 인간의 인지 발달이 센서리-모터 단계, 전조작 단계, 구체적 조작 단계, 형식적 조작 단계 등 명확한 단계를 거친다고 설명합니다. 이 단계들은 각각 특정한 연령과 연결되어 있으며, 각 단계에서의 인지 능력은 제품 디자인과 사용성에 중요한 영향을 미칠 수 있습니다.

이론적 배경을 바탕으로, 회사는 다양한 연령대의 사용자가 제품을 어떻게 인지하고 상호작용하는지 더 깊이 이해하기 위한 사용자 연구를 진행하기로 했습니다. 이 과정에서 중년층 이상의 사용자들을 특히 중점적으로 고려하기로 결정했습니다. 이들은 기술에 대한 거부감이 더 클 수 있고, 새로운 기술을 받아들이는 데 시간이 더 걸릴 수 있기 때문입니다. 연구 팀은 이 연령대의 사용자들이 기존의 스위치나 버튼과 같은 물리적인 조작 도구에 익숙함을 확인하고, 이를 디지털 인터페이스와 어떻게 조화롭게 통합할 수 있을지 고민하기 시작했습니다.

프로젝트의 초기 단계에서 연구 팀은 여러 가지 프로토타입을 제작하여 소규모 포커스 그룹을 통해 테스트했습니다. 이들은 실제 사용자의 집을 방문하여, 사용자가 스마트 조명 시스템을 사용하는 모습을 직접 관찰하고, 그들의 반응과 피드백을 수집했습니다. 이 과정에서 중년층 이상의 사용자들이 디지털 조작보다는 물리적 조작을 선호한다는 중요한 발견을 했습니다. 이 정보는 제품 개발 방향을 크게 바꾸는 계기가 되었습니다.

이런 방식으로 SmartDesign Technologies는 사용자의 인지 발달 단계와 심리적 특성을 고려한 제품 디자인을 통해, 모든 사용자가 만족할 수 있는 제품을 개발하는 길을 모색하고 있습니다. 이 과정은 단순히 기술적인 문제를 해결하는 것을 넘어서, 사용자의 깊은 심리적 욕구와 기대에 부응하는 제품을 창출하는 도전입니다.

SmartDesign Technologies의 스마트홈 조명 시스템에 대한 사용자 피드백을 자세히 분석하면서, 개발 팀은 몇 가지 중요한 문제의 원인을 식별할 수 있었습니다. 이러한 문제들은 주로 중년층 이상의 사용자들로부터 제기되었으며, 기술에 대한 접근성과 사용성 측면에서 특히 두드러졌습니다.

첫 번째 주요 원인은 기술적 복잡성이었습니다. 많은 중년층 사용자들이 기술적으로 복잡한 제품을 다루는 데 어려움을 겪었습니다. 스마트홈 조명 시스템은 모바일 앱을 통한 조작을 기본으로 하고 있었는데, 이는 젊은 세대에게는 직관적일 수 있지만, 기술 변화에 소외된 느낌을 받는 중년층에게는 큰 장벽으로 작용했습니다. 이들은 전통적인 벽 스위치와 같은 물리적인 조작 도구에 익숙해져 있었고, 터치스크린이나 앱 내의 다양한 메뉴와 옵션을 탐색하는 것이 부담스러웠습니다.

두 번째 문제 원인은 인터페이스의 직관성 부족이었습니다. 스마트홈 조명의 인터페이스는 다기능성을 강조하면서 많은 기능을 한 화면에 집어넣으려고 했습니다. 이로 인해 인터페이스는 복잡해졌고, 사용자는 필요한 기능을 찾기 위해 여러 단계를 거쳐야 했습니다. 특히, 조명의 밝기 조절이나 색상 변경 같은 기본적인 기능조차도 여러 메뉴를 통과해야만 접근할 수 있었습니다. 이는 사용자가 제품을 사용하는 데 있어 큰 불편함을 초래했습니다.

세 번째로, 사용자 교육과 정보 제공의 부족도 문제의 원인으로 드러났습니다. 제품에 대한 충분한 설명이나 튜토리얼이 제공되지 않아, 사용자들은 스스로 제품의 기능을 탐색하고 이해해야만 했습니다. 많은 중년 사용자들이 새로운 기술을 습득하는 데 있어 추가적인 지원이 필요한데, 이러한 지원의 부재는 그들로 하여금 제품에 대한 부정적인 인식을 가지게 했습니다.

이러한 문제 원인들을 종합적으로 분석한 결과, SmartDesign Technologies의 개발 팀은 몇 가지·중요한 교훈을 얻을 수 있었습니다. 기술 제품, 특히 스마트홈 시스템을 개발할 때는 모든 연령층의 사용자가 쉽게 접근하고 사용할 수 있도록 하는 것이 중요하다는 것을 깨달았습니다. 또한, 사용자 인터페이스는 가능한 한 단순하고 직관적이어야 하며, 사용자 교육과 지원이 제품의 성공적인 도입과 사용에 결정적인 역할을 한다는 사실을 인식하게 되었습니다. 이러한 통찰을 바탕으로, 팀은 사용자의 경험을 개선하기 위한 새로운 전략을 모색하기 시작했습니다.

SmartDesign Technologies는 사용자 친화적인 스마트홈 조명 시스템을 개발하려 할 때, 장 피아제의 인지 발달 이론을 적용해 보기로 했습니다. 피아제는 스위스의 심리학자로 아동의 인지 발달 과정에 대해 깊이 연구하였고, 그의 이론은 여러 단계를 통해 인간이 어떻게 세계를 인식하고 이해해 나가는지를 설명합니다. 이 이론을 제품 설계에 적용한다면, 모든 연령대에 걸쳐 사용자의 요구를 충족시키는 제품을 만들 수 있는 기회를 제공할 것입니다.

피아제에 따르면, 인간의 인지 발달은 몇 가지 중요한 단계를 거치며, 각 단계는 특정 연령과 연관이 있습니다. 처음에는 센서리-모터 단계로, 아기들이 자신의 감각과 운동 능력을 사용하여 세상과 상호작용을 배웁니다. 이 단계에서 아이들은 자신의 행동이 결과를 초래한다는 사실을 이해하기 시작합니다. 다음은 전조작 단계로, 아이들이 언어를 사용하여 상징적으로 생각할 수 있게 되지만, 아직 논리적으로는 생각하지 못합니다. 이 시기의 아이들은 자기중심적 사고를 하며, 여러 상황에서 타인의 관점을 이해하는 데 어려움을 겪습니다. 구체적 조작 단계에서는 아이들이 물리적인 대상을 가지고 논리적으로 사고할 수 있게 되고, 마지막 형식적 조작 단계에서는 추상적인 사고와 가설적 사고가 가능해집니다.

이러한 단계들을 이해하는 것은 SmartDesign Technologies의 제품 개발 팀에게 중요한 통찰력을 제공합니다. 특히, 중년층 이상의 사용자들이 포함된 형식적 조작 단계에서는 추상적인 개념을 이해할 수 있는 능력이 향상되어 있지만, 새로운 기술에 대한 접근성과 사용성이 낮을 수 있습니다. 이러한 이해를 바탕으로, SmartDesign Technologies는 사용자 인터페이스를 단순화하고 직관적인 디자인 요소를 강화하여 이 연령대의 사용자가 새로운 기술을 더 쉽게 받아들일 수 있도록 도울 수 있습니다.

또한, 사용자 테스트를 진행할 때 피아제의 단계별 이론을 적용하면, 각 연령대가 제품을 어떻게 사용하는지, 어떤 기능에 어려움을 겪는지를 더 명확히 파악할 수 있습니다. 이를 통해 제품의 인터페이스와 기능을 연령대별로 최적화할 수 있으며, 모든 사용자가 만족할 수 있는 제품을 개발하는 데 필수적인 피드백을 수집할 수 있습니다.

SmartDesign Technologies는 이러한 심리학적 접근 방식을 통해 제품의 사용성을 극대화하고, 다양한 연령대의 사용자들에게 어필할 수 있는 스마트홈 조명 시스템을 선보일 계획입니다. 피아제의 인지 발달 이론을 제품 디자인과 사용자 경험에 통합함으로써, 회사는 사용자 친화적인 혁신을 추구하며 시장에서의 경쟁력을 강화할 수 있을 것입니다.

SmartDesign Technologies는 장 피아제의 인지 발달 이론을 적용해 보기로 했습니다. 피아제는 스위스의 심리학자로 아동의 인지 발달 과정에 대해 깊이 연구하였고, 그의 이론은 여러 단계를 통해 인간이 어떻게 세계를 인식하고 이해해 나가는지를 설명합니다. 이 이론을 제품 설계에 적용한다면, 모든 연령대에 걸쳐 사용자의 요구를 충족시키는 제품을 만들 수 있는 기회를 제공할 것입니다.

피아제에 따르면, 인간의 인지 발달은 몇 가지 중요한 단계를 거치며, 각 단계는 특정 연령과 연관이 있습니다. 처음에는 센서리-모터 단계로, 아기들이 자신의 감각과 운동 능력을 사용하여 세상과 상호작용을 배웁니다. 이 단계에서 아이들은 자신의 행동이 결과를 초래한다는 사실을 이해하기 시작합니다. 다음은 전조작 단계로, 아이들이 언어를 사용하여 상징적으로 생각할 수 있게 되지만, 아직 논리적으로는 생각하지 못합니다. 이 시기의 아이들은 자기중심적 사고를 하며, 여러 상황에서 타인의 관점을 이해하는 데 어려움을 겪습니다. 구체적 조작 단계에서는 아이들이 물리적인 대상을 가지고 논리적으로 사고할 수 있게 되고, 마지막 형식적 조작 단계에서는 추상적인 사고와 가설적 사고가 가능해집니다.

이러한 단계들을 이해하는 것은 SmartDesign Technologies의 제품 개발 팀에게 중요한 통찰력을 제공합니다. 특히, 중년층 이상의 사용자들이 포함된 형식적 조작 단계에서는 추상적인 개념을 이해할 수 있는 능력이 향상되어 있지만, 새로운 기술에 대한 접근성과 사용성이 낮을 수 있습니다. 이러한 이해를 바탕으로, SmartDesign Technologies는 사용자 인터페이스를 단순화하고 직관적인 디자인 요소를 강화하여 이 연령대의 사용자가 새로운 기술을 더 쉽게 받아들일 수 있도록 도울 수 있습니다.

또한, 사용자 테스트를 진행할 때 피아제의 단계별 이론을 적용하면, 각 연령대가 제품을 어떻게 사용하는지, 어떤 기능에 어려움을 겪는지를 더 명확히 파악할 수 있습니다. 이를 통해 제품의 인터페이스와 기능을 연령대별로 최적화할 수 있으며, 모든 사용자가 만족할 수 있는 제품을 개발하는 데 필수적인 피드백을 수집할 수 있습니다.

SmartDesign Technologies는 이러한 심리학적 접근 방식을 통해 제품의 사용성을 극대화하고, 다양한 연령대의 사용자들에게 어필할 수 있는 스마트홈 조명 시스템을 선보일 계획입니다. 피아제의 인지 발달 이론을 제품 디자인과 사용자 경험에 통합함으로써, 회사는 사용자 친화적인 혁신을 추구하며 시장에서의 경쟁력을 강화할 수 있을 것입니다.

SmartDesign Technologies가 스마트홈 조명 시스템의 사용성 문제를 해결하기 위해 피아제의 인지 발달 이론을 적용하는 과정은 매우 구체적이고 체계적으로 진행되었습니다. 이 회사는 특히 중년 이상의 사용자들이 기술에 대한 접근성과 편리성을 느끼지 못하는 문제를 인식하고, 이를 개선하기 위한 여러 단계의 접근 방식을 채택했습니다.

첫 번째로, 회사는 사용자 테스트를 통해 현 제품의 인터페이스와 상호작용 방식에서 사용자들이 겪는 어려움을 파악했습니다. 테스트 결과, 사용자들은 인터페이스가 복잡하고 직관적이지 않다는 점을 지적했습니다. 이를 바탕으로, 디자인 팀은 피아제의 인지 발달 단계 이론을 참고하여 사용자의 연령과 인지 발달 수준에 맞는 인터페이스를 개발하기 시작했습니다.

두 번째 단계에서는, 제품 디자인을 간소화하고 직관적인 사용을 가능하게 하는 것에 초점을 맞췄습니다. 예를 들어, 조명의 밝기를 조절하는 슬라이더는 더 크고, 시각적으로 명확하며, 쉽게 조작할 수 있도록 개선되었습니다. 색상 변경 기능은 한두 번의 탭으로 간단히 변경할 수 있는 방식으로 재설계되어 사용의 복잡성을 크게 줄였습니다. 각 기능에 대한 피드백은 즉각적으로 제공되어 사용자가 수행한 조작이 실제로 어떤 결과를 초래하는지 쉽게 이해할 수 있게 되었습니다.

세 번째로, SmartDesign Technologies는 사용자 교육을 강화하여 제품의 기능을 이해하고 효과적으로 사용할 수 있도록 지원했습니다. 각 기능에 대한 설명을 담은 직관적인 튜토리얼 비디오와 사용자 가이드를 제공하여, 특히 기술에 익숙하지 않은 사용자들이 제품을 쉽게 사용할 수 있도록 했습니다. 이러한 자료는 사용자가 제품을 처음 접할 때부터 편리하게 사용할 수 있도록 도와주는 중요한 역할을 했습니다.

마지막으로, 이 모든 변경 사항을 적용한 새로운 프로토타입을 다시 사용자 테스트에 투입했습니다. 이 테스트에서는 개선된 인터페이스와 기능이 실제로 사용자 경험을 어떻게 개선하는지를 평가했습니다. 결과적으로, 사용자들은 새로운 디자인이 이전보다 훨씬 직관적이고 사용하기 쉽다는 평가를 내렸으며, 특히 중년 이상의 사용자들로부터 높은 만족도를 얻을 수 있었습니다.

이처럼 SmartDesign Technologies는 피아제의 인지 발달 이론을 기반으로 사용자 중심의 접근 방식을 채택하여 스마트홈 조명 시스템의 사용성 문제를 성공적으로 해결할 수 있었습니다. 이 과정은 제품의 디자인과 기능을 사용자의 실제 필요와 기대에 부합하게 만드는 데 크게 기여했습니다.

SmartDesign Technologies의 스마트홈 조명 시스템 사례에 적용해 볼 수 있는 다른 심리학 이론들을 제시해 드리겠습니다. 이 이론들을 통해 제품 개선과 사용자 경험의 이해를 더욱 깊게 할 수 있습니다:

1. 사용자 중심 디자인 (User-Centered Design)
   - 사용자 중심 디자인은 제품 개발 과정에서 사용자의 요구와 경험을 최우선으로 고려하는 접근 방식입니다. 이는 초기 설계 단계부터 최종 제품 테스트에 이르기까지 사용자가 어떻게 제품을 사용할지를 중점적으로 분석하고 반영합니다. 예를 들어, SmartDesign Technologies는 실제 사용자 인터뷰와 관찰을 통해 사용자가 제품을 어떻게 사용하는지에 대한 깊은 이해를 바탕으로 조명 시스템의 인터페이스를 설계할 수 있습니다.

2. 행동 경제학 (Behavioral Economics)
   - 행동 경제학은 사람들이 경제적 결정을 내리는 과정에서 심리적, 사회적 요인이 어떻게 작용하는지를 연구합니다. 스마트홈 조명 시스템의 경우, 사용자가 에너지를 절약하고 비용을 절감하는 행동을 유도하는 기능을 추가할 수 있습니다. 예를 들어, 사용자에게 에너지 절약 팁을 제공하거나, 일정 시간 이후 자동으로 조명을 꺼주는 기능을 통해 사용자의 행동 변화를 유도할 수 있습니다.

3. 경험 디자인 (Experience Design)
   - 경험 디자인은 사용자가 제품을 사용하는 전체 경험을 설계하는 접근 방식입니다. 이는 제품의 기능뿐만 아니라 사용자가 느끼는 감정적 경험까지 포함합니다. SmartDesign Technologies는 조명 시스템을 설계할 때 사용자가 제품을 사용할 때 느끼는 감정과 만족도를 고려하여, 예를 들어, 사용자 맞춤형 조명 설정이나 기분에 따라 조명이 변화하는 기능을 추가할 수 있습니다.

4. 문화적 적합성 (Cultural Fit)
   - 문화적 적합성은 제품이 사용되는 지역과 문화에 적합하도록 설계하는 것을 의미합니다. 각기 다른 문화권에서는 제품 사용 방식과 선호도가 다를 수 있으므로, 이를 고려한 디자인이 필요합니다. 예를 들어, SmartDesign Technologies는 각 지역의 문화적 특성을 반영하여 조명 색상이나 조절 방식 등을 다르게 설정할 수 있습니다.

5. 게이미피케이션 (Gamification)
   - 게이미피케이션은 게임 요소를 비게임 환경에 적용하여 사용자 참여와 동기를 유발하는 방법입니다. 스마트홈 조명 시스템에 이 접근 방식을 적용하면, 사용자가 조명 설정을 변경하거나 에너지를 절약하는 과정을 게임처럼 재미있게 느낄 수 있습니다. 예를 들어, 에너지 절약 목표를 설정하고, 이를 달성했을 때 보상을 주는 기능을 추가할 수 있습니다.

이러한 다양한 심리학 이론과 접근 방식을 SmartDesign Technologies의 스마트홈 조명 시스템에 적용하면, 제품의 사용성 및 사용자 만족도를 크게 향상시킬 수 있습니다. 각각의 이론이 실제 상황에서 어떻게 적용될 수 있는지에 대한 구체적인 분석과 사례 연구가 필요할 것입니다.

8. 시장 출시 전략과 Rogers의 혁신 채택 이론

혁신의 파도를 타는 방법:
시장 출시의 예술

새로운 아이디어나 제품이 세상에 처음 소개될 때, 그것이 대중에게 받아들여지는 과정은 마치 미지의 바다를 항해하는 것과 같습니다. 이 바다에서 성공적으로 항해하기 위해서는, 단순히 좋은 배와 우수한 선원들이 있기만 해서는 부족합니다. 바람과 파도, 해류와 같은 자연의 요소를 정확히 이해하고 이를 자신의 이점으로 삼아야 합니다. 마찬가지로, 시장 출시 전략에서도 Rogers의 혁신 채택 이론이 제공하는 통찰력을 활용하는 것은 제품이 시장의 파도를 넘고 돛을 올릴 수 있도록 하는 중요한 열쇠입니다. 혁신의 세계에서 혁신자들은 새로운 아이디어의 씨앗을 뿌리는 사람들입니다. 이들은 기술의 최전선에서 실험을 거리낌 없이 수행하며, 종종 고위험을 감수하면서도 새로운 가능성을 탐구합니다. 초기 수용자들은 이러한 혁신자들이 개척한 길을 따라, 좀 더 신중하면서도 열정적으로 새로운 아이디어를 받아들입니다. 사회적 영향력이 높은 이들은 새로운 트렌드를 형성하고, 자신의 신뢰성과 영향력을 사용하여 혁신을 더 넓은 범위로 확산시키는 데 결정적인 역할을 합니다.

시장 출시 전략을 세울 때는 혁신자와 초기 수용자를 어떻게 접근하고 활용할지에 대한 명확한 계획이 필요합니다. 예를 들어, 첨단 기술 제품의 경우, 이들은 기술의 성능과 혁신성을 깊이 이해할 수 있는 능력을 가지고 있습니다. 따라서, 마케팅 메시지는 기술적 세부 사항과 제품이 가져올 변화의 크기를 강조해야 합니다. 반면, 보다 폭넓은 대중을 대상으로 하는 제품은 사용의 편리성, 접근성, 일상 생활에서의 유용성을 전면에 내세워 초기 다수와 후기 다수의 관심을 끌어야 합니다. 시장에 출시된 제품이나 서비스가 성공을 거두기 위해서는 철저한 시장 조사와 정확한 타깃팅 전략이 수반되어야 합니다. 이는 제품의 기능, 장점, 그리고 시장 내 위치를 명확히 파악하고, 이를 바탕으로 각 고객 세그먼트가 가진 독특한 요구와 기대를 충족시키는 데 초점을 맞추어야 합니다. 살펴볼 한 사례는 최근 시장에 도입된 고성능 스마트워치입니다. 이 제품은 건강과 피트니스에 초점을 맞춘 혁신적인 기능들을 갖추고 있어, 특히 건강을 중시하는 젊은 전문직 종사자들 사이에서 빠르게 인기를 얻었습니다. 제품 개발팀은 이 타깃 고객의 생활 방식과 요구를 면밀히 분석하여, 스마트워치가 단순한 시계를 넘어 건강 관리의 파트너로 자리 잡을 수 있도록 전략을 수립했습니다. 또한, 초기 수용자들이 이 제품을 사용함으로써 얻을 수 있는 실질적인 이점을 강조하는 마케팅 캠페인을 통해, 이들의 사회적 영향력을 활용하여 제품에 대한 긍정적인 입소문을 확산시켰습니다. 이러한 전략은 제품의 시장 출시를 강화하고, 더 넓은 고객층으로의 확장을 가능하게 했습니다.

테크노바이텍스는 최첨단 휴대용 건강 모니터링 기기를 개발하는데 성공하여 기술 업계에서 주목을 받기 시작했습니다. 이 회사의 제품은 사용자의 건강 상태를 실시간으로 추적하고, 그 데이터를 분석하여 사용자에게 맞춤형 건강 관리 조언을 제공하는 기능을 갖추고 있었습니다. 기술적으로 선도적인 위치에 서 있었던 이 회사는 제품의 혁신성과 실용성에서 높은 평가를 받았고, 출시 전부터 업계 내외에서 큰 기대를 모았습니다.

그러나 제품 출시를 앞두고 테크노바이텍스는 여러 가지 예상치 못한 도전에 직면하게 됩니다.

첫 번째로, 기업은 글로벌 공급망의 문제로 인해 핵심 부품의 조달에 어려움을 겪기 시작했습니다. 특정 부품의 공급 지연은 제품의 최종 조립을 늦추게 만들었고, 이는 전체 출시 일정에 큰 차질을 빚었습니다. 공급망 문제는 단순히 시간적 지연뿐만 아니라 추가 비용 부담으로도 이어졌으며, 이는 시작 단계에 있는 스타트업에게는 상당한 부담이 되었습니다.

두 번째 문제는 타깃 시장의 반응이었습니다. 테크노바이텍스는 주로 기술에 익숙한 젊은 소비자층을 겨냥하여 제품을 개발했으나, 실제로는 다양한 연령대와 기술 스킬을 가진 사용자들에게도 어필해야 하는 상황에 직면했습니다. 초기 사용자 피드백에서는 제품의 사용자 인터페이스가 너무 복잡하다는 지적이 제기되었고, 특히 나이가 많은 사용자들 사이에서는 기기의 사용 방법을 익히기 어렵다는 의견이 다수였습니다. 이러한 피드백은 제품의 대중성을 제한할 뿐만 아니라, 시장에서의 성공 가능성을 저하시키는 중대한 요소로 작용했습니다.

이와 동시에, 경쟁이 치열한 테크 업계에서 독창적인 제품을 출시하기 위한 마케팅 전략도 중요한 과제로 떠올랐습니다. 테크노바이텍스는 제품의 독특한 기능을 강조하고 시장에서 차별화된 위치를 확보하기 위해 창의적이고 효과적인 마케팅 캠페인을 구상해야 했습니다. 하지만 제한된 예산과 자원으로 인해 대규모 캠페인을 전개하기에는 한계가 있었습니다. 따라서 회사는 더욱 전략적이고 집중된 방식으로 잠재 고객과의 소통 방안을 모색해야만 했습니다.

이러한 상황 속에서 테크노바이텍스의 경영진은 제품 출시를 성공적으로 이끌고 회사를 안정적인 성장 궤도에 올려놓기 위한 해결책을 찾아야 했습니다. 제품의 기술적 완성도와 시장에서의 경쟁력을 동시에 확보해야 하는 중대한 시험대에 올라 있었던 것입니다.

테크노바이텍스가 직면한 문제들은 다양한 원인에 의해 발생했으며, 이를 분석하고 이해하는 과정은 회사에 중대한 통찰을 제공했습니다.

첫 번째 큰 문제였던 공급망 문제의 원인을 깊이 분석해보면, 이는 단순히 부품 공급의 지연보다 더 복잡한 글로벌 경제의 연쇄 반응의 일부였습니다. 테크노바이텍스는 특정 핵심 부품을 아시아 지역의 소수 공급자에게 크게 의존하고 있었는데, 이 지역에서 발생한 자연 재해와 더불어 전 세계적으로 확산된 팬데믹 상황이 생산과 배송 일정에 차질을 빚게 만들었습니다. 이로 인해 예정된 제품 출시가 수차례 연기되어야 했으며, 이는 투자자들과 시장의 기대감을 저하시키는 결과를 낳았습니다.

두 번째 문제인 사용자 인터페이스의 복잡성 문제는 테크노바이텍스의 내부 설계 접근 방식에서 기인한 것이었습니다. 회사는 기술적 우수성과 혁신적 기능을 제품에 집약시키는 데 집중했지만, 실제 사용자 경험에 대한 충분한 고려 없이 제품을 설계했습니다. 초기 시장 조사에서는 기술 애호가나 젊은 소비자층을 주요 타깃으로 설정했으나, 실제로 제품을 사용해야 할 더 넓은 범위의 소비자들, 특히 기술에 익숙하지 않은 노년층에게는 제품의 복잡한 기능이 오히려 부담으로 작용했습니다. 사용자들은 다양한 기능 사이를 네비게이션 하는 것을 어려워했으며, 일상적인 사용에서의 직관성이 결여되었다고 느꼈습니다.

마케팅 전략에 관한 문제도 있었습니다. 테크노바이텍스는 제품의 독특한 기능을 시장에 알리기 위해 많은 노력을 기울였지만, 제한된 예산으로 인해 대규모 캠페인을 펼치기 어려웠습니다. 이로 인해 제품 출시 초기에 충분한 시장 인지도를 확보하는 데 실패했으며, 이는 판매 초기부의 저조한 성과로 이어졌습니다. 또한, 제품의 복잡성과 고가 정책이 초기 시장 침투에 걸림돌이 되었습니다. 회사는 이러한 문제를 해결하기 위해 보다 집중된 타깃 마케팅과 소비자 교육에 중점을 두어야 했습니다.

이러한 문제들을 통해 테크노바이텍스 경영진은 제품 개발과 출시 전략에서 중요한 교훈을 얻었습니다. 공급망의 다변화, 사용자 경험의 최적화, 그리고 효과적인 마케팅 전략의 필요성이 그것입니다. 이러한 분석을 바탕으로 회사는 장기적인 개선 계획을 수립하여 시장의 신뢰를 회복하고 제품의 성공을 도모하려 하였습니다. 이 과정에서 내부적인 변화뿐만 아니라 시장과 소통하는 방식도 크게 변화하였으며, 이는 테크노바이텍스가 새로운 도전을 극복하고 성장할 수 있는 기반이 되었습니다.

테크노바이텍스가 직면한 문제를 해결하기 위해 적용할 수 있는 심리학 이론 중 하나는 에버렛 로저스의 혁신 채택 이론입니다. 이 이론은 1962년 로저스가 그의 저서 "Diffusion of Innovations"에서 처음 소개했습니다. 로저스의 이론은 새로운 아이디어나 기술이 사회 내에서 어떻게 퍼져 나가는지를 설명합니다. 그의 연구는 혁신이 개인과 사회 집단에 어떻게 받아들여지고 확산되는지에 대한 깊이 있는 통찰을 제공하며, 이는 기업이 새로운 제품이나 서비스를 시장에 도입할 때 매우 유용한 지침을 제공합니다.

로저스의 혁신 채택 이론은 다섯 가지 주요 요소로 혁신의 성공적인 확산을 설명합니다: 상대적 이점, 호환성, 복잡성, 시험 가능성, 관찰 가능성입니다.
이 중에서 상대적 이점은 혁신이 기존의 방법보다 더 나은 이점을 제공한다는 인식을 포함합니다. 호환성은 혁신이 개인이나 시스템의 기존 가치, 경험, 필요와 얼마나 일치하는지를 말합니다. 복잡성은 혁신을 이해하고 사용하는 데 필요한 어려움의 정도를 나타내며, 복잡성이 낮을수록 채택이 용이합니다. 시험 가능성은 사용자가 혁신을 구입하기 전에 이를 시험해볼 수 있는 기회를 의미하며, 관찰 가능성은 혁신의 결과를 다른 사람이 얼마나 쉽게 관찰할 수 있는지를 나타냅니다.

테크노바이텍스의 경우, 제품의 복잡성을 줄이고 사용자 인터페이스를 개선함으로써 복잡성을 낮추는 전략을 적용할 수 있습니다. 또한, 제품의 호환성을 높이기 위해 사용자의 기존 습관과 문화적 배경을 고려하여 제품을 맞춤화할 필요가 있습니다. 상대적 이점을 명확히 하여, 제품이 기존 대안들보다 어떤 구체적인 이점을 제공하는지를 소비자에게 분명히 알릴 필요가 있습니다.

이 이론의 실제 적용을 위해, 테크노바이텍스는 초기 시장 조사를 통해 타깃 고객의 기대와 요구를 파악할 수 있습니다. 이 데이터를 기반으로 제품 개발을 진행하고, 초기 수용자들에게 제품을 테스트하게 함으로써 시험 가능성을 제공할 수 있습니다. 제품이 성공적인 결과를 보이면, 이를 마케팅 자료에 활용하여 관찰 가능성을 높이고, 소비자들 사이에서 긍정적인 입소문을 유도할 수 있습니다.

이러한 전략은 테크노바이텍스가 시장에서의 성공을 촉진하고, 장기적으로 소비자의 충성도를 확보하는 데 큰 도움이 될 것입니다. 로저스의 이론은 단순히 새로운 기술이나 제품의 도입에 국한되지 않고, 변화를 관리하고 혁신을 성공적으로 이끌어내는 데 필요한 근본적인 원칙들을 제공합니다. 이는 테크노바이텍스가 앞으로 직면할 수 있는 다양한 도전에 대응하고, 지속 가능한 성장을 추구하는 데 중요한 역할을 할 것입니다.

테크노바이텍스는 자사의 혁신적인 휴대용 건강 모니터링 기기의 시장 출시에 겪고 있는 여러 문제를 해결하기 위해 에버렛 로저스의 혁신 채택 이론을 적극적으로 적용하기로 결정했습니다. 테크노바이텍스는 제품의 복잡성을 줄이기 위해 사용자 인터페이스를 전면 재검토하면서 기술적인 언어와 복잡한 메뉴 구조를 간소화했습니다. 나이든 사용자나 기술에 익숙하지 않은 사람들도 쉽게 접근할 수 있도록 큰 버튼과 간단한 아이콘으로 재배열하고 화면 전환을 최소화하여 사용자가 한눈에 이해할 수 있는 구조로 개선했습니다. 또한, 제품의 시험 가능성을 높이기 위해 지역 사회 센터, 노인 복지관, 건강 박람회 등에서 무료 체험 부스를 설치하고 사용자가 제품을 직접 착용하고 기능을 테스트해 볼 수 있도록 했습니다. 제품을 일정 기간 동안 무료로 대여해주는 프로그램을 도입하여 사용자가 일상생활에서 제품을 사용해볼 수 있도록 하여 사용자의 경험을 실제 생활에 적용할 수 있는 기회를 제공했습니다.

회사는 제품의 긍정적인 효과를 쉽게 관찰할 수 있도록 하는 마케팅 전략을 구성하여, 실제 사용자의 경험담을 담은 비디오 콘텐츠를 제작하고 소셜 미디어와 회사 웹사이트에 공유했습니다. 이 비디오들은 사용자가 건강을 개선하는 과정과 제품 사용의 편리성을 강조하여, 잠재 고객이 제품의 이점을 직접 볼 수 있도록 했습니다. 이러한 접근은 제품의 사용자 인터페이스가 개선되면서, 기술에 익숙하지 않은 소비자들로부터도 긍정적인 피드백을 받기 시작했으며, 체험 프로그램을 통해 소비자들은 제품을 더 깊이 이해하고 그 가치를 인식할 수 있었습니다. 제품의 관찰 가능성을 강화한 결과, 시장에서의 반응이 서서히 개선되기 시작했으며, 초기의 난관을 극복하고 제품 판매가 증가하기 시작했습니다.

테크노바이텍스의 이러한 전략적 접근은 에버렛 로저스의 혁신 채택 이론에 깊이 뿌리를 둔 것으로, 이 이론은 제품의 성공적인 시장 출시를 위한 강력한 틀을 제공했습니다. 이론의 각 요소를 제품 개발과 마케팅 전략에 적용함으로써, 회사는 기존의 도전을 극복하고, 시장에서의 지속 가능한 성공을 위한 기반을 마련할 수 있었습니다. 이 과정은 또한 회사 내부에서도 중요한 학습 기회를 제공하였으며, 테크노바이텍스는 앞으로 직면할 수 있는 다양한 도전에 대응하고 지속 가능한 성장을 추구하는 데 필요한 근본적인 원칙들을 다시 한번 확인할 수 있었습니다.

디지털 시대는 혁신 채택 이론에 새로운 차원을 추가했습니다. 소셜 미디어의 영향력, 온라인 커뮤니티의 역할, 그리고 바이럴 마케팅 기법은 제품이 시장에 도입되고 확산되는 방식을 근본적으로 변화시켰습니다. 예를 들어, 소셜 미디어 플랫폼을 통한 마케팅 캠페인은 제품에 대한 인지도를 빠르게 높이고, 광범위한 소비자 기반에 즉각적으로 접근할 수 있게 해, 전통적인 마케팅 방법보다 빠른 속도로 제품을 시장에 퍼트릴 수 있습니다. 이러한 전략들은 Rogers의 혁신 채택 이론의 핵심 원칙들을 반영하면서도, 현대의 기술과 매체 환경에 맞게 조정되었습니다.

테크노바이텍스의 사례를 통해 에버렛 로저스의 혁신 채택 이론을 실제 상황에 적용해본 경험을 통해 많은 것을 배울 수 있었습니다. 이를 바탕으로, 다음으로 탐색할 수 있는 관련 주제들과 개념들을 제안해 드리겠습니다. 이러한 주제들은 혁신과 기술 도입, 그리고 시장 전략에 대한 더 깊은 이해를 돕고, 다양한 상황에서의 적용 가능성을 탐색하는 데 유용할 것입니다.

1. 기술 수용 모델 (Technology Acceptance Model, TAM):
 - 사용자가 새로운 기술을 어떻게 받아들이고, 사용하게 되는지를 설명하는 이론입니다. 이 모델은 사용자의 행동 의도를 예측하는 데 유용하며, 특히 사용 용이성과 인지된 유용성이 중요한 변수로 작용합니다.

2. 행동경제학 (Behavioral Economics):
 - 행동경제학은 경제적 의사결정에 심리학적, 인지적 요인이 어떻게 영향을 미치는지 연구합니다. 소비자 행동, 가격 책정 전략, 그리고 마케팅 전략에 심리학적 요소를 통합하는 방법에 대해 탐구합니다.

3. 체인지 매니지먼트 (Change Management):

- 조직이 변화를 효과적으로 관리하고 실행할 수 있도록 하는 전략과 접근 방법에 대해 연구합니다. 테크노바이텍스와 같은 기업이 시장 변화나 내부 혁신을 관리하는 데 필요한 이론과 실제 적용 사례를 살펴볼 수 있습니다.

4. 교차 기능적 팀 (Cross-Functional Teams):
- 제품 개발, 마케팅, 공급망 관리 등 여러 부서의 전문가들이 함께 작업하는 팀 구성의 장점과 도전을 탐구합니다. 협업을 통해 혁신적인 해결책을 도출하는 방법과 조직 내 커뮤니케이션을 최적화하는 전략에 대해 학습합니다.

5. 지속 가능한 혁신 (Sustainable Innovation):
- 제품이나 서비스가 환경적, 사회적, 경제적 지속 가능성을 고려하여 설계되고 개발되는 과정을 살펴봅니다. 이는 기업이 장기적으로 성공하고, 긍정적인 사회적 영향을 미치는 제품을 개발할 수 있도록 돕는 중요한 접근 방식입니다.

6. 시장 세분화 (Market Segmentation):
- 효과적인 시장 세분화 전략을 통해 특정 소비자 그룹에 맞춤화된 제품이나 서비스를 제공하는 방법을 탐구합니다. 이를 통해 타겟 마케팅 전략을 개선하고, 소비자의 필요와 선호를 더욱 정확하게 파악할 수 있습니다.

이러한 주제들을 깊이 있게 연구하고 적용함으로써, 테크노바이텍스와 같은 기업은 시장에서의 경쟁력을 강화하고, 지속 가능한 성장을 도모할 수 있습니다. 각각의 주제는 기업의 전략적 의사결정과 혁신 관리에 중요한 영향을 미칠 수 있으며, 이를 통해 더욱 효과적으로 시장 변화에 대응하고 새로운 기회를 창출할 수 있습니다.

9. 제품 수명주기와 심리학적 요인

제품의 생애 주기:
심리학적 요인이 만드는 차이

현대 사회는 빠르게 변화하고 있으며, 이러한 변화는 우리의 일상적인 건강 관리 방식에도 영향을 미치고 있습니다. '비타그린'은 이러한 현대 생활의 요구에 부응하여 개발된 혁신적인 영양 보충제로, 바쁜 일상 속에서도 필수 영양소를 간편하게 섭취할 수 있게 설계되었습니다. 이 제품은 특히 영양 결핍이 우려되는 현대인들을 위해 만들어졌으며, 효율적이고 균형잡힌 방식으로 일상의 건강을 지원하고자 합니다. 하지만 모든 혁신적 제품이 처음부터 완벽하게 시장에 안착하는 것은 아닙니다. 비타그린 또한 시장에 도입된 이후 다양한 도전과 기회를 맞이하며 제품의 생명 주기를 경험하게 되었습니다.

제품의 생명 주기는 마치 인간의 삶과 같이 여러 단계를 거치며, 각 단계에서 소비자의 심리적 반응이 제품의 성공에 결정적인 영향을 미칩니다. 이러한 심리적 요인을 이해하고 제품 전략에 적절히 반영하는 것은 시장에서의 지속 가능한 성공을 위해 필수적입니다. 비타그린의 여정을 통해 우리는 이 제품이 시장에 소개된 순간부터 성장, 성숙, 그리고 최종적으로 쇠퇴의 과정을 거치는 동안, 소비자들의 심리적 변화와 그 변화가 마케팅 전략에 어떻게 반영되었는지를 깊이 있게 탐구할 것입니다.

비타그린이 시장에서 겪는 각 단계는 특유의 심리적 도전과 기회를 제공합니다. 도입기에는 소비자들이 제품에 대한 호기심과 동시에 불확실성을 느끼며, 성장기에는 제품에 대한 신뢰와 사회적 증거의 중요성이 증가합니다. 성숙기에는 경쟁이 치열해지며 소비자들은 더 많은 선택권과 함께 더 높은 기대를 가지게 되고, 쇠퇴기에는 새로운 대안을 모색하며 기존 제품에 대한 관심이 줄어들 수 있습니다. 이러한 각 단계에서 비타그린이 어떻게 소비자의 마음을 사로잡고 시장의 도전을 극복해 나갈 수 있었는지, 그리고 그 과정에서 어떤 전략이 효과적이었는지를 자세히 살펴보겠습니다.

헬스글로우는 '비타그린'이라는 영양 보조제를 시장에 소개하면서 큰 기대를 가졌습니다. 비타그린은 현대인의 건강을 지원하기 위해 설계된 제품으로, 바쁜 생활을 영위하는 사람들이 필수 영양소를 간편하게 섭취할 수 있도록 개발되었습니다. 이 제품은 출시 초기부터 성장기, 성숙기를 거쳐 최종적으로 쇠퇴기에 이르기까지 다양한 시장 반응을 경험했습니다.

비타그린이 시장에 처음 도입되었을 때, 소비자들은 이 새로운 제품에 대해 큰 기대와 동시에 많은 의구심을 표현했습니다. 초기 시장 진입은 예상보다 힘들었고, 소비자들 사이에서 제품에 대한 인지도가 낮았으며, 제품의 실제 효능을 믿지 못하는 분위기가 일부 있었습니다. 이러한 상황에서 비타그린은 초기 판매 목표에 도달하는 데 어려움을 겪었습니다.

성장기에 접어들면서 비타그린은 점차 시장에서 자리를 잡기 시작했습니다. 마케팅 노력과 소비자들 사이에서의 긍정적인 입소문이 효과를 발휘하기 시작하면서 판매량이 증가했습니다. 이 시기에 비타그린은 경쟁 제품과 차별화된 자신만의 유니크한 포지셔닝을 확립하고, 다양한 채널을 통해 시장 점유율을 확대해 나갔습니다.

그러나 성숙기에 접어들며, 시장 내 경쟁이 심화되었고, 비타그린은 점점 더 많은 경쟁 제품들과 마주하게 되었습니다. 이 시기에 소비자들은 더 많은 선택권을 갖게 되었고, 비타그린은 소비자의 관심을 유지하기 위해 추가적인 혁신과 마케팅 전략 강화가 필요했습니다. 하지만 점차 시장에서의 독특한 위치를 유지하는 것이 어려워졌습니다.

최종적으로 비타그린은 쇠퇴기에 접어들었습니다. 새로운 기술과 제품이 시장에 지속적으로 도입되면서 비타그린의 매력이 감소하기 시작했습니다. 이 시기에 헬스글로우는 비타그린을 재창조하거나 새로운 전략을 모색해야 하는 결정적인 순간에 직면했습니다. 이제 회사는 이러한 도전을 어떻게 극복하고 제품을 시장에 재포지셔닝할지에 대한 전략적 결정을 내려야 했습니다.

비타그린이 시장에서 겪은 도전의 원인을 심층적으로 분석해보면, 몇 가지 핵심적인 문제들이 드러납니다.
초기에 비타그린은 소비자들 사이에서 제품에 대한 인지도와 신뢰성이 낮은 문제를 겪었습니다. 이는 제품의 복잡한 성분 설명과 과도한 건강 혜택 주장이 소비자들에게 혼란을 주었기 때문입니다. 또한, 비타그린의 높은 가격 책정은 소비자들이 새로운 제품을 시도해보는 데 있어 큰 장벽으로 작용했습니다. 이러한 요소들은 초기 시장 진입 시 소비자들의 망설임을 증가시켰고, 예상보다 낮은 초기 판매량을 기록하게 만들었습니다.

성장기에 접어들면서 비타그린은 시장 내 인지도를 점차 확보하기 시작했지만, 이때도 문제는 계속되었습니다. 경쟁 제품들이 비슷한 혜택을 더 낮은 가격으로 제공하기 시작하면서 비타그린의 시장 점유율 확대에 어려움이 생겼습니다. 이 시기의 마케팅 전략이 충분히 효과적이지 못했던 점도 판매 증가 속도를 늦추는 한 요인이 되었습니다.

성숙기 동안에는 시장 내 경쟁이 더욱 치열해졌고, 비타그린은 신제품의 지속적인 혁신 부족으로 인해 점차 시장에서의 경쟁력을 잃기 시작했습니다. 소비자들은 새로운 옵션을 탐색하기 시작했고, 비타그린의 기존 고객조차도 다른 브랜드로의 전환을 고려하기 시작했습니다. 또한, 제품의 차별화 부족은 비타그린이 소비자들의 지속적인 관심을 유지하는 데 실패하게 만들었습니다.

쇠퇴기에 접어들면서 비타그린은 시장 변화에 제대로 적응하지 못했으며, 신제품 개발에 있어서의 지체는 브랜드의 쇠퇴를 가속화했습니다. 새로운 건강 보조 식품과 경쟁 기술들이 계속해서 시장에 소개되었고, 비타그린은 이에 대응하는 새로운 혁신을 제시하지 못했습니다. 이로 인해 점차 시장에서의 입지가 약해지면서 제품의 생명 주기는 쇠퇴의 단계로 접어들었습니다. 이러한 분석을 통해 헬스글로우는 비타그린이 시장에서 겪은 문제들의 근본적인 원인을 이해하고, 이를 해결하기 위한 전략을 마련할 필요가 있음을 인식하게 되었습니다. 이 과정에서 헬스글로우는 다양한 시장 조사를 실시하여 소비자의 의견을 수집하고, 제품 개선에 필요한 구체적인 데이터를 확보했습니다.

비타그린의 시장 진입과 관련된 문제를 해결하기 위해 적용할 수 있는 심리학 이론은 로버트 치알디니의 설득의 심리학입니다. 치알디니의 이론은 사람들이 어떻게 설득되고, 특정 행동을 하게 되는지를 설명합니다. 이 이론은 호감, 상호성, 사회적 증거, 일관성, 권위, 희소성이라는 여섯 가지 주요 원칙을 중심으로 합니다. 이 원칙들은 소비자의 구매 결정 과정에 깊은 영향을 미칠 수 있으며, 비타그린의 마케팅 전략에 효과적으로 활용될 수 있습니다.

소비자들은 자신이 좋아하거나 존경하는 사람들의 의견에 더 큰 영향을 받습니다. 이에 헬스글로우는 비타그린의 제품 홍보를 위해 존경받는 전문가나 영향력 있는 인플루언서와 협력하여 제품의 신뢰성을 높이고 소비자들에게 호감을 쌓을 수 있습니다. 또한, 상호성 원칙에 따라 소비자들에게 무료 샘플이나 체험 기회를 제공함으로써, 제품에 대한 긍정적인 반응을 이끌어낼 수 있습니다.

사회적 증거의 원칙은 소비자들이 다른 사람들의 행동을 모방하려는 경향이 있다는 점을 이용합니다. 헬스글로우는 비타그린의 긍정적인 사용 후기와 성공 사례를 널리 공유하여, 신규 소비자들이 제품을 시도해 볼 때 안심할 수 있도록 해야 합니다. 소비자들이 제품을 일관되게 사용하도록 유도하기 위해, 비타그린의 구매와 사용에 대한 일관된 메시지와 가치를 강조하는 것도 중요합니다.

권위의 원칙을 통해 헬스글로우는 의학 전문가나 영양학자의 인증을 제품에 포함시켜 제품에 대한 신뢰를 쌓을 수 있습니다. 마지막으로, 희소성 원칙을 활용하여 제품의 독특한 특성이나 한정된 시간 동안만 제공되는 특별한 제안을 강조함으로써 소비자들의 구매욕을 자극할 수 있습니다.

이러한 심리학적 원칙들을 통합적으로 사용함으로써 헬스글로우는 비타그린의 시장에서의 도전을 극복하고, 소비자들의 마음을 사로잡을 수 있는 강력한 마케팅 전략을 수립할 수 있습니다. 이 전략은 비타그린이 소비자들 사이에서 성공적으로 자리잡을 수 있도록 도와주며, 장기적인 브랜드 충성도를 구축하는 데 중요한 역할을 할 것입니다.

헬스글로우는 치알디니의 설득의 심리학 이론을 기반으로 비타그린의 마케팅 전략을 재구성하여 시장 진입과 성장 단계에서의 문제들을 해결하려고 시도했습니다. 회사는 먼저 소비자들에게 비타그린의 독특한 가치를 효과적으로 전달하기 위해 캠페인 메시지를 단순화하고 명확히 했습니다. 이 과정에서 제품의 주요 이점을 강조하고, 이러한 이점이 소비자의 일상 생활에 어떻게 도움을 줄 수 있는지를 구체적으로 보여주는 사례를 전면에 내세웠습니다.

헬스글로우는 상호성 원칙을 활용하여 소비자들에게 무료 샘플을 제공함으로써 제품을 직접 체험할 수 있는 기회를 마련했습니다. 이를 통해 소비자들이 제품의 질과 효능을 직접 경험하게 함으로써 신뢰를 구축하고, 제품에 대한 긍정적인 입소문을 유도했습니다. 또한, 사회적 증거 원칙을 활용해, 만족한 고객들의 리뷰와 추천을 적극적으로 마케팅 자료에 통합하여 새로운 소비자들의 구매 결정에 영향을 미쳤습니다.

일관성 원칙을 적용하기 위해 헬스글로우는 고객들이 일단 비타그린을 사용하기 시작하면 계속 사용하도록 장려하는 다양한 프로그램을 개발했습니다. 이는 구독 서비스 형태로, 소비자들이 정기적으로 제품을 받아볼 수 있도록 함으로써 사용의 일관성을 유지하게 했습니다. 권위의 원칙을 적용하여, 헬스글로우는 제품에 대한 의학적 검증과 전문가의 추천을 강조했습니다. 이는 제품 패키지와 광고에서 의사와 영양사의 인증을 부각시키는 방식으로 구현되었습니다.

마지막으로, 희소성 원칙을 활용하여 헬스글로우는 특별한 프로모션과 한정판 제품 출시를 통해 시장의 관심을 끌었습니다. 이러한 전략은 소비자들에게 제품을 구매할 독특한 기회로 인식시키고, 구매를 서두르게 만드는 효과를 가져왔습니다. 이 모든 전략들은 비타그린이 초기 도전을 극복하고 시장에서 성공적으로 자리잡을 수 있도록 하는 데 중요한 역할을 했습니다. 이러한 접근 방식은 비타그린의 마케팅 전략을 효과적으로 재조정하고, 소비자 신뢰를 확립하며, 궁극적으로 제품 수명 주기 전반에 걸쳐 지속 가능한 성공을 달성하는 데 기여했습니다.

또한, 이러한 전략은 비타그린이 성장기와 성숙기를 거치면서 시장 내 경쟁이 치열해짐에 따라 계속해서 중요성을 가지며, 다른 브랜드와의 차별화를 유지하는 데 필수적이었습니다. 소비자들의 행동 패턴과 심리적 동기를 깊이 이해함으로써 헬스글로우는 맞춤형 마케팅 전략을 실행할 수 있었고, 이는 브랜드 충성도를 강화하고 장기적인 고객 관계를 구축하는 데 크게 기여했습니다.

이러한 심리학적 전략을 적용한 후, 헬스글로우는 비타그린의 마케팅 방식에 중요한 변화를 겪었습니다. 적용된 전략들은 비타그린의 시장 포지셔닝과 소비자 인식을 크게 개선했고, 이는 판매 증가로 이어졌습니다. 제품의 효능과 가치가 명확해지면서 소비자들은 비타그린을 더욱 신뢰하게 되었고, 소비자 기반은 점점 확대되었습니다. 초기에 겪었던 도전들을 극복하고 나서, 비타그린은 성장기를 지나 성숙기로 접어들었을 때 시장에서 강력한 위치를 확립할 수 있었습니다.

성숙기 동안 헬스글로우는 지속적인 제품 혁신과 소비자 관계 관리에 집중했습니다. 제품 라인을 확장하여 다양한 소비자의 요구를 충족시키고, 정기적인 소비자 설문조사를 통해 피드백을 수집하고 반영했습니다. 이를 통해 제품 개선을 지속하고, 소비자들의 변경되는 요구에 민감하게 반응할 수 있었습니다. 또한, 헬스글로우는 소비자 충성도 프로그램을 강화하여 장기적인 고객 관계를 유지하고, 브랜드에 대한 충성도를 높이는 전략을 실행했습니다.

쇠퇴기에 접어들면서, 비타그린은 새로운 경쟁 제품과 기술의 출현에 직면했습니다. 시장의 변화와 소비자의 기대가 진화함에 따라, 헬스글로우는 비타그린의 재포지셔닝과 혁신이 필요함을 인식했습니다. 이에 따라 회사는 최신 건강과 영양 트렌드를 반영하여 제품을 업데이트하고, 새로운 마케팅 캠페인을 개발하여 시장에서의 경쟁력을 유지하기 위한 노력을 강화했습니다. 이러한 전략은 비타그린이 쇠퇴기에서 다시 성장세를 이어갈 수 있는 기반을 마련해 주었습니다.

전체적으로 헬스글로우는 심리학적 원리를 기반으로 한 전략적 접근을 통해 비타그린이 제품 수명주기의 각 단계에서 성공적으로 경쟁하고, 시장 변화에 효과적으로 대응할 수 있도록 했습니다. 이는 제품의 지속 가능한 성공과 시장에서의 장기적인 생존을 가능하게 하는 중요한 요소가 되었습니다.

헬스글로우와 비타그린의 경험을 통해 배울 수 있는 추가적인 주제들은 다음과 같습니다:

1. 제품 적응 주기와 소비자 교육: 비타그린의 경우, 시장 진입 초기에 제품에 대한 교육이 충분히 이루어지지 않아 소비자들의 불확실성이 컸습니다. 이를 극복하기 위해 헬스글로우는 제품의 이해도를 높이기 위한 교육 자료와 활동을 강화할 수 있습니다. 소비자 교육 프로그램은 제품의 특성과 이점을 명확하게 전달하고, 제품 사용법을 교육함으로써 초기 시장 저항을 줄이고 제품 수용을 촉진할 수 있습니다.

2. 디지털 마케팅과 소비자 참여: 디지털 시대에는 온라인 플랫폼을 활용한 마케팅이 매우 중요합니다. 비타그린은 소셜 미디어, 콘텐츠 마케팅, 온라인 광고를 통해 소비자와의 상호작용을 강화하고, 소비자 참여를 높일 수 있습니다. 이러한 전략은 특히 젊은 소비자들에게 효과적이며, 브랜드 인지도와 소비자 충성도를 높이는 데 기여할 수 있습니다.

3. 경쟁 분석과 시장 포지셔닝: 비타그린과 같은 제품은 시장 내 경쟁이 치열한 환경에서 운영됩니다. 헬스글로우는 정기적인 경쟁 분석을 통해 시장 내 자신의 위치를 재평가하고, 경쟁

우위를 확보하기 위한 전략을 개발해야 합니다. 이는 제품의 차별화 요소를 명확히 하고, 경쟁 제품 대비 우위를 점할 수 있는 전략을 수립하는 데 중요합니다.

4. 고객 피드백의 시스템적 수집과 분석: 소비자의 의견과 피드백은 제품 개선과 혁신의 기초가 됩니다. 헬스글로우는 체계적인 피드백 수집 메커니즘을 구축하여, 소비자의 목소리를 제품 개발과 마케팅 전략에 반영할 수 있습니다. 이 과정에서 소비자의 요구와 불만을 정확히 파악하고, 이를 기반으로 지속적인 제품 개선을 추진합니다.

5. 지속 가능성과 기업 사회적 책임 (CSR): 소비자들은 점점 더 환경과 사회적 책임을 중시하는 기업의 제품을 선호하고 있습니다. 비타그린과 같은 제품이 지속 가능한 소싱과 제조 과정을 강조하고, 기업의 사회적 책임 활동에 적극 참여함으로써 소비자의 신뢰를 쌓고, 시장에서의 긍정적인 이미지를 구축할 수 있습니다.

이러한 주제들을 추가적으로 탐구함으로써, 헬스글로우는 비타그린의 제품 수명 주기를 효과적으로 관리하고, 시장 동향에 능동적으로 대응할 수 있는 전략을 수립할 수 있습니다. 이는 비단 비타그린뿐만 아니라 다른 제품 라인에도 적용 가능한 전략이 될 수 있으며, 회사의 전체적인 경쟁력 강화에 기여할 것입니다.

10. 사용자 정의 제품과 개인화의 심리학

맞춤형 마법:
사용자 정의 제품과 개인화의 심리학

소비자들이 어떻게 개인화된 제품에 더 강하게 반응하는지, 그리고 기업이 사용자 맞춤형 제품을 제공함으로써 어떤 심리적 요인들을 활용할 수 있는지에 대해 탐구합니다. 사용자 정의 제품과 개인화는 현대 마케팅 전략에서 중요한 요소가 되었고, 이는 소비자의 욕구와 기대를 더욱 세밀하게 충족시키기 위한 방법입니다.

개인화는 소비자가 자신의 특성, 선호도, 행동에 근거하여 제품이나 서비스를 맞춤화 받는 과정입니다. 이러한 개인화 전략은 소비자에게 더욱 깊은 감정적 연결과 브랜드 충성도를 유발할 수 있습니다. 예를 들어, 많은 온라인 쇼핑 플랫폼들은 고객의 구매 이력과 검색 패턴을 분석하여 개인에게 맞춤화된 제품을 추천합니다. 이러한 접근 방식은 소비자에게 더욱 관련성 높고 매력적인 쇼핑 경험을 제공하며, 이는 곧 높은 만족도와 재구매로 이어집니다.

심리학적 관점에서 볼 때, 개인화는 소비자의 자기-표현 욕구와 깊이 연결됩니다. 사람들은 자신의 개성과 정체성을 표현하고자 하는 강한 욕구를 가지고 있으며, 이를 제품 선택과 사용을 통해 드러내고 싶어 합니다. 개인화된 제품은 사용자가 자신의 취향과 개성을 외부 세계에 보여주는 수단이 될 수 있습니다. 또한, 이러한 제품은 소비자에게 '특별함'을 느끼게 하며, 이는 강력한 감정적 만족감을 제공합니다.

그러나 개인화 전략을 효과적으로 실행하기 위해서는 소비자의 심리적 프로필을 정확히 이해하고 이를 제품 디자인과 마케팅 전략에 반영할 필요가 있습니다. 이 과정에서 데이터 분석, 소비자 행동 연구, 심리학적 이론의 적용이 중요한 역할을 합니다. 예를 들어, 색상 심리학을 활용하여 소비자의 성향에 맞는 색상을 제품에 적용할 수 있습니다. 이렇게 함으로써, 기업은 소비자의 마음을 사로잡고, 경쟁 시장에서 돋보일 수 있는 제품을 창출할 수 있습니다.

이 장에서는 이러한 개념들을 더 깊이 탐구하고, 실제 기업 사례를 통해 개인화 전략이 어떻게 성공적으로 구현될 수 있는지를 살펴보겠습니다. 개인화는 단순한 마케팅 기법을 넘어서 소비자와의 지속적인 관계를 구축하고, 브랜드 가치를 강화하는 중요한 전략으로 자리 잡고 있습니다.

개인화와 사용자 맞춤형 제품이 소비자 심리에 미치는 영향을 이해하려면, 몇 가지 핵심 심리학적 개념들을 자세히 살펴볼 필요가 있습니다.

첫째로, 개인화는 소비자의 자아 식별 과정에 깊이 관여합니다. 소비자는 자신들의 선택이 자신의 개성과 일치할 때 더 큰 만족감을 느끼며, 이는 제품이나 브랜드에 대한 긍정적인 감정을 강화합니다. 이러한 현상은 자기 일치성(self-congruity) 이론으로 설명될 수 있습니다. 자기 일치성 이론은 소비자가 자신의 자아 이미지와 일치하는 제품을 선택함으로써 자신의 정체성을 강화하고자 한다고 주장합니다.

둘째로, 개인화는 소비자가 느끼는 통제감을 증가시킵니다. 사용자가 제품의 특정 요소를 선택하거나 조정할 수 있을 때, 그들은 자신의 요구와 욕구를 더 효과적으로 충족시키고 있다고 느낍니다. 이는 심리학에서 말하는 통제의 환상(illusion of control) 개념과 관련이 있습니다. 소비자가 자신의 결정이 최종 제품에 직접적인 영향을 미친다고 느낄 때, 그들은 더 큰 만족감과 제품에 대한 충성도를 경험합니다.

셋째로, 개인화는 소비자의 기대와 경험 사이의 일관성을 증가시킵니다. 제품이나 서비스가 개인의 특정 요구에 맞추어져 있을 때, 소비자는 자신이 원하는 대로 제품을 사용할 수 있으므로, 경험이 기대와 더 잘 일치하게 됩니다. 이러한 일관성은 소비자 만족도를 높이고, 제품에 대한 긍정적인 평가로 이어집니다.

넷째로, 개인화는 소비자의 관여도를 증가시킵니다. 개인화된 경험이 제공될 때, 소비자는 선택 과정에 더 깊이 참여하게 되며, 이는 제품에 대한 이해도와 애착을 높입니다. 이러한 관여는 결국 더 긴밀한 소비자-브랜드 관계를 형성하는 데 기여합니다.

이러한 심리학적 이점들을 활용하여 기업들은 개인화 전략을 더욱 효과적으로 실행할 수 있습니다. 개인화의 깊이를 강화함으로써 소비자와의 관계를 향상시키고, 그들의 브랜드에 대한 충성도를 구축할 수 있습니다. 다음으로, 우리는 실제 기업 사례를 통해 이러한 개인화 전략이 어떻게 성공적으로 구현되었는지, 그리고 그 과정에서 어떤 심리학적 요소들이 중요한 역할을 했는지를 살펴보겠습니다. 이는 기업들이 개인화 전략을 자신의 제품이나 서비스에 어떻게 적용할 수 있는지에 대한 구체적인 통찰을 제공할 것입니다.

실제 기업 사례를 통해 개인화 전략이 어떻게 성공적으로 구현되었는지 살펴보겠습니다. 특히, 글로벌 기술 회사인 애플과 스포티파이의 사례를 통해 이들이 어떻게 개인화 전략을 활용하여 소비자 경험을 극대화하고 브랜드 충성도를 높였는지를 탐구합니다.

애플은 사용자 경험의 개인화를 통해 기술 제품 시장에서 두드러진 성공을 거두었습니다. 애플의 제품, 특히 아이폰은 사용자가 자신의 사용 스타일과 선호에 맞춰 홈 화면을 사용자 정의할 수 있도록 설계되었습니다. 또한, 애플의 운영 체제 내에는 다양한 접근성 기능이 포함되어 있어 사용자의 특정 필요에 맞게 조정할 수 있습니다. 이러한 기능은 사용자가 자신의 기기를 '자신만의 것'으로 느끼게 하며, 강력한 사용자 경험을 제공합니다. 애플은 또한 앱 스토어를 통해 개인화된 앱 추천을 제공함으로써 사용자의 취향과 관심사에 맞는 제품을 제안합니다. 이러한 전략은 사용자로 하여금 애플 생태계 내에서 더욱 깊이 관여하게 만들며, 결국 브랜드에 대한 충성도를 높입니다.

스포티파이는 음악 스트리밍 서비스에서의 개인화를 통해 업계 선두 자리를 확고히 했습니다. 스포티파이는 사용자의 청취 기록과 선호도를 분석하여 개인화된 음악 추천을 제공합니다. '디스커버 위클리'와 같은 기능은 매주 사용자 맞춤형 플레이리스트를 생성하여 개별 사용자의 음악 취향을 반영합니다. 이러한 개인화된 경험은 사용자가 새로운 아티스트와 곡을 발견하도록 도와주며, 스포티파이와의 상호작용을 더욱 풍부하고 만족스럽게 만듭니다. 스포티파이의 이러한 전략은 사용자가 플랫폼에 더 오래 머무르도록 유도하며, 광고 수익과 구독 모델을 통해 더 높은 수익을 창출하는 결과를 가져왔습니다.

이 두 기업 사례에서 볼 수 있듯이, 개인화 전략은 다양한 산업에서 고객 경험을 향상시키고, 고객 만족을 높이며, 브랜드 충성도를 구축하는 데 중요한 역할을 합니다. 이러한 전략은 소비자들이 제품이나 서비스를 더욱 개인적이고 의미 있는 방식으로 경험하도록 하며, 각 사용자의 요구와 선호를 반영하여 브랜드와의 강력한 연결고리를 만듭니다. 이 장을 통해 기업들이 어떻게 개인화 전략을 성공적으로 활용하여 시장에서 경쟁 우위를 확보하고 있는지에 대한 통찰을 제공하고자 합니다.

개인화 전략의 성공적인 적용은 소비자의 심리적 요인과 직접적으로 연결되어 있습니다. 소비자들이 개인화된 경험을 통해 느끼는 강화된 통제감과 자기 표현의 기회는 그들의 구매 결정과 브랜드 충성도에 긍정적인 영향을 미칩니다. 이와 관련하여, 기업들이 이러한 심리적 이점을 최대화하기 위해 사용할 수 있는 몇 가지 전략을 제안하고자 합니다.

첫째, 심리적 맞춤형 커뮤니케이션의 도입입니다. 기업은 소비자와의 커뮤니케이션에서 개인적인 요소를 강화하여 소비자가 자신의 요구가 충족되고 있다고 느끼게 할 수 있습니다. 예를 들어, 이메일 마케팅에서 소비자의 이름을 사용하거나, 과거 구매 이력을 기반으로 개인화된 제안을 하는 것입니다. 이러한 접근은 소비자가 브랜드와의 연결을 더 개인적이고 의미 있는 것으로 느끼게 하여, 더 강한 고객 관계를 구축하는 데 도움이 됩니다.

둘째, 사용자 경험의 개인화는 제품 사용 과정에서 소비자의 선호와 행동을 반영하는 것입니다. 이는 웹사이트 인터페이스, 모바일 앱 사용자 설정, 또는 스마트 기기의 사용자 인터페이스가 사용자의 선호에 따라 조정되어야 함을 의미합니다. 사용자가 자신의 기호에 맞게 설정을 조정할 수 있을 때, 제품이나 서비스에 대한 만족도가 크게 증가합니다.

셋째, 사회적 심리학을 활용한 커뮤니티 구축입니다. 사람들은 자신과 유사한 타인과의 연결을 추구하는 경향이 있습니다. 기업은 이러한 사회적 심리학적 경향을 활용하여 사용자 커뮤니티를 구축할 수 있습니다. 예를 들어, 사용자가 자신의 설정이나 선호도를 다른 사용자와 공유하고, 그로 인해 팁이나 트릭을 교환할 수 있는 플랫폼을 제공하는 것입니다. 이는 사용자 간의 상호 작용을 촉진하고, 브랜드에 대한 긍정적인 인식을 강화할 수 있습니다.

넷째, 예측 분석을 통한 미래 행동 예측입니다. 빅 데이터와 인공 지능 기술을 활용하여 소비자의 미래 행동을 예측하고, 이에 기반하여 개인화된 제품이나 서비스를 제공할 수 있습니다. 이는 소비자가 아직 명확하게 인지하지 못한 필요를 충족시킬 수 있으며, 이러한 선제적 접근은 소비자 충성도를 크게 증가시킬 수 있습니다.

이러한 전략들은 기업이 개인화를 통해 소비자 경험을 풍부하게 하고, 시장에서의 경쟁력을 높이는 데 중요한 역할을 합니다. 개인화 전략의 깊이 있는 이해와 적용은 소비자들의 변화하는 기대에 부응하고, 지속적으로 그들과의 관계를 강화하는 방법입니다. 이러한 접근은 단순히 판매를 증가시키는 것을 넘어서, 소비자와의 장기적인 관계를 구축하는 데 큰 기여를 할 것입니다.

이제 이번 장을 마무리하며, 사용자 정의 제품과 개인화 전략의 심리학적 이해가 현대 비즈니스 환경에서 얼마나 중요한지 강조하고자 합니다. 기업이 제공하는 개인화 경험은 단순한 편의를 넘어서 소비자와의 깊은 정서적 연결을 만들어내며, 이는 브랜드 충성도와 장기적인 비즈니스 성공으로 이어집니다. 또한, 이러한 개인화 전략은 기업이 소비자의 끊임없이 변하는 요구와 기대에 효과적으로 대응할 수 있는 수단을 제공합니다.

개인화는 기술의 발전과 더불어 더욱 발전할 전망입니다. 빅 데이터, 인공 지능, 머신 러닝과 같은 기술이 더욱 정교해짐에 따라, 기업은 소비자의 행동, 선호, 심지어 감정까지도 실시간으로 파악하고 예측할 수 있는 능력을 갖추게 됩니다. 이는 더욱 정확하고 개인화된 제품과 서비스의 제공을 가능하게 하며, 소비자 경험을 극대화하는 동시에 새로운 비즈니스 기회를 창출할 것입니다.

더 나아가, 개인화 전략은 글로벌 시장에서도 중요한 역할을 합니다. 다양한 문화와 지역에서의 소비자들의 요구와 기대는 매우 다양하기 때문에, 글로벌 기업들은 지역적 특성을 고려한 맞춤형 접근 방식을 채택해야 합니다. 이는 국제 마케팅 전략에서 개인화의 중요성을 더욱 강조하며, 다문화적 감수성을 겸비한 맞춤형 마케팅이 기업 성공의 핵심 요소임을 보여줍니다.

최종적으로, 사용자 정의 제품과 개인화 전략은 모든 비즈니스 분야에서 중요한 경쟁력을 제공합니다. 기업이 이를 어떻게 활용하고 실행하는지는 그들의 혁신성, 고객 중심성 및 시장에서의 지속 가능한 성공을 결정짓는 중요한 요소가 될 것입니다. 이 장을 통해 독자들이 개인화 전략의 중요성을 이해하고, 자신의 비즈니스에 적용하여 소비자와의 더욱 깊은 관계를 구축하는 방법을 모색할 수 있기를 바랍니다.

IV. 투자 유치와 심리학

자본 유치의 미학:
투자자의 심리를 파고드는 전략적 접근

자본 유치 과정은 단순한 비즈니스 제안을 넘어서, 투자자의 마음을 사로잡고 그들의 깊은 신뢰를 얻는 복잡한 심리적 전략의 총체입니다. 이 과정에서 결정적인 것은 투자자의 심리를 정교하게 이해하고, 그들의 의사 결정에 영향을 미치는 미묘한 심리적 요소들을 파악하는 것입니다. "투자 유치와 심리학" 장에서는 이 복잡한 심리적 상호작용을 탐구하며, 투자자들이 자본을 어디에 배치할지 결정할 때 작용하는 심리학적 요인들을 깊이 있게 분석합니다.

투자자의 심리는 불확실성을 관리하고, 기대를 형성하는 과정에서 중요한 역할을 합니다. 이들은 종종 Kahneman과 Tversky의 전망 이론에 따라 리스크와 이익을 비합리적으로 평가하기도 합니다. 이 이론을 이해함으로써, 기업가와 스타트업들은 투자 제안을 더욱 매력적으로 설계할 수 있으며, 위험과 보상의 균형을 효과적으로 제시할 수 있습니다. 또한, 투자자와의 심리적 계약을 이해하고, 이를 바탕으로 강력한 신뢰 관계를 구축하는 전략을 개발할 수 있습니다.

이 장은 또한, 투자자들의 심리적 동기와 그들이 투자 결정을 내릴 때 겪는 인지적, 감정적 과정을 자세히 설명합니다. 이러한 심리적 인사이트는 투자자가 자본을 투입하는 방식에 큰 영향을 미치며, 투자 유치 전략을 개발할 때 이를 고려하는 것이 필수적입니다. 예를 들어, 투자자가 겪는 '손실 회피'의 심리를 이해하고 이를 전략적으로 관리함으로써, 투자 제안의 매력을 높일 수 있습니다.

본 장을 통해 독자들은 투자 유치 과정에서의 심리적 요소를 깊이 이해하고, 이를 자신의 투자 유치 전략에 효과적으로 통합하는 방법을 배울 것입니다. 이를 통해 투자자의 심리를 파악하고 이에 호응하는 방식으로 접근할 때, 자본 유치의 성공 확률을 높일 수 있습니다. 이 장은 실질적인 사례 연구와 함께 투자자의 심리를 이해하고 이를 기반으로 한 전략을 제시함으로써, 기업가들에게 가치 있는 통찰을 제공합니다.

1. 투자자 심리와 Kahneman과 Tversky의 전망 이론

투자 결정의 심리:
전망 이론으로 풀어보는 투자자의 비합리성

현대 비즈니스 세계에서 투자 유치는 단순히 재정적 지표와 사업 계획의 우수성을 넘어서는 복잡한 과정입니다. 기업과 스타트업들이 자본을 확보하는 과정은 감정, 심리, 그리고 인간의 본성이 얽히고설킨 투자자의 결정 메커니즘을 이해하는 데서 시작합니다. "투자자 심리와 Kahneman과 Tversky의 전망 이론" 장에서는 이러한 심리적 요소들이 투자 결정에 어떻게 영향을 미치는지를 탐구합니다.

이 장을 통해, 투자자들이 자본 배치를 결정할 때 겪는 내적 갈등과 심리적 동기를 분석하고, 이를 효과적으로 관리하고 활용하는 방법을 모색할 것입니다. 다니엘 카너먼과 아모스 트버스키의 전망 이론은 이러한 분석에 중요한 틀을 제공합니다. 이 이론은 투자자들이 손실과 이익을 어떻게 다르게 인식하고 반응하는지 설명하며, 특히 손실에 대한 두려움이 어떻게 투자자의 행동을 지배하는지를 밝혀냅니다.

이번 장에서는 이러한 심리학적 통찰을 바탕으로 투자 유치 전략을 어떻게 최적화할 수 있는지를 탐구하며, 투자자의 심리를 이해하고 그들의 신뢰를 얻는 방법을 모색할 것입니다. 이는 비즈니스 리더들에게 투자 유치의 미묘한 심리학적 측면을 이해하고, 이를 자신의 전략에 통합할 수 있는 귀중한 지식을 제공할 것입니다. 이제, 이 장을 통해 투자자들이 실제로 직면한 구체적인 상황을 살펴보고, 그들의 심리적 동기와 결정 과정을 깊이 있게 분석해 보겠습니다.

스타트업 ABS는 혁신적인 헬스케어 기술을 개발하는 회사로, 이들의 최신 프로젝트는 환자의 건강 데이터를 실시간으로 모니터링하고 분석하여 의사에게 귀중한 통찰을 제공하는 시스템입니다. 이 기술은 시장에서 큰 가능성을 가지고 있지만, 충분한 자본을 확보하지 못해 제품 개발과 시장 진입에 어려움을 겪고 있습니다. 스타트업 ABS의 CEO는 초기 단계에서 여러 투자자를 만났지만, 이들은 프로젝트의 잠재적 리스크에 대해 우려하며 투자를 꺼려했습니다.

이 상황은 투자자들의 심리적 우려와 경제적 결정의 복잡성을 잘 보여줍니다. 스타트업 ABS는 투자자들의 손실 회피 성향과 리스크에 대한 민감성 때문에 필요한 자금을 확보하는 데 어려움을 겪었습니다. 또한, 투자자들은 스타트업 ABS의 기술이 시장에서 성공할 수 있을지에 대한 확실성 부족을 문제 삼았습니다. 이들은 자신의 투자가 실패로 돌아갈 가능성에 대해 크게 우려하며, 보다 낮은 위험을 가진 다른 투자 기회를 모색했습니다.

스타트업 ABS의 예는 투자 유치 과정에서 스타트업이 직면할 수 있는 전형적인 심리적 장애물과 그로 인한 실질적인 장애를 보여줍니다. 투자자의 심리적 불안은 스타트업의 혁신적인 아이디어가 시장에서 구현될 기회를 제한하며, 이는 스타트업의 성장 잠재력에 직접적인 영향을 미칩니다. 이러한 상황은 스타트업 ABS가 투자 유치 전략을 재고하고, 투자자의 심리를 더욱 효과적으로 관리할 필요가 있음을 시사합니다.

스타트업 ABS가 직면한 투자 유치 문제는 복합적인 원인에서 비롯됩니다. 이 회사는 혁신적인 헬스케어 기술을 개발하고 있지만, 기술적 복잡성과 시장에 대한 불확실성이 매우 높아 투자자들의 불안을 자극했습니다. 투자자들은 이러한 불확실성 속에서 잠재적인 리스크를 높게 평가하며, 스타트업 ABS의 기술이 실제로 시장에서 어떻게 작동할지에 대한 확신이 부족하다고 느꼈습니다. 기술이 아직 초기 개발 단계에 있어 성능과 안정성을 완벽하게 입증하기 어렵다는 점도 투자 유치를 어렵게 만드는 주요 요인 중 하나였습니다.

더욱이 경제적 불안정과 헬스케어 기술 시장의 치열한 경쟁 환경은 투자자들로 하여금 더욱 신중한 투자 결정을 하도록 강요했습니다. 이미 시장에는 수많은 경쟁 업체들이 존재하고 있어, 새로운 플레이어가 자리 잡기 위해서는 상당한 경쟁 우위를 확보해야만 합니다. 이러한 경쟁 상황은 투자자들에게 더 큰 리스크를 인식하게 만들었고, 그 결과 투자자들은 낮은 위험을 가진 다른 투자 기회를 모색하는 경향을 보였습니다.

특히 투자자들의 손실 회피 성향이 이러한 투자 결정에 큰 영향을 미쳤습니다. 사람들은 손실을 입었을 때의 심리적 고통이 같은 규모의 이익에서 얻는 기쁨보다 훨씬 크다는 사실을 감안할 때, 투자자들은 잠재적 손실이 두려워 투자를 꺼리게 됩니다. 이는 Kahneman과 Tversky의 전망 이론에서 설명하는 바와 같이, 사람들은 잠재적 이익보다 잠재적 손실에 더 큰 무게를 두는 경향이 있습니다. 스타트업 ABS의 경우, 투자자들은 실패의 가능성에 대한 두려움으로 인해 투자를 주저하게 되었습니다.

또한, 스타트업 ABS의 투자 제안이 투자자들에게 충분한 신뢰와 안정감을 제공하지 못했다는 점도 큰 문제였습니다. 투자 제안서에서 기술의 장점과 시장 잠재력을 충분히 강조하지 못하고, 위험 관리 전략을 명확하게 제시하지 못한 것이 투자 유치 실패의 중요한 원인으로 작용했습니다. 이는 투자자들이 스타트업 ABS의 비전과 장기적 가치를 충분히 이해하고 공감하지 못하게 만들었습니다.

이 모든 요소들이 복합적으로 작용하여 스타트업 ABS는 투자 유치에 어려움을 겪었습니다. 이제 다음 단계에서는 이 문제를 극복하기 위해 적용할 수 있는 심리학 이론과 그 이론을 제시한 학자에 대해 상세히 살펴보겠습니다. 이를 통해 스타트업 ABS가 자신들의 투자 유치 전략을 어떻게 재조정하고 투자자의 심리를 더 효과적으로 관리할 수 있는지에 대한 방법을 모색할 것입니다.

스타트업 ABS가 직면한 투자 유치 문제를 해결하는 데 도움이 될 수 있는 핵심 심리학 이론으로는 다니엘 카너먼과 아모스 트버스키가 개발한 전망 이론을 자세히 살펴볼 필요가 있습니다. 이 이론은 경제학과 심리학의 경계에서 발전했으며, 특히 의사 결정 과정에서 나타나는 인간의 비합리적인 행동 양상을 설명하는 데 중요한 역할을 합니다.

전망 이론은 투자자들이 손실과 이익을 어떻게 다르게 인식하고 반응하는지에 대한 통찰을 제공합니다. 이 이론은 특히 손실에 대한 인간의 반응이 이익에 대한 반응보다 훨씬 강렬하다는 점을 강조합니다. 이러한 현상은 '손실 회피'로 알려져 있으며, 사람들이 잠재적 손실을 회피하기 위해 과도한 리스크를 감수하지 않으려는 경향을 설명합니다.

다니엘 카너먼과 아모스 트버스키는 이론을 통해, 전통적인 경제학 이론이 설명하지 못하는 다양한 인간의 비합리적 행동을 규명했습니다. 이들의 연구는 특히 인간이 경제적 결정을 내릴 때 감정과 인지 편향이 어떻게 작용하는지에 대한 깊은 이해를 제공합니다. 특히, 이들은 '인지적 프레이밍'이라는 개념을 통해 동일한 선택 상황이라도 그것이 어떻게 제시되느냐에 따라 사람들의 선택이 달라질 수 있음을 보여줍니다.

이 이론은 비즈니스 리더와 투자자들에게 매우 중요한 의미를 가집니다. 투자 제안을 준비할 때, 이 이론을 활용하면 투자자의 손실 회피 경향을 고려하여 그들의 불안을 완화시키고 투자를 유도할 수 있는 전략을 개발할 수 있습니다. 예를 들어, 투자 제안서에서는 잠재적 리스크를 솔직하게 설명하되, 이를 완화할 수 있는 명확한 계획과 함께 잠재적 이익을 강조하여 투자자의 심리적 안정감을 높일 수 있습니다.

스타트업 ABS는 이러한 심리학적 통찰을 통해 투자자의 결정 과정에 영향을 미치고, 자신들의 투자 유치 활동에 실질적인 개선을 기대할 수 있습니다.

우선, 투자 제안서의 재구성이 필요합니다. 이를 위해 스타트업 ABS는 기술의 잠재적 위험을 투명하게 공개하면서 이러한 위험을 관리하고 완화할 수 있는 구체적 계획을 세우는 것이 중요합니다. 예를 들어, 위험 관리 전략으로 초기 테스트 결과를 포함시키고, 가능한 위험 요소들에 대해 이미 검토하고 대비한 상황들을 명시함으로써 투자자들의 심리적 불안을 줄일 수 있습니다. 또한, 위험 분산 전략으로 다양한 파트너십이나 협력 관계를 통해 기술적 리스크를 최소화한 점을 강조하여 투자자들이 느낄 수 있는 불안을 완화시킬 수 있습니다.

다음으로, 투자 제안에서 잠재적 이익을 더욱 구체적이고 설득력 있게 제시하는 것이 중요합니다. 시장 조사 결과를 바탕으로 헬스케어 시장에서의 경쟁 분석을 제공하고, 스타트업 ABS의 기술이 경쟁사 대비 어떠한 우위를 가지고 있는지를 상세하게 설명해야 합니다. 또한, 초기 고객 피드백을 통해 제품의 시장 수용 가능성을 실질적으로 보여주고, 제품이 어떻게 시장의 요구를 충족시키고 있는지를 강조함으로써 투자자들이 이익의 잠재력을 더 명확히 인식할 수 있도록 해야 합니다.

이와 함께, 투자자들에게 심리적 안정감을 제공하기 위한 전략도 마련해야 합니다. 투자 리스크를 줄일 수 있는 다양한 안전장치를 제안하여, 투자자들이 자신들의 투자가 보다 안전하다고 느낄 수 있게 해야 합니다. 예를 들어, 성과 기반의 이익 분배 계획을 명확히 제시하거나, 투자자들에게 추가 자금 조달 시 우선권을 부여하는 등의 조치를 고려할 수 있습니다. 이러한 조치들은 투자자들이 잠재적 손실에 대해 느끼는 두려움을 줄이는 동시에, 스타트업 ABS에 대한 신뢰와 투자 의지를 증진시킬 수 있습니다.

이러한 전략적 접근을 통해 스타트업 ABS는 투자자들의 손실 회피 성향과 심리적 불안을 관리하면서, 투자 유치의 성공 확률을 높일 수 있습니다. 다음으로는 이 접근법을 적용한 후 스타트업 ABS가 경험할 수 있는 추가적인 기회와 그 전략의 잠재적 효과에 대해 더 자세히 살펴보도록 하겠습니다. 이러한 구체적인 적용 사례를 통해 심리학 이론이 실제 비즈니스 상황에서 어떻게 효과적으로 활용될 수 있는지를 보여줄 것입니다.

스타트업 ABS가 전망 이론을 적용하여 투자 유치 전략을 재구성한 후, 이 접근법을 실제로 어떻게 실행하고 그 결과를 어떻게 관찰했는지 살펴보겠습니다. 투자 유치 과정에서 심리학적 이해와 전략적 접근의 적용은 스타트업 ABS에게 중요한 전환점이 되었습니다.

스타트업 ABS는 먼저, 투자 제안서와 프레젠테이션 자료 전반에 걸쳐 투자자들의 손실 회피 경향을 고려하여 메시지를 재구성했습니다. 투자 리스크를 최소화할 수 있는 구체적인 방안을 명확하게 제시하고, 동시에 이러한 리스크 관리 전략이 어떻게 기술의 잠재적인 큰 수익으로 이어질 수 있는지를 강조했습니다. 예를 들어, 스타트업 ABS는 자신들의 기술이 질병 조기 진단을 혁신적으로 개선할 수 있는 잠재력을 가지고 있음을 보여주는 임상 데이터와 시장 연구 결과를 투자자들에게 제공했습니다. 이러한 데이터는 제품의 실질적인 시장 적용 가능성과 이익 창출 능력을 입증하는 데 중요한 역할을 했습니다.

또한, 스타트업 ABS는 투자자들이 투자 과정에서 느끼는 심리적 불안을 감소시키기 위해 초기 투자자들에게 추가 투자 기회의 우선권과 더 높은 수익 배분을 제안했습니다. 이는 투자자들에게 자신들의 투자가 안전하며, 스타트업 ABS가 성공할 경우 더 큰 이익을 얻을 수 있다는 확신을 제공함으로써 투자 유치에 긍정적인 영향을 미쳤습니다.

이러한 전략적 접근은 투자자들의 심리적 불안을 효과적으로 관리하고, 스타트업 ABS의 투자 제안에 대한 신뢰를 증진시키는 데 성공했습니다. 결과적으로, 스타트업 ABS는 필요한 자금을 확보할 수 있었고, 투자자들과의 관계도 강화되었습니다. 이는 투자 유치 과정에서 심리학적 이론의 적용이 단순한 이론적 접근을 넘어 실질적인 비즈니스 성과로 이어질 수 있음을 입증하는 사례입니다.

최근의 투자 트렌드 중 하나인 디지털 자산에 대한 투자 결정도 전망 이론으로 분석할 수 있습니다. 예를 들어, 비트코인과 같은 암호화폐 투자는 고도의 불확실성과 변동성을 지니고 있으며, 이는 투자자의 리스크 편향과 손실 회피 행동을 뚜렷하게 드러낼 수 있는 영역입니다. 투자자들이 이러한 디지털 자산에 투자할 때 나타나는 과도한 낙관주의나 공포는 전망 이론에서 설명하는 행동 패턴을 확실히 보여줍니다. 디지털 자산의 급격한 가치 변동에 대한 투자자 반응을 전망 이론으로 분석함으로써, 투자자들이 어떻게 비합리적인 결정을 내릴 수 있는지를 명확히 이해할 수 있습니다.

이제 다음으로, 스타트업 ABS의 이러한 접근이 더 넓은 비즈니스 환경에서 어떠한 추가적인 기회를 만들어낼 수 있는지, 그리고 이 전략이 다른 스타트업이나 기업들에게 어떤 영감을 줄 수 있는지에 대해 더 깊이 탐구해 보겠습니다.

스타트업 ABS의 투자 유치 문제 해결을 위해 적용할 수 있는 또 다른 중요한 심리학적 이론은 리처드 탈러와 캐스 선스타인의 낙관성 편향 이론과 허버트 사이먼의 만족화 이론입니다. 이 이론들은 투자자들의 의사 결정 과정에 미치는 심리적 요인을 이해하고 이를 전략적으로 활용하는 데 유용할 수 있습니다.

낙관성 편향 이론

낙관성 편향은 사람들이 자신에게 일어날 긍정적인 사건의 확률을 과대평가하고, 부정적인 사건의 확률을 과소평가하는 경향을 설명합니다. 리처드 탈러와 캐스 선스타인은 이러한 편향이 개인의 행동과 결정에 어떻게 영향을 미치는지 연구했습니다. 이 이론을 활용하면, 스타트업 ABS는 투자 제안서에서 제품이 시장에서 성공할 확률을 강조하고, 투자자들이 이러한 긍정적인 가능성에 더욱 집중하도록 유도할 수 있습니다. 이를 통해 투자자의 자연스러운 낙관성을 활용하여, 투자 유치의 긍정적 결과에 대한 기대감을 높일 수 있습니다.

만족화 이론

허버트 사이먼의 만족화 이론은 인간이 완벽한 결정을 내리기 위해 필요한 모든 정보를 처리할 능력이 부족하므로, 종종 '충분히 좋은' 결정을 내리는데 만족한다는 개념을 다룹니다. 이 이론은 투자자들이 제한된 정보와 시간 내에 결정을 내려야 할 때 그들이 어떻게 행동할 수 있는지를 설명합니다. 스타트업 ABS는 이 이론을 통해 투자 제안서를 설계할 때, 정보를 간결하고 명확하게 제공하여 투자자들이 신속하게 결정을 내릴 수 있도록 돕습니다. 또한, 이 이론을 활용해 투자자들이 자신의 기대치를 충족시키는 조건을 명확히 하여, 그들이 스타트업 ABS에 투자하기로 결정하는 데 필요한 만족감을 제공할 수 있습니다.

이 두 이론은 전망 이론과 함께 스타트업 ABS가 투자 유치 전략을 다각화하고 풍부하게 만드는 데 도움을 줄 수 있습니다. 각각의 이론은 투자자들의 심리적 동기와 의사 결정 과정에 다른 관점을 제공하며, 이를 통해 스타트업 ABS는 보다 효과적으로 투자자를 설득하고 필요한 자본을 확보할 수 있는 전략을 개발할 수 있습니다.

2. 위험 감수와 투자 결정: Prospect Theory

위험을 넘어서:
Prospect Theory와 투자 결정의 심리학

전망 이론을 통해 투자 결정 과정에서 투자자들의 위험 감수 행동을 심도 있게 분석합니다. 이 이론은 투자자들이 위험과 불확실성을 어떻게 처리하는지, 그리고 왜 종종 비합리적인 결정을 내리는지 이해하는 데 중요한 통찰을 제공합니다. 특히, 투자자들은 잠재적 손실과 이익을 다르게 인식하고 반응하며, 특히 손실에 대해서는 이례적으로 큰 민감성을 보입니다.

투자 결정 과정에서 투자자들은 객관적인 확률과 예상 수익을 평가하는 대신, 주관적인 가치와 예상된 손실에 더 큰 비중을 두는 경향이 있습니다. 이는 손실 회피라는 강력한 동기 때문입니다. 손실 회피는 투자자들이 비교적 작은 손실을 피하기 위해 큰 이익의 기회를 포기하는 것을 의미하며, 이는 경제적 합리성만을 고려할 때 예상치 못한 선택을 하게 만듭니다. 이러한 행동은 투자자가 겪는 심리적 스트레스와 결정의 어려움을 증가시킵니다.

이 장에서는 전망 이론을 바탕으로 다양한 투자 시나리오를 분석하며, 투자자들이 어떻게 손실을 피하고 최소한의 위험으로 최대의 이익을 추구하는지를 탐구합니다. 또한, 투자자의 의사 결정 과정에 영향을 미치는 다양한 심리적 요인들—예를 들어, 과신, 확증 편향, 가용성 휴리스틱—을 상세히 설명하고, 이러한 인지적 편향이 실제 투자 결과에 어떤 영향을 미치는지 분석합니다.

본 장의 목적은 투자자들이 자신의 의사 결정 과정에서 발생할 수 있는 함정을 인식하고, 이를 효과적으로 관리하는 방법을 배우는 데 있습니다. 이를 통해 투자자들은 더 합리적이고 효율적인 투자 결정을 내릴 수 있게 되며, 장기적으로 자신의 투자 포트폴리오의 성과를 최적화할 수 있습니다. 이 과정에서 전망 이론의 깊은 이해는 투자자가 시장의 불확실성을 효과적으로 항해하는 데 필수적인 나침반 역할을 하게 됩니다.

스마트웰(SmartWell)이라는 스타트업은 휴대용 건강 모니터링 장치를 개발하여 시장에 혁신을 가져오고자 했습니다. 이 장치는 사용자의 건강 데이터를 실시간으로 추적하고 분석하여, 질병 예방과 건강 관리에 혁신적인 접근을 제공하는 것을 목표로 합니다. 스마트웰은 이 기술이 특히 만성 질환 관리에 혁명을 일으킬 잠재력을 가지고 있다고 확신했습니다.

스마트웰의 창업 팀은 이 프로젝트에 대한 깊은 열정을 가지고 있었으며, 그들의 기술이 어떻게 현재의 의료 시장을 변화시킬 수 있는지에 대한 명확한 비전을 가지고 있었습니다. 초기 개발 단계에서, 그들은 몇 가지 중요한 임상 시험을 통해 장치의 효과와 안정성을 입증했습니다. 이 데이터와 결과는 상당히 인상적이었으며, 기술의 유효성을 증명하는 데 성공했습니다.

그러나 투자 유치 과정에서 스마트웰은 여러 투자자들의 다양한 반응과 심리적 장벽에 직면했습니다. 스타트업의 기술이 혁신적이고 전망이 밝다고 평가받음에도 불구하고, 많은 투자자들은 이 새로운 기술에 대한 높은 위험성과 불확실성 때문에 망설였습니다. 특히, 의료 기술의 경우 규제의 복잡성과 시장 진입 장벽이 높다는 점이 투자 결정에 부담으로 작용했습니다.

이러한 상황은 스마트웰이 투자자들의 심리를 이해하고, 그들의 우려와 기대를 관리하는 방법을 찾아야 함을 시사했습니다. 투자자들의 다양한 반응은 스마트웰 팀에게 그들의 제안을 보다 효과적으로 조정하고, 투자자들의 심리적 요구와 기대를 충족시킬 수 있는 전략을 개발할 필요성을 강조했습니다.

스마트웰의 투자 유치 과정에서 직면한 문제들은 주로 투자자들의 심리적 반응과 관련된 것이었습니다. 이 문제들은 크게 세 가지 주요 원인으로 분석될 수 있습니다.

첫 번째 문제 원인은 투자자들의 불확실성 회피 성향입니다. 대부분의 투자자들은 자본을 투자할 때 가능한 한 위험을 최소화하려는 경향이 있습니다. 스마트웰이 제공하는 혁신적인 의료 기술은 그 자체로 높은 잠재적 이익을 제공할 수 있지만, 동시에 실패의 위험 또한 크게 내포하고 있습니다. 투자자들은 이러한 불확실성을 감수하기 보다는 보다 안정적인 투자를 선호하는 경향이 있으며, 특히 규제가 엄격한 의료 분야에서의 신기술 투자는 더 큰 불확실성을 수반합니다.

두 번째 문제 원인은 투자자들의 손실 회피 심리입니다. Kahneman과 Tversky의 전망 이론에 따르면, 사람들은 같은 가치의 이익보다 손실을 더 크게 느낍니다. 즉, 투자자들은 잠재적인 이익보다는 잠재적인 손실에 더 큰 비중을 두고 결정을 내리는 경향이 있습니다. 이는 스마트웰의 경우, 장치 개발 실패나 시장 진입 실패로 인한 손실 가능성이 투자 결정에 부정적인 영향을 미쳤습니다.

세 번째 문제 원인은 투자자들 사이의 집단 사고와 정보의 비대칭성입니다. 투자 결정 과정에서 투자자들은 종종 다른 투자자들의 의견과 행동을 참고로 하며, 이는 집단 내에서 비슷한 결정이 이루어지도록 유도합니다. 만약 일부 투자자들이 특정 기술이나 시장에 대해 부정적인 견해를 가지고 있다면, 이는 다른 투자자들에게도 영향을 미쳐 전반적으로 투자 유치에 부정적인 결과를 가져올 수 있습니다. 또한, 스타트업이 보유한 정보와 투자자가 가진 정보 사이에 불균형이 있을 경우, 투자자들은 불완전한 정보에 기반하여 보수적인 결정을 내리는 경우가 많습니다.

이러한 문제 원인들은 스마트웰이 투자 유치 과정에서 직면한 주요 장애물이었으며, 이를 극복하기 위한 전략적 접근이 필요함을 시사합니다.

스마트웰의 투자 유치 과정에서 직면한 문제들을 분석할 때, 특히 유용하게 적용될 수 있는 심리학 이론은 다니엘 카너먼(Daniel Kahneman)과 아모스 트버스키(Amos Tversky)가 개발한 전망 이론(Prospect Theory)입니다. 이 이론은 경제학과 심리학의 교차점에서 발전한 행동 경제학의 핵심 이론 중 하나로, 투자자들의 결정 과정에서 나타나는 비합리적 행동을 설명하는 데 특히 효과적입니다.

전망 이론은 1979년 카너먼과 트버스키에 의해 처음 소개되었으며, 이들은 경제적 결정을 내리는 인간의 심리적 과정을 설명하기 위해 이 이론을 개발했습니다. 이 이론의 핵심은 사람들이 잠재적 손실과 이득을 경험할 때 서로 다른 방식으로 반응한다는 것입니다. 특히, 손실에 대한 두려움이 동일한 크기의 이득에 대한 만족보다 강하다는 점을 강조합니다. 이는 '손실 회피(loss aversion)' 개념으로, 대부분의 사람들이 손실을 피하기 위해 더 큰 리스크를 감수하는 경향이 있음을 설명합니다.

다니엘 카너먼은 심리학자이며, 아모스 트버스키와 함께 일하며 행동 경제학 분야에서 많은 기여를 했습니다. 카너먼은 이 연구로 2002년에 경제학 분야 노벨상을 수상하였습니다. 이들의 연구는 경제학뿐만 아니라 마케팅, 정책 결정, 심리 치료 등 다양한 분야에 영향을 미쳤습니다. 전망 이론은 특히 금융 결정과 투자, 보험 등의 분야에서 중요한 이론적 토대를 제공하며, 개인의 경제적 결정을 이해하는 데 있어 중요한 역할을 합니다.

스마트웰의 경우, 전망 이론을 적용하여 투자자들의 손실 회피 경향을 이해하고 이를 극복하는 전략을 개발할 수 있습니다. 예를 들어, 스마트웰은 투자 제안서에 자신들의 기술이 잠재적인 위험을 관리하고 최소화할 수 있는 구체적인 방법들을 강조할 필요가 있습니다. 또한, 투자자들이 느끼는 불확실성을 줄이기 위해 자사 기술의 신뢰성과 시장 준비도를 강조하는 사례 연구나 데이터를 제공함으로써, 투자자들의 심리적 안정감을 높일 수 있습니다.

스마트웰은 전망 이론을 통해 투자자들의 심리적 프로파일을 분석하고, 이에 맞춘 커뮤니케이션 전략을 수립할 수 있습니다. 이를 통해 투자 유치 과정에서 투자자들의 비합리적 두려움을 관리하고, 그들의 투자 결정에 긍정적인 영향을 미칠 수 있는 방안을 모색할 수 있습니다.

스마트웰의 투자 유치 과정에서 직면한 문제를 해결하기 위해 전망 이론을 적용한 접근 방식은 심리학적 인사이트를 깊이 통합하여 진행되었습니다. 초기에, 회사는 투자자들의 손실 회피 경향을 분석하고 이에 대응하여, 투자 제안서에 잠재적 위험을 최소화하는 요소를 명시적으로 강조했습니다. 이는 제품의 기술적 안전성, 임상 시험의 성공 사례, 그리고 규제 승인 과정을 자세히 기술함으로써 투자자들의 불안을 완화시키는 데 중점을 두었습니다.

또한, 스마트웰은 투자자들에게 정기적으로 진행 상황을 보고하고, 각 개발 단계에서의 중요한 성공을 강조함으로써 심리적 안정감을 제공했습니다. 이 과정에서 회사는 각 이정표가 성공적으로 달성되었다는 점을 부각시키며, 투자자들이 감당해야 할 리스크가 적절히 관리되고 있다는 확신을 심어주었습니다.

투자자 개개인과의 직접적인 상호작용을 통해, 스마트웰은 투자자들의 개별 우려사항과 기대를 파악하고, 이에 따라 맞춤형 커뮤니케이션을 진행했습니다. 이는 투자자들의 심리적 프로필을 세밀하게 분석하고, 각 투자자의 특정 요구에 응답함으로써 그들의 신뢰를 구축하는 데 중요한 역할을 했습니다.

더불어, 스마트웰은 투자 제안에 감정적 매력 요소를 추가하여 투자자들의 긍정적인 반응을 유도했습니다. 회사는 제품이 어떻게 사회적 가치를 창출하고 사용자의 삶의 질을 개선할 수 있는지를 강조하며, 이를 통해 투자자들의 자긍심과 만족감을 증진시켰습니다. 이러한 전략은 투자자들의 비합리적인 두려움과 편향을 효과적으로 관리하고, 그들의 투자 결정에 긍정적인 영향을 미치는 데 성공적이었습니다.

스마트웰의 투자 유치 전략을 풍부하게 만든 심리학적 접근 방식은 투자자들의 결정 과정에 심층적인 통찰을 제공합니다. 이러한 접근은 다양한 심리학 이론과 테크닉을 통해 더욱 확장하고 발전시킬 수 있습니다. 관심 있는 독자들을 위해 여러 추가적인 심리학적 주제와 이론을 탐색할 것을 권장합니다. 이러한 이론들은 투자자의 행동과 심리를 더욱 깊이 이해하고, 효과적인 투자 유치 전략을 설계하는 데 도움이 될 수 있습니다.

1. 행동 재무학(Behavioral Finance): 투자자들의 비합리적 결정과 행동 패턴을 이해하는 데 중점을 둔 분야로, 전망 이론 외에도 멘탈 회계, 확인 편향, 허스틱 등 다양한 개념을 포함합

니다. 이 분야는 투자자들이 어떻게 감정과 편향에 의해 영향을 받는지, 그리고 이를 어떻게 관리할 수 있는지에 대한 통찰을 제공합니다.

2. 인지 심리학(Cognitive Psychology): 인지 심리학은 개인이 정보를 어떻게 처리하고, 기억하며, 사용하는지를 연구합니다. 투자 결정 과정에서의 정보 처리 방식과 이를 개선하는 방법을 이해하는 데 유용합니다.

3. 사회 심리학(Social Psychology): 이 분야는 개인이 사회적 상황에서 어떻게 행동하는지를 연구합니다. 투자자들 사이의 그룹 다이내믹과 집단 사고의 영향을 분석하고, 이를 효과적으로 관리하는 전략을 개발하는 데 도움이 됩니다.

4. 감정 심리학(Emotional Psychology): 투자 결정에 감정이 어떤 역할을 하는지 이해하고, 이를 통제하거나 긍정적으로 활용하는 방법을 제공합니다. 특히, 두려움, 욕심, 행복 등 감정이 투자 행동에 미치는 영향을 평가합니다.

5. 신경경제학(Neuroeconomics): 뇌과학과 경제학의 결합으로, 투자자의 뇌 활동을 분석하여 결정 메커니즘을 이해합니다. 이 분야는 투자자의 심리적 패턴과 뇌의 반응을 연구하여, 투자자들이 어떻게 더 효과적인 결정을 내릴 수 있는지에 대한 통찰을 제공합니다.

이러한 심리학적 이론과 연구는 투자자들의 행동과 심리를 더욱 깊이 이해하는 데 중요한 도구를 제공하며, 투자 유치 전략을 설계하고 실행하는 데 큰 도움이 됩니다. 독자들은 이러한 이론들을 추가로 탐구하고 학습함으로써, 투자 유치의 성공률을 높이는 데 필요한 심리적 기술과 지식을 향상시킬 수 있습니다.

3. 심리적 계약과 투자자 관계

투자자와의 신뢰 구축:
심리적 계약의 역할

"심리적 계약과 투자자 관계" 장에서는 투자자와 기업 간의 심리적 계약이 어떻게 형성되고, 이 계약이 어떻게 투자 관계에 영향을 미치는지를 탐구합니다. 심리적 계약은 명시적인 계약서에 기재된 내용을 넘어서, 양 당사자 간의 묵시적인 기대와 약속을 포함합니다. 이러한 묵시적 계약은 투자자와 기업 간의 신뢰, 충성도 및 상호 작용의 방식에 깊은 영향을 미칩니다.

투자자와 기업 간의 관계에서 발생할 수 있는 여러 상황을 분석하기 위해, 우리는 투자회사 Dela를 예로 들어 설명할 것입니다. 투자회사 Dela는 다수의 스타트업에 투자하며, 각 스타트업과의 관계를 유지하고 성장을 지원하는 역할을 합니다. 그러나 최근 몇몇 스타트업들과의 관계에서 문제가 발생하면서, 이들 간의 심리적 계약의 중요성이 두드러지게 나타났습니다.

투자회사 Dela와 스타트업 간의 주요 문제는 심리적 계약의 불일치에서 비롯됩니다. 예를 들어, 투자회사 Dela는 투자한 스타트업이 특정 성과를 달성할 것으로 기대하지만, 스타트업은 투자 회사가 제공할 지원의 범위와 성격에 대해 다른 기대를 가지고 있었습니다. 이로 인해 양측 간에 의사소통이 원활하지 않고, 각자의 기대가 충족되지 않았을 때 실망감이나 불신이 생겨나기 시작했습니다.

이러한 문제의 원인을 더 깊이 분석하면, 투자자와 기업 간의 묵시적인 기대가 명확하게 소통되지 않았기 때문임을 알 수 있습니다. 투자회사 Dela와 스타트업 간에는 초기 투자 협상 과정에서 각자의 역할과 책임에 대한 명확한 정의가 부족했으며, 이로 인해 후속적인 상호 작용에서 오해와 갈등이 발생했습니다.

이 문제를 해결하기 위해 적용할 수 있는 심리학 이론으로는 크리스 아르게리스의 심리적 계약 이론을 들 수 있습니다. 아르게리스는 조직과 개인 간의 묵시적 계약이 어떻게 직원의 행동과 조직의 성과에 영향을 미치는지 연구했습니다. 심리적 계약 이론은 양 당사자 간의 기대가 충족될 때 강력한 신뢰와 헌신이 형성된다고 설명합니다. 반대로, 이러한 기대가 충족되지 않을 때 불신과 성과 저하가 발생할 수 있습니다.

투자회사 Dela는 이 이론을 바탕으로, 스타트업과의 초기 협상에서 서로의 기대를 명확히 하고, 이러한 기대가 문서화되고 모든 당사자에게 명확히 전달되도록 할 필요가 있습니다. 또한, 정기적인 의사소통과 피드백을 통해 양 당사자의 기대가 지속적으로 관리되고 조정될 수 있도록 해야 합니다.

이와 같은 접근 방법은 투자회사 Dela가 스타트업과의 관계를 개선하고, 장기적으로 더욱 견고한 투자 관계를 유지하는 데 도움이 될 것입니다. 이를 통해 심리적 계약 이론을 실제 투자 관계 관리에 효과적으로 적용함으로써, 투자 회사와 스타트업 간의 상호 신뢰와 성공적인 협력 관계를 구축할 수 있습니다.

투자회사 Dela의 경우, 투자자와 스타트업 간의 심리적 계약 문제를 해결하기 위해 크리스 아르계리스의 심리적 계약 이론을 적용할 수 있습니다. 이 이론은 묵시적인 기대와 약속이 행동에 미치는 영향을 다루며, 이러한 묵시적 계약이 훼손될 때 발생하는 문제를 설명합니다. 투자회사 Dela와 스타트업 간의 갈등은 주로 묵시적 기대의 불일치에서 비롯된 것으로, 양측이 서로 다른 가정하에 투자 관계를 맺고 있었기 때문입니다. 투자자들은 스타트업이 일정 수준 이상의 성과를 달성할 것으로 기대했지만, 스타트업은 투자 회사가 제공할 지원의 범위와 성격에 대해 다른 기대를 가지고 있었습니다. 이로 인해 실제 성과가 기대에 미치지 못할 때 서로간의 실망감이 증가하고, 이는 투자 관계의 악화로 이어졌습니다.

투자회사 Dela는 아르계리스의 이론을 활용하여 투자 초기 단계에서 양 당사자 간의 기대를 명확히 조율하고, 이를 계속해서 갱신하고 확인하는 과정을 설정할 필요가 있습니다. 이는 투자 과정에서 서로의 의도와 기대를 명확하게 소통하는 것이 중요하며, 정기적인 의사소통을 통해 이러한 기대가 변하지 않았는지, 혹은 새로운 상황에 맞게 조정할 필요가 있는지를 확인함으로써 관계를 유지할 수 있음을 의미합니다. 또한, 갈등이 발생했을 때 이를 해결할 수 있는 명확한 메커니즘을 마련함으로써, 심리적 계약 위반으로 인해 발생할 수 있는 문제를 빠르고 효과적으로 해결할 수 있습니다.

이런 접근 방식은 투자 회사와 스타트업이 서로의 역할과 책임을 명확히 이해하고, 투자 과정에서 발생할 수 있는 심리적 불안과 오해를 최소화하는 데 크게 기여할 수 있습니다. 심리적 계약 이론을 기반으로 한 이러한 전략은 투자 관계의 안정성을 높이고, 장기적인 성공을 위한 기반을 마련하는 데 중요한 역할을 할 것입니다. 이를 통해 투자회사 Dela는 더욱 견고한 투자 포트폴리오를 구축하고, 스타트업과의 신뢰 기반의 파트너십을 발전시킬 수 있습니다. 이러한 관계 구축은 양측에게 상호 이익을 가져다주며, 투자의 성공률을 높이는 중요한 요소가 됩니다.

심리적 계약 이론을 활용하여 투자회사 Dela가 스타트업과의 관계 개선을 위해 취할 수 있는 구체적인 조치들을 살펴보겠습니다. 이 조치들은 투자 과정에서 발생할 수 있는 불확실성과 불신을 줄이고, 양 당사자 간의 신뢰와 협력을 강화하는 데 중점을 둡니다.

첫째, 투자회사 Dela는 초기 투자 협상 과정에서 묵시적 기대와 약속을 명확히 하는 것이 중요합니다. 이는 투자 계약서에 명시적인 조건들만 포함하는 것이 아니라, 투자 관계의 성공을 위해 필수적인 양 당사자의 역할과 책임에 대한 이해를 포함해야 합니다. 투자 회사는 스타트업과의 모든 회의에서 이러한 묵시적 기대를 반복적으로 논의하고 확인함으로써, 양측이 동일한 목표와 기대를 공유하고 있는지를 보장해야 합니다.

둘째, 정기적인 의사소통과 피드백 메커니즘을 구축하는 것이 필수적입니다. 투자회사 Dela는 스타트업과의 정기적인 미팅을 설정하여 진행 상황, 문제점, 그리고 성과에 대해 상호 피드백을 제공할 수 있어야 합니다. 이 과정에서 발생할 수 있는 문제나 불일치를 조기에 발견하고 해결할 수 있는 기회를 제공함으로써, 심리적 계약이 지속적으로 유지되고 갱신될 수 있도록 합니다.

셋째, 갈등 해결 메커니즘을 명확히 해야 합니다. 투자회사 Dela는 스타트업과의 관계에서 발생할 수 있는 갈등을 해결하기 위한 명확하고 공정한 절차를 마련해야 합니다. 예를 들어, 중립적인 제3자를 통한 조정 또는 중재를 제공할 수 있으며, 이는 양 당사자 간의 불필요한 오해와 갈등을 최소화하고, 빠른 해결을 도모하는 데 도움을 줄 수 있습니다.

넷째, 심리적 계약과 관련된 교육 및 워크샵을 제공하는 것도 중요합니다. 투자회사 Dela는 스타트업에게 심리적 계약의 중요성, 투자 관계에서의 상호 기대 관리 방법 등에 대해 교육을 실시하여, 양 당사자가 보다 효과적으로 협력할 수 있는 기반을 마련해야 합니다.

이러한 조치들을 통해 투자회사 Dela는 스타트업과의 심리적 계약을 강화하고, 이를 통해 장기적인 성공과 상호 이익을 도모하는 견고한 투자 관계를 구축할 수 있습니다. 이 과정은 투자 성공의 가능성을 높이는 동시에, 투자 과정에서 발생할 수 있는 심리적 불안과 불신을 최소화하는 데 기여할 것입니다.

투자회사 Dela와 스타트업 간의 관계 강화 조치는 투자 과정의 여러 측면에서 긍정적인 변화를 이끌어냈습니다.

첫째, 투자회사 Dela와 스타트업 간의 명확한 기대 설정과 정기적인 의사소통은 양측 간의 신뢰를 크게 향상시켰습니다. 초기 협상 단계에서 명확하게 설정된 기대치와 역할은 투자 기간 동안 상호 작용의 질을 높이고, 각 당사자가 서로에게 더 큰 책임감을 느끼도록 만들었습니다. 이러한 신뢰의 향상은 양측이 더욱 개방적이고 투명한 방식으로 문제를 제기하고 해결하는 데 기여했습니다.

둘째, 정기적인 미팅과 피드백 메커니즘의 구축은 스타트업이 직면한 문제를 신속하게 해결하고, 진행 상황을 지속적으로 평가할 수 있는 기반을 마련했습니다. 이 접근 방식은 투자회사 Dela가 스타트업의 성장 과정에 보다 적극적으로 참여하게 만들었으며, 스타트업은 자원을 보다 효과적으로 활용하여 성장 목표를 달성할 수 있었습니다.

셋째, 갈등 해결 메커니즘의 명확한 정립은 간혹 발생하는 불일치나 오해를 신속하게 해결하는 데 큰 도움이 되었습니다. 중립적인 제3자를 통한 조정 또는 중재 절차는 양 당사자가 감정적으로 과열될 수 있는 상황에서 객관적이고 공정한 해결책을 찾을 수 있게 했습니다.

넷째, 투자 관계와 심리적 계약의 중요성에 대한 교육 및 워크샵은 스타트업의 경영진이 투자 과정의 심리적 측면을 보다 잘 이해하고, 이를 자신들의 비즈니스 전략에 효과적으로 통합할 수 있도록 만들었습니다. 이러한 교육은 스타트업이 장기적인 관점에서 투자 회사와의 관계를 유지하고 강화하는 방법을 배우는 데 중요한 역할을 했습니다.

이러한 변화는 투자회사 Dela와 스타트업 간의 관계를 더욱 견고하게 만들었으며, 투자 성공률을 향상시키는 데 결정적인 역할을 했습니다. 심리적 계약 이론을 기반으로 한 이러한 전략적 접근은 두 당사자 간의 신뢰와 협력을 증진시켰으며, 장기적인 비즈니스 성공을 위한 견고한 기반을 마련했습니다.

이러한 기회들은 투자 회사와 스타트업이 심리적 계약을 효과적으로 관리하고 유지함으로써 얻을 수 있는 잠재적인 이득입니다.

강화된 투자 관계는 투자회사 Dela가 스타트업의 성장에 보다 깊이 관여하게 만들었습니다. 이로 인해 투자 회사는 스타트업의 사업 전략과 운영에 대한 조언을 제공할 수 있는 위치에 있게 되었고, 이는 스타트업의 시장 진입 속도를 가속화하고 경쟁력을 높이는 데 기여할 수 있습니다. 또한, 심리적 계약의 명확성과 신뢰성은 스타트업이 장기적인 관점에서 투자 회사와 협력할 의지를 강화시키며, 이는 지속 가능한 성장과 혁신을 추구하는 기업 문화를 조성하는 데 도움을 줍니다.

더 나아가, 투자회사 Dela와 스타트업 간의 신뢰 기반 관계는 다른 잠재적 투자자들에게 긍정적인 신호를 보내는 효과가 있습니다. 심리적 계약이 잘 관리되고 있는 투자 관계는 시장에서 투자 회사와 스타트업의 명성을 높이고, 추가 자본을 유치하는 데 유리한 조건을 만들어 줍니다. 이러한 환경에서 스타트업은 필요한 자본과 자원을 보다 쉽게 확보할 수 있으며, 이는 기업 성장의 가속화에 직접적으로 기여할 수 있습니다.

투자회사 Dela와 스타트업 간의 심리적 계약을 중심으로 구축된 이러한 관계는 또한 스타트업이 직면할 수 있는 여러 위기 상황에서도 견고한 지원 네트워크를 제공합니다. 위기 상황에서 신뢰할 수 있는 투자자의 지원은 스타트업이 불확실성을 극복하고 시장 변화에 능동적으로 대응할 수 있게 만듭니다. 이는 스타트업의 생존률을 향상시키고, 장기적으로 성공적인 사업 운영을 가능하게 합니다.

이와 같은 심리적 계약 기반의 관계 구축은 투자회사 Dela가 스타트업과의 장기적인 성공을 공유하고, 투자 포트폴리오의 전반적인 성과를 최적화하는 데 중요한 역할을 합니다. 이를 통해 투자 회사는 투자한 스타트업의 성장과 함께 자신의 투자 가치를 극대화할 수 있으며, 투자 시장에서의 경쟁력을 강화할 수 있습니다.

이렇게 투자회사 Dela와 스타트업 간의 심리적 계약에 기반한 관계 강화는 투자의 성공률을 높이고, 양측에 장기적인 이익을 제공합니다. 그러나 이러한 관계를 유지하고 발전시키기 위해서는 지속적인 노력과 관리가 필수적입니다. 이 장에서는 투자회사 Dela와 스타트업 간의 관계 유지 및 강화를 위한 추가적인 전략들을 살펴보겠습니다.

지속적인 교육과 개발:

투자회사 Dela와 스타트업 간의 관계를 강화하는 주요 요소 중 하나는 지속적인 교육과 개발입니다. 투자 회사는 스타트업의 경영진과 직원들에게 정기적인 교육 세션과 워크샵을 제공하여, 심리적 계약의 중요성과 그것이 양측의 투자 관계에 미치는 영향에 대해 깊이 이해하도록 돕습니다. 이러한 교육 프로그램은 스타트업이 투자 과정에서 발생할 수 있는 심리적 요소를 인식하고, 이를 효과적으로 관리하는 방법을 배우는 데 중요합니다.

피드백 메커니즘의 강화:

또한, 투자회사 Dela는 피드백 메커니즘을 강화하여, 스타트업과의 커뮤니케이션을 효과적으로 유지합니다. 정기적인 상호 피드백은 양측이 서로의 기대와 성과를 명확하게 이해하고, 필요한 조정을 신속하게 수행할 수 있게 합니다. 이는 심리적 계약의 일부로서, 양측이 상호 만족할 수 있는 결과를 도출하는 데 기여합니다.

유연한 갈등 해결 전략:

갈등은 어떤 투자 관계에서도 발생할 수 있으므로, 투자회사 Dela는 유연한 갈등 해결 전략을 마련해야 합니다. 중립적인 제3자를 이용한 중재, 정기적인 문제 해결 회의 등은 갈등을 효과적으로 관리하고, 심리적 계약의 훼손을 최소화하는 데 도움을 줍니다.

심리적 계약의 지속적인 갱신:

마지막으로, 투자회사 Dela는 스타트업과의 심리적 계약을 지속적으로 갱신하고 업데이트합니다. 사업 환경과 시장 조건의 변화에 따라, 초기에 설정된 기대와 약속이 시간이 지나면서 더 이상 적절하지 않을 수 있습니다. 정기적인 검토와 조정을 통해 투자 회사와 스타트업은 변화하는 조건에 효과적으로 대응하고, 관계를 지속적으로 발전시킬 수 있습니다.

이러한 전략들은 투자회사 Dela가 스타트업과의 장기적이고 안정적인 관계를 유지하고, 상호 성공을 위한 견고한 기반을 마련하는 데 결정적인 역할을 합니다. 강화된 심리적 계약은 두 당사자 간의 신뢰를 높이고, 장기적인 비즈니스 성공을 위한 중요한 요소로 작용합니다.

4. 투자 제안의 심리학적 설계

마음을 움직이는 제안:
투자 제안서의 심리학적 설계

"투자 제안의 심리학적 설계" 장에서는 투자 제안서가 투자자의 의사 결정 과정에 어떤 심리적 영향을 미치는지, 그리고 효과적인 투자 제안을 설계하기 위한 심리학적 전략을 탐구합니다. 이 장은 투자 제안서가 단순히 금융적 세부 사항을 전달하는 도구를 넘어, 투자자의 심리를 자극하고 설득하는 중요한 수단으로 기능할 수 있음을 보여줍니다.

투자 제안의 설계에 있어서 중요한 요소는 투자자의 주의를 끌고, 신뢰를 구축하며, 결정을 촉진하는 방식으로 정보를 제공하는 것입니다. 이를 위해 제안서는 투자자의 인지적, 감정적 반응을 고려하여 구성되어야 합니다. 이러한 접근은 투자 제안서가 단순히 비즈니스 계획을 소개하는 것을 넘어, 투자자의 심리적 욕구와 기대를 충족시킬 수 있도록 해야 합니다.

투자 제안서를 설계할 때 가장 먼저 고려해야 할 점은 투자자의 심리적 프로필을 이해하는 것입니다. 투자자마다 리스크에 대한 인식, 투자에 대한 기대, 그리고 결정을 내리는 방식이 다릅니다. 예를 들어, 일부 투자자는 높은 리스크와 높은 수익률을 선호할 수 있으며, 다른 투자자는 보다 안정적인 수익률을 선호할 수 있습니다. 투자 제안서는 이러한 심리적 특성을 파악하고 맞춤화된 정보를 제공함으로써 각 투자자의 특정 필요와 욕구를 충족시킬 수 있어야 합니다.

투자 제안서의 내용을 구성할 때는 설득 심리학의 원칙을 활용할 수 있습니다. 예를 들어, 사회적 증거의 원칙을 적용하여 다른 투자자들이 이미 이 기회에 투자했다는 정보를 제공함으로써, 투자자가 제안에 대해 더 긍정적으로 반응하도록 유도할 수 있습니다. 또한, 희소성의 원리를 사용하여 제안된 투자 기회가 독특하고 시간이 제한적이라는 점을 강조함으로써, 투자 결정을 서두르게 만들 수 있습니다.

투자 제안서는 논리적이고 객관적인 데이터를 제공하는 것이 중요하지만, 투자자의 감정을 고려하는 것도 똑같이 중요합니다. 투자 제안이 투자자의 감정적 욕구, 예를 들어 안정성, 성취감, 소속감 등을 어떻게 충족시킬 수 있는지를 보여주는 것이 중요합니다. 이러한 감정적 요소는 투자 제안의 설득력을 높이고, 투자자의 행동을 촉진하는 강력한 동기가 될 수 있습니다.

마지막으로, 투자 제안서의 시각적 요소와 전달의 명확성도 중요합니다. 정보가 명확하고 이해하기 쉽게 표현되어야 하며, 시각적 도표나 그래프를 통해 중요한 데이터를 강조하는 것이 효과적입니다. 명확하고 직관적인 제안서는 투자자가 정보를 빠르게 소화하고, 제안의 가치를 쉽게 이해할 수 있게 해줍니다.

이러한 심리학적 요소들을 효과적으로 통합함으로써, 투자 제안서는 단순한 정보 전달을 넘어, 투자자의 심리를 자극하고 효과적으로 설득하는 도구가 될 수 있습니다. 이는 투자 회사가 투자자를 유치하고, 필요한 자본을 확보하는 데 결정적인 역할을 할 것입니다.

스타트업 SJ는 혁신적인 헬스케어 기술을 개발하는 회사로, 그들의 최신 제품은 환자 모니터링 시스템의 효율성과 정확성을 대폭 향상시킬 수 있는 잠재력을 가지고 있습니다. 그러나 이러한 혁신에도 불구하고, 스타트업 SJ는 충분한 투자를 유치하는 데 어려움을 겪고 있습니다.

스타트업 SJ가 처한 주요 문제는 투자자들이 제품의 기술적 복잡성과 시장에서의 실제 적용 가능성을 이해하는 데 어려움을 겪고 있다는 것입니다. 많은 투자자들이 헬스케어 분야의 특수성과 고도의 기술적 내용을 완전히 이해하지 못해, 제품의 혁신성과 시장 내 잠재적 성공을 정확히 평가하기 어렵다고 느꼈습니다. 또한, 투자자들은 제품 개발에 따른 높은 리스크와 긴 개발 주기에 대해 우려를 표하며 투자 결정을 주저했습니다.

이 문제를 해결하기 위해 스타트업 SJ는 투자 제안서의 심리학적 설계를 개선하여, 투자자들의 심리적 반응을 고려한 접근 방식을 채택했습니다.

첫째, 스타트업 SJ는 제안서에 간결하고 명확한 정보를 제공하여 기술적 복잡성을 최소화했습니다. 간단한 언어와 시각적 도구를 사용하여 제품의 기능과 시장 내 적용 가능성을 설명함으로써, 투자자들이 제안의 가치를 쉽게 이해할 수 있도록 했습니다.

둘째, 스타트업 SJ는 사회적 증거와 희소성의 원칙을 제안서에 통합했습니다. 다른 주요 헬스케어 기업과의 초기 파트너십을 강조하고, 이 제품이 시장에서 차지할 수 있는 독보적인 위치를 부각시키는 방식으로 투자자들에게 긍정적인 사회적 신호를 전달했습니다. 또한, 제한된 시간 동안만 제공되는 투자 기회를 명시하여 투자 결정을 촉진했습니다.

셋째, 스타트업 SJ는 감정적 요소를 효과적으로 통합하여, 투자자들의 심리적 욕구에 호소했습니다. 제품이 환자의 삶에 미칠 긍정적인 영향과 헬스케어 시장에서의 혁신적인 역할을 강조함으로써, 투자자들의 감정적 공감과 동기를 자극했습니다.

이러한 접근을 통해 스타트업 SJ는 투자 제안의 설득력을 대폭 향상시키며, 필요한 자본을 성공적으로 확보할 수 있었습니다.

스타트업 SJ가 심리학적 설계를 적용한 투자 제안서로 성공적인 투자를 유치한 후, 투자 관계에서 나타난 긍정적인 변화를 분석해 보겠습니다. 이러한 변화는 투자자들과의 신뢰 구축, 투자 후 지속적인 관계 유지 및 강화, 그리고 스타트업의 시장 위치 강화 등 다양한 측면에서 나타났습니다.

첫째, 심리학적 설계를 통해 강화된 투자 제안은 투자자들 사이에서 스타트업 SJ에 대한 신뢰를 크게 향상시켰습니다. 명확하고 이해하기 쉬운 제안서는 투자자들이 스타트업의 비전과 전략을 더욱 명확하게 이해하게 만들었고, 이는 투자 결정 과정에서 불확실성을 감소시키는 데 기여했습니다. 투자자들은 스타트업의 제품과 시장 전략이 잘 구성되어 있음을 인식하고, 이에 대한 믿음을 가지게 되었습니다.

둘째, 투자자와의 관계 유지 및 강화 면에서도 긍정적인 결과가 나타났습니다. 스타트업 SJ는 투자 유치 이후에도 정기적인 업데이트와 피드백 세션을 통해 투자자들과의 소통을 지속했습니다. 이는 투자자들이 스타트업의 진행 상황에 대해 잘 알고 있게 만들어, 투자 결정에 대한 만족도를 유지하고 장기적인 관계를 구축하는 데 도움을 주었습니다. 또한, 문제가 발생했을 때 적극적으로 소통하고 해결책을 모색하는 스타트업의 태도는 투자자들의 신뢰를 더욱 공고히 했습니다.

셋째, 스타트업 SJ의 시장에서의 위치는 심리학적 설계가 적용된 투자 제안 덕분에 강화되었습니다. 제안서에서 강조된 제품의 혁신성과 시장 내 독창성은 투자자들에게 큰 호응을 얻었고, 이는 시장에서의 경쟁 우위를 확보하는 데 중요한 역할을 했습니다. 투자자들의 지원으로 스타트업 SJ는 더 많은 자원을 투입하여 제품 개발을 가속화하고, 시장 진출을 위한 전략적인 움직임을 구체화할 수 있었습니다.

이와 같은 긍정적인 변화는 스타트업 SJ가 투자자들의 심리를 고려하여 효과적으로 제안서를 설계하고, 투자 후에도 지속적인 관계 관리를 통해 투자자들과의 신뢰를 유지 및 강화한 결과입니다. 이러한 접근은 투자 성공뿐만 아니라, 투자 후에도 스타트업의 성장과 시장에서의 경쟁력을 지속적으로 지원하는 데 결정적인 요소가 되었습니다.

투자 제안의 심리학적 설계를 통해 스타트업 SJ가 경험한 성공적인 투자 유치와 관계 강화 이후, 이러한 경험은 다른 스타트업들에게도 시사점을 제공합니다. 이를 통해 심리학적 요소를 고려한 투자 제안 설계의 중요성과 그 효과를 더 넓은 범위에서 이해할 수 있게 됩니다.

스타트업 SJ의 사례는 다른 분야의 스타트업들에게도 교훈을 제공합니다. 심리학적 요소를 고려한 투자 제안 설계는 단순히 헬스케어 기술 분야에만 국한되지 않고, 다양한 산업에서도 유용하게 적용될 수 있습니다. 예를 들어, 기술, 교육, 환경과 같은 다양한 분야에서 혁신적인 제품이나 서비스를 개발하는 스타트업들은 이러한 접근 방식을 통해 자신들의 제안서를 더욱 설득력 있게 만들 수 있습니다. 이 과정에서 중요한 것은 투자자의 심리적 프로필을 이해하고, 그에 맞는 설득 전략을 구축하는 것입니다.

스타트업 SJ와 투자자 간의 관계 강화는 투자 성공에 중요한 역할을 했습니다. 이는 장기적인 비즈니스 관계의 중요성을 강조하며, 스타트업들이 투자자와의 관계를 단순한 자금 조달의 수단으로만 보지 않고, 상호 성장을 위한 파트너십으로 발전시키는 데 중점을 둘 필요가 있음을 보여줍니다. 투자자와의 지속적인 소통과 신뢰 구축은 양측에게 가치를 창출하며, 비즈니스 환경의 변화에 효과적으로 대응할 수 있는 기반을 마련합니다.

또한, 스타트업 SJ의 사례는 교육적인 측면에서도 중요한 의미를 가집니다. 창업 교육 프로그램이나 비즈니스 스쿨에서는 이 사례를 통해 심리학적 설계의 원리를 학습하고, 이를 실제 비즈니스 시나리오에 어떻게 적용할 수 있는지를 탐구하는 기회를 제공할 수 있습니다. 학생들과 창업가들은 심리학적 요소가 투자 제안의 설계에 어떤 영향을 미칠 수 있는지를 이해하고, 실제 자신들의 프로젝트에 이를 통합하는 방법을 배울 수 있습니다.

스타트업 SJ의 성공적인 투자 유치 사례를 통해, 심리학적 요소를 고려한 투자 제안의 설계가 비즈니스 성공에 결정적인 역할을 할 수 있음을 확인할 수 있습니다. 이러한 접근은 스타트업이 투자자를 설득하고 장기적인 비즈니스 관계를 구축하는 데 있어 중요한 전략이 될 것입니다.

투자 제안의 심리학적 설계를 통해 스타트업 SJ가 얻은 성공은 투자 유치뿐만 아니라, 투자자와의 지속적인 관계 구축에도 긍정적인 영향을 미쳤습니다. 이러한 접근법의 효과를 극대화하기 위해 추가적으로 고려할 수 있는 몇 가지 전략과 관련 이론들을 살펴보겠습니다.

투자 제안을 설계할 때 인간의 심리적 편향을 이해하고 이를 전략적으로 활용하는 것은 매우 중요합니다. 예를 들어, '확증 편향'은 투자자들이 자신의 믿음을 확증하는 정보에 더 주목하는 경향을 설명합니다. 제안서에서 이러한 편향을 고려하여, 투자자가 이미 가지고 있는 긍정적인 생각을 강화할 수 있는 데이터와 사례를 제공하면 설득력을 높일 수 있습니다.

스토리텔링은 투자 제안서를 더욱 인상적이고 기억에 남게 만드는 강력한 도구입니다. 제안의 기술적이고 복잡한 내용을 스토리로 풀어내어 투자자가 쉽게 이해하고 감정적으로 연결될 수 있도록 돕습니다. 이야기 속에서 제품이나 서비스가 시장에서 어떻게 차별화되고, 어떤 문제를 해결하며, 왜 투자가 필요한지를 명확하게 전달하면 투자자의 관심을 끌고 행동을 유도하는 데 효과적입니다.

투자자의 배경이 다양해지면서 그들의 요구와 기대도 다양해지고 있습니다. 투자 제안서에서 다양성과 포용성을 강조하는 것은 투자자들에게 보다 폭넓은 호소력을 제공할 수 있습니다. 예를 들어, 다양한 문화적 배경을 가진 투자자들이 공감할 수 있는 사례를 제시하거나, 다양한 성별, 연령, 지역의 투자자들이 이해하고 공감할 수 있는 요소를 포함시키는 것이 좋습니다.

시장과 기술의 최신 트렌드를 반영하는 것도 투자 제안서를 설계할 때 중요합니다. 투자자들은 항상 새로운 기술과 시장의 변화를 주시하고 있으며, 현재와 미래의 트렌드를 어떻게 활용할 것인지를 보여주는 제안에 더 관심을 가질 가능성이 높습니다. 따라서 제안서에서는 이러한 최신 트렌드를 어떻게 활용할 계획인지를 명확히 하고, 이를 통해 어떤 경쟁 우위를 가질 수 있는지를 설명해야 합니다.

글로벌 시장에서 효과적인 투자 제안을 설계하기 위해서는 다양한 문화적 배경을 가진 투자자들의 심리적 요구와 예상 반응을 고려하는 것이 중요합니다. 예를 들어, 아시아와 유럽의 투자자들은 위험에 대한 인식과 투자 결정 과정에서 보여주는 심리적 반응이 다를 수 있습니다. 아시아 뭣자들은 종종 가족 구성원이나 사회적 네트워크의 영향을 더 많이 받는 경향이 있으며, 유럽 투자자들은 개인적인 재무 목표와 장기적인 투자 가치에 더 집중할 수 있습니다.
이러한 문화적 차이를 고려하여, 투자 제안서는 해당 지역의 문화적 가치와 기대를 반영하도록 맞춤화되어야 합니다. 예를 들어, 아시아 투자자들을 대상으로 할 때는 제안서에서 가족과 공동체의 가치를 강조하고, 유럽 투자자들을 대상으로 할 때는 지속 가능성과 장기적인 성장 가능성을 강조하는 방식으로 접근할 수 있습니다

이러한 전략과 접근법을 통해 투자 제안의 심리학적 설계를 더욱 효과적으로 활용할 수 있으며, 이는 투자 유치 뿐만 아니라, 장기적인 투자자 관계의 구축과 유지에도 큰 도움이 될 것입니다.

5. 심리학을 이용한 투자 유치 전략

투자자의 마음을 움직이는 심리학:
전략적 마인드 게임

"심리학을 이용한 투자 유치 전략" 장에서는 투자 유치 과정에서 심리학적 원리와 기법을 어떻게 적용하여 투자자의 행동과 결정을 유리하게 이끌 수 있는지에 대해 심도 있게 탐구합니다. 이 장은 투자자들이 단순히 경제적 이득을 추구하는 합리적인 행위자가 아니라, 다양한 심리적 요인들에 의해 영향을 받는 복잡한 개체임을 인정하고 이를 전략적으로 활용하는 방법을 모색합니다. 심리학적 요인을 이해하고 이를 효과적으로 활용하는 것은 자본을 유치하려는 기업에게 꼭 필요한 경쟁력이 될 수 있습니다.

투자 유치 활동은 단순한 숫자의 게임을 넘어서, 투자자의 심리를 파악하고 이를 기반으로 한 맞춤형 접근 방식을 요구합니다. 투자자 각각이 가지는 선호, 두려움, 기대 등의 심리적 상태를 이해하는 것이 중요하며, 이러한 정보를 바탕으로 그들의 심리적 동기를 자극하는 투자 제안을 설계할 수 있습니다. 예를 들어, 투자자들은 종종 잠재적 손실에 대해 과도하게 두려워하는 경향이 있으며, 이를 '손실 회피성'이라고 합니다. 투자 제안서에서 이러한 손실 회피 성향을 고려하여, 리스크를 최소화하고 안정성을 강조하는 방식으로 투자자의 관심을 끌고 신뢰를 구축할 수 있습니다.

또한, 투자 제안 과정에서 '사회적 증거'의 원리를 활용하는 것도 유용합니다. 투자자들은 다른 사람들이 이미 투자하거나 지지하는 제안에 더 긍정적으로 반응하는 경향이 있습니다. 따라서, 성공적인 사례 연구나 업계 리더들의 추천을 제안서에 포함시켜 투자자의 심리적 안정감을 높이고 결정을 촉진할 수 있습니다.

감정의 역할 또한 투자 유치에서 중요합니다. 감정적 연결을 통해 투자자들은 제안에 더 깊이 몰입하고, 장기적인 관계를 유지하고자 하는 동기를 갖게 됩니다. 이를 위해 스토리텔링 기법을 사용하여 제안서에 감동적이고 기억에 남는 이야기를 담을 수 있습니다. 이러한 이야기는 투자자들이 제안과 개인적인 연결고리를 느끼게 하며, 감정적으로 제안에 투자하고 싶은 마음을 갖게 만듭니다.

이 장을 통해 제시된 심리학적 접근 방법은 투자 유치의 성공률을 높이는데 중요한 역할을 할 수 있습니다. 제안하는 기업은 투자자의 심리적 프로필을 정밀하게 분석하고, 이를 기반으로 한 전략적인 투자 제안을 설계함으로써 자본 시장에서 필요한 자금을 보다 효과적으로 확보할 수 있게 됩니다. 이러한 전략적 접근은 단순한 자본의 유치를 넘어, 투자자와의 강력하고 지속적인 관계를 구축하는 데까지 이르는 광범위한 영향력을 발휘할 것입니다.

스타트업 Robotics는 첨단 로봇 기술을 개발하는 회사로, 이들의 혁신적인 기술은 의료 및 산업 자동화 분야에서 획기적인 변화를 가져올 잠재력을 가지고 있습니다. 이 기술은 특히 수술용 로봇과 공장 자동화 시스템에서의 응용을 목표로 하고 있으며, 이를 통해 수술의 정밀도를 높이고 생산 효율성을 극대화할 수 있습니다. 스타트업 Robotics의 기술은 이미 초기 테스트에서 높은 성공률을 보였으며, 해당 분야의 전문가들로부터 상당한 관심을 받고 있습니다.

그러나 스타트업 Robotics는 이러한 기술적 잠재력에도 불구하고 자본 시장에서 필요한 만큼의 자금을 확보하는 데 어려움을 겪고 있습니다. 스타트업의 경영진은 기술의 상업적 가능성을 최대한 활용하기 위해 충분한 투자를 유치해야 하지만, 투자자들을 설득하기까지의 과정이 예상보다 복잡하고 도전적입니다. 이는 주로 투자자들이 스타트업의 기술적 복잡성과 장기적인 시장 적용 가능성을 이해하고 평가하는 데 있어서 불확실성을 느끼기 때문입니다.

스타트업 Robotics의 주요 도전은 투자자들이 기술의 복잡성을 완전히 이해하지 못하고, 결과적으로 기술의 장기적 가치와 시장 내 경쟁력에 대한 확신을 가지지 못하는 것입니다. 이로 인해 많은 투자자들이 높은 리스크를 감수하면서까지 초기 단계의 기술 기업에 투자하기를 주저하고 있습니다. 또한, 스타트업 Robotics는 기술 개발에 필요한 상당한 자금과 시간이 소요되는 반면, 투자 회수까지의 기간이 길고 불확실한 것도 투자 유치를 어렵게 만드는 요인 중 하나입니다.

이러한 상황에서 스타트업 Robotics는 투자자들의 관심을 끌고, 그들의 투자 결정에 긍정적인 영향을 줄 수 있는 방법을 모색하고 있습니다. 이를 위해 스타트업은 심리학적 요소를 활용한 투자 제안 전략을 개발하는 것을 고려 중입니다. 이 전략은 투자자들의 불확실성과 리스크에 대한 인식을 관리하고, 기술의 장점과 시장 내 독창성을 효과적으로 전달함으로써 투자 유치의 성공률을 높일 수 있는 가능성을 탐구하고 있습니다. 이 과정에서 스타트업 Robotics는 투자자들의 심리적 동기와 반응을 세심하게 분석하고, 이를 투자 제안에 적절히 반영하여 투자자의 결정을 긍정적으로 유도할 방안을 모색하고 있습니다.

스타트업 Robotics가 직면한 문제의 원인을 깊이 분석해 보면, 주된 문제는 투자자들이 기술의 복잡성과 시장 적용 가능성을 충분히 이해하지 못하는 데 있습니다. 투자자들이 기술의 복잡성에 대해 막연한 두려움을 느끼고, 스타트업이 제시하는 장기적인 비전을 실현할 수 있을지에 대해 확신을 갖지 못하는 것이 큰 문제로 작용하고 있습니다. 이러한 불확실성은 투자 결정 과정에서 부정적인 영향을 미치며, 투자자들이 높은 리스크를 감수하며 투자를 결정하기를 주저하게 만듭니다.

또한, 스타트업 Robotics의 제안이 기술적인 설명에 치중하면서 투자자가 감정적으로 공감하거나 연결될 수 있는 요소를 놓치고 있다는 점도 문제의 한 부분입니다. 투자자들은 숫자와 데이터도 중요하지만, 그들이 투자하는 기업과 개인적인 연결고리나 감정적인 동기를 느끼기를 원합니다. 투자 제안이 이러한 인간적인 요소를 포함하지 않을 때, 투자자들은 제안에 대해 개인적인 관심이나 열정을 느끼기 어렵습니다.

이와 함께, 스타트업 Robotics가 시장과 투자자에게 제공하려는 가치와 혜택을 충분히 명확하게 전달하지 못하는 것도 투자 유치에 어려움을 주는 요인입니다. 투자자들은 자신들이 투자함으로써 얻을 수 있는 구체적인 이익과 기업의 성장 가능성을 분명히 이해하길 원합니다. 스타트업이 이를 효과적으로 전달하지 못하면, 투자자는 투자의 직접적인 이익을 보지 못하고 결정을 내리기 어려워합니다.

이러한 문제들을 극복하기 위해, 스타트업 Robotics는 투자 제안 과정에서 심리학적 요소를 더 적극적으로 활용하여 투자자의 관심을 끌고, 그들의 불확실성과 두려움을 관리하는 전략을 마련할 필요가 있습니다. 이를 통해 스타트업은 투자자들의 심리적 장벽을 낮추고, 기술의 복잡성을 보다 쉽고 이해하기 쉬운 방식으로 전달하며, 투자자가 기업과의 감정적인 연결을 느낄 수 있도록 해야 합니다.

스타트업 Robotics의 문제를 해결하기 위해 적용할 수 있는 심리학 이론으로는 '인지적 부조화 이론'과 '프레이밍 이론'이 있습니다. 이들 이론은 투자자의 의사 결정 과정에 깊은 통찰을 제공하며, 스타트업이 투자 제안을 최적화하는 데 도움을 줄 수 있습니다.

레온 페스팅거가 개발한 인지적 부조화 이론은 개인이 서로 모순되는 믿음, 정보, 또는 행동 사이에서 불편함을 느낄 때 이를 해소하기 위해 태도나 믿음을 변경하려는 경향을 설명합니다. 스타트업 Robotics는 이 이론을 활용하여 투자자들이 기술의 복잡성으로 인해 느끼는 불안감과 의심을 해소할 수 있는 방법을 찾을 수 있습니다. 예를 들어, 스타트업 Robotics는 기술의 복잡성을 단순화하여 설명하고, 실제 시장에서의 성공 사례나 테스트 결과를 제시함으로써 투자자들의 인지적 부조화를 줄이고 긍정적인 결정을 유도할 수 있습니다.

프레이밍 이론은 정보의 제시 방식이 사람들의 해석과 결정에 영향을 미친다는 개념을 다룹니다. 다니엘 카너먼과 에이모스 트버스키에 의해 발전된 이 이론에 따르면, 같은 정보라도 어떻게 제시하느냐에 따라 사람들의 반응이 달라질 수 있습니다. 스타트업 Robotics는 이 이론을 적용하여 투자 제안의 통신 방식을 조정할 수 있습니다. 예를 들어, 가능한 리스크를 강조하기보다는 동일한 정보를 긍정적인 결과의 관점에서 프레이밍하여, 투자자들이 기회의 가치에 더 집중하도록 할 수 있습니다.

이러한 심리학적 이론들을 효과적으로 적용함으로써, 스타트업 Robotics는 투자자들의 불확실성과 두려움을 관리하고, 그들이 스타트업에 투자하기로 결정하도록 유도하는 강력한 제안을 만들 수 있습니다. 이 과정에서 중요한 것은 투자자의 심리를 정확하게 이해하고, 이를 바탕으로 투자 제안을 최적화하는 것입니다. 이를 통해 스타트업 Robotics는 투자 유치의 성공률을 높일 수 있을 것입니다.

스타트업 Robotics가 인지적 부조화 이론과 프레이밍 이론을 적용하여 투자 제안 과정에서 긍정적인 변화를 경험한 것은 투자 유치의 전략적 접근에서 중요한 발전이었습니다. 이러한 변화는 투자자들의 심리를 고려한 맞춤형 접근 방식을 통해 더욱 구체화되었으며, 이는 투자자들과의 관계 강화 및 자본 확보에 결정적인 영향을 미쳤습니다.

첫째, 스타트업 Robotics는 제안서와 발표 자료에서 기술의 복잡성을 단순화하는 동시에, 투자자들이 기술의 본질적 가치를 명확하게 이해할 수 있도록 정보를 재구성했습니다. 이 과정에서 기술적 용어와 복잡한 설명을 줄이고, 직관적이고 이해하기 쉬운 언어로 전환하여, 투자자들의 인지적 부담을 최소화했습니다. 또한, 스타트업 Robotics는 실제 사용 사례를 제시하여 제품의 실용성과 시장 내 적용 가능성을 강조했습니다. 이러한 실용적 예시는 투자자들이 제품의 잠재력을 직관적으로 파악하고, 기술에 대한 믿음을 형성하는 데 도움을 주었습니다.

둘째, 스타트업 Robotics는 투자 제안의 프레이밍을 긍정적인 측면으로 전환하여 투자자들의 관심을 유도했습니다. 투자 제안에서 리스크 요소를 최소화하고, 대신 투자로 인해 얻을 수 있는 잠재적 이익과 시장에서의 성장 기회를 중심으로 내용을 재구성했습니다. 이런 긍정적 프레이밍은 투자자들이 제안에 대해 낙관적으로 생각하게 만들었고, 투자 결정을 내리는 데 있어 감정적인 동기를 제공했습니다. 투자자들이 기대할 수 있는 성공적인 시나리오를 그림으로써, 투자자들의 마음속에서 긍정적인 이미지를 심어주는 효과를 냈습니다.

셋째, 스타트업 Robotics는 투자자들과의 정기적인 미팅과 업데이트를 통해 투자자와의 지속적인 소통을 강화했습니다. 이는 투자자들이 스타트업의 진행 상황을 실시간으로 파악하고, 투자에 대한 피드백을 제공할 수 있는 기회를 마련했습니다. 스타트업 Robotics는 투자자의 피드백을 적극적으로 수용하고, 발생하는 문제에 대해 신속하게 대응함으로써 투자자와의 신뢰를 강화하고 장기적인 관계를 유지하는 데 중요한 기반을 마련했습니다.

이러한 전략적 접근은 스타트업 Robotics에게 투자자들과의 관계를 강화하고, 필요한 자본을 확보하는 데 결정적인 역할을 했습니다. 결과적으로, 스타트업 Robotics는 투자 유치의 성공률을 높이는 동시에, 투자자들과 장기적인 파트너십을 구축하는 데 성공했습니다. 이 경험은 심리학적 요소를 고려한 투자 제안 전략이 단순히 자본의 유치를 넘어, 투자자와의 강력하고 지속적인 관계를 구축하는 데까지 이르는 광범위한 영향력을 발휘할 수 있음을 보여줍니다.

이제 스타트업 Robotics가 적용한 심리학 이론을 기반으로 한 전략이 실제로 어떻게 문제를 해결하고 투자 유치에 성공적으로 기여했는지 살펴보겠습니다. 스타트업 Robotics의 접근 방식은 투자자들의 불안과 의구심을 줄이고, 그들의 심리적 욕구와 기대에 부합하는 투자 제안을 통해 신뢰를 구축하는 데 중점을 두었습니다.

스타트업 Robotics는 인지적 부조화 이론과 프레이밍 이론을 활용하여 투자 제안의 내용과 방식을 조정했습니다. 이들은 투자자들이 기술의 복잡성에 대한 두려움을 느끼지 않도록 정보를 간단하고 명료하게 전달하는 방식을 선택했습니다. 특히, 투자자들이 쉽게 이해할 수 있도록 시각적 자료와 다이어그램을 활용하여 기술의 작동 원리와 시장 내 적용 사례를 설명했습니다. 이는 투자자들이 제안의 내용을 더 쉽게 소화하고, 스타트업의 기술에 대한 확신을 갖도록 만드는 데 효과적이었습니다.

또한, 스타트업 Robotics는 제안서의 프레이밍을 조정하여, 투자의 잠재적 리스크보다는 기술의 잠재적 이익과 시장에서의 성공 가능성을 강조했습니다. 이런 긍정적 프레이밍은 투자자들이 투자 결정을 내릴 때 느끼는 불안감을 줄이고, 기술에 대한 긍정적인 기대감을 형성하는 데 도움을 주었습니다.

스타트업 Robotics의 이러한 접근 방식은 투자자들과의 신뢰를 깊게 하고, 투자 유치 과정에서 발생할 수 있는 인지적 부조화를 최소화하는 데 중요한 역할을 했습니다. 투자자들은 제안된 정보가 자신들의 기대와 일치하고, 리스크가 잘 관리되고 있다고 느꼈기 때문에, 투자에 대해 더욱 긍정적으로 반응할 수 있었습니다.

이러한 전략적 접근은 최종적으로 스타트업 Robotics가 필요한 자본을 확보하고, 투자자들과의 장기적인 관계를 구축하는 데 성공적으로 기여했습니다. 스타트업 Robotics의 사례는 심리학적 원리와 이론을 투자 제안에 효과적으로 적용하여, 투자자의 심리를 이해하고 이에 호응하는 맞춤형 전략을 개발하는 것이 얼마나 중요한지를 보여줍니다. 이 접근은 투자 유치의 성공률을 높이는 동시에, 투자자와의 신뢰와 협력 관계를 강화하는 효과적인 방법으로 활용될 수 있습니다.

투자 제안의 성공적인 개선과 투자 유치 이후, 스타트업 Robotics가 경험한 변화들은 다른 기업들에게도 중요한 학습 기회를 제공합니다. 이러한 변화는 단순히 투자 유치의 증가뿐만 아니라, 기업 운영과 투자자 관계 관리 전반에 걸쳐 긍정적인 영향을 미쳤습니다.

스타트업 Robotics는 심리학적 접근을 통해 투자 제안을 개선한 결과, 투자자들과의 관계에서 더 깊은 신뢰와 투명성을 구축할 수 있었습니다. 투자 제안 과정에서 투자자의 기대와 불안을 관리하고 긍정적인 관점을 강조함으로써, 투자자들은 스타트업 Robotics와의 장기적인 파트너십에 더 큰 가치를 느끼게 되었습니다. 이는 투자자들이 단순히 자본 제공자를 넘어, 회사 성장의 동반자로서의 역할을 활발히 수행하게 만드는 동기를 제공했습니다.

성공적인 투자 유치는 스타트업 Robotics에게 추가 자원을 제공했고, 이를 통해 내부 운영의 효율성을 크게 개선할 수 있었습니다. 추가 자금은 연구개발, 마케팅, 그리고 인력 확충 등 다양한 분야에 투입되었으며, 이는 제품 개발을 가속화하고 시장 진입을 앞당기는 결과를 가져왔습니다. 또한, 투자자로부터의 인사이트와 네트워크 제공은 스타트업 Robotics가 시장 동향을 더 잘 파악하고 전략적 결정을 내리는 데 도움을 줬습니다.

투자자와의 긴밀한 관계 및 지속적인 자금 조달 능력 향상은 스타트업 Robotics가 경쟁이 치열한 시장 내에서 유리한 위치를 점할 수 있도록 했습니다. 심리학적 요소를 활용한 투자 제안 방식은 투자자들에게 스타트업 Robotics가 시장 내에서 독특하고 혁신적인 위치를 차지하고 있음을 강조했으며, 이는 기업의 브랜드 가치와 시장 인지도를 높이는 데 기여했습니다.

스타트업 Robotics의 이러한 경험은 투자 유치 전략의 지속적인 개선을 위한 중요한 교훈을 제공합니다. 심리학적 이론을 활용하여 투자자의 심리를 이해하고 이에 맞춘 제안을 개발하는 것은 투자 유치의 성공뿐 아니라, 투자 후 관계 관리에서도 중요한 역할을 합니다. 이는 스타트업 Robotics가 투자자와의 관계를 단기적인 자본의 유치를 넘어, 장기적인 성장과 성공을 위한 전략적 파트너십으로 발전시키는 데 큰 도움이 되었습니다.

이 사례는 다른 스타트업과 기업에게도 심리학적 접근이 투자 유치와 관계 관리에서 얼마나 중요할 수 있는지를 보여주는 중요한 사례로 자리잡았습니다. 심리학적 요소를 전략적으로 활용하는 것은 투자 유치의 성공률을 높이는데 필수적인 요소이며, 이를 통해 기업은 자본 시장에서의 경쟁력을 강화할 수 있습니다.

투자 제안의 성공적인 개선과 투자 유치 이후에 스타트업 Robotics가 더욱 탐구해볼 수 있는 심리학적 전략과 이론에 대해 알아보겠습니다. 이 추가적인 접근 방법은 스타트업 Robotics가 투자자와의 관계를 더욱 발전시키고, 향후 자금 조달 라운드에서도 성공을 이어갈 수 있는 기반을 마련하는 데 도움이 될 것입니다.

감정적 호소를 넘어서는 심리학적 전략

스타트업 Robotics는 투자 제안서에 감정적 요소를 효과적으로 활용했지만, 추가적으로 '감정적 연결'을 넘어서는 전략을 고려할 수 있습니다. 예를 들어, '감정적 적응' 이론을 적용하여 투자자들이 스타트업과의 관계에서 느끼는 긍정적 감정을 지속적으로 유지하고 강화하는 전략을 개발할 수 있습니다. 이는 투자자들이 스타트업과의 관계를 더 가치 있고 만족스러운 것으로 인식하게 만들어, 장기적인 투자와 지원을 유도하는 데 유리합니다.

행동 경제학의 적용

투자자들의 의사 결정 과정에 더 깊은 통찰을 제공하기 위해 행동 경제학의 원리를 적용할 수도 있습니다. 예를 들어, '고정 효과' 이론을 활용하여 투자자들이 스타트업에 대한 첫 인상이나 초기 정보를 기반으로 의사 결정을 하는 경향을 이해하고, 이를 투자 제안 과정에 적극적으로 활용하는 것입니다. 초기 제안에서 긍정적인 인상을 강하게 심어줌으로써 투자자들의 지속적인 관심과 긍정적인 평가를 이끌어낼 수 있습니다.

소셜 프루프의 확장

투자 제안에서 이미 활용되고 있는 '사회적 증거' 원칙을 더 확장하여, 투자자들 사이에서의 네트워크 효과를 강화할 수 있습니다. 스타트업 Robotics는 기존 투자자들의 긍정적인 경험과 평가를 적극적으로 활용하여 신규 투자자를 유치하는 전략을 개발할 수 있습니다. 이는 투자자들이 서로의 투자 결정을 참조하고, 긍정적인 피드백 루프를 생성하는데 기여할 것입니다.

신뢰 구축을 위한 지속적인 커뮤니케이션

투자자와의 신뢰를 깊게 하고 유지하기 위해 지속적이고 투명한 커뮤니케이션 전략이 필수적입니다. 스타트업 Robotics는 정기적인 업데이트, 개방적인 피드백 세션, 그리고 투자자 행사를 통해 투자자들과의 관계를 강화할 수 있습니다. 이러한 노력은 투자자들이 스타트업의 발전과 성과에 대해 지속적으로 잘 알고 있도록 하며, 어떤 문제가 발생했을 때 신속하고 효과적으로 대응할 수 있는 기반을 마련합니다.

이러한 전략들은 스타트업 Robotics가 향후 투자 유치 활동에서 경쟁력을 강화하고, 투자자들과의 관계를 더욱 발전시키는 데 중요한 역할을 할 것입니다. 이를 통해 스타트업 Robotics는 지속적으로 성장하고 성공하는 기업으로 자리매김할 수 있을 것입니다.

6. 투자자의 신뢰 구축

투자자와의 믿음을 형성하는 법:
신뢰의 심리학

투자자의 신뢰를 구축하는 것은 스타트업이나 성장 중인 기업에게 있어 필수적인 과정입니다. 신뢰는 투자자와 기업 간의 강력한 관계를 형성하는 기반으로서, 장기적인 자본 조달과 사업 확장의 가능성을 높입니다. 신뢰를 성공적으로 구축하고 유지하기 위해서는 투자자들의 기대와 우려를 정확히 이해하고, 그들의 심리적 요구에 응답하는 것이 중요합니다. 이 과정에서 투자자들은 자신의 투자가 안정적으로 관리되고 있으며, 기업이 장기적인 비전을 실현할 능력을 갖추고 있음을 확신할 필요가 있습니다.

투자자의 신뢰를 구축하는 과정은 다양한 방법으로 접근할 수 있습니다. 우선, 투명한 커뮤니케이션은 신뢰 구축의 핵심 요소입니다. 기업은 정기적으로 사업 진행 상황, 재무 상태, 주요 이슈 및 기회에 대한 정보를 투자자에게 제공해야 합니다. 이 정보는 투자자가 기업의 현재 상태와 미래 전망을 명확히 이해하는 데 도움을 주며, 투자 결정의 투명성을 보장합니다.

또한, 기업은 투자자들과의 관계에서 발생할 수 있는 위기를 효과적으로 관리할 수 있는 능력을 갖추어야 합니다. 시장 변동성, 경쟁 압력, 내부 문제 등 다양한 위기 상황이 발생할 때 기업이 신속하고 효과적으로 대응하는 모습은 투자자들에게 큰 안정감을 제공합니다. 위기 관리 계획을 미리 준비하고, 이를 투자자들과 공유하는 것은 신뢰의 중요한 증진 요소입니다.

이러한 노력을 통해 구축된 신뢰는 기업이 투자자들로부터 추가 자본을 유치하고, 시장에서의 경쟁력을 강화하는 데 결정적인 역할을 합니다. 신뢰는 단순히 금융적 자원을 넘어서, 전략적 조언, 네트워크 접근, 기타 리소스를 포함하는 광범위한 지원을 이끌어내는 기반이 됩니다. 이 장을 통해, 기업이 투자자와의 관계를 어떻게 효과적으로 관리하고, 투자자의 지속적인 지지를 확보하는 방법에 대해 심층적으로 탐구하며, 장기적인 성공을 위한 전략을 모색할 것입니다.

이제 구체적인 기업이 직면한 상황을 살펴보겠습니다. 테크 스타트업 GYS는 혁신적인 인공지능 솔루션을 개발하여 다양한 산업에 적용하고자 하는 비전을 가진 기업입니다. 이 스타트업은 특히 금융과 헬스케어 분야에서 큰 잠재력을 지닌 기술을 보유하고 있습니다. 그러나 스타트업 GYS는 투자자들과의 관계에서 일련의 도전에 직면해 있습니다. 초기 투자 유치 단계에서 보여준 높은 기술적 가능성에도 불구하고, 시장에서의 실질적인 성과를 아직 입증하지 못한 채 장기적인 자본 확보에 어려움을 겪고 있습니다.

투자자들은 스타트업 GYS의 기술이 가진 잠재적 가치는 인정하지만, 실제 시장에서의 성공 가능성에 대해서는 회의적인 시각을 가지고 있습니다. 이는 스타트업 GYS가 초기에 제시했던 성장 전망과 현재의 성과 간에 괴리가 있기 때문입니다. 또한, 스타트업 GYS의 경영진은 투자자들과의 소통에서 투명성과 일관성이 부족했던 점을 자체 평가에서 지적받았습니다.

이로 인해 투자자들 사이에서 신뢰의 결여가 발생하고, 추가 자금 조달이 더욱 어렵게 되었습니다.

스타트업 GYS의 경우, 투자자들과의 관계 관리에 실패함으로써 생긴 문제들은 회사의 장기적인 성장 전략에도 부정적인 영향을 미치고 있습니다. 투자자들이 경영진의 비전과 시장 전략에 대한 확신을 잃게 되면서, 필요한 자본과 지원을 확보하는 데 중요한 장애물로 작용하고 있습니다. 이런 상황은 스타트업 GYS가 시장에서 요구하는 신속한 혁신과 성장을 달성하기 위해 필수적인 자원을 확보하는 데 큰 도전을 안겨주고 있습니다.

스타트업 GYS가 투자자와의 신뢰 문제를 겪고 있는 원인을 분석하면, 몇 가지 핵심 요인이 드러납니다.

첫 번째로, 경영진의 과도한 낙관적 전망과 시장 가능성에 대한 과장된 보고가 투자자들의 기대를 부풀렸고, 이후 시장에서의 실제 성과가 기대에 미치지 못하면서 신뢰가 손상되었습니다.
둘째, 스타트업 GYS의 투자자 커뮤니케이션은 일관성과 투명성이 결여되었던 것으로 나타났습니다. 투자자들에게 주기적이고 정확한 정보를 제공하는 것이 미흡했으며, 이는 투자자들로 하여금 경영진에 대한 의구심을 갖게 만들었습니다.

이러한 문제들은 투자자들이 스타트업 GYS에 대한 장기적인 투자를 재고하게 만드는 요인으로 작용했습니다. 투자자들은 경영진이 제시한 정보의 정확성을 의심하기 시작했고, 이는 추가 자본 조달을 위한 논의에서도 부정적인 영향을 미쳤습니다. 또한, 투자자들 사이의 의사소통 부족은 스타트업 GYS가 위기 상황에서 적절히 대응하는 데 필요한 지원을 받지 못하게 만드는 결과를 초래했습니다.

이런 배경 속에서 스타트업 GYS가 취할 수 있는 심리학적 접근 방법으로는 다양한 이론들이 적용될 수 있습니다. 특히, 심리학에서 다루는 '신뢰 복원 이론'과 '위기 커뮤니케이션 이론'이 스타트업 GYS의 상황에 적합한 해결책을 제공할 수 있습니다. 신뢰 복원 이론은 조직이 신뢰를 잃었을 때, 이를 어떻게 회복할 수 있는지에 대한 전략을 제공하며, 위기 커뮤니케이션 이론은 위기 상황에서 효과적인 의사소통 방법을 모색하는 데 초점을 맞춥니다. 이러한 이론들을 통해 스타트업 GYS는 투자자와의 신뢰를 회복하고, 장기적인 관계를 재구축하는 전략을 개발할 수 있습니다.

위기 커뮤니케이션 이론과 신뢰 복원 이론은 조직의 위기 관리와 신뢰 구축에 중점을 두는 중요한 심리학적 접근법입니다. 이들 이론은 투자자와의 신뢰를 회복하고 유지하는 데 필수적인 전략을 제공합니다.

위기 커뮤니케이션 이론은 팀 쿠우크의 연구를 통해 발전되었습니다. 이 이론은 조직이 위기 상황에서 공중과의 커뮤니케이션을 효과적으로 수행할 수 있는 방법을 제시합니다. 핵심 원칙은 조직이 위기 상황을 정직하고 투명하게 공개하며, 적극적으로 문제 해결에 나서는 것입니다. 이를 통해 조직은 위기 상황에서 신뢰를 유지하거나 신속하게 회복할 수 있습니다. 쿠우크는 위기 커뮤니케이션 과정에서 신속성, 정확성, 일관성이 중요하다고 강조합니다. 이는 투자자들이 조직의 대응을 긍정적으로 평가하고, 위기 상황에서의 불확실성과 불안을 최소화하는 데 기여합니다.

신뢰 복원 이론은 심리학자 윌리엄 베니스의 연구에서 유래했습니다. 이 이론은 조직이 공중의 신뢰를 손상시키는 사건 후 어떻게 효과적으로 그 신뢰를 회복할 수 있는지를 탐구합니다. 베니스는 신뢰 복원을 위해서는 조직이 책임을 인정하고, 피해를 최소화하기 위한 구체적인 조치를 취하는 것이 중요하다고 주장합니다. 이 이론에 따르면, 신뢰 복원 과정은 명확한 커뮤니케이션, 진정성 있는 사과, 그리고 적극적인 개선 노력을 포함해야 합니다. 이 과정에서 조직은 투자자들과의 관계에서 진정성을 보여주어야 하며, 장기적인 관점에서 신뢰를 재건할 수 있는 방안을 제시해야 합니다.

이 두 이론은 조직이 위기 상황에서 신속하고 효과적으로 대응하며, 장기적인 투자자 관계를 유지하고 강화하는 데 귀중한 통찰력을 제공합니다. 스타트업이나 기업이 투자자와의 신뢰를 구축하고 유지하는 과정에서 이러한 이론적 접근을 적용함으로써, 위기를 기회로 전환하고 투자자들과의 긴밀한 파트너십을 재확립할 수 있습니다.

스타트업 GYS는 위기 커뮤니케이션 이론과 신뢰 복원 이론을 적극적으로 활용하여 투자자들과의 신뢰 문제를 해결하고 관계를 재구축하는 전략을 수립했습니다. 이 전략의 핵심은 위기 상황에서 투자자들에게 신속하고 투명하게 의사소통을 진행하고, 책임을 인정하며 구체적인 해결책을 제시하는 것입니다.

스타트업 GYS는 먼저 투자자들과의 정기적인 소통 채널을 강화하였습니다. 이를 통해 모든 중요한 업데이트와 회사의 진행 상황을 투자자들에게 실시간으로 전달하며, 어떤 문제가 발생하더라도 그에 대한 정보를 즉각적으로 공유할 수 있도록 했습니다. 이러한 접근은 투자자들이 스타트업 GYS의 상황에 대해 더 잘 이해하고, 발생할 수 있는 문제에 대해 미리 알림으로써 불안을 줄이는 데 기여했습니다.

또한, 스타트업 GYS는 과거의 과장된 성장 전망에 대한 책임을 인정하고, 이로 인해 투자자들이 겪은 불편함과 불안에 대해 공식적으로 사과했습니다. 이러한 행동은 신뢰 복원 이론에서 강조하는 책임 인정의 중요성을 반영하며, 투자자들에게 진정성을 보여주는 중요한 단계였습니다. 스타트업 GYS는 추가적으로, 동일한 실수를 방지하기 위한 구체적인 조치들을 도입하고, 이러한 조치들을 투자자들과 공유하여 향후 비즈니스 운영의 투명성을 강화할 것임을 약속했습니다.

위기 상황에서의 커뮤니케이션 전략도 개선했습니다. 스타트업 GYS는 위기 발생 시 투자자들에게 즉각적으로 정보를 제공하고, 상황에 대한 정확한 분석과 예상되는 결과, 그리고 해결을 위한 계획을 명확하게 전달했습니다. 이 과정에서 팀 코우크의 위기 커뮤니케이션 이론이 제시하는 신속성, 정확성, 일관성의 원칙을 철저히 준수했습니다. 이는 투자자들이 위기 상황을 더욱 잘 이해하고, 스타트업 GYS의 대응 방식에 대한 신뢰를 갖게 함으로써, 불확실성과 불안을 관리하는 데 도움을 주었습니다.

이러한 전략적 접근을 통해 스타트업 GYS는 투자자들과의 신뢰를 점차 회복하고 있으며, 장기적인 관계를 유지하고 강화하는 기반을 마련하고 있습니다. 심리학적 이론을 기반으로 한 이러한 전략은 투자자 관계 관리뿐만 아니라 조직의 전반적인 위기 관리 능력을 향상시키는 데 기여하고 있습니다. 이는 스타트업 GYS가 미래에 발생할 수 있는 다양한 도전을 효과적으로 대처하고, 지속 가능한 성장을 도모하는 데 중요한 역할을 할 것입니다.

스타트업 GYS의 위기 커뮤니케이션과 신뢰 복원 전략이 효과적으로 실행된 후, 이 접근법은 투자자들과의 관계에서 중요한 변화를 가져왔습니다. 실제로 투자자들은 스타트업 GYS의 향상된 투명성과 커뮤니케이션 노력을 높이 평가하게 되었고, 이는 기업과 투자자 간의 신뢰를 복원하고 강화하는 데 기여했습니다.

이 과정에서 스타트업 GYS는 투자자들과의 정기적인 미팅을 통해 사업의 진행 상황과 주요 성과를 공유하고, 동시에 잠재적 위험과 그에 대한 대응 전략에 대해 논의했습니다. 이러한 개방적인 대화는 투자자들이 스타트업 GYS의 장기적인 성공 가능성을 더욱 믿고, 추가적인 자금 지원을 결정하는 데 긍정적인 영향을 미쳤습니다.

또한, 스타트업 GYS는 투자자들에게 정기적으로 보내는 뉴스레터를 통해 업계 동향, 기술 개발 업데이트, 그리고 경쟁사 비교 분석 등을 제공함으로써, 투자자들이 시장 환경에 대한 깊은 이해를 갖고 스타트업 GYS의 비즈니스 모델에 대한 확신을 갖게 했습니다. 이 정보는 투자자들이 스타트업 GYS의 전략과 성과를 적절히 평가하고, 필요한 지원을 계속해서 제공하는 데 중요한 요소로 작용했습니다.

이러한 투자자 관계 강화 노력의 결과로, 스타트업 GYS는 자금 조달 라운드에서 더욱 성공적인 결과를 얻을 수 있었고, 기업 가치의 지속적인 증가를 경험했습니다. 더 나아가, 이러한 신뢰 관계는 스타트업 GYS가 위기 상황을 효과적으로 관리하고, 불확실한 시장 환경에서도 안정적인 성장을 지속할 수 있는 기반을 마련해 주었습니다.

이 사례는 다른 기업들에게도 중요한 교훈을 제공합니다. 투자자와의 신뢰를 구축하고 유지하는 것은 단순한 자본 조달을 넘어서, 기업의 장기적 성공과 시장 내 경쟁력을 확보하는 데 결정적인 요소임을 보여줍니다. 투명하고 일관된 커뮤니케이션을 통해 투자자들의 기대를 관리하고, 그들과의 신뢰를 지속적으로 강화하는 것은 모든 성장 단계에서 기업에게 중요한 전략적 우선사항입니다.

스타트업 GYS의 투자자 신뢰 구축 및 위기 관리 전략이 성공적으로 이행된 후, 이 접근법은 비즈니스 운영의 모든 측면에서 긍정적인 결과를 가져왔습니다. 이제 이 사례를 통해 더욱 깊이 탐구할 수 있는 심리학적 이론과 전략이 무엇인지 살펴보겠습니다. 이는 다른 기업들이 유사한 상황에서 어떻게 투자자의 신뢰를 구축하고 유지할 수 있는지에 대한 추가적인 통찰을 제공할 것입니다.

심리학적 접근의 확장

1. 정서적 지능 이론: 다니엘 골먼에 의해 개발된 정서적 지능 이론은 개인의 감정을 인식하고 관리하는 능력이 성공적인 관계를 구축하는 데 얼마나 중요한지 강조합니다. 스타트업 GYS는 이 이론을 활용하여 경영진과 팀원들이 투자자와의 소통에서 보다 감정적으로 민감하고 응답적일 수 있도록 훈련할 수 있습니다. 이는 투자자들과의 갈등을 최소화하고, 신뢰를 깊게 하는 데 도움을 줄 수 있습니다.

2. 관계 프레이밍 이론: 관계 프레이밍 이론은 관계의 맥락에서 정보를 어떻게 제시하고 해석하는지에 초점을 맞춥니다. 스타트업 GYS는 이 이론을 적용하여 투자자에게 정보를 제공할 때, 그들이 정보를 긍정적으로 해석하도록 프레이밍할 수 있습니다. 이는 투자자가 기업의 정보를 받아들이는 방식을 긍정적으로 유도하고, 장기적인 관계를 강화하는 데 유리합니다.

3. 사회적 증거 이론: 로버트 치알디니의 사회적 증거 이론은 사람들이 다른 사람들의 행동을 보고 자신의 행동을 결정하는 경향이 있다고 설명합니다. 스타트업 GYS는 이 이론을 활용하여 투자자들 사이에서 긍정적인 사회적 증거를 창출할 수 있습니다. 예를 들어, 성공적인 투자 사례나 기존 투자자들의 긍정적인 피드백을 강조함으로써, 신규 투자자들이 투자를 결정하는 데 영향을 줄 수 있습니다.

이러한 심리학적 접근은 스타트업 GYS가 투자자 관계를 더욱 발전시키고, 위기 상황에서도 효과적으로 대응할 수 있는 전략을 마련하는 데 중요한 역할을 할 것입니다. 또한, 이 접근법은 다른 기업들에게도 투자자와의 신뢰를 구축하고 유지하는 방법에 대한 귀중한 인사이트를 제공할 수 있습니다. 이를 통해 기업들은 자신들의 비즈니스 환경에서 발생할 수 있는 도전을 성공적으로 극복하고, 지속 가능한 성장을 도모할 수 있습니다.

7. 감정적 투자와 행동재무학

감정의 파도를 타는 투자:
행동 재무학의 심리적 인사이트

이 장에서는 투자자들의 결정 과정에 영향을 미치는 감정적 요소와 행동 재무학의 기본 원칙을 중심으로 내용을 전개합니다. 행동재무학은 전통적인 재무 이론이 가정하는 완전한 합리성에서 벗어나, 실제 투자자들의 비합리적인 행동 패턴을 설명하려는 학문 분야입니다. 이 분야는 투자자들이 때로는 감정에 크게 좌우되어 비합리적인 투자 결정을 내리는 현상을 연구하며, 이러한 인사이트는 기업과 투자자가 효과적인 투자 전략을 수립하는 데 도움을 줄 수 있습니다.

감정적 투자는 투자자들이 시장의 변동성에 대응하면서 경험하는 두려움, 탐욕, 희망과 같은 감정이 투자 결정에 미치는 영향을 설명합니다. 이러한 감정은 투자자가 정보를 처리하고 위험을 평가하는 방식에 큰 영향을 미치며, 종종 손실을 감수하더라도 불안정한 투자에서 철수하지 않게 만들거나, 지나치게 낙관적인 예측에 기반한 과도한 투자로 이어질 수 있습니다. 이와 관련된 행동은 투자자들이 자신의 투자 포트폴리오를 관리하는 방식에 중대한 영향을 끼칩니다.

행동재무학은 다양한 이론과 모델을 제공하여 이러한 비합리적인 행동을 이해하고 예측하는 데 중점을 둡니다. 예를 들어, '손실 회피(loss aversion)' 원칙은 투자자들이 손실을 겪는 것에 대해 얻는 이익과 동일한 수준으로 행복을 느끼는 것보다 훨씬 큰 고통을 느낀다는 것을 설명합니다. 이러한 원칙은 투자자들이 손실을 최소화하기 위해 보수적인 투자 선택을 하거나, 손실을 인정하지 못하고 장기간 손실을 보는 투자를 유지하게 만드는 현상을 이해하는 데 도움을 줍니다.

이 장에서는 감정적 투자와 행동재무학 이론을 실제 투자 상황에 어떻게 적용할 수 있는지를 다룰 예정입니다. 이를 통해 기업과 투자자는 투자 전략을 보다 효과적으로 조정하고, 투자자의 행동을 이해하며, 투자 결정 과정에서 발생할 수 있는 잠재적인 오류를 최소화할 수 있습니다. 또한, 이러한 이론을 통해 투자자들이 감정에 기반한 결정을 하는 경향을 줄이고, 보다 합리적이고 과학적인 접근을 통해 투자의 성공률을 높일 수 있는 전략을 개발하는 데 중점을 둘 것입니다.

스타트업 ABSNA는 첨단 기술을 기반으로 하는 헬스케어 솔루션을 개발하는 기업으로, 초기에 투자자들로부터 상당한 자금을 유치하는 데 성공했습니다. 이 회사의 제품은 혁신적인 의료 기기와 소프트웨어를 결합하여 환자의 건강 관리를 혁신적으로 개선하겠다는 비전을 가지고 있습니다. 그러나 스타트업 ABSNA는 시장에서의 빠른 변화와 경쟁이 치열해짐에 따라, 투자자들의 기대에 부응하는 실질적인 성과를 내기 어려운 상황에 처하게 되었습니다.

스타트업 ABSNA는 특히 제품 출시 지연과 예상보다 낮은 시장 수용률로 인해 어려움을 겪고 있습니다. 이로 인해 투자자들은 불안감을 느끼기 시작했으며, 이는 추가 자금 조달 라운드에서 불리하게 작용했습니다. 투자자들은 초기에는 스타트업 ABSNA의 기술과 비전에 큰 기대를 가졌지만, 점차 회의적인 태도를 보이며 더 이상의 자금 지원을 꺼리게 되었습니다.

이 상황에서 스타트업 ABSNA의 경영진은 투자자들의 감정적 반응을 관리하고, 신뢰를 회복하기 위한 전략이 필요하게 되었습니다. 감정적 투자의 영향을 받는 투자자들의 행동은 회사의 재정적 안정성과 장기 성장 가능성에 중대한 영향을 미칠 수 있으므로, 이를 적절히 관리하는 것이 회사의 성공에 결정적인 요소가 되었습니다. 이러한 상황은 스타트업 ABSNA가 감정적 투자와 행동재무학 이론을 적용하여 투자자들의 불안을 해소하고, 더 합리적인 투자 결정을 유도하는 방법을 모색하는 데 매우 적합합니다.

스타트업 ABSNA가 직면한 문제의 근본 원인을 분석할 때, 시장 수용 속도의 잘못된 예측과 제품 개발 과정에서의 예상치 못한 지연이 주요 요인으로 드러납니다. 이 회사는 자신들의 혁신적인 의료 기기가 빠르게 시장에 수용될 것이라고 예상했으나, 실제로는 경쟁 제품의 존재, 시장의 준비 상태 부족, 그리고 타겟 고객의 보수적인 태도 등 다양한 외부 요인으로 인해 수용 속도가 늦어졌습니다. 이로 인해 초기 투자자들의 기대와 실제 시장 반응 사이에 큰 차이가 발생했고, 이는 투자자들의 불안과 실망으로 이어졌습니다.

더욱이, 제품 개발 과정에서의 기술적 어려움과 규제 승인의 지연은 출시 시기를 계획보다 늦추게 만들었습니다. 이러한 지연은 투자자들에게 스타트업 ABSNA의 실행 능력에 대해 의심을 품게 했고, 회사에 대한 신뢰를 저하시켰습니다. 이런 상황은 투자자들의 감정적 반응을 촉발시켰고, 감정적 투자와 행동재무학적 요인이 작용하여, 투자자들은 불확실성을 싫어하고 가능한 리스크를 회피하려는 경향을 더욱 강하게 나타냈습니다.

이러한 문제들을 해결하기 위해 스타트업 ABSNA는 행동재무학 이론을 적용하여 투자자들의 감정적 결정 메커니즘을 이해하고 이를 관리하는 전략을 개발할 필요가 있습니다. 특히, 손실 회피와 같은 행동재무학의 개념을 활용하여, 투자자들이 손실에 대한 공포로 인해 조급하게 행동하는 것을 완화하고, 장기적인 관점에서 회사의 잠재력을 평가할 수 있도록 도와주어야 합니다. 또한, 스타트업 ABSNA는 투자자들과의 소통을 강화하여, 모든 중요한 업데이트와 회사의 진행 상황을 투명하게 공유하고, 문제가 발생할 경우 이에 대한 해결책과 계획을 적극적으로 제시해야 합니다. 이렇게 함으로써, 투자자들의 불안을 줄이고, 신뢰를 점진적으로 회복하여 장기적인 지원을 확보할 수 있습니다.

이러한 문제를 해결하기 위해 스타트업 ABSNA는 투자자들의 감정적 반응을 조정하고 신뢰를 재구축하기 위해 여러 심리학적 이론을 적용하는 전략을 개발했습니다. 중점을 둔 접근법은 행동 재무학에서 제시하는 다양한 원리를 활용하여, 투자자들의 비합리적인 행동과 감정적 결정을 이해하고 예측하는 것입니다. 이를 통해 스타트업 ABSNA는 투자자들이 경험할 수 있는 두려움과 불안을 완화하고, 보다 합리적인 투자 결정을 촉진할 수 있는 방법을 모색했습니다.

손실 회피 원리를 이해하는 것은 투자자들이 겪는 감정적 불안을 관리하는 데 중요합니다. 스타트업 ABSNA는 이 원리를 바탕으로 투자자들에게 사업 진행 상황을 보다 투명하게 보고함으로써, 잠재적 손실에 대한 불안을 줄이고자 했습니다. 또한, 회사는 전략적으로 긍정적인 성과와 시장에서의 진전을 강조하여, 투자자들이 회사의 장기적 성장 잠재력에 초점을 맞추도록 유도했습니다.

스타트업 ABSNA는 투자자들과의 감정적 연결을 강화하기 위해 정기적인 투자자 미팅과 비공식 소통 채널을 활용했습니다. 이를 통해 투자자들이 회사와의 관계에서 더 큰 개인적 연결감을 느끼도록 하고, 그들의 지지를 장기적으로 유지할 수 있도록 노력했습니다. 이러한 인간적 접근은 투자자들이 단순한 자본 제공자가 아닌, 회사의 성공을 진심으로 응원하는 파트너로서의 역할을 강화하는 데 기여했습니다.

행동 재무학의 이론들을 기업의 투자자 관리 전략에 통합함으로써, 스타트업 ABSNA는 투자자들의 예측 불가능한 행동을 더 잘 관리할 수 있었습니다. 이러한 전략적 접근은 투자자들이 경험할 수 있는 잠재적인 행동 편향을 예측하고, 이에 맞춰 커뮤니케이션과 관리 전략을 조정하는 데 도움을 줬습니다. 결과적으로, 이 접근법은 투자자들과의 신뢰를 회복하고, 투자 관계를 안정화하는 데 성공적으로 기여했습니다.

이러한 전략적 실행은 스타트업 ABSNA가 투자자들과의 관계를 재정립하고, 불안정한 시장 환경 속에서도 지속 가능한 성장을 추구할 수 있는 기반을 마련해 주었습니다. 이는 다른 기업들에게도 투자자 관계 관리와 위기 대응에서 행동 재무학적 접근을 활용하는 중요한 사례로서의 가치가 있습니다.

스타트업 ABSNA의 감정적 투자와 행동 재무학을 기반으로 한 전략이 효과적으로 실행되면서, 이제는 투자자들과의 관계를 더욱 깊이 있고 안정적으로 유지할 수 있게 되었습니다. 이러한 성공적인 관리 방법은 기업이 장기적인 성장을 지속하고, 투자자들과의 파트너십을 강화하는 데 중요한 역할을 합니다. 향후 투자자들과의 관계에서 발생할 수 있는 다양한 도전을 극복하고, 감정적 요인이 경영 결정에 미치는 영향을 최소화하기 위한 전략을 더욱 발전시킬 수 있는 방안을 모색하는 것이 필요합니다.

또 스타트업 ABSNA는 투자자들의 심리적 안정성을 유지하기 위해 정기적으로 성과 리뷰 회의를 개최하고, 모든 중요한 결정 과정에 투자자들을 적극적으로 참여시키기 시작했습니다. 이러한 접근은 투자자들이 회사의 운영에 대해 더 많은 통찰력을 갖고, 자신들의 투자가 어떻게 관리되고 있는지 더욱 명확하게 이해할 수 있도록 돕습니다. 또한, 투자자들이 회사의 주요 결정에 참여함으로써, 그들의 투자에 대한 만족도와 애착을 증가시킬 수 있습니다.

스타트업 ABSNA는 위기 상황에서 신속하고 효과적으로 대응할 수 있는 전략을 지속적으로 개발하고 있습니다. 이를 위해 투자자들에게 위기 발생 시 즉각적으로 통보하고, 해당 상황에 대한 해결 방안을 명확히 제시하는 프로토콜을 마련했습니다. 또한, 위기 상황을 시뮬레이션하는 훈련을 정기적으로 실시하여, 실제 상황 발생 시 전체 팀이 효과적으로 대응할 수 있도록 준비합니다. 이러한 준비는 투자자들에게도 큰 안정감을 제공하며, 신뢰 관계를 더욱 강화합니다.

투자자들의 결정 과정에서 감정적 요인의 영향을 최소화하기 위해, 스타트업 ABSNA는 투자자들을 대상으로 한 교육 프로그램을 실시하기 시작했습니다. 이 프로그램은 행동재무학의 기본 원칙과 투자 결정 과정에서 자주 발생하는 심리적 오류에 대한 이해를 높이는 것을 목표로 합니다. 교육을 통해 투자자들은 자신의 결정에 영향을 미칠 수 있는 감정적 요인을 더욱 잘 인식하고 관리할 수 있게 되어, 더 합리적인 투자 결정을 내릴 수 있습니다.

이러한 전략적 접근은 스타트업 ABSNA가 투자자들과의 관계를 장기적으로 유지하고 강화하는 데 중요한 역할을 합니다. 투자자들의 심리적 안정감을 높이고, 위기 상황에서도 강력한 파트너십을 유지할 수 있는 환경을 조성함으로써, 스타트업 ABSNA는 시장에서 지속 가능한 성장을 추구할 수 있습니다.

이러한 심리적 안정감과 지속적인 교육의 결과로, 스타트업 ABSNA는 투자자들과의 관계에서 더욱 견고한 신뢰를 구축할 수 있었습니다. 투자자들은 스타트업 ABSNA의 투명한 커뮤니케이션과 위기 대응 능력에 감명을 받았으며, 이는 추가적인 자금 조달 기회를 포함한 긍정적인 상호작용으로 이어졌습니다. 투자자들의 신뢰가 강화됨에 따라, 그들은 스타트업 ABSNA가 겪을 수 있는 어려움에 대해 더욱 이해심을 가지고, 필요한 지원을 제공하는 데 더 적극적이게 되었습니다.

투자자들의 참여와 지원이 증가함에 따라, 스타트업 ABSNA는 제품 개발 및 시장 확대에 필요한 자원을 확보하는 데 성공했습니다. 이는 스타트업 ABSNA가 시장에서의 위치를 공고히 하고, 경쟁 우위를 확보하는 데 결정적인 역할을 했습니다. 또한, 투자자 교육 프로그램은 투자자들이 스타트업 ABSNA의 장기적인 비전과 전략에 더 깊이 참여하게 만들었으며, 이는 기업 경영에 있어서 보다 폭넓은 통찰력과 지원을 이끌어냈습니다.

스타트업 ABSNA의 경험은 감정적 투자와 행동재무학의 원리를 기업 운영과 투자자 관리에 성공적으로 적용할 수 있는 모범 사례로 기록됩니다. 이 사례는 다른 기업들에게도 투자자 관계 관리와 투자 결정 과정에서 감정의 역할을 이해하고, 이를 기반으로 더 효과적인 전략을 개발할 수 있는 중요한 통찰을 제공합니다.

앞으로 스타트업 ABSNA는 투자자들과의 관계를 더욱 발전시키기 위해 투자자들의 행동적 편향과 감정적 요소를 지속적으로 관찰하고 분석할 계획입니다. 이는 투자자들과의 관계를 더욱 강화하고, 위기 상황에서도 견고한 신뢰를 유지하는 기반을 마련할 것입니다. 이러한 지속적인 노력은 스타트업 ABSNA가 글로벌 시장에서 성공적으로 성장하고, 지속 가능한 비즈니스 모델을 유지하는 데 필수적인 요소가 될 것입니다.

앞으로 스타트업 ABSNA가 감정적 투자와 행동 재무학의 원리를 더 깊이 탐구하고 적용할 수 있는 몇 가지 추가적인 전략과 방향성을 제시합니다. 이러한 접근은 투자자 관계를 더욱 발전시키고, 투자 결정 과정에서 감정의 영향을 최소화하여 기업 성장을 촉진하는 데 도움이 될 것입니다.

1. 행동 재무학 워크숍 개발: 스타트업 ABSNA는 투자자들을 대상으로 한 행동 재무학 워크숍을 개발하여 제공할 수 있습니다. 이 워크숍에서는 투자 결정에 영향을 미치는 주요 행동 재무학적 개념들을 교육하고, 투자자들이 이러한 정보를 자신의 투자 전략에 어떻게 적용할 수 있는지 실질적인 방법을 탐구합니다.

2. 감정 기반의 투자 추적 도구 개발: 스타트업 ABSNA는 투자자들이 자신의 감정 상태와 투자 결정 간의 연관성을 모니터링할 수 있는 디지털 도구를 개발할 수 있습니다. 이 도구는 투자자들이 스트레스 또는 과도한 낙관 등 감정적 요인이 투자 결정에 미치는 영향을 실시간으로 확인하고 관리할 수 있도록 돕습니다.

3. 사례 연구 시리즈 출판: 스타트업 ABSNA는 투자자 관계 개선에 성공적으로 적용된 행동 재무학 이론의 사례를 모아 연구 보고서 또는 시리즈로 출판할 수 있습니다. 이 자료는 투자자와 금융 전문가들에게 유용한 참고 자료가 될 수 있으며, 기업의 전문성과 리더십을 강조하는 데 사용될 수 있습니다.

4. 투자자 행동 분석 컨설팅 서비스: 스타트업 ABSNA는 다른 기업들에게 투자자 행동 분석 및 행동 재무학적 조언을 제공하는 컨설팅 서비스를 시작할 수 있습니다. 이 서비스는 기업

들이 자신의 투자자 기반을 더 효과적으로 관리하고, 감정적 투자의 부정적 영향을 최소화하는 데 도움을 줄 수 있습니다.

이러한 전략들은 스타트업 ABSNA가 감정적 투자와 행동 재무학의 원리를 더욱 효과적으로 활용하고, 투자자 관계를 지속적으로 개선하는 데 큰 기여를 할 것입니다. 이를 통해 스타트업 ABSNA는 시장 내에서의 경쟁력을 유지하고, 장기적으로 성공적인 성장을 도모할 수 있을 것입니다.

8. 투자 결정에서의 인지 편향

마음의 미로:
투자 결정에서의 인지 편향

이 장에서는 투자 결정 과정에서 발생하는 인지 편향에 대해 깊이 있게 탐구합니다. 인지 편향은 투자자들이 정보를 해석하고 결정을 내리는 과정에서 자주 발생하는 무의식적인 오류를 말합니다. 이러한 편향은 투자자가 경제적 선택을 할 때 영향을 받는 다양한 인지적 오류를 포함하며, 심리학과 행동 경제학의 연구에서 중요한 연구 주제입니다. 인지 편향은 투자자의 판단을 왜곡시킬 수 있으며, 이로 인해 비합리적인 투자 결정이 이루어질 가능성이 높아집니다. 따라서 투자자들이 보다 합리적인 결정을 내리는 데 있어 이러한 편향을 이해하고 관리하는 것은 매우 중요합니다. 이 장에서는 투자 결정에 영향을 미치는 주요 인지 편향들을 식별하고, 이들이 금융 시장과 개별 투자자의 행동에 어떻게 영향을 미치는지 분석할 것입니다.

인지 편향이 투자 결정에 미치는 영향을 폭넓게 이해하기 위해서는 먼저, 이러한 편향들이 어떤 형태로 나타나는지를 파악하는 것이 중요합니다. 예를 들어, 확인 편향은 투자자들이 자신의 믿음이나 기존의 투자 전략을 뒷받침하는 정보만을 선택적으로 수집하고 주목하는 경향을 보이는 편향입니다. 이는 투자자가 시장의 변화나 새로운 위험 요소를 간과하게 만들어 잠재적인 손실을 초래할 수 있습니다. 또 다른 편향인 대표성 편향은 투자자들이 특정한 사건이나 현상을 과거의 유사한 사례와 비교하여 그 가능성을 잘못 평가하는 경향을 가리킵니다. 이러한 편향은 투자자가 과거의 성공적인 투자 경험을 과도하게 일반화하여 미래의 투자 결정에 잘못 적용하게 만듭니다.

투자 결정에서의 이러한 인지 편향을 극복하기 위한 전략으로는 여러 가지가 있습니다.

첫째, 투자자 교육과 훈련을 통해 투자자들이 자신의 편향된 사고 방식을 인식하고 이에 대처할 수 있도록 돕는 것입니다. 이를 위해 투자 워크숍, 세미나, 온라인 코스 등을 제공하여 투자자들이 다양한 시장 시나리오에서 보다 객관적이고 분석적인 접근 방식을 취할 수 있도록 지원할 수 있습니다.

둘째, 구조화된 투자 프로세스를 도입하여 투자 결정 과정에서 감정의 영향을 최소화하고, 객관적인 데이터와 분석에 기반한 결정을 내리도록 하는 것입니다. 이를 위해 투자 검토 위원회를 구성하거나, 자동화된 투자 결정 도구를 사용하는 방법이 있습니다.

이와 같은 접근은 투자자들이 투자 결정을 내릴 때 발생할 수 있는 인지 편향의 영향을 줄이고, 결과적으로 보다 합리적이고 효과적인 투자 전략을 수립할 수 있도록 도움을 줄 것입니다. 이러한 이해와 전략은 투자자 개인은 물론, 금융 기관과 자산 관리 회사에서도 매우 유용하게 적용될 수 있으며, 보다 효율적인 자본 배분과 투자 수익성 향상에 기여할 수 있습니다.

이제 구체적인 기업이 직면한 상황을 살펴보겠습니다.

스타트업 Mero는 첨단 빅데이터 분석 플랫폼을 개발하여 금융 서비스 시장에 혁신을 가져오고자 했습니다. 초기에는 혁신적인 접근과 기술적 우위로 인해 많은 투자를 유치하는 데 성공했으나, 시간이 지나면서 시장의 변화와 경쟁의 심화로 인해 성장 속도가 둔화되기 시작했습니다. 이러한 상황은 투자자들 사이에서 다양한 인지 편향이 작용하게 만들었고, 결국 투자자들의 신뢰를 저하시켰습니다.

스타트업 Mero는 특히 기대했던 성과를 달성하지 못함으로써, 투자자들 사이에서 발생하는 확증 편향(confirmation bias)과 투자 후 합리화(post-purchase rationalization)의 문제에 직면했습니다. 투자자들은 자신들의 초기 투자 결정을 정당화하기 위해 성공적인 결과만을 강조하려는 경향을 보였고, 부정적인 정보는 간과하거나 축소시키려 했습니다. 이로 인해 스타트업 Mero의 실제 문제들이 제대로 평가받지 못하고, 필요한 조치가 시기적절하게 이루어지지 않는 결과를 초래했습니다.

또한, 스타트업 Mero는 시장의 불확실성과 기술의 빠른 변화 속에서 투자자들의 손실 회피 성향(loss aversion)이 강화되는 것을 경험했습니다. 이는 투자자들이 더 큰 리스크를 회피하려 하고, 안정적인 수익을 제공할 수 있는 다른 투자 기회를 찾으려는 행동으로 이어졌습니다. 스타트업 Mero에 대한 투자가 더 이상 매력적이지 않다고 느낀 투자자들은 추가 투자를 중단하거나 자본을 철회하는 결정을 내리기 시작했습니다.

이러한 상황은 스타트업 Mero에게 투자자 신뢰의 회복과 재정적 안정성 확보라는 두 가지 주요 도전을 안겨주었습니다. 기업은 투자자들과의 커뮤니케이션을 강화하고, 객관적이고 투명한 정보 제공을 통해 신뢰를 재건하기 위한 노력을 기울여야 했습니다. 또한, 경영진은 투자자들의 인지 편향을 고려하여 투자 설명회 및 정기적인 업데이트를 통해 기업의 진정한 가치와 장기적인 성장 전략을 재차 강조할 필요가 있었습니다. 이러한 노력은 투자자들의 불안을 완화하고, 스타트업 Mero에 대한 장기적인 투자를 유지하도록 동기를 부여하는 데 중요한 역할을 할 것입니다.

스타트업 Mero가 직면한 문제의 근본적인 원인은 투자자들의 인지 편향과 시장의 변동성에서 비롯되었습니다. 투자자들의 확증 편향은 초기의 긍정적인 기대를 뒷받침하는 정보만을 선택적으로 해석하고 수용함으로써, 스타트업 Mero의 장기적인 문제점들을 간과하게 만들었습니다. 또한, 손실 회피 성향으로 인해 투자자들은 잠재적인 리스크가 드러날 때 과도하게 반응하여, 추가 투자를 회피하거나 기존 투자를 철회하는 결정을 내렸습니다. 이러한 행동은 스타트업 Mero의 자금 조달 능력과 시장에서의 경쟁력을 크게 약화시켰습니다.

이러한 문제를 해결하기 위해 스타트업 Mero는 투자자들의 인지 편향을 관리하고 그 영향을 최소화하기 위한 전략을 마련할 필요가 있었습니다. 특히, 투자자 교육 프로그램을 실시하여 투자자들이 자신의 인지 편향을 인식하고, 보다 객관적이고 합리적인 투자 결정을 내릴 수 있도록 도움을 제공하는 방안이 고려되었습니다. 이러한 교육은 투자자들에게 투자 결정 과정에서 발생할 수 있는 다양한 심리적 오류와 그 대처 방법을 소개하고, 실제 시장 데이터와 사례 분석을 통해 이론적 지식을 실제 투자 상황에 적용하는 방법을 학습하는 내용을 포함하였습니다.

더불어, 스타트업 Mero는 정기적인 투자자 커뮤니케이션과 투명한 정보 공개를 강화하여, 투자자들의 불안과 불확실성을 줄이고 신뢰를 회복하기 위한 노력을 기울였습니다. 이를 위해 경영진은 주요 비즈니스 업데이트, 재무 상태, 시장 전망 등을 포함한 포괄적인 정보를 주기적으로 투자자들에게 제공하였고, 투자자 질의응답 세션을 통해 투자자들의 우려와 질문에 직접 응답하는 시간을 마련했습니다. 이러한 노력은 투자자들과의 소통을 강화하고, 장기적인 관계를 유지하는 데 중요한 역할을 했습니다.

이러한 전략적 접근은 스타트업 Mero가 투자자들의 인지 편향을 효과적으로 관리하고, 재정적 안정성을 확보하는 데 도움을 주었습니다. 또한, 이러한 노력은 투자자들로 하여금 스타트업 Mero의 장기적인 비전과 전략에 대해 더 깊이 이해하고, 지속적인 투자와 지원을 제공하는 데 긍정적인 영향을 미쳤습니다. 이를 통해 스타트업 Mero는 시장에서의 경쟁력을 강화하고, 지속 가능한 성장을 추구할 수 있는 기반을 마련할 수 있었습니다.

스타트업 Mero의 상황을 해결하기 위해 적용할 수 있는 중요한 심리학 이론 중 하나는 다니엘 카너먼과 에이모스 트버스키에 의해 개발된 전망 이론입니다. 전망 이론은 경제적 결정을 내리는 과정에서 사람들이 손실과 이득을 비대칭적으로 인식하고 반응하는 방식을 설명합니다. 특히, 이 이론은 사람들이 손실을 피하는 것을 이득을 얻는 것보다 더 중요하게 여기는 경향이 있다고 주장합니다. 이는 투자 결정에서 매우 중요한 요소로, 투자자들이 잠재적 손실에 대해 과민 반응을 보이고 이로 인해 과도한 리스크 회피 행동을 취할 가능성이 있음을 시사합니다.

전망 이론은 손실 회피, 확률 가중, 참조점의 영향과 같은 개념을 통해 투자자의 행동을 설명합니다. 예를 들어, 참조점이란 개인이 결정을 내릴 때 기준으로 삼는 특정한 상태나 값으로, 투자자들은 종종 이 참조점을 기반으로 손익을 계산하게 됩니다. 투자가 참조점 아래로 떨어질 경우 손실로 인식되어 강한 부정적 감정을 유발하고, 이는 때로는 불필요하게 보수적인 투자 선택으로 이어질 수 있습니다.

또 다른 이론으로는 레온 페스팅거의 인지 부조화 이론이 있습니다. 인지 부조화 이론은 개인이 보유한 여러 인지 사이에 불일치가 존재할 때 발생하는 불편함을 설명합니다. 투자자들은 자신의 초기 투자 결정과 상반되는 정보에 직면했을 때, 이러한 인지적 불일치를 해소하기 위해 정보를 왜곡하거나 무시하는 경향이 있습니다. 이는 잘못된 투자 결정을 지속하게 만들 수 있으며, 투자의 실패를 인정하고 적절한 조치를 취하는 것을 방해할 수 있습니다.

스타트업 Mero는 이러한 이론들을 토대로 투자자들에게 정기적인 교육 세션을 제공하여, 인지 편향의 메커니즘과 그것이 투자 결정에 미치는 영향을 이해할 수 있도록 도와야 합니다. 또한, 투자 보고서와 커뮤니케이션에서 객관적 데이터와 분석을 강조하여 투자자들이 보다 정보에 기반한 결정을 내릴 수 있도록 지원함으로써, 인지 편향으로 인한 잘못된 결정을 최소화할 수 있습니다. 이러한 접근은 투자자들의 신뢰를 회복하고, 재정적 안정성을 강화하는 데 중요한 역할을 할 것입니다.

스타트업 Mero는 투자자들의 인지 편향을 극복하고 장기적인 신뢰 관계를 구축하기 위해 다양한 심리학적 이론을 적용하여 전략적 접근을 마련했습니다. 이 과정에서 전망 이론을 중심으로 투자자 교육 프로그램을 개발하고 실행하며, 투자자들이 자신들의 투자 결정에 영향을 미치는 손실 회피, 확인 편향, 대표성 편향 등의 심리적 요인을 이해하고 인식하도록 했습니다. 교육 세션은 인터랙티브 활동, 토론 세션, 실제 시장 데이터를 사용한 사례 연구를 포함하여, 투자자들이 이론을 실제 투자 상황에 어떻게 적용할 수 있는지 배울 수 있도록 설계되었습니다.

또한, 스타트업 Mero는 투자자 보고서와 정기적인 커뮤니케이션을 통해 투자자들에게 정확하고 투명한 정보를 제공하려는 노력을 강화했습니다. 이는 투자자들이 회사의 진행 상황을 명확하게 이해하고, 잠재적인 리스크를 실시간으로 평가할 수 있도록 돕습니다. 특히, 스타트업 Mero는 투자자 미팅과 컨퍼런스 콜에서 경영진이 직접 투자자들의 질문에 응답하고, 회사의 장기 전략과 시장 내 위치를 설명하는 시간을 마련하여, 투자자들의 불안감을 완화하고 신뢰를 증진시키는 데 중점을 두었습니다.

전망 이론을 바탕으로 한 전략적 접근을 통해, 스타트업 Mero는 투자자들의 손실 회피 경향과 같은 행동을 예측하고 이에 맞춰 투자자들에게 심리적 안정감을 제공하려고 했습니다. 회사는 투자자들의 반응과 행동 패턴을 지속적으로 모니터링하고, 이 데이터를 사용하여 투자자들에게 더욱 맞춤화된 정보와 조언을 제공했습니다. 이러한 노력은 투자자들의 인지 편향을 감소시키고, 투자 결정의 질을 향상시키는 데 큰 도움이 되었습니다.

이와 같은 접근은 스타트업 Mero가 투자자들의 신뢰를 점차 회복하고 있으며, 장기적인 파트너십을 구축하는 데 성공하고 있음을 보여줍니다. 투자자 교육과 강화된 커뮤니케이션 전략은 투자자들이 스타트업 Mero의 장기적인 비전과 성장 전략에 대한 확신을 갖고 지속적으로 지원할 수 있는 기반을 마련했습니다. 이러한 전략적 접근은 스타트업 Mero가 시장에서 지속 가능한 성장을 추구하고, 불확실한 경제 환경 속에서도 경쟁력을 유지할 수 있게 해 주었습니다.

스타트업 Mero의 이러한 전략적 접근을 통해, 투자자들의 인지 편향을 줄이고 신뢰를 회복하는 과정에서 얻은 경험은 다른 기업들에게도 중요한 교훈을 제공합니다. 이를 바탕으로 더 많은 투자자들이 심리학적 이론을 이해하고 자신의 투자 행위에 적용할 수 있도록 돕는 것은 투자 공동체 전체에 긍정적인 영향을 미칠 수 있습니다.

추가적인 탐구와 교육 기회 제공입니다. 스타트업 Mero는 투자자들에게 지속적인 교육 기회를 제공하여, 인지 편향과 그것이 투자 결정에 미치는 영향에 대한 이해를 심화시킬 수 있습니다. 이를 위해, 전문 강사와 심리학자를 초빙하여 워크숍과 세미나를 정기적으로 개최하며, 최신 심리학 연구와 시장 분석을 통합한 교육 콘텐츠를 제공할 수 있습니다.

그리고 투자자 참여와 피드백 증진입니다. 투자자들이 교육 과정과 투자 결정 과정에서 능동적으로 참여하도록 장려함으로써, 그들의 경험을 풍부하게 하고 실질적인 피드백을 받을 수 있습니다. 이는 교육 프로그램의 효과를 평가하고 지속적으로 개선하는 데 중요한 역할을 합니다.

다음으로 디지털 리소스와 도구 개발입니다. 투자자들이 인지 편향을 실시간으로 인식하고 관리할 수 있도록 돕는 디지털 도구와 애플리케이션을 개발하는 것도 유용한 접근 방법입니다. 이러한 도구는 투자자들이 자신의 투자 행동을 모니터링하고, 필요한 조정을 즉시 할 수 있도록 지원함으로써, 더 합리적인 투자 결정을 내리는 데 도움을 줄 수 있습니다.

마지막으로 커뮤니티 구축과 네트워킹 강화입니다. 스타트업 Mero는 투자자들이 서로 경험을 공유하고 지식을 교환할 수 있는 플랫폼을 제공함으로써, 투자자 커뮤니티 내에서의 학습과 협력을 촉진할 수 있습니다. 이러한 커뮤니티는 투자자들이 서로의 경험에서 배우고, 인지 편향에 대해 더 깊이 있게 토론하며, 공동의 투자 전략을 개발하는 데 기여할 수 있습니다.

이와 같은 전략적 활동은 스타트업 Mero가 투자자들과의 지속적인 신뢰 관계를 유지하고 강화하는 데 중요한 역할을 하며, 더 넓은 투자 시장에서도 그들의 영향력을 확대하는 데 기여할 것입니다. 이는 최종적으로 스타트업 Mero의 시장에서의 지속 가능한 성장과 성공을 보장하는 데 중요한 요소가 될 것입니다.

스타트업 Mero의 접근 방식을 통해 투자자들의 인지 편향을 이해하고 관리하는 방법에 대한 심도 있는 이해를 얻었지만, 추가적인 심리학적 이론들을 탐구하여 투자자 심리를 더욱 깊이 이해하고 적용할 수 있는 방안들을 모색할 수 있습니다. 이를 통해 투자자들의 의사 결정 과정을 더욱 효과적으로 지원하고, 금융 시장에서의 행동을 최적화할 수 있습니다.

1. 감정 감염 이론 (Emotional Contagion): 이 이론은 감정이 한 사람에서 다른 사람으로 전염될 수 있다는 개념을 다룹니다. 투자자들 사이에서 긍정적이거나 부정적인 시장 감정이 어떻게 확산되는지 이해하면, 스타트업 Mero는 시장의 대규모 감정적 반응을 예측하고 대응하는 전략을 개발할 수 있습니다. 이러한 지식은 시장 패닉이나 과열을 예방하고, 투자자들의 감정적 안정성을 유지하는 데 도움을 줄 수 있습니다.

2. 자기 효능감 이론 (Self-Efficacy Theory): 알버트 반두라의 자기 효능감 이론은 개인이 자신의 능력을 어떻게 인식하고, 이러한 인식이 목표 달성 행동에 어떤 영향을 미치는지 설명합니다. 투자자들의 자기 효능감을 향상시키기 위한 프로그램을 개발하면, 그들이 더 자신감 있게 투자 결정을 내리고, 시장 변동에 더욱 효과적으로 대응할 수 있도록 도울 수 있습니다.

3. 사회적 학습 이론 (Social Learning Theory): 이 이론은 개인이 다른 사람들의 행동을 관찰하고 모방함으로써 학습한다는 개념을 다룹니다. 스타트업 Mero는 투자자 교육 프로그램에서 성공적인 투자자들의 사례를 제시하고, 이를 통해 투자자들이 효과적인 투자 습관과 기술을 습득할 수 있도록 할 수 있습니다.

4. 집단 사고 이론 (Groupthink Theory): 집단 내에서 일치된 의견에 도달하려는 강한 동기가 집단의 결정 품질을 저하시킬 수 있다는 이론입니다. 스타트업 Mero는 투자자들이 집단 사고의 함정에 빠지지 않도록 하는 전략을 마련하여, 다양한 의견과 시각이 투자 결정 과정에 반영되도록 장려할 수 있습니다.

이러한 심리학적 이론들을 추가로 탐구하고 적용함으로써, 스타트업 Mero는 투자자들의 행동과 의사 결정 과정을 더욱 깊이 이해하고, 이를 기반으로 보다 효과적인 투자자 관리 전략을 수립할 수 있습니다. 이는 투자자들의 심리적 안정과 투자 성과를 최적화하는 데 기여할 것입니다.

9. Crowdfunding과 사회적 동기

사회적 연결을 활용한 자금 조달: 크라우드펀딩의 심리학

이 장에서는 크라우드펀딩과 그 과정에서 중요한 역할을 하는 사회적 동기에 대해 탐구합니다. 크라우드펀딩은 인터넷을 기반으로 많은 사람들로부터 자금을 모으는 방식으로, 개인이나 조직이 프로젝트, 아이디어, 또는 기업을 지원하기 위해 소액의 자금을 제공합니다. 이 과정에서 사회적 동기는 특히 중요한 역할을 하는데, 참여자들은 단순히 금전적 이득을 넘어서 사회적 인정, 공동체에의 기여, 혁신적인 아이디어에 대한 지지 등의 이유로 기여를 결정하게 됩니다.

크라우드펀딩의 성공은 단지 좋은 아이디어를 가지고 있다고 해서 보장되는 것은 아닙니다. 참여자들이 프로젝트에 돈을 투자하기로 결정하는 심리적 과정을 이해하는 것이 중요하며, 이는 크라우드펀딩 캠페인의 설계와 실행에 있어 결정적인 차이를 만들어낼 수 있습니다. 크라우드펀딩 플랫폼은 사회적 상호작용의 장으로서 작용하며, 이곳에서 사람들은 다른 참여자들의 활동을 보고 자신의 행동을 조정합니다. 이런 점에서 사회적 증거와 편향, 인지 부조화, 상호성과 같은 심리학적 개념이 크게 작용합니다.

이 장에서는 크라우드펀딩에 참여하는 개인들이 어떤 심리적 요인에 의해 영향을 받는지, 그리고 이러한 요인들이 크라우드펀딩 캠페인의 설계 및 전략에 어떻게 활용될 수 있는지에 대해 심도 깊게 탐색할 것입니다. 또한, 투자자들의 사회적 동기와 그들의 투자 결정에 미치는 영향을 이해함으로써, 크라우드펀딩 캠페인을 더 효과적으로 관리하고 최적화하는 방법을 제시할 것입니다. 이러한 접근은 크라우드펀딩의 동적인 환경 속에서 성공적인 자금 조달 전략을 수립하는 데 필수적인 요소로 작용할 수 있습니다.

이제 구체적인 기업이 직면한 상황을 살펴보겠습니다. 에코그린(EcoGreen)이라는 스타트업은 환경 친화적인 포장 솔루션을 제공하여 일회용 플라스틱 사용을 줄이고자 했습니다. 이 회사는 크라우드펀딩을 통해 자금을 모으기로 결정했으나, 예상만큼의 관심을 끌지 못하는 어려움에 직면했습니다. 초기에는 몇몇 투자자들로부터 적극적인 지지를 받았으나, 시간이 지남에 따라 캠페인에 대한 관심이 점점 줄어들었습니다. 이로 인해 필요한 자금을 모으는 데 실패하며, 프로젝트의 지속 가능성에 큰 문제가 생겼습니다.

에코그린의 크라우드펀딩 실패는 여러 요인에 의해 복합적으로 발생했습니다.

첫째, 캠페인의 메시지가 충분히 매력적이지 않아 대중의 강한 동기 부여를 이끌어내지 못했습니다.
둘째, 크라우드펀딩 플랫폼 내에서의 높은 경쟁 속에서 에코그린의 프로젝트가 눈에 띄지 않았습니다.

셋째, 초기 투자자들의 활발한 참여가 이어지지 않아, 후속 투자자들에게 사회적 증거를 제공하지 못했습니다. 이는 참여에 대한 사회적 동기가 크게 작용하는 크라우드펀딩의 특성상 치명적인 문제였습니다.

이러한 상황에서 에코그린이 직면한 주요 문제는 캠페인의 매력도와 사회적 동기 부여의 부족이었습니다. 크라우드펀딩의 성공은 대중의 감정적, 심리적 참여를 어떻게 이끌어내는지에 크게 좌우되며, 이를 통해 충분한 투자 유인과 동기를 제공하지 못하면 자금 조달 목표를 달성하기 어렵습니다. 에코그린은 이러한 점을 간과했으며, 결과적으로 필요한 자금을 모으지 못했습니다.

에코그린의 크라우드펀딩 캠페인 실패를 분석한 결과, 이들이 직면한 문제의 원인은 크게 세 가지로 파악되었습니다.
첫 번째는 캠페인의 메시지와 프레젠테이션이 충분히 설득력 있고 매력적이지 않아 투자자들을 끌어들이지 못했다는 점입니다.
두 번째는 캠페인 초기에 활발한 참여를 이끌어내지 못하여 후속 투자자들에게 강력한 사회적 증거를 제공하지 못한 것이 문제였습니다.
마지막으로, 경쟁이 치열한 크라우드펀딩 플랫폼 내에서 에코그린의 프로젝트가 충분히 돋보이지 않았으며, 이는 전반적인 가시성과 관심을 유도하는 데 실패했습니다.

이러한 문제를 극복하기 위해 적용할 수 있는 심리학 이론으로는 '사회적 증거 이론'과 '상호성의 원칙'이 있습니다. 사회적 증거 이론은 사람들이 다른 사람들의 행동을 보고 자신의 행동을 결정하는 경향이 있다고 설명합니다. 이 이론을 적용하면, 에코그린은 초기 단계에서 몇몇 영향력 있는 투자자들의 참여를 확보함으로써 다른 투자자들에게 긍정적인 사회적 신호를 보낼 수 있습니다. 또한, 상호성의 원칙은 사람들이 받은 호의를 갚으려는 경향이 있다는 것을 이용하여, 투자자들에게 소정의 보상을 제공함으로써 그들의 추가적인 참여와 지지를 유도할 수 있습니다.

에코그린은 이러한 심리학적 접근을 캠페인 전략에 통합하여, 투자자들에게 더 강력한 참여 동기를 제공하고, 프로젝트에 대한 관심과 투자를 촉진할 수 있습니다. 예를 들어, 초기 투자자들이 프로젝트에 기여한 사례를 강조하고, 이를 소셜 미디어와 캠페인 페이지에 적극적으로 홍보함으로써, 후속 투자자들에게 강한 사회적 증거를 제공할 수 있습니다. 또한, 투자자들에게 제공하는 보상을 창의적으로 설계하여, 그들이 이 프로젝트에 대해 더 개인적인 연결감과 소속감을 느낄 수 있도록 할 수 있습니다. 이러한 전략은 에코그린이 자금 조달 목표를 달성하고, 프로젝트의 성공적인 실행을 보장하는 데 중요한 역할을 할 것입니다.

이러한 심리학적 이론을 적용하여 에코그린의 크라우드펀딩 캠페인을 재구성하는 해결 과정은 다음과 같이 구체적으로 진행됩니다. 에코그린은 사회적 증거 이론을 활용하여 캠페인 초기 단계에서부터 영향력 있는 투자자들의 참여를 확보함으로써, 이들의 지지가 다른 잠재적 투자자들에게 긍정적인 신호로 작용하게 만들 계획입니다. 이를 위해, 인플루언서나 업계 리더들과의 파트너십을 구축하고, 이들이 캠페인을 공개적으로 지지하고 홍보하도록 독려합니다.

또한, 상호성의 원칙을 적용하여, 투자자들이 프로젝트에 기여한 것에 대한 감사의 표시로 특별한 보상을 제공합니다. 이 보상은 프로젝트의 성격에 맞는 독특하고 가치 있는 아이템일 수 있으며, 투자자들에게 독점적인 경험을 제공하여 그들의 지속적인 참여와 지지를 유도합니다. 예를 들어, 투자자들에게 제한된 판매되는 에코그린 제품의 특별판을 제공하거나, 제품 개발 과정에 참여할 수 있는 기회를 제공함으로써, 투자자들이 프로젝트에 더 깊이 연결되고 개인적인 투자를 느끼도록 합니다.

이러한 접근은 투자자들의 심리적 요인을 고려하여, 그들의 행동을 유도하고 프로젝트에 대한 투자를 촉진하는 방법으로 작용합니다. 캠페인의 각 단계에서 투자자들의 반응을 면밀히 분석하고, 필요한 조정을 신속하게 수행하여 최대한의 효과를 달성할 수 있도록 합니다. 이 과정을 통해 에코그린은 크라우드펀딩을 성공적으로 완료하고, 환경 친화적인 포장 솔루션을 시장에 성공적으로 도입하는 목표를 달성할 수 있습니다.

이렇게 재구성된 캠페인은 투자자들에게 사회적으로 책임감 있는 프로젝트에 기여한다는 만족감을 제공하며, 이는 에코그린이 사회적 가치와 환경 보호라는 더 큰 목표를 향해 나아가는 데 중요한 동기 부여가 됩니다. 이와 같은 전략적 접근은 에코그린이 시장에서 지속 가능한 성장을 추구하고, 불확실한 경제 환경 속에서도 경쟁력을 유지할 수 있게 해 주며, 투자자들과의 신뢰를 구축하는 데 핵심적인 역할을 합니다.

크라우드펀딩 캠페인에서 투자자들의 참여를 이끌어내는 심리적 동기와 행동에 깊은 영향을 미치는 여러 심리학 이론들이 있습니다. 이 중 로버트 치알디니의 사회적 증거 이론과 상호성의 법칙, 그리고 아브라함 마슬로우의 소속감의 필요성은 크라우드펀딩의 성공에 중요한 역할을 합니다. 이러한 이론들은 투자자들의 행동을 이해하고 예측하는 데 근거를 제공하며, 캠페인을 효과적으로 설계하고 실행하는 데 필수적인 요소입니다.

로버트 치알디니의 사회적 증거 이론에 따르면, 사람들은 다른 사람들이 어떤 행동을 하는 것을 보고 그 행동을 따라 하려는 경향이 있습니다. 크라우드펀딩의 맥락에서 이는 특히 중요한데, 초기 단계에서 몇몇 영향력 있는 투자자들이 프로젝트에 자금을 제공할 때, 이러한 행동은 후속 투자자들에게 강력한 신호로 작용하여 프로젝트에 대한 신뢰성과 가치를 간접적으로 증명해 줍니다. 이런 신호는 다른 투자자들이 불확실성을 감소시키고 참여 결정을 내리는 데 큰 도움을 줍니다.

상호성의 법칙은 사람들이 받은 호의나 선물을 다른 형태로 갚으려는 경향을 설명합니다. 크라우드펀딩에서는 투자자들이 프로젝트에 기여한 후 얻을 수 있는 보상이 이 법칙을 활성화시키는 중요한 요소입니다. 예를 들어, 투자자들이 특정 금액을 기부하면 제한된 판매되는 상품, 프로젝트의 결과물 또는 경험 등 특별한 보상을 제공받는 것은 투자자들에게 추가적인 동기를 부여하며, 이는 프로젝트에 대한 그들의 개인적인 투자와 관심을 더욱 깊게 만듭니다.

아브라함 마슬로우의 소속감의 필요성은 인간이 사회적 연결과 소속을 추구한다는 욕구를 기반으로 합니다. 크라우드펀딩 캠페인은 종종 특정 커뮤니티 또는 사회적 원인을 중심으로 구성되며, 투자자들은 이러한 공동의 목표에 기여함으로써 커뮤니티의 일원이 되고자 하는 욕구를 충족시킵니다. 이 과정에서 투자자들은 자신의 기여가 더 큰 목표의 일부가 되고 있음을 느끼며, 이는 그들에게 심리적 만족과 동기를 제공합니다.

이와 같은 심리학적 이론들을 통합하여 적용하면, 크라우드펀딩 캠페인은 투자자들의 심리적 동기와 행동을 효과적으로 이해하고 예측할 수 있으며, 이를 바탕으로 캠페인을 설계하고 실행하는 전략을 보다 정교하게 수립할 수 있습니다. 이러한 접근은 캠페인의 성공 가능성을 높이고, 프로젝트의 장기적인 지속 가능성을 보장하는 데 중요한 역할을 할 것입니다.

에코그린의 크라우드펀딩 캠페인이 직면한 문제를 해결하기 위해 적용할 수 있는 심리학적 접근은 다음과 같이 세부적으로 구성됩니다. 이 접근법은 투자자들의 사회적 동기와 심리적 요인을 고려하여 투자 결정 과정에 긍정적인 영향을 미칠 수 있도록 설계되었습니다.

우선 사회적 증거 이론에 따라, 에코그린은 초기에 영향력 있는 투자자들의 참여를 확보하여 이들의 지지가 캠페인에 대한 신뢰와 가치를 간접적으로 증명하도록 했습니다. 이를 위해 에코그린은 환경 옹호 단체, 유명 환경 활동가, 그리고 업계 리더들을 대상으로 초기 자금 조달 라운드를 구성했습니다. 이들의 참여가 캠페인 페이지와 소셜 미디어에서 홍보되면서, 다른 잠재 투자자들에게 강력한 사회적 증거를 제공했습니다. 이 전략은 특히 불확실성이 높은 크라우드펀딩 환경에서 후속 투자자들의 참여를 유도하는 데 효과적이었습니다.

다음으로 상호성의 원칙을 활용하여, 에코그린은 투자자들에게 제공하는 보상 시스템을 강화했습니다. 투자자들이 프로젝트에 기여한 것에 대한 감사의 표시로 특별한 보상을 제공하는 것은 투자 유인을 창출하는 강력한 방법입니다. 에코그린은 기부자에 따라 다른 등급의 보상을 설정했으며, 이는 고유한 에코 프렌들리 제품, 프로젝트의 발전 과정에 참여할 수 있는 기회, 그리고 일부 성공적인 프로젝트 결과물을 시험할 수 있는 권리를 포함했습니다. 이러한 보상은 투자자들에게 프로젝트에 더 깊이 참여하고, 지속적으로 지지하도록 동기를 부여했습니다.

마지막으로 소속감의 필요성을 기반으로, 에코그린은 투자자들이 프로젝트에 개인적으로 연결되고, 커뮤니티의 일원으로 느낄 수 있도록 노력했습니다. 이를 위해 에코그린은 투자자들을 대상으로 정기적인 뉴스레터를 발행하고, 프로젝트의 진행 상황을 공유하는 웹세미나를 개최했습니다. 또한, 온라인 포럼과 소셜 미디어 그룹을 통해 투자자들이 서로 의견을 나누고, 프로젝트에 대한 아이디어와 피드백을 공유할 수 있는 플랫폼을 제공했습니다. 이러한 활동은 투자자들 사이의 상호 작용을 촉진하고, 그들이 프로젝트에 더 큰 소속감을 느끼도록 만들어 투자 결정에 긍정적으로 작용했습니다.

이와 같은 심리학적 접근은 에코그린의 크라우드펀딩 캠페인을 재정비하고, 투자자 참여를 극대화하는 데 중요한 역할을 했습니다. 프로젝트에 대한 투자자들의 감정적, 심리적 참여를 높임으로써, 필요한 자금을 성공적으로 모으고, 지속 가능한 포장 솔루션을 시장에 출시하는 목표를 달성할 수 있었습니다.

크라우드펀딩과 관련된 사회적 동기를 더 깊이 탐구하기 위해 다루어볼 수 있는 추가적인 심리학적 이론들은 다음과 같습니다:

1. 감정 감염 이론 (Emotional Contagion): 이 이론은 감정이 한 사람에서 다른 사람으로 전염될 수 있다는 개념을 다룹니다. 크라우드펀딩에서 참여자들의 열정이나 긍정적인 감정이 다른 잠재 투자자들에게 전파될 수 있으며, 이는 캠페인의 동력을 증폭시키는 데 기여할 수 있습니다. 에코그린 같은 프로젝트는 투자자들 사이의 긍정적인 감정을 촉진하여, 그들이 보다 적극적으로 참여하고 지지하도록 할 수 있습니다.

2. 공정성 이론 (Equity Theory): 이 이론은 개인이 그들의 기여와 그에 따른 보상을 평가하며 이 과정에서 느끼는 공정성이 그들의 만족도와 행동을 결정한다고 설명합니다. 크라우드펀딩에서 투자자들이 프로젝트에 기여한 것과 그들이 받는 보상 사이에 공정성을 느낀다면, 그들은 더 만족하고 지속적으로 지지할 가능성이 높습니다. 에코그린은 투자자들에게 그들의 기여에 상응하는 가치 있는 보상을 제공함으로써, 이들의 지속적인 참여와 지지를 유도할 수 있습니다.

3. 자기 결정 이론 (Self-Determination Theory): 이 이론은 사람들이 자신의 행동을 스스로 결정할 수 있을 때 더 큰 만족과 동기를 느낀다고 설명합니다. 크라우드펀딩 캠페인에서 투자자들이 자신의 선택과 결정에 대한 통제권을 가지고 있다고 느낀다면, 그들은 더 적극적으로 참여하고, 그 결과에 대해 더 큰 책임감을 가질 수 있습니다. 에코그린은 투자자들에게 다양한 참여 방법과 선택권을 제공하여, 그들이 프로젝트에 더 깊이 관여하고 개인적으로 연결되도록 할 수 있습니다.

이와 같은 심리학적 이론들을 크라우드펀딩 캠페인에 적용함으로써, 에코그린은 투자자들의 참여를 더욱 촉진하고, 그들의 지지를 확보하여 프로젝트의 성공 가능성을 높일 수 있습니다. 이러한 접근은 투자자들에게 더 깊은 심리적 만족을 제공하며, 동시에 에코그린의 목표를 달성하는 데 필수적인 자금과 지원을 확보하는 데 기여할 것입니다.

10. 투자 유치 후 심리적 관리

투자 유치 후의 심리적 지원:
지속 가능한 파트너십 유지

이 장에서는 투자 유치 후 투자자들의 기대와 관계를 관리하는 심리적 전략에 대해 탐구합니다. 투자를 성공적으로 유치한 후에도, 기업들은 투자자들과의 관계를 지속적으로 관리하고 그들의 신뢰를 유지하는 데 많은 노력을 기울여야 합니다. 이 과정에서 심리학적 이론을 적용하면, 투자자들의 불안과 기대를 효과적으로 관리하고, 장기적인 지지와 충성도를 확보하는 데 도움이 됩니다.

투자 유치 후에는 투자자들이 그들의 투자 결정에 대해 긍정적인 확인을 받기를 원합니다. 이들은 자신의 선택이 옳았음을 증명 받기를 희망하며, 그들의 기대가 현실로 이루어지는 것을 보기 원합니다. 이 시기에 투자자들이 느끼는 불안이나 만족은 기업과의 관계에 지대한 영향을 미치며, 이는 투자자들의 지속적인 참여와 추가적인 투자 결정에도 중요한 역할을 합니다.

따라서, 투자 후 관리는 단순히 재정적 성과를 넘어서 투자자들의 심리적 욕구를 충족시키는 것에 대한 이해와 전략이 필요합니다. 이 장에서는 투자자들의 심리적 욕구를 어떻게 파악하고 충족시킬 수 있는지, 그리고 기업이 투자자와의 관계를 어떻게 지속적으로 강화할 수 있는지에 대해 심도 있게 논의할 것입니다. 이를 통해 기업은 투자자들과의 신뢰를 깊게 하고, 그들의 지지를 장기적으로 확보하는 방법을 모색할 수 있을 것입니다.

제이테크(JayTech)는 최근 벤처 캐피탈로부터 상당한 규모의 투자를 유치한 후, 투자자들과의 심리적 관계 관리에 있어 중요한 도전에 직면하게 되었습니다. 이 회사는 혁신적인 IoT 솔루션 개발을 목표로 하고 있으나, 투자 유치 후 몇 가지 예상치 못한 문제로 인해 프로젝트 진행에 지연이 발생했습니다. 이러한 개발 지연과 시장 변화는 투자자들 사이에서 불안과 우려를 증폭시켰고, 이는 제이테크가 신속히 해결해야 할 심리적 문제로 부상했습니다.

투자자들의 불안감은 주로 두 가지 원인에서 비롯되었습니다.

첫째, 투자자들은 자신들의 투자가 계획대로 진행되고 있는지에 대한 지속적인 확인을 원했습니다. 제이테크의 프로젝트가 예정된 목표를 달성하는 데 실패하면서, 투자자들은 자신들의 투자 결정에 대해 의심하기 시작했고, 이는 투자자와 기업 간의 신뢰 관계에 금이 가기 시작했습니다.

둘째, 투자자들 사이에서는 제이테크의 장기적 비전과 단기 성과 사이의 긴장감이 증가했습니다. 일부 투자자들은 즉각적인 수익을 기대했으나, 제이테크의 전략은 장기적인 성장과 기술 개발에 중점을 두고 있었습니다. 이로 인해 투자자들의 기대치와 회사의 성과 사이에 불일치가 발생했습니다.

이러한 문제를 해결하기 위해 제이테크는 심리학적 접근 방식을 통한 전략을 개발해야 했습니다.

191

첫 번째 전략은 투자자들의 심리적 안정감을 확보하는 것이었습니다. 이를 위해 제이테크는 정기적인 커뮤니케이션 채널을 활용하여 프로젝트의 진행 상황, 도전 과제 및 성과를 투명하게 공유하기 시작했습니다. 이런 과정은 투자자들이 회사의 진행 상황을 실시간으로 파악하고, 제이테크가 직면한 문제들에 대한 이해와 공감을 높이는 데 기여했습니다.

또한, 제이테크는 투자자들과의 워크숍을 주최하여 회사의 장기 전략과 시장 전망에 대해 깊이 있게 논의하고, 투자자들의 의견과 기대를 적극적으로 수렴했습니다. 이 워크숍은 투자자들에게 제이테크의 비전과 계획을 재확인시키고, 투자 결정에 대한 긍정적인 태도를 강화하는 기회를 제공했습니다.

이러한 심리적 관리 전략은 투자자들의 불안을 줄이고, 제이테크에 대한 신뢰와 만족을 높이는 데 중요한 역할을 했습니다. 투자자들은 제이테크가 공개적이고 투명한 방식으로 문제에 접근하고 해결책을 모색하는 모습을 보면서, 장기적인 관점에서 회사를 지지하고 추가 투자를 고려하는 등 긍정적인 반응을 보였습니다. 이와 같은 접근은 제이테크가 투자 후에도 투자자들과의 관계를 강화하고, 지속 가능한 성장을 추구하는 데 중요한 기반을 마련했습니다. 제이테크의 투자자 관리 전략에서 적용할 수 있는 주요 심리학적 이론들은 투자자들의 심리적 상태와 행동에 중요한 영향을 미치며, 이를 이해함으로써 보다 효과적인 관계 관리가 가능합니다.

인지 부조화 이론 (Cognitive Dissonance Theory)은 레온 페스팅거에 의해 개발되었습니다. 이 이론은 개인이 자신의 신념과 행동 사이에 일관성이 없을 때 경험하는 심리적 불편함을 설명합니다. 특히, 투자자들이 초기에 제이테크에 투자한 결정과 실제 회사의 진행 상황 사이에 간극이 생겼을 때, 투자자들은 이 불일치를 해소하기 위해 자신의 신념을 조정하거나 회사에 대한 정보를 새롭게 해석할 수 있습니다. 이 이론의 적용을 통해 제이테크는 투자자들에게 정기적인 업데이트와 투명한 정보를 제공함으로써 인지 부조화를 최소화하고, 투자자들의 신뢰와 만족을 유지할 수 있습니다.

기대 이론 (Expectancy Theory)은 빅터 브룸에 의해 개발되었으며, 개인의 행동이 그들이 기대하는 결과와 그 결과를 달성할 수 있다고 믿는 자신의 능력에 의해 동기화된다고 설명합니다. 제이테크는 이 이론을 적용하여 투자자들이 회사의 성공 가능성에 대한 긍정적인 기대를 가질 수 있도록 동기를 부여합니다. 이를 위해, 회사는 달성 가능한 단기 목표를 설정하고 이를 성공적으로 완수함으로써, 투자자들의 기대를 충족시키고 장기적인 성공에 대한 확신을 강화할 수 있습니다.

소셜 아이덴티티 이론 (Social Identity Theory)은 헨리 타즈펠과 존 터너에 의해 발전되었습니다. 이 이론은 개인이 속한 그룹에 대한 자부심과 동일시를 통해 자신의 정체성을 형성한다고 주장합니다. 제이테크는 투자자들이 회사의 성공을 자신의 성공으로 간주하도록 하여, 이들의 사회적 정체성과 제이테크와의 연결고리를 강화합니다. 이를 위해 회사는 투자자들을 대상으로 한 특별 이벤트, 네트워킹 모임, 독점적 정보 제공 등을 통해 투자자 커뮤니티 내에서의 소속감과 참여를 증진합니다.

이러한 이론들을 통해 제이테크는 투자자들의 심리적 상태를 깊이 이해하고, 이를 바탕으로 투자자들과의 긴밀하고 지속적인 관계를 유지할 수 있습니다. 이 접근은 투자자들이 회사의 장기적 비전과 성장 전략에 더 깊이 동참하고, 지속적으로 지지할 수 있도록 하는 데 중요한 역할을 합니다.

제이테크는 투자 유치 후 투자자들의 불안과 기대를 관리하기 위해 심리학적 이론을 적용하여 몇 가지 전략적 조치를 취했습니다. 특히, 레온 페스팅거의 인지 부조화 이론, 빅터 브룸의 기대 이론, 그리고 헨리 타즈펠의 소셜 아이덴티티 이론을 중심으로 투자자들과의 심리적 관계를 강화하고 지속 가능한 신뢰를 구축하는 방법을 모색했습니다.

인지 부조화 이론을 바탕으로 제이테크는 투자자들이 자신들의 초기 투자 결정과 제이테크의 현재 상황 사이의 불일치를 느끼지 않도록 투자자들에게 지속적이고 정확한 정보를 제공하는 시스템을 구축했습니다. 회사는 정기적인 뉴스레터, 웹 기반 업데이트 포털, 그리고 질의응답 세션을 통해 투자자들에게 프로젝트의 진행 상황, 도전과제 및 성취에 대한 투명한 보고를 제공했습니다. 이런 방식으로 투자자들이 자신의 투자에 대한 긍정적인 태도를 유지할 수 있도록 도왔고, 인지적 불일치로 인한 불편함을 최소화했습니다.

기대 이론을 활용하여, 제이테크는 투자자들이 기대하는 결과와 이를 달성할 수 있는 능력 사이의 관계를 강화하는 방법으로 목표 설정 프로세스를 개선했습니다. 단기 목표를 세우고 이를 달성함으로써 투자자들의 기대를 현실적으로 만족시키고, 성공의 경험을 제공하여 투자자들의 만족감과 동기를 높였습니다. 각 단계에서의 성공은 투자자들에게 자신들의 투자 결정이 올바름을 확신시켜 주었고, 이는 투자자들이 더 큰 약속과 지원을 제공하는 데 긍정적으로 작용했습니다.

소셜 아이덴티티 이론을 통해 제이테크는 투자자들이 회사와의 강한 사회적 연결감을 느끼고, 자신들의 투자가 더 큰 커뮤니티의 일부임을 인식하도록 촉진했습니다. 이를 위해 제이테크는 투자자들을 회사의 주요 이벤트와 회의에 초대하고, 투자자 전용 소셜 미디어 그룹을 만들어 운영했습니다. 이러한 플랫폼은 투자자들이 서로 소통하고, 회사의 성공을 자신의 성공으로 인식하며, 더 깊은 참여와 헌신을 할 수 있도록 했습니다.

이와 같은 방법들은 제이테크가 투자자들과의 심리적 거리를 줄이고, 지속적인 신뢰와 지지를 확보하는 데 중요한 역할을 했습니다. 이러한 심리적 접근은 제이테크의 장기적인 성공과 투자자 관계의 강화에 기여하여, 회사가 지속 가능한 성장을 이루는 데 도움을 주었습니다.

투자 유치 후 투자자와의 관계를 심리학적으로 관리하는 것에 관해 더 깊이 탐구할 수 있는 다양한 심리학적 이론들을 추가로 고려해볼 수 있습니다. 이러한 이론들은 제이테크가 투자자들의 기대와 신뢰를 유지하고 강화하는 데 도움을 줄 수 있습니다.

1. 유능감 이론 (Theory of Competence): 이 이론은 사람들이 자신의 능력을 인정받고, 자신의 행동이 결과에 중요한 영향을 미친다고 느낄 때 더 큰 만족감과 동기를 경험한다고 설명합니다. 제이테크는 이 이론을 활용하여 투자자들이 회사 내에서 중요한 역할을 하고 있다는 것을 강조할 수 있습니다. 이를 위해 투자자들을 특정 프로젝트의 진행 상황에 관한 회의나 의사결정 과정에 참여시키고, 그들의 의견이 회사의 방향에 실질적인 영향을 미치고 있다는 점을 명확히 할 수 있습니다.

2. 기본 심리적 욕구 이론 (Basic Psychological Needs Theory): 이 이론은 모든 인간이 자율성, 유능감, 그리고 관계성에 대한 기본적인 심리적 욕구를 가지고 있다고 주장합니다. 제이테크는 이 이론을 적용하여 투자자들의 이러한 욕구를 충족시키는 방법을 찾을 수 있습니다. 예를 들어, 투자자들에게 자율적인 선택권을 제공하고, 그들이 회사 내에서 유의미한 관계를 맺고 있음을 느끼게 하는 활동을 조직할 수 있습니다.

3. 정서적 지능 이론 (Emotional Intelligence Theory): 이 이론은 개인의 정서적 지능이 그들의 사회적 상호작용과 관계 관리에 중요한 역할을 한다고 강조합니다. 제이테크는 이 이론을 바탕으로 투자자 관리 전략에 정서적 지능 요소를 통합할 수 있습니다. 예를 들어, 투자자들의 감정과 기대를 적극적으로 듣고 이해하며, 이에 대응하는 소통 전략을 개발할 수 있습니다.

이러한 추가적인 심리학적 이론들을 통해 제이테크는 투자자들과의 관계를 더욱 깊고 지속적으로 발전시킬 수 있으며, 투자자들의 지원과 신뢰를 장기적으로 유지하는 방법을 찾을 수 있습니다. 이는 투자 유치의 단기적 성공을 넘어서, 장기적인 파트너십과 회사 성장의 기반을 마련하는 데 큰 도움이 될 것입니다.

V. 협업과 심리학

심리학이 조율하는 협업의 오케스트라: 조직 내 팀워크를 위한 깊은 이해

"협업과 심리학" 에서는 조직 내에서의 협업이 단순히 개인의 행동을 넘어서 복잡한 심리적 상호작용의 산물임을 깊이 있게 탐구합니다. 여기서는 조직 내 협업의 성공이 단순히 여러 인간의 집합으로 설명될 수 없음을 명확히 하며, 팀원들 사이의 상호작용, 동기 부여, 의사소통 효율성, 그리고 리더십의 심리적 측면을 철저하게 분석합니다. 협업은 단순한 작업 수행을 넘어서 팀원 간의 깊은 정서적 연결과 심리적 조화를 요구하며, 이는 현대 비즈니스 환경에서 선택적 요소가 아닌 필수적인 성공 요소로 자리 잡고 있습니다.

오늘날의 기업들은 점점 더 글로벌하고 다양한 환경에서 경쟁하고 있으며, 이러한 배경 속에서 팀 구성원 간의 효과적인 협업은 창의적인 문제 해결, 혁신적인 아이디어의 생성, 그리고 경쟁력 있는 비즈니스 전략의 수립을 가능하게 합니다. 그러나 이와 같은 협업의 성공 여부는 구성원들 사이의 심리적 상호작용에 의해 크게 좌우됩니다. 심리학은 이러한 상호작용을 이해하고 개선하는 데 필수적인 통찰력을 제공하며, 팀 동기 부여, 갈등 해결, 의사소통 개선 등의 측면에서 구체적인 전략을 제공합니다.

이 챕터에서는 Hackman & Oldham의 직무 특성 모델, Watzlawick의 의사소통 이론, Belbin의 팀 역할 이론 등 다양한 심리학적 이론들을 통해 조직 내 협업의 중요한 심리적 요소들을 깊이 있게 탐구합니다. 각 세부 주제는 특정 심리학적 이론을 중심으로 조직 내 협업의 심리학적 측면을 분석하며, 이를 통해 조직과 개인이 어떻게 상호 작용하며, 이러한 상호 작용이 조직의 협업 문화와 어떻게 연결되는지를 심도 있게 다룹니다. 이 대주제는 협업을 단순히 팀원들이 모여 일하는 것으로 보지 않고, 각 개인의 심리적 요인들이 어떻게 결합하여 전체적인 조직 성과에 기여하는지를 심도 있게 탐구합니다. 이는 조직과 개인 모두에게 유익한 협업 전략을 개발하는 방법을 제시하며, 이를 통해 조직이 현대 비즈니스 환경에서 지속 가능한 성공을 달성하는 데 결정적인 역할을 할 것입니다.

1. 팀 동기 부여와 Hackman & Oldham의 직무 특성 모델

팀의 에너지를 촉발시키는 비결:
Hackman & Oldham의 직무 특성 모델을 통한 동기 부여

팀 동기 부여는 현대 조직에서 성공적인 협업을 이루기 위한 필수 요소 중 하나입니다. 특히, Hackman & Oldham의 직무 특성 모델은 팀원들의 동기 부여를 이해하고 증진시키는 데 중요한 이론적 틀을 제공합니다. 이 모델은 직무 설계가 직원의 내적 동기, 직무 만족, 그리고 업무 성과에 미치는 영향을 설명하며, 개인의 심리적 상태가 어떻게 그들의 업무 성과에 연결되는지를 탐구합니다. 이 이론은 개인이 업무에서 자기 효능감, 자기결정감, 그리고 업무의 의미를 느낄 때 더 높은 동기 부여와 만족도를 경험한다고 주장합니다.

조직 내에서 팀원들이 자신의 업무에 대해 더 큰 동기를 갖고, 그 결과로 더 높은 생산성과 창의성을 발휘할 수 있도록 하기 위해, 직무의 다섯 가지 핵심 특성을 조정할 필요가 있습니다. 이 핵심 특성에는 업무의 다양성, 업무 정체성, 업무의 중요성, 자율성, 그리고 피드백이 포함됩니다. 이 특성들이 잘 조정되면, 팀원들은 업무를 수행함에 있어 더 큰 의미와 만족을 느끼며, 이는 곧 전체 팀의 성과 향상으로 이어집니다.

이러한 이론적 배경을 바탕으로, 다양한 조직 사례를 통해 Hackman & Oldham의 모델이 어떻게 실제 조직 상황에 적용될 수 있는지를 살펴보겠습니다. 이는 팀 동기 부여의 심리학적 이해를 심화시키고, 현대 조직에서의 효과적인 팀 구성과 관리 전략을 개발하는 데 중요한 기초 자료를 제공할 것입니다. 이 모델을 통해 조직은 각 팀원의 업무 만족도를 높이고, 최종적으로 조직의 목표 달성에 기여하는 동기 부여된 팀을 구성할 수 있습니다.

테크라인은 글로벌 소프트웨어 개발 회사로, 최근 여러 고객 프로젝트의 지연과 팀원들의 저조한 만족도로 인해 큰 도전에 직면해 있었습니다. 직원들의 업무 만족도 조사 결과, 다수가 자신의 업무에 대한 통제력 부족을 호소했으며, 자신들이 수행하는 업무의 중요성을 제대로 인식하지 못하고 있음이 드러났습니다. 이러한 문제는 프로젝트의 효율성을 저해하고 창의적인 결과물의 생산을 방해하는 주요 요인으로 작용했습니다.

이 상황은 팀원들 사이에서 명확한 동기 부족을 야기했으며, 이는 직무 만족도의 저하로 이어졌습니다. 특히, 개발 팀은 자신들의 역할이 최종 제품에 어떤 영향을 미치는지를 충분히 이해하지 못하고 있었고, 이로 인해 업무에 대한 헌신과 열정이 크게 감소했습니다. 또한, 업무에 대한 즉각적인 피드백 부재는 개인의 성장과 개발 기회를 제한하며, 팀원들의 자기 효능감을 저하시켰습니다.

테크라인 경영진은 이 문제를 해결하기 위해 구체적이고 실질적인 변화를 도입하기로 결정했습니다. 회사는 업무 프로세스와 팀 구조를 재검토하여 각 팀원이 자신의 업무에 대해 더 큰 자율성을 가질 수 있도록 조치를 취했고, 각자의 역할이 프로젝트 전체 목표에 어떻게 기여하는지를 명확히 하는 세션을 정기적으로 마련했습니다. 이러한 조치들은 팀원들에게 자신들의 업무가 조직 내에서 중요하게 다뤄지고 있음을 인식시키는 데 중요한 역할을 했습니다.

테크라인이 직면한 문제의 원인은 깊이 분석되었고, 그 결과는 명확했습니다.

첫 번째 주요 원인은 팀원들이 자신의 업무에 대해 충분한 통제권을 갖지 못하고, 업무의 중요성을 충분히 인식하지 못하고 있었다는 것입니다. 이는 업무 만족도와 참여도를 저하시켰으며, 팀원들의 동기 부여에 부정적인 영향을 미쳤습니다.

두 번째로, 업무에 대한 즉각적인 피드백이 부족하다는 점이 드러났습니다. 팀원들은 자신들의 노력이 최종 결과에 어떤 영향을 미치는지를 즉시 파악하기 어렵다고 느꼈으며, 이는 자신들의 역할이 프로젝트 전체에 중요한 기여를 하고 있다는 인식을 저하시켰습니다.

이러한 문제들은 팀원들이 자신의 업무를 단순한 작업으로만 인식하게 만들었고, 이는 창의성과 업무에 대한 열정을 크게 감소시켰습니다. 또한, 업무의 자율성과 통제의 부족은 팀원들이 업무에 대해 느끼는 소속감과 만족도를 감소시켜, 전반적인 프로젝트의 성과에 부정적인 영향을 미쳤습니다.

이 문제의 근본적인 원인을 해결하기 위해, 테크라인은 조직 내에서 업무 프로세스를 재설계하고, 직무 특성 모델을 도입하여 각 팀원의 업무가 조직의 큰 그림과 어떻게 연결되는지를 보다 명확히 할 필요가 있었습니다. 이러한 변화는 팀원들이 자신의 역할을 보다 중요하게 인식하게 하고, 각자의 업무에 대해 더 큰 자율성과 통제를 느낄 수 있도록 조치하는 것이 포함되어야 했습니다.

Hackman & Oldham의 직무 특성 모델은 1970년대에 심리학자 리처드 핵크먼(Richard Hackman)과 그레그 올드햄(Greg Oldham)에 의해 개발되었습니다. 이 모델은 개인의 업무 동기 부여, 만족도, 그리고 성과가 업무 자체의 특성에 의해 어떻게 영향을 받는지를 설명합니다. 이들은 업무를 설계할 때 특정 요소들이 직원의 심리적 상태와 성과에 큰 영향을 미친다고 보았으며, 이를 통해 업무 만족과 내적 동기 부여를 높일 수 있다고 주장했습니다.

이 모델은 다섯 가지 핵심 직무 특성을 중심으로 구성됩니다:
1. 업무의 다양성(Skill Variety): 업무를 수행하는 데 다양한 기술과 능력을 요구하는 정도입니다.
2. 업무 정체성 (Task Identity): 한 작업을 완전히 끝내는 작업의 완성도를 의미합니다.
3. 업무의 중요성(Task Significance): 업무가 다른 사람들에게 미치는 영향의 중요성입니다.
4. 자율성 (Autonomy): 업무 수행 과정에서의 독립성 및 결정권의 정도입니다.
5. 피드백 (Feedback): 업무 수행 결과에 대한 명확하고 직접적인 피드백입니다.

이러한 특성들이 적절히 조화롭게 설계되고 관리될 때, 직원은 업무에서 높은 내적 동기 부여를 느끼며, 이는 업무 만족도를 증가시키고 생산성을 높이는 결과로 이어집니다.
Hackman & Oldham의 이론은 직무 만족과 동기 부여의 심리학적 메커니즘을 이해하는 데 중요한 기여를 했으며, 현대 조직에서 직무 설계와 인사 관리 전략에 광범위하게 적용되고 있습니다.

이 이론의 적용을 통해 테크라인과 같은 조직은 구성원들이 자신의 업무에 더 큰 의미와 만족을 느낄 수 있도록 도울 수 있으며, 이는 전체 팀의 성과와 동기 부여를 향상시키는 데 결정적인 역할을 합니다. Hackman & Oldham의 직무 특성 모델은 실제 업무 환경에서 직무 만족과 성과 향상을 위한 중요한 도구로 활용되고 있습니다.

테크라인에서 Hackman & Oldham의 직무 특성 모델을 적용하여 해결하고자 한 주요 문제는 팀원들의 업무 동기 부족과 직무 만족도 저하였습니다. 이를 개선하기 위해, 회사는 각 팀원이 자신의 역할에서 더 큰 자율성과 업무의 중요성을 느낄 수 있도록 다양한 전략을 실행했습니다. 업무의 다양성을 높이기 위해 테크라인은 프로젝트를 거치며 다양한 기술과 역할을 경험할 수 있는 기회를 제공함으로써 팀원들이 새로운 기술을 배우고 적용해볼 수 있는 환경을 조성했습니다. 이러한 변화는 팀원들에게 자신의 기술 세트를 확장하고 전문성을 높일 수 있는 기회를 제공했으며, 그 결과 업무에 대한 흥미와 참여도가 증가했습니다.

또한, 각 팀원이 자신의 업무가 전체 프로젝트 목표와 어떻게 연결되는지를 명확히 이해할 수 있도록 했습니다. 이는 팀원들에게 그들의 업무가 조직 내에서 중요한 역할을 하고 있다는 인식을 강화시켰고, 업무 정체성을 더욱 분명하게 했습니다. 업무의 중요성을 강조하기 위해 회사는 팀원들에게 그들의 일이 최종 제품에 어떤 영향을 미치는지를 정기적으로 소개하는 세션을 마련했습니다. 이런 과정은 팀원들이 자신의 노력이 큰 그림에 어떻게 기여하는지를 보여주며, 그들의 업무에 대한 만족도와 몰입감을 높였습니다.

자율성 측면에서, 테크라인은 팀원들에게 일정 관리와 업무 접근 방식에서 더 많은 결정권을 부여했습니다. 이를 통해 팀원들은 자신의 업무 스타일에 맞춰 일할 수 있었고, 이는 업무 효율성을 높이는 동시에 팀원들이 자신의 업무에 대한 통제감을 강화하는 결과를 낳았습니다. 마지막으로, 효과적인 피드백 시스템을 구축하여 팀원들이 자신의 업무 성과에 대한 즉각적인 리뷰를 받을 수 있도록 했습니다. 이는 팀원들이 자신의 진행 상황을 파악하고 필요한 조정을 할 수 있는 기회를 제공함으로써, 자신의 역할을 더욱 효과적으로 수행할 수 있도록 도왔습니다.

이러한 조치들을 통해 테크라인은 팀원들의 동기 부여를 증진시키고 직무 만족도를 높이는 성공적인 결과를 얻었습니다. Hackman & Oldham의 직무 특성 모델의 체계적 적용은 조직 내에서 팀원들이 자신의 역할을 중요하게 생각하고, 업무에 더 깊이 몰입하며, 전반적인 팀의 성과를 향상시키는 데 중요한 역할을 했습니다. 이 모델은 테크라인과 같은 다양한 조직 환경에서 팀원들의 동기 부여와 직무 만족을 극대화하는 데 효과적인 도구로 입증되었습니다.

Hackman & Oldham의 직무 특성 모델을 테크라인과 같은 조직에 적용하는 과정에서 탐구해볼 만한 추가적인 심리학적 이론들은 조직 내에서의 팀 동기 부여 및 업무 만족을 더 깊이 이해하고 향상시키는 데 중요한 역할을 할 수 있습니다. 다음은 이와 관련된 몇 가지 심리학적 이론들입니다:

1. 자기결정 이론 (Self-Determination Theory): 에드워드 데시와 리처드 라이언에 의해 개발된 이 이론은 동기 부여를 자율성, 유능감, 관계성의 세 가지 기본적인 심리적 욕구에 뿌리두고 설명합니다. 조직에서 이 이론을 적용하면, 팀원들이 자신의 업무를 자율적으로 수행할 수 있는 환경을 조성하여 내적 동기를 강화시킬 수 있습니다. 또한, 팀원들이 자신의 역량을 발휘하고 인정받을 기회를 제공함으로써 유능감을 느끼게 하고, 팀원 간 및 리더와의 긍정적인 관계를 통해 사회적 소속감을 증진시킬 수 있습니다.

2. 목표설정 이론 (Goal Setting Theory): 에드윈 로크에 의해 개발된 이 이론은 명확하고 도전적인 목표가 개인의 성과를 향상시키는 데 중요하다고 강조합니다. 조직에서 이 이론을 적용하면, 팀원들에게 구체적이고 달성 가능한 목표를 설정함으로써 그들의 업무에 대한 집중력과 헌신을 증가시킬 수 있습니다. 목표는 팀원들이 자신의 진행 상황을 추적하고, 성취감을 느낄 수 있는 기회를 제공하며, 업무의 방향성과 목적을 명확히 합니다.

3. 강화 이론 (Reinforcement Theory): 이 이론은 행동의 결과가 그 행동의 빈도를 증가시키거나 감소시킨다는 원리에 기반합니다. 조직에서 긍정적 강화를 사용하여, 팀원들이 원하는 행동을 보일 때 적절한 보상을 제공함으로써 그러한 행동을 더 자주 반복하도록 동기를 부여할 수 있습니다. 이는 업무 성과의 개선, 긍정적인 작업 환경의 조성, 그리고 팀원 간의 긍정적인 상호작용을 촉진하는 데 도움이 됩니다.

이러한 심리학적 이론들을 Hackman & Oldham의 직무 특성 모델과 함께 적용함으로써, 테크라인과 같은 조직은 팀원들의 동기 부여와 업무 만족도를 극대화하고, 조직의 전반적인 성과를 향상시킬 수 있는 효과적인 전략을 개발할 수 있습니다. 이는 팀원들이 각자의 업무에서 더 큰 의미와 만족을 찾고, 조직의 목표 달성에 적극적으로 기여할 수 있는 환경을 조성하는 데 중요한 역할을 합니다.

2. 팀 갈등 해결의 심리학적 접근

조화를 창출하는 갈등 관리:
팀 갈등의 심리학적 해법

팀 갈등 해결의 심리학적 접근은 현대 조직에서 필수적인 요소입니다. 조직 내 갈등은 불가피하며, 이를 효과적으로 관리하는 방법을 이해하고 적용하는 것은 팀의 성과와 조직 문화에 중대한 영향을 미칩니다. 갈등이 적절히 관리되지 않을 경우, 팀의 분열, 생산성 저하, 그리고 직원 이직률 증가와 같은 부정적인 결과를 초래할 수 있습니다. 반면, 갈등을 효과적으로 해결하는 방법을 배우고 적용함으로써, 조직은 팀원 간의 관계를 강화하고, 혁신적인 해결책을 도출하며, 전체적인 조직 건강을 향상시킬 수 있습니다.

갈등 해결의 심리학적 접근은 갈등의 원인을 심층적으로 이해하고, 개인 및 그룹 간의 상호 작용을 조정하여 긍정적인 결과를 도출하는 데 초점을 맞춥니다. 이러한 접근은 갈등의 근본 원인을 다루고, 팀원들이 서로의 관점을 이해하도록 돕는 다양한 기법과 전략을 포함합니다. 갈등 해결을 위한 심리학적 전략은 조직 내에서 개방적인 의사소통 채널을 확립하고, 서로의 차이를 존중하며, 공통의 목표를 향해 협력하도록 장려합니다.

이러한 심리학적 접근은 갈등을 단순히 제거하는 것이 아니라, 갈등을 조직의 성장과 개발을 촉진하는 기회로 전환하는 방법을 제공합니다. 갈등 해결 과정에서 적용되는 다양한 심리학 이론과 기법들은 팀원들이 서로의 견해와 감정을 더 잘 이해하고, 갈등 상황에서 건설적인 대화를 나눌 수 있도록 돕습니다. 이를 통해, 조직은 더 강력하고 조화로운 팀을 구성하고, 장기적인 성공을 위한 견고한 기반을 마련할 수 있습니다.

다음으로, 구체적인 기업 사례를 통해 갈등 해결의 심리학적 접근이 어떻게 실제 조직 상황에 적용될 수 있는지를 살펴보겠습니다. 이를 통해, 실제 문제에 대한 분석, 이론의 적용, 그리고 해결 과정에서의 교훈을 상세히 이해할 수 있습니다. 이 과정은 조직이 갈등을 긍정적으로 관리하고, 팀 간의 협력을 증진하는 데 중요한 통찰력을 제공할 것입니다.

디지털 마케팅 회사인 크리에이티브 솔루션즈(Creative Solutions)는 최근 프로젝트 관리 팀 내에서 발생한 갈등으로 인해 큰 어려움을 겪었습니다. 프로젝트의 마감 기한이 다가오면서 팀 내에서 의견 충돌이 빈번해졌고, 이로 인해 팀의 분위기가 급격히 악화되었습니다. 일부 팀원들은 프로젝트의 우선순위에 대해 이견을 보였고, 다른 팀원들은 리소스 배분과 업무량의 불균형을 문제로 제기했습니다. 이 갈등은 팀의 생산성 저하로 이어졌고, 프로젝트의 성공적인 완수를 위협했습니다.

갈등의 원인 분석을 통해, 크리에이티브 솔루션즈의 관리진은 몇 가지 주요 문제를 식별할 수 있었습니다.

첫째, 프로젝트 관리 과정에서 투명한 의사소통의 부재가 팀원들 사이에 오해를 일으키고 있었습니다.

둘째, 팀 내에서 명확한 역할과 책임이 부여되지 않아 일부 팀원들이 과중한 업무에 부담을 느끼는 반면, 다른 팀원들은 자신들의 역할이 충분히 중요하지 않다고 느꼈습니다.

셋째, 공정한 리소스 배분에 대한 기준이 명확하지 않아 팀원들 사이에 불만이 쌓여 갔습니다.

이러한 문제들을 해결하기 위해 크리에이티브 솔루션즈는 갈등 해결을 위한 심리학적 접근을 도입하기로 결정했습니다. 회사는 팀원들이 갈등 상황을 효과적으로 다루고, 서로의 입장을 이해할 수 있도록 커뮤니케이션 워크숍을 실시했습니다. 이 워크숍에서는 비폭력대화 (NVC) 기법을 도입하여 각 팀원이 자신의 필요와 감정을 명확하게 표현하고, 다른 팀원의 입장에서도 생각해 볼 수 있는 연습을 했습니다. 이를 통해 팀원들은 서로의 관점을 더 깊이 이해하고, 갈등을 구성적으로 해결하는 방법을 배웠습니다.

또한, 크리에이티브 솔루션즈는 갈등 해결 과정에서 중요한 역할을 하는 심리학 이론인 토마스-킬만 갈등 모드 도구(Thomas-Kilmann Conflict Mode Instrument)를 사용하여 팀원들의 갈등 해결 성향을 분석했습니다. 이 도구를 통해 각 팀원의 갈등 해결 스타일을 파악하고, 각각에 맞는 전략을 개발하여 팀 내에서의 의사소통과 협력을 개선했습니다. 이러한 접근은 팀원들이 갈등 상황에서 더욱 효과적으로 대응하고, 서로의 차이를 존중하는 문화를 조성하는 데 도움이 되었습니다.

이와 같은 심리학적 접근은 크리에이티브 솔루션즈에서 갈등이 더 이상 부정적인 영향을 끼치지 않고, 오히려 팀의 창의력과 협력을 증진시키는 기회로 전환될 수 있도록 만들었습니다. 이를 통해 회사는 갈등을 긍정적으로 관리하고, 팀 간의 협력을 강화하며, 조직의 전체적인 성과를 향상시킬 수 있는 방법을 찾을 수 있었습니다.

갈등 해결을 위한 심리학적 접근에 대한 이해를 심화시키기 위해, 토마스-킬만 갈등 모드 도구(Thomas-Kilmann Conflict Mode Instrument)와 비폭력대화(NVC, Nonviolent Communication)의 개념을 자세히 살펴보겠습니다. 이 두 이론은 조직 내 갈등 해결과정에 깊이 적용되어, 팀원 간의 상호 이해와 협력을 촉진하는 데 중요한 역할을 합니다.

토마스-킬만 갈등 모드 도구는 갈등 상황에서 개인의 행동 성향을 분석하는 데 사용되는 심리학적 도구입니다. 이 도구는 갈등 해결 스타일을 다섯 가지 유형으로 분류합니다: 경쟁 (Competing), 협조(Collaborating), 타협(Compromising), 회피(Avoiding), 순응 (Accommodating).

이러한 분류는 개인이 갈등 상황에서 어떤 방식으로 반응하는지를 이해하고, 팀 내에서 보다 효과적인 의사소통과 갈등 해결 전략을 개발하는 데 도움을 줍니다. 크리에이티브 솔루션즈는 이 도구를 활용하여 각 팀원의 성향을 파악하고, 각기 다른 상황에서 가장 적합한 갈등 해결 방식을 선택할 수 있도록 했습니다.

비폭력대화(NVC)는 마셜 로젠버그에 의해 개발된 커뮤니케이션 기법으로, 갈등 상황에서 개인이 자신의 필요와 감정을 명확하고 비판적이지 않은 방식으로 표현할 수 있도록 돕습니다. NVC는 감정, 관찰, 필요, 요청의 네 가지 구성 요소를 중심으로 하며, 이를 통해 팀원들이 서로의 관점을 더 깊이 이해하고 존중하는 데 기여합니다. 크리에이티브 솔루션즈에서 실시한 워크숍은 이 NVC 기법을 적극적으로 활용하여, 팀원들이 서로의 입장을 공감하고, 갈등을 건설적으로 해결하는 방법을 배울 수 있도록 했습니다.

크리에이티브 솔루션즈에서 심리학적 접근을 활용하여 갈등 해결 과정을 구체적으로 설계하고 실행한 방법은 다음과 같습니다. 이 회사는 토마스-킬만 갈등 모드 도구와 비폭력대화(NVC) 기법을 중심으로 갈등 해결 전략을 수립했습니다. 이를 통해 팀원들이 갈등 상황에서 서로의 입장을 이해하고, 감정을 효과적으로 관리하며, 보다 생산적인 해결책을 도출할 수 있도록 했습니다.

먼저, 토마스-킬만 갈등 모드 도구를 활용한 교육 세션을 실시하여, 각 팀원의 갈등 해결 선호 스타일을 식별했습니다. 이 도구는 각각의 스타일(경쟁, 협력, 타협, 회피, 순응)의 장단점을 설명하고, 각 상황에서 어떤 스타일이 가장 적절할지를 이해하는 데 도움을 주었습니다. 이 세션은 팀원들에게 자신과 동료의 갈등 해결 방식을 이해하는 인사이트를 제공했으며, 상호 존중과 이해를 바탕으로 한 의사소통을 강화했습니다.

그 다음으로, 비폭력대화(NVC) 워크숍을 통해 팀원들은 자신의 감정과 필요를 명확하게 표현하고, 상대방의 입장을 경청하는 방법을 배웠습니다. NVC는 관찰, 감정, 필요, 요청의 네 단계로 구성되며, 이를 통해 갈등을 보다 건설적으로 다룰 수 있도록 도왔습니다. 예를 들어, 프로젝트 중 발생한 의견 충돌 시, 팀원들은 자신의 관점을 '나는 이렇게 느껴진다'라는 비폭력적인 언어로 표현함으로써 대화 상대가 방어적이 되지 않고 문제의 본질에 더 집중할 수 있게 했습니다.

이러한 심리학적 접근은 갈등 상황에서 팀원들이 감정적으로 충전된 상황을 피하고, 각자의 요구와 우려를 보다 명확하고 효과적으로 전달할 수 있도록 했습니다. 결과적으로, 크리에이티브 솔루션즈의 팀은 갈등을 기회로 전환하여 팀워크를 강화하고, 프로젝트의 성공적인 수행을 보장하는 방법을 배울 수 있었습니다. 이 과정은 또한 조직 전체의 의사소통 문화를 개선하고, 장기적으로 갈등을 관리하는 조직의 능력을 향상시키는 데 기여했습니다.

크리에이티브 솔루션즈에서 적용된 심리학적 접근을 더욱 발전시키고, 갈등 해결의 효과를 극대화하기 위해 추가로 고려할 수 있는 심리학적 이론과 전략은 다음과 같습니다:

1. 정서적 지능 (Emotional Intelligence): 갈등 상황에서 개인의 정서적 지능은 팀원 간의 긴장을 완화하고, 서로의 감정을 이해하는 데 매우 중요합니다. 정서적 지능을 개발하는 프로그램을 도입함으로써, 팀원들은 갈등 상황에서 자신과 타인의 감정을 보다 효과적으로 관리할 수 있게 되며, 이는 갈등의 건설적 해결을 촉진합니다.

2. 건강한 갈등 문화 형성 (Cultivating a Healthy Conflict Culture): 조직 내에서 건강한 갈등 문화를 형성하는 것은 갈등이 발생했을 때 이를 부정적인 것으로만 보지 않고, 성장과 혁신의 기회로 활용할 수 있게 합니다. 이를 위해 리더십 트레이닝을 강화하고, 모든 직원에게 갈등 해결 기술을 교육함으로써, 갈등을 긍정적으로 다루는 조직 문화를 장려할 수 있습니다.

3. 통합적 협상 기법 (Integrative Negotiation Techniques): 갈등 해결에서 통합적 협상 기법은 서로 다른 이해관계를 가진 팀원들이 상호 만족할 수 있는 해결책을 찾을 수 있도록 돕습니다. 이 기법은 갈등을 '이기거나 지는' 게임으로 보지 않고, '함께 이기는' 접근 방식을 취함으로써, 모든 관련자가 수용할 수 있는 해결책을 도출하는 데 중점을 둡니다.

4. 대인 관계 이론 (Interpersonal Theory): 이 이론은 개인 간의 상호 작용 패턴을 분석함으로써 갈등의 근본 원인을 이해하는 데 사용될 수 있습니다. 조직은 이 이론을 활용하여 팀원 간의 관계 동적을 평가하고, 갈등을 일으킬 수 있는 상호 작용 패턴을 식별하여 이를 개선할 수 있습니다.

이러한 추가적인 심리학적 이론과 전략을 통해 크리에이티브 솔루션즈는 갈등 해결 과정을 더욱 체계화하고, 갈등을 조직의 성장 동력으로 전환하는 데 필요한 도구와 기술을 갖출 수 있습니다. 이는 팀원들이 서로의 차이를 이해하고 존중하며, 더욱 효과적으로 협력할 수 있는 환경을 조성하는 데 기여할 것입니다.

3. 의사소통 효율성과 Watzlawick의 의사소통 이론

메시지의 깊이를 파고드는 효율적 의사소통:
Watzlawick의 의사소통 이론

의사소통 효율성은 조직 내에서 무엇보다 중요한 역량 중 하나입니다. 효과적인 의사소통은 팀원 간의 명확한 정보 전달, 갈등의 예방 및 해결, 그리고 조직의 전반적인 효율성과 만족도를 높이는 데 기여합니다. 특히, Watzlawick의 의사소통 이론은 조직 내 의사소통의 복잡성을 이해하고 개선하는 데 중요한 틀을 제공합니다. 이 이론은 의사소통 과정에서의 오해가 어떻게 발생하는지, 그리고 이를 어떻게 관리할 수 있는지에 대한 심도 깊은 통찰을 제공합니다.

Watzlawick의 이론은 의사소통을 하나의 행위로 보지 않고, 상호작용의 연속적인 과정으로 보며, 이 과정에서 발생하는 비언어적 신호와 맥락의 역할을 강조합니다. 이 이론에 따르면, 모든 의사소통은 내용과 관계의 두 가지 측면을 포함합니다. 내용은 의사소통에서 전달되는 명시적인 정보를 의미하고, 관계는 그 메시지가 어떻게 해석되어야 하는지를 지시하는 메시지 간의 상호 작용을 나타냅니다. 이 두 측면이 잘 조화를 이루어야만 의사소통이 성공적일 수 있습니다.

이번 장에서는 Watzlawick의 의사소통 이론을 깊이 있게 탐구하고, 이 이론이 어떻게 현대 조직의 의사소통 문제 해결에 적용될 수 있는지를 살펴보겠습니다. 특히, 구체적인 기업 사례를 통해 이론의 적용 사례와 그 효과를 분석하고, 의사소통 효율성을 높이는 다양한 방법과 전략을 제시할 것입니다. 이 과정을 통해 의사소통의 복잡성을 이해하고, 조직 내에서 보다 효과적으로 의사소통할 수 있는 방법을 모색할 수 있을 것입니다.

디지털 커뮤니케이션 회사 인터랙티브 미디어(Interactive Media)는 그들의 내부 커뮤니케이션의 도전들로 인해 효율성이 저하되고 있었습니다. 이 회사는 다양한 프로젝트를 동시에 관리하면서 팀 간, 부서 간 정보의 흐름이 매끄럽지 못한 문제를 겪고 있었습니다. 프로젝트 팀들은 종종 서로 다른 페이지에 있었고, 이로 인해 필요한 정보가 시기적절하게 공유되지 않아 프로젝트의 진행에 차질이 빚어지곤 했습니다.

각 팀은 자체적인 방식과 도구를 사용하여 커뮤니케이션을 시도했으나, 이는 종종 중복된 노력과 정보의 불일치를 초래했습니다. 예를 들어, 마케팅 팀은 새로운 캠페인에 대한 업데이트를 기술 팀과 공유하는 과정에서 파일 형식과 사용하는 플랫폼의 차이로 인해 정보 전달이 제대로 이루어지지 않았습니다. 또한, 회사 내부의 빠른 성장과 확장으로 새로운 직원들이 지속적으로 합류하면서, 이들이 기존의 커뮤니케이션 체계에 적응하는 데 어려움을 겪었습니다.

회사의 급속한 확장은 또한 문화적 다양성을 가져왔고, 이는 다양한 배경을 가진 직원들 간의 커뮤니케이션 방식에서 차이를 불러일으켰습니다. 서로 다른 문화적 배경에서 온 직원들이 갖는 의사소통 스타일의 차이는 때때로 오해와 갈등의 원인이 되기도 했습니다. 이러한 상황은 특히 긴급하게 처리해야 할 업무의 경우, 의사 결정 과정에서 혼란을 초래하여 프로젝트의 효율성을 더욱 저하시켰습니다.

이러한 커뮤니케이션 문제는 인터랙티브 미디어의 전반적인 업무 흐름과 팀워크에 부정적인 영향을 미치며, 최종적으로는 고객 만족도와 회사의 명성에도 영향을 주었습니다. 직원들 사이에는 불필요한 스트레스와 긴장감이 쌓여갔고, 이는 종종 업무 성과에도 반영되었습니다. 회사는 이러한 내부 커뮤니케이션의 문제들을 인식하고 있었으며, 이를 해결하기 위한 효과적인 접근 방법을 모색하고 있었습니다.

Watzlawick의 의사소통 이론은 심리학과 의사소통 분야에서 중요한 이론 중 하나로, 폴 와쯜라윅(Paul Watzlawick)에 의해 개발되었습니다. 이 이론은 인간의 의사소통 패턴을 이해하는 데 중요한 통찰을 제공하며, 특히 조직 내 커뮤니케이션의 복잡성과 오해를 해석하는 데 유용합니다. 와쯜라윅은 의사소통을 두 가지 주요 차원으로 구분합니다: 내용과 관계입니다. 내용 차원은 말 그대로 정보의 전달에 관한 것이고, 관계 차원은 정보를 전달하는 사람들 사이의 관계를 어떻게 정의하는지에 관한 것입니다.

Watzlawick의 이론은 다섯 가지 기본 원칙을 제시합니다:
1. 모든 행위는 의사소통이다: 인간은 의사소통을 피할 수 없으며, 모든 행동은 어떤 형태의 메시지를 전달합니다.
2. 의사소통은 내용과 관계의 두 층위로 이루어진다: 이는 의사소통이 정보를 전달하는 것뿐만 아니라, 그 정보를 전달하는 사람들 간의 관계를 정의합니다.
3. 사람들은 서로 다른 의사소통 방식(디지털 및 아날로그)을 사용한다: 디지털 의사소통은 주로 언어를 통해 이루어지며, 아날로그 의사소통은 비언어적 신호를 통해 이루어집니다.
4. 인간은 서로 다른 상호작용 패턴(상보적 및 대칭적)을 사용한다: 상보적 상호작용은 권력이나 역할이 다른 두 사람 간에 이루어지며, 대칭적 상호작용은 권력이나 역할이 비슷한 두 사람 간에 이루어집니다.
5. 의사소통의 순환성: 의사소통은 선형적이기보다는 순환적이며, 각 행위는 이전 행위에 영향을 받고 다음 행위에 영향을 줍니다.

이러한 원칙들은 조직 내에서 발생하는 커뮤니케이션 문제를 이해하고 해결하는 데 중요한 역할을 합니다. Watzlawick의 이론은 특히 오해와 갈등의 원인을 파악하고, 효과적인 의사소통 전략을 개발하는 데 유용하게 활용될 수 있습니다. 이 이론을 통해 조직은 커뮤니케이션의 복잡성을 관리하고, 조직 구성원 간의 건강한 관계를 촉진할 수 있는 방법을 찾을 수 있습니다.

인터랙티브 미디어에서 Watzlawick의 의사소통 이론을 적용하여 내부 커뮤니케이션 문제를 개선하는 과정은 복잡하고 다층적인 접근 방식을 필요로 했습니다. 이 회사는 처음으로 전체 조직을 대상으로 한 광범위한 커뮤니케이션 감사를 실시하여 기존의 의사소통 패턴과 그로 인한 문제점들을 식별했습니다. 이 감사를 통해 얻은 정보는 회사가 커뮤니케이션의 개선점을 명확히 하고, 필요한 변화를 계획하는 데 중요한 기초 데이터로 사용되었습니다.

이후 인터랙티브 미디어는 직원들의 의사소통 기술을 강화하기 위한 맞춤형 교육 프로그램을 개발하여 실행에 옮겼습니다. 이 프로그램은 Watzlawick의 의사소통 이론을 기반으로 하여, 의사소통의 내용과 관계의 중요성을 교육하고, 각 상황에서 효과적인 커뮤니케이션 전략을 적용하는 방법을 직원들에게 가르쳤습니다. 특히, 다양한 커뮤니케이션 채널과 도구의 사용 방법에 대한 교육을 포함시켜, 직원들이 각 상황에 가장 적합한 커뮤니케이션 수단을 선택할 수 있도록 했습니다.

또한, 인터랙티브 미디어는 모든 팀과 부서가 일관된 방법으로 정보를 공유할 수 있도록 커뮤니케이션 프로토콜을 표준화했습니다. 이러한 표준화는 정보의 정확한 전달을 보장하고, 중복이나 누락을 최소화하는 데 기여했습니다. 회사는 정기적인 피드백 세션을 통해 이 새로운 커뮤니케이션 전략의 효과를 모니터링하고, 필요한 조정을 신속하게 진행했습니다.

이러한 모든 노력을 통해 인터랙티브 미디어는 내부 의사소통의 질을 크게 향상시켰고, 이는 프로젝트 관리의 효율성 증가, 직원 간의 관계 개선, 그리고 전반적인 업무 환경의 긍정적 변화로 이어졌습니다. Watzlawick의 의사소통 이론의 적용은 특히 오해를 줄이고, 갈등을 효과적으로 관리하며, 조직 내 팀워크와 협력을 증진시키는 데 중요한 역할을 했습니다. 이 과정은 조직이 내부 커뮤니케이션 문제를 구조적으로 해결하고, 지속적으로 개선하기 위한 토대를 마련했습니다.

이제 인터랙티브 미디어의 내부 커뮤니케이션 개선과 관련하여 더 깊이 탐구할 수 있는 심리학적 이론들을 살펴보겠습니다. 이들 이론은 조직 내에서 효과적인 의사소통 전략을 구축하고, 직원 간의 상호작용을 더욱 효율적으로 만드는 데 기여할 수 있습니다.

1. 트랜잭셔널 분석 (Transactional Analysis): 에릭 번(Eric Berne)에 의해 개발된 이 이론은 인간의 상호작용을 부모, 성인, 아이의 세 가지 자아 상태로 분석합니다. 이는 조직 내에서 개인들이 어떻게 서로에게 반응하고, 특정 상황에서 어떻게 행동하는지 이해하는 데 도움을 줍니다. 이 이론을 적용하면 직원들은 서로의 커뮤니케이션 스타일과 행동 패턴을 더 잘 이해하고, 갈등을 보다 건설적으로 해결할 수 있습니다.

2. 제스처, 자세, 표정을 포함한 비언어적 커뮤니케이션의 중요성을 강조하는 이론들: 비언어적 신호는 종종 의사소통에서 간과되기 쉽지만, 의미 전달에 있어서 매우 중요한 역할을 합니다. 몸짓, 안면 표정, 눈 접촉, 음성의 톤과 같은 비언어적 요소들은 메시지의 의도와 감정을 효과적으로 전달하는 데 사용됩니다. 조직은 이러한 비언어적 요소들을 교육함으로써, 직원들이 서로의 비언어적 신호를 정확하게 해석하고 적절히 반응할 수 있도록 할 수 있습니다.

3. 문화적 차이에 대한 이해와 관리: 조직 내 다양한 문화적 배경을 가진 직원들 사이의 커뮤니케이션은 때로 오해와 갈등의 원인이 될 수 있습니다. 각 문화는 서로 다른 커뮤니케이션 스타일과 관습을 가지고 있기 때문에, 이러한 차이를 이해하고 존중하는 것이 중요합니다. 문화적 차이를 고려한 커뮤니케이션 교육을 실시함으로써, 조직은 모든 직원이 서로의 차이를 인정하고, 효과적으로 의사소통할 수 있는 환경을 조성할 수 있습니다.

이와 같은 심리학적 이론과 접근 방법을 통해 인터랙티브 미디어는 내부 커뮤니케이션의 질을 높이고, 직원 간의 협력과 이해를 증진할 수 있습니다. 이는 결국 조직 전체의 생산성과 효율성을 향상시키는 데 기여할 것입니다.

4. 팀워크와 Belbin의 팀 역할 이론

각자의 역할이 조화를 이루다:
Belbin의 팀 역할 이론과 팀워크 최적화

팀워크는 조직의 성공에 필수적인 요소입니다. 강력한 팀워크는 과제를 효율적으로 완수하고, 창의적인 문제 해결을 가능하게 하며, 직원들 사이의 긴밀한 협력을 촉진합니다. 그러나 팀워크를 구현하는 과정에서 많은 조직이 직면하는 과제는 각기 다른 개성과 역할을 가진 구성원들이 조화롭게 협력하는 방법을 찾는 것입니다. 이러한 도전을 효과적으로 관리하고 팀의 잠재력을 최대한 발휘하기 위해, 심리학적 이론을 적용하는 것이 중요합니다.

이번 장에서는 Belbin의 팀 역할 이론을 중심으로 팀워크의 심리학적 측면을 탐구하겠습니다. 이 이론은 팀 내에서 개인의 역할을 이해하고, 각 구성원의 장점을 최대한 활용하는 방법을 제공함으로써, 조직이 보다 효과적으로 기능하도록 돕습니다. 특히, 이 이론은 다양한 역할이 팀의 성과에 어떻게 기여하는지 설명하고, 각 역할 간의 상호작용을 통해 팀워크의 질을 향상시키는 방법을 제시합니다.

본 장을 통해, 우리는 구체적인 기업 사례를 분석하고, Belbin의 팀 역할 이론이 어떻게 실제 비즈니스 상황에 적용될 수 있는지를 살펴볼 것입니다. 이를 통해 팀 구성원 각자가 자신의 역할을 명확히 이해하고, 팀 내에서 더욱 효과적으로 기능할 수 있는 방법을 모색할 것입니다. 이 과정은 팀워크를 강화하고, 조직 전체의 성과를 극대화하는 데 중요한 역할을 할 것입니다.

소프트웨어 개발 회사 테크노바이트(TechnoByte)는 다양한 배경과 전문성을 가진 팀원들로 구성되어 있으며, 이들이 협력하여 복잡한 여러 프로젝트를 진행하고 있습니다. 이 회사는 최근 몇 가지 도전에 직면하였으며, 특히 프로젝트의 진행 과정에서 팀 간의 협력 부족으로 인해 프로젝트가 지연되는 문제가 발생하고 있습니다. 각 팀은 자신들의 특화된 기술과 전문성을 가지고 업무를 수행하고 있지만, 팀 간의 의사소통과 정보 공유가 원활하게 이루어지지 않아 여러 문제가 발생하고 있습니다.

예를 들어, UI 디자인 팀과 백엔드 개발 팀 사이에는 의사소통의 격차가 크게 나타나고 있습니다. UI 디자인 팀은 사용자의 경험을 최적화하는 것을 목표로 하여 작업을 진행하는 반면, 백엔드 개발 팀은 시스템의 기능성과 성능을 최우선으로 고려합니다. 이 두 팀 사이의 목표와 우선순위의 차이는 프로젝트의 요구 사항에 대한 이해도를 저하시키며, 결국 프로젝트의 중요한 마일스톤 달성에 차질을 빚게 합니다.

이러한 문제는 팀 간의 업무 조율 실패로 이어지고, 서로 다른 팀원들 사이에는 자신들의 업무가 전체 프로젝트에 어떤 영향을 미치는지에 대한 인식 부족이 나타나고 있습니다. 특히 일부 팀원들은 자신의 기여도와 역할에 대해 명확히 인식하지 못하고 있어, 이는 그들의 업무 참여도와 동기 부여에 부정적인 영향을 미칩니다. 더 나아가, 이러한 인식의 부재는 전체 팀의 협력과 효율성을 저하시키는 주요 요인으로 작용하고 있습니다.

테크노바이트는 이러한 상황을 해결하기 위해 각 팀 간의 의사소통을 강화하고, 모든 팀원이 프로젝트의 전체적인 목표와 자신의 역할을 명확히 이해할 수 있도록 조치를 취할 필요가 있습니다. 이를 위해 회사는 효과적인 의사소통 채널의 구축과 교육 프로그램의 도입을 고려하고 있으며, 이러한 노력이 팀 간의 협력을 증진시키고 프로젝트의 성공적인 완수를 보장하는 데 크게 기여할 것으로 기대하고 있습니다.

테크노바이트에서 발생한 의사소통 문제와 팀워크의 저하에 대한 원인 분석을 심도 있게 수행해 보겠습니다. 이 회사에서 경험하고 있는 프로젝트 지연과 팀 간 협력 부족의 근본 원인들은 다음과 같습니다.

첫째, 의사소통 프로토콜의 부재가 큰 문제로 드러났습니다. 각 팀은 독립적으로 작업을 수행하며, 팀 간에 일관된 의사소통 방식이나 표준이 마련되어 있지 않아 정보 전달이 제대로 이루어지지 않았습니다. 이로 인해 중요한 정보가 각 팀에 제시간에 도달하지 못하거나, 일부 정보는 왜곡되어 전달되기도 했습니다.

둘째, 팀 간 목표와 우선순위의 충돌입니다. UI 디자인 팀과 백엔드 개발 팀 사이의 목표 충돌은 특히 심각했습니다. 각 팀은 자신들의 전문 분야와 관련된 목표를 최우선으로 추구하며, 다른 팀의 요구 사항이나 목표를 충분히 고려하지 않았습니다. 이는 결국 프로젝트의 통합된 목표 달성을 저해하는 요인으로 작용했습니다.

셋째, 문화적 다양성과 개인 차이에 대한 관리 부족도 문제를 야기했습니다. 다양한 배경을 가진 팀원들 사이에서는 자연스럽게 커뮤니케이션 스타일과 업무 처리 방식에 차이가 있었습니다. 이러한 차이를 효과적으로 관리하지 못함으로써, 오해가 발생하고 팀워크가 저하되었습니다.

넷째, 리더십과 관리의 미흡은 팀 간의 의사소통 및 협력 문제를 더욱 복잡하게 만들었습니다. 팀 리더들이 각 팀원의 역할과 기여를 명확히 이해하고 이를 적절히 조율하지 못한 경우가 많았으며, 이는 전체 팀의 성과에 부정적인 영향을 미쳤습니다.

이러한 문제들은 테크노바이트가 팀워크를 강화하고 프로젝트를 효율적으로 관리하기 위해 극복해야 할 주요 도전 과제들입니다. 이 문제들의 원인을 정확히 파악하고 해결 방안을 모색하는 것이 회사의 성공적인 운영을 위해 필수적입니다.

Belbin의 팀 역할 이론은 영국의 심리학자 Meredith Belbin이 개발한 중요한 이론으로, 그는 팀의 효과성을 극대화하는 방법을 이해하고자 했습니다. Belbin은 헨리 파욜로의 연구를 기반으로 팀원들이 서로 다른 역할을 수행할 때 팀 성과가 어떻게 변화하는지 관찰했습니다. 이 연구는 1970년대에 행정 학교인 헨리 파욜로 컬리지에서 실시된 관리 훈련 과정에서 출발했으며, 그 결과로 Belbin은 팀 내에서 발견된 특정 역할들이 팀 성과에 중대한 영향을 미친다는 것을 확인했습니다.

Belbin의 이론은 팀 내 개인들의 행동 경향을 아홉 가지 팀 역할로 분류하여 설명합니다. 이 역할들은 각각 팀에 고유한 기여를 하며, 이를 통해 팀 전체의 성공 가능성을 높일 수 있습니다. 다음은 Belbin이 제시한 아홉 가지 주요 역할과 그 특성입니다:

1. 조정자 (Co-ordinator): 조정자는 팀을 이끄는 리더 역할로, 팀의 목표를 설정하고 구성원들의 활동을 조정합니다. 이들은 의사 결정 과정에서 중심적인 역할을 하며, 다른 팀원들의 활동을 효과적으로 통합합니다.

2. 개척자 (Shaper): 열정적이고 동기 부여가 강한 개척자는 팀에 에너지와 동기를 부여합니다. 이들은 도전을 좋아하고 압박 속에서도 성과를 낼 수 있는 능력이 뛰어납니다.

3. 실무자 (Implementer): 실무자는 신뢰성이 높고 조직적입니다. 계획을 세우고 이를 실천에 옮기는 데 능숙하여, 아이디어를 현실로 전환하는 데 중요한 역할을 합니다.

4. 완성자 (Completer-Finisher): 완성자는 세부 사항에 주의를 기울이고, 작업을 정확하고 완벽하게 마무리하는 데 집중합니다. 이들은 오류를 발견하고 고치는 데 능숙합니다.

5. 전문가 (Specialist): 깊은 지식과 전문성을 가진 전문가는 팀에 필요한 기술적인 지식이나 전문 지식을 제공합니다. 이들은 자신의 분야에서 깊은 이해를 바탕으로 중요한 기여를 합니다.

6. 팀워커 (Teamworker): 팀워커는 팀 내 조화를 이루고, 갈등을 중재하는 역할을 합니다. 이들은 팀원들 사이의 커뮤니케이션과 협력을 촉진합니다.

7. 자원조사자 (Resource Investigator): 기회를 찾고 자원을 확보하는 데 능숙한 자원조사자는 외부와의 네트워킹을 통해 팀에 새로운 아이디어와 기회를 가져옵니다.

8. 몽상가 (Plant): 창의적인 해결책을 제공하는 몽상가는 혁신적인 아이디어와 독창적인 접근 방식으로 팀에 기여합니다.

9. 감시자-평가자 (Monitor-Evaluator): 객관적이고 비판적인 사고를 가진 감시자-평가자는 제안된 계획이나 아이디어를 분석하고 평가하는 데 중요한 역할을 합니다. 이들은 팀이 현실적이고 합리적인 결정을 내리도록 돕습니다.

이러한 역할들을 이해하고 팀 내에서 적절히 배치함으로써, 조직은 각 팀원의 장점을 최대한 활용하고 전체적인 팀 성과를 극대화할 수 있습니다. Belbin의 팀 역할 이론은 팀 구성원 각자가 자신의 역할을 명확히 이해하고, 팀 내에서 보다 효과적으로 기능할 수 있는 방법을 모색하는 데 도움을 줍니다. 이를 통해 조직은 팀워크를 강화하고 조직의 전반적인 성과를 향상시킬 수 있습니다.

테크노바이트의 사례에서 심층적으로 적용한 Belbin의 팀 역할 이론을 통해 해결 방법을 구체적으로 살펴보겠습니다. 이 이론을 적용함으로써, 테크노바이트는 각 팀 구성원의 역할을 명확히 하고, 팀 간의 의사소통과 협력을 효과적으로 개선할 수 있었습니다.

첫째, Belbin의 팀 역할 이론에 따라 각 팀원의 기본적인 성향과 역할을 평가하기 위해 초기 진단을 실시했습니다. 이 평가를 통해 각 팀원이 자신의 강점과 약점을 인식하고, 팀 내에서 어떤 역할을 가장 잘 수행할 수 있는지 파악할 수 있었습니다. 예를 들어, 자연스러운 조정자 역할을 가진 팀원은 리더십과 팀원 간 조정을 맡고, 자원 조사자 역할을 가진 팀원은 외부 자원 확보와 새로운 기회 탐색을 담당했습니다.

둘째, 팀 구성을 재조정하여 각 팀원이 자신의 역할에 최적화되도록 조치했습니다. 이를 통해 각 팀원의 잠재력을 최대한 활용하고, 팀 내 역할 분배의 균형을 맞추어 각자의 기여도를 극대화했습니다. 예를 들어, 몽상가 역할을 가진 팀원들은 창의적 아이디어 제공에 집중할 수 있게 배치되어 프로젝트의 혁신적 요소를 강화했습니다.

셋째, 정기적인 팀 빌딩 세션과 워크숍을 통해 팀원들의 상호 작용과 의사소통 기술을 강화했습니다. 이 과정에서 Belbin의 이론을 교육하고, 팀원들이 서로의 역할과 중요성을 이해하도록 도왔습니다. 이러한 활동은 팀원들 사이의 신뢰를 구축하고, 각자의 역할이 팀 전체의 성공에 어떻게 기여하는지를 명확히 했습니다.

넷째, 팀의 역할 분배와 조정 과정에서 발생할 수 있는 갈등을 관리하기 위해 갈등 해결 메커니즘을 개선했습니다. 팀워커와 조정자 역할을 가진 팀원들이 중재자 역할을 하여, 발생 가능한 갈등을 초기에 해결하고, 팀의 조화를 유지하는 데 기여했습니다.

이러한 접근 방식은 테크노바이트의 팀 구성원 각자가 자신의 역할을 충실히 이행하며 팀의 목표 달성에 기여하도록 만들었습니다. Belbin의 팀 역할 이론을 통해 각 팀원의 역할을 명확히 하고 이를 최적화함으로써, 테크노바이트는 프로젝트의 효율성을 높이고, 팀워크를 강화하여 전체 조직의 성과를 개선하는 데 성공했습니다. 이 과정은 또한 조직 내 커뮤니케이션과 협력 문화를 증진시키는 긍정적인 변화를 가져왔습니다.

테크노바이트의 사례를 통해 적용된 Belbin의 팀 역할 이론을 더욱 깊이 탐구할 수 있는 추가 심리학적 이론과 전략을 살펴보겠습니다. 이들 이론은 팀의 역할 분배와 상호 작용을 최적화하고, 조직 내 협력과 의사소통을 더욱 향상시키는 데 기여할 수 있습니다.

1. 정서적 지능 (Emotional Intelligence): 이 이론은 갈등 관리와 팀워크 강화에 중요한 역할을 합니다. 다니엘 골먼(Daniel Goleman)에 의해 널리 알려진 정서적 지능은 개인이 자신과 타인의 감정을 인식하고 관리하는 능력을 강조합니다. 팀원들이 서로의 감정적 반응을 이해하고 적절히 대응할 수 있게 되면, 팀 내 갈등을 감소시키고 보다 건설적인 방식으로 문제를 해결할 수 있습니다.

2. 다양성과 포용성 관리 (Diversity and Inclusion Management): 조직 내 다양성을 잘 관리하는 것은 팀워크를 강화하는 데 필수적입니다. 다양한 배경과 경험을 가진 팀원들이 서로의 차이를 존중하고 포용하는 문화를 조성할 때, 팀의 창의력과 혁신성이 향상됩니다. 이러한 관리는 팀원들이 서로의 유니크한 기술과 지식을 인정하고 활용하도록 돕습니다.

3. 피드백 문화의 활성화 (Cultivating a Feedback Culture): 피드백은 팀원들이 자신의 역할을 보다 효과적으로 수행하고 개선할 수 있는 기회를 제공합니다. 개방적이고 정기적인 피드백은 팀 내에서 신뢰를 구축하고, 지속적인 학습과 성장을 촉진합니다. 이는 모든 팀원이 자신의 역할에 대한 명확한 이해를 가지고, 성과를 지속적으로 향상시킬 수 있는 기반을 마련합니다.

4. 역할 기반 훈련 (Role-based Training): Belbin의 이론을 통해 식별된 각 팀 역할에 맞춤형 훈련을 제공함으로써, 팀원들이 자신의 역할을 더욱 효과적으로 수행할 수 있도록 돕습니다. 이러한 훈련은 팀원들의 역할에 대한 이해를 높이고, 팀 내에서의 기능을 최적화합니다.

이와 같은 심리학적 이론과 전략을 통해 테크노바이트는 팀의 역할 분배와 상호 작용을 효과적으로 관리하고, 조직 내 팀워크와 협력을 더욱 강화할 수 있습니다. 이러한 접근은 조직의 전반적인 성과와 효율성을 향상시키는 데 중요한 역할을 하며, 직원들의 만족도와 참여도를 높이는 결과를 가져올 것입니다.

5. 프로젝트 관리와 심리학적 요인

프로젝트 성공의 심리학적 열쇠:
프로젝트 관리에서 심리적 요소의 중요성

프로젝트 관리는 단순히 일정, 예산, 범위를 조율하는 기술적 과제가 아닙니다. 심리학적 요인도 프로젝트의 성공에 큰 영향을 미치며, 팀원들의 동기 부여, 스트레스 관리, 의사소통 방식과 같은 요소가 프로젝트 결과에 결정적인 역할을 합니다. 이 장에서는 프로젝트 관리에 있어 심리학적 요인의 중요성을 탐구하고, 이를 통해 프로젝트 관리의 효율성을 극대화하는 방법을 제시하고자 합니다.

심리학적 요인을 고려한 프로젝트 관리 접근 방법은 프로젝트 리더와 팀원들이 각자의 역할을 보다 효과적으로 수행할 수 있도록 돕습니다. 또한, 팀 내 갈등의 원인을 이해하고, 효과적인 해결책을 마련함으로써 프로젝트의 진행 중 발생할 수 있는 문제들을 최소화할 수 있습니다. 이러한 접근은 프로젝트의 성공률을 높이며, 팀원 간의 협력과 만족도를 증진시킵니다.

이번 장에서는 구체적인 기업 사례를 통해 프로젝트 관리 과정에서 직면하는 심리학적 도전들을 분석하고, 이에 대응하기 위한 심리학 기반의 전략과 기법을 소개할 것입니다. 이를 통해 독자는 프로젝트 관리의 심리학적 측면을 이해하고, 실제 업무에 적용할 수 있는 유용한 인사이트를 얻을 수 있을 것입니다.

글로벌 IT 컨설팅 회사인 넥스트솔루션즈(NextSolutions)는 대규모 디지털 변환 프로젝트를 수행하면서 팀 간의 조율과 협력 문제로 어려움을 겪고 있습니다. 이 프로젝트는 여러 국가에 걸쳐 있는 사무실들의 시스템을 통합하는 복잡한 과제로, 다양한 지역의 팀들이 참여하고 있습니다. 각 팀은 다른 시간대에 위치하고 있으며, 문화적 배경도 상이하여, 팀원들 사이의 의사소통과 작업 방식에 차이가 크게 나타나고 있습니다.

프로젝트 초기에는 팀원들 사이의 열정과 협력이 높았으나, 프로젝트가 진행됨에 따라 명확하지 않은 의사소통과 불분명한 업무 분담으로 인해 스트레스와 갈등이 증가했습니다. 특히, 주요 결정사항에 대한 정보가 제시간에 공유되지 않아 여러 하위 팀이 중복 작업을 진행하는 사례가 발생했습니다. 또한, 프로젝트의 전체적인 진행 상황을 파악하기 어려워 일부 팀은 마감 기한을 맞추기 위해 과도한 야근과 주말 근무를 강요받았습니다.

이러한 상황은 팀원들 사이에 불신을 조성하고, 프로젝트의 효율성을 크게 저하시켰습니다. 팀 간의 문화적 차이와 커뮤니케이션 방식의 차이가 프로젝트의 성공을 위한 주요 장애물로 부각되면서, 프로젝트 관리자들은 이 문제를 해결하기 위해 적극적인 조치를 취할 필요성을 느끼고 있습니다. 이러한 도전은 넥스트솔루션즈가 글로벌 프로젝트를 관리함에 있어 심리학적 요인을 고려하여 팀워크와 의사소통의 질을 향상시킬 필요가 있음을 강조하고 있습니다.

넥스트솔루션즈의 프로젝트 관리 문제에 대한 원인 분석을 통해 몇 가지 주요 요소가 도출되었습니다. 이 문제들은 프로젝트의 효율성과 성공을 저해하는 중요한 요소로 작용하고 있으며, 심리학적 관점에서의 접근을 통해 이를 해결할 방안을 모색해야 합니다.

첫 번째 문제는 의사소통의 부재입니다. 프로젝트 팀 간에는 체계적이고 일관된 의사소통 메커니즘이 구축되어 있지 않아 중요한 정보의 전달이 지연되거나 누락되는 경우가 빈번했습니다. 이로 인해 각 팀은 프로젝트의 전체적인 목표와 진행 상황에 대한 정확한 이해 없이 작업을 수행하게 되었고, 이는 중복 작업 및 업무 효율성 저하로 이어졌습니다.

두 번째로, 문화적 차이에 따른 갈등이 발생했습니다. 다양한 국가에서 온 팀원들이 함께 작업하면서 각자의 문화적 배경과 업무 스타일 차이가 갈등의 원인이 되었습니다. 이러한 문화적 차이는 팀원들 사이의 신뢰 구축과 협력을 어렵게 만들고, 때로는 작업 방식에 대한 오해를 증폭시켰습니다.

세 번째 주요 원인은 스트레스 관리의 실패입니다. 프로젝트의 마감 기한과 성과 압박이 팀원들에게 과도한 스트레스를 유발하였으며, 이는 팀원들의 일의 질과 개인의 건강에 부정적인 영향을 미쳤습니다. 팀원들은 지속적인 압박감 속에서 작업하게 되었고, 이는 전반적인 팀 분위기와 동기 부여에도 악영향을 끼쳤습니다.

이러한 문제들은 넥스트솔루션즈의 프로젝트 관리 전략에 중요한 심리학적 요인들을 포함시킬 필요성을 강조합니다. 팀 간의 효과적인 의사소통 채널을 구축하고, 문화적 차이를 존중하며 이해하는 교육을 실시하고, 스트레스 관리 기술을 향상시키는 것이 해결책의 일부가 될 수 있습니다. 이를 통해 프로젝트 팀은 더 나은 협력을 이루고, 프로젝트의 성공 가능성을 크게 높일 수 있습니다.

프로젝트 관리 문제에 적용할 수 있는 심리학 이론 중 하나는 칼 융(Carl Jung)의 심리유형 이론입니다. 융의 이론은 개인의 성격 유형을 분석하여 각 개인이 어떻게 정보를 인식하고 결정을 내리는지를 이해하는 데 도움을 줍니다. 이는 프로젝트 관리에서 팀원들의 다양한 성격과 업무 스타일을 이해하고, 이를 통해 보다 효과적인 팀 구성과 관리 전략을 개발하는 데 유용합니다.

칼 융의 심리유형 이론은 크게 네 가지 기본 성격 차원을 통해 개인의 성격을 설명합니다: 사고(Thinking)와 감정(Feeling)으로의 결정 방식 차이, 감각(Sensing)과 직관(Intuition)으로의 정보 수집 방식 차이.

예를 들어, 사고 유형의 사람들은 논리적이고 체계적인 접근을 선호하는 반면, 감정 유형의 사람들은 인간 관계와 조화를 중시합니다. 감각 유형의 개인은 구체적인 사실과 현실에 초점을 맞추는 반면, 직관 유형은 가능성과 미래에 대한 통찰에 더 민감합니다.

이러한 이해는 프로젝트 관리자가 각 팀원의 성격과 선호도를 고려하여 업무를 할당하고, 팀원 간의 커뮤니케이션과 협력을 증진하는 데 매우 중요합니다. 예를 들어, 미래 지향적인 직관 유형의 팀원에게는 창의적이고 전략적인 업무를 맡기고, 세부 사항에 민감한 감각 유형의 팀원에게는 구체적인 계획 수립과 실행 관련 업무를 할당함으로써, 각 팀원의 장점을 최대한 활용할 수 있습니다.

융의 심리유형 이론 외에도, 다니엘 골먼의 정서적 지능(EQ) 이론도 프로젝트 관리에 중요한 영향을 미칩니다. 이 이론은 개인이 자신과 타인의 감정을 얼마나 잘 인식하고 관리하는지에 초점을 맞추며, 높은 EQ를 가진 리더나 팀원은 스트레스 상황에서도 효과적으로 감정을 조절하고 팀의 동기를 부여할 수 있습니다. 이러한 능력은 프로젝트의 중요한 결정을 내리고,

팀 내 갈등을 해결하며, 프로젝트 목표 달성을 위한 긍정적인 팀 환경을 조성하는 데 필수적입니다.

이러한 심리학 이론들을 프로젝트 관리에 적용함으로써, 관리자는 각 팀원의 개인적 특성과 역량을 보다 효과적으로 이해하고 활용할 수 있습니다. 이는 프로젝트의 성공적인 수행을 위한 조화로운 팀 환경을 조성하고, 프로젝트 목표 달성에 필수적인 협력과 의사소통을 강화하는 데 크게 기여할 것입니다.

넥스트솔루션즈의 글로벌 디지털 변환 프로젝트에서 겪고 있는 의사소통 문제와 문화적 갈등을 해결하기 위해 적용할 수 있는 심리학적 접근 방법을 심도 있게 살펴보겠습니다. 팀 간의 스트레스와 갈등을 줄이고, 효율적인 프로젝트 관리를 도모하기 위한 전략은 다음과 같습니다.

1. 갈등 해결 전략 개발: 팀원들 간의 문화적 차이와 의사소통 스타일의 차이를 고려하여 갈등을 예방하고 해결할 수 있는 전략을 마련합니다. 예를 들어, 팀 간 워크숍을 정기적으로 개최하여 각 팀원이 서로의 문화적 배경과 작업 스타일을 이해하게 하고, 이를 바탕으로 각자의 의견이 존중받을 수 있는 환경을 조성합니다.

2. 의사소통 기술 향상 프로그램: 체계적인 의사소통 훈련 프로그램을 도입하여 팀원들이 명확하고 효과적으로 의사소통할 수 있도록 합니다. 이 프로그램은 다양한 커뮤니케이션 기술, 예를 들어, 명확한 메시징, 효과적인 청취, 그리고 비언어적 의사소통 기술을 포함합니다.

3. 정서적 지능 강화: 팀원들의 정서적 지능을 향상시키기 위한 교육을 실시하여 각자가 자신과 타인의 감정을 더 잘 이해하고 관리할 수 있도록 돕습니다. 이는 특히 스트레스가 많은 프로젝트 환경에서 갈등을 줄이고, 팀의 동기 부여를 증진하는 데 유용합니다.

4. 문화적 다양성 관리 교육: 팀원들에게 다양한 문화적 배경을 이해하고 존중하는 방법에 대한 교육을 제공합니다. 이는 문화적 차이가 팀의 성과에 긍정적으로 기여할 수 있도록 하며, 문화적 갈등을 최소화하는 데 도움을 줍니다.

5. 스트레스 및 타임 매니지먼트 기술 향상: 프로젝트 마감 기한과 압력 속에서 팀원들이 스트레스를 효과적으로 관리하고, 시간을 효율적으로 사용할 수 있도록 돕는 기술을 교육합니다. 이는 전반적인 프로젝트의 효율성을 향상시키고, 팀원들의 직무 만족도를 높이는 데 기여할 것입니다.

이러한 심리학적 접근을 통해 넥스트솔루션즈는 프로젝트 팀 간의 협력을 강화하고, 의사소통의 효율성을 높일 수 있습니다. 결과적으로, 이는 프로젝트의 성공 가능성을 크게 향상시키고, 조직 전반의 만족도를 높이는 데 기여할 것입니다.

프로젝트 관리에 있어 심리학적 요인을 추가로 탐구할 가치가 있는 분야는 여러 가지가 있습니다. 이러한 추가적인 심리학적 접근은 프로젝트 팀의 성과를 극대화하고, 팀원 간의 긍정적인 상호작용을 촉진하는 데 중요한 역할을 할 수 있습니다.

1. 동기 부여 이론: 프로젝트 관리에서 팀원들의 동기를 유지하고 증진시키는 것은 매우 중요합니다. 허즈버그의 동기-위생 이론과 마슬로의 욕구계층 이론은 팀원들이 어떤 요인에 의해 동기부여를 받고, 직무 만족을 느끼는지 이해하는 데 도움을 줄 수 있습니다. 이러한 이

론들을 이해하고 적용함으로써, 관리자는 팀원들의 내재적 및 외재적 동기를 적절히 자극할 수 있는 환경을 조성할 수 있습니다.

2. 리더십 스타일: 리더의 스타일이 팀의 분위기와 성과에 미치는 영향은 상당합니다. 다니엘 골먼의 리더십 스타일 이론은 리더가 팀을 어떻게 영향을 미치는지, 그리고 어떤 스타일이 특정 상황에서 가장 효과적인지를 설명합니다. 리더십 스타일을 적절히 조절하고 개발함으로써, 프로젝트 리더는 팀원들의 참여와 성과를 최대화할 수 있습니다.

3. 집단 사고 방지: 집단 내에서 의사결정 과정에서 발생할 수 있는 집단 사고 현상은 프로젝트의 창의성과 혁신을 저해할 수 있습니다. 어빙 얀리스의 집단 사고 이론은 이러한 현상을 인식하고 방지하기 위한 전략을 제공합니다. 이를 통해 팀은 더 개방적이고 비판적인 의사결정 과정을 유지할 수 있으며, 잠재적 위험과 문제를 보다 효과적으로 관리할 수 있습니다.

4. 정서적 지능의 적용: 정서적 지능은 팀원들 간의 갈등을 관리하고, 효과적인 팀워크를 구축하는 데 필수적인 요소입니다. 팀원들이 서로의 감정을 이해하고 적절히 반응할 수 있는 능력을 개발함으로써, 팀은 보다 조화롭고 생산적인 작업 환경을 조성할 수 있습니다.

5. 피드백과 성찰의 중요성: 지속적인 피드백과 성찰은 프로젝트 관리에서 성과를 높이는 데 중요합니다. 프로젝트의 각 단계에서 정기적으로 피드백을 제공하고, 팀원들이 자신의 업무와 개인적인 성장을 성찰할 수 있는 기회를 마련하는 것이 필요합니다.

이러한 심리학적 이론과 전략을 통해 프로젝트 관리자와 팀원들은 보다 효과적으로 프로젝트를 수행할 수 있으며, 이는 프로젝트의 성공 확률을 높이고, 전반적인 조직의 효율성과 만족도를 향상시키는 결과를 가져올 수 있습니다.

6. 협업 촉진의 심리적 전략

팀워크의 신:
협업 촉진을 위한 심리적 전략의 마스터리

협업은 현대 비즈니스 환경에서 중추적인 요소입니다. 조직의 성공은 개별 구성원들의 능력을 넘어서, 그들이 얼마나 효과적으로 함께 일할 수 있는지에 달려 있습니다. 심리학적 전략을 통해 협업을 촉진하고 최적화하는 것은 조직의 생산성과 혁신을 극대화하는 중요한 방법입니다. 이 장에서는 다양한 심리학 이론을 적용하여 팀 내 협력을 강화하고, 팀원 간의 긍정적인 상호작용을 촉진하는 방법을 탐구할 것입니다.

협업의 심리학은 개인의 행동, 태도, 그리고 팀 내 역동성을 이해하는 데 중점을 둡니다. 이를 통해 조직은 개인과 팀이 마주치는 잠재적인 문제를 예방하고, 효율적으로 해결할 수 있는 전략을 개발할 수 있습니다. 또한, 이론적 접근을 넘어 실제적인 사례를 통해 이러한 전략이 어떻게 현장에 적용될 수 있는지를 보여줄 것입니다.

본 장에서는 특히 조직 내에서 심리학적 이해가 어떻게 협업을 촉진하고, 갈등을 최소화하며, 조직 문화를 강화하는 데 기여하는지를 상세히 설명할 예정입니다. 이를 위해 실제 기업이 직면한 협업 관련 문제를 사례로 들어 분석하고, 이에 대한 심리학적 접근 방법과 해결책을 제시할 것입니다. 이 과정에서는 팀원 각자의 역할과 중요성을 이해하고, 서로의 차이를 존중하는 것의 중요성을 강조하면서, 각 팀원이 조직의 목표 달성에 어떻게 기여할 수 있는지를 탐색할 것입니다.

글로벌 소프트웨어 개발 회사인 코드브리지(CodeBridge)는 복잡한 멀티팀 프로젝트를 진행하고 있습니다. 이 프로젝트는 다수의 국가에 있는 개발 센터에서 수행되고 있으며, 각 센터는 프로젝트의 특정 부분을 담당하고 있습니다. 이러한 구조는 프로젝트의 효율성을 높이는 잠재력을 가지고 있지만, 팀 간의 협업에서 중대한 도전을 경험하고 있습니다.

프로젝트의 시작부터 각 팀은 각자의 목표에 초점을 맞추고 독립적으로 작업을 진행했습니다. 이는 초기에는 각 팀의 자율성을 증진시키는 것처럼 보였으나, 시간이 지남에 따라 중복 작업과 일정 조율 실패로 이어졌습니다. 특히, 서로 다른 지역에 위치한 팀들 사이의 의사소통 문제는 프로젝트의 진행에 있어 심각한 장애가 되었습니다. 정보의 불완전한 전달과 늦은 업데이트는 전체 프로젝트 일정에 차질을 빚게 했고, 이는 필연적으로 다른 모듈들의 통합 문제로 이어졌습니다.

더욱이, 각 팀 내부의 의사소통 부족은 프로젝트 관리자가 전체적인 프로젝트 상태를 파악하기 어렵게 만들었습니다. 이러한 상황은 프로젝트의 중요 결정이 지연되게 하고, 최종 결과물의 품질에도 영향을 미쳤습니다. 팀원들 사이의 의사소통 문제는 또한 시차, 언어 장벽, 문화적 차이에 기인한 것으로, 이러한 다양한 요소들이 합쳐져 팀 간의 긴장과 오해를 증폭시켰습니다.

이러한 의사소통의 장애는 프로젝트 팀에게 다양한 형태의 스트레스를 유발했으며, 팀원들 사이의 불만과 갈등을 야기했습니다. 코드브리지는 이러한 내부 문제에 효과적으로 대응하기 위해, 팀 간의 상호작용과 의사소통을 개선할 수 있는 전략을 마련해야 할 필요성을 절실히 느끼고 있습니다. 이 문제의 해결을 위해 전략적이고 체계적인 접근이 요구되며, 프로젝트 관리자와 팀 리더들은 구체적인 해결책을 모색하고 있습니다. 이를 통해 프로젝트의 성공 가능성을 높이고, 조직 전체의 효율성과 팀원들의 만족도를 개선할 수 있을 것입니다.

코드브리지의 글로벌 소프트웨어 개발 프로젝트에서 발생한 협업 문제의 원인 분석을 심도 있게 살펴보면, 이 문제들은 주로 의사소통의 부족과 문화적 차이에서 기인한 것으로 볼 수 있습니다. 각 팀의 지리적 분산으로 인해 생기는 시차와 언어 장벽이 의사소통을 더욱 복잡하게 만들었고, 각 팀이 독립적으로 작업을 추진하려는 경향은 프로젝트의 일관성과 효율성을 크게 저해했습니다.

첫 번째 원인은 명확한 의사소통 채널과 표준화된 절차의 부재입니다. 각 팀은 자체적으로 정보를 관리하고 공유하는 방식을 갖고 있었으며, 이로 인해 중요한 정보의 전달이 지연되거나 왜곡되는 경우가 발생했습니다. 이는 프로젝트의 여러 부분 간 필요한 통합을 방해하고, 결국 전체 프로젝트의 진행에 심각한 영향을 미쳤습니다.

두 번째 원인은 문화적 차이와 이로 인한 갈등입니다. 다양한 문화적 배경을 가진 팀원들 간의 상호작용은 때때로 오해와 갈등을 유발했습니다. 예를 들어, 직접적인 의사소통을 선호하는 문화와 간접적인 의사소통을 선호하는 문화 간의 차이는 프로젝트 내 결정을 내리는 방식에 있어 불일치를 가져왔습니다. 또한, 작업 우선순위와 프로젝트 관리 방법에 대한 서로 다른 접근 방식이 프로젝트 팀 내에서 추가적인 긴장을 야기했습니다.

세 번째 원인은 프로젝트 관리 기술의 부족입니다. 프로젝트 관리자와 팀 리더들이 각 팀의 동기를 유지하고, 효율적으로 자원을 배분하며, 갈등을 적절히 관리하는 데 필요한 기술을 충분히 갖추지 못했습니다. 이는 팀 간의 협력을 촉진하고 프로젝트를 성공적으로 이끌기 위한 필수적인 요소임에도 불구하고, 팀원들이 각자의 역할을 효과적으로 수행하는 데 필요한 지원을 제공하지 못했습니다.

이러한 문제들을 해결하기 위해서는 각 팀 간의 효과적인 의사소통을 촉진하고, 문화적 차이를 인정하며 존중하는 환경을 조성하며, 팀원들의 역량을 강화하는 등의 심리학적 접근이 필요합니다. 이를 통해 프로젝트의 협업 문제를 근본적으로 해결하고, 조직 전체의 성과를 개선할 수 있을 것입니다.

코드브리지 프로젝트에서 협업을 촉진하기 위해 적용할 수 있는 심리학적 이론 중 하나는 브루스 터크먼(Bruce Tuckman)의 팀 발달 단계 이론입니다. 이 이론은 팀이 형성(Forming), 돌풍(Storming), 규범화(Norming), 수행(Performing), 그리고 종료(Adjourning)의 다섯 단계를 거치며 발전한다고 설명합니다. 터크먼의 이론은 1965년에 처음 소개되었으며, 그의 연구는 팀의 다이내믹스와 그 발전 과정을 이해하는 데 중요한 기여를 했습니다.

브루스 터크먼(Bruce Tuckman)은 심리학자이자 교육자로서, 그의 이론은 조직 및 그룹 심리학 분야에서 널리 인정받고 있습니다. 터크먼은 팀이 시간에 따라 어떻게 변화하고 성장하는지에 대한 깊은 통찰을 제공함으로써, 리더와 팀원들이 각 단계에서 발생할 수 있는 특정한 도전을 인식하고 이에 적절히 대응할 수 있는 방법을 제시했습니다.

터크먼의 이론은 다음과 같은 단계로 구성됩니다:

1. 형성(Forming): 이 초기 단계에서 팀원들은 서로를 알아가고, 팀의 목표와 구조를 이해하기 시작합니다. 이 시기에는 불확실성과 기대감이 공존하며, 리더의 역할이 중요해집니다.

2. 돌풍(Storming): 이 단계에서는 팀원 간의 의견 충돌과 갈등이 발생할 수 있습니다. 각자의 역할과 팀 내 위치를 확립하려는 시도가 갈등의 원인이 될 수 있습니다. 이 시기에는 효과적인 의사소통과 갈등 해결 전략이 필수적입니다.

3. 규범화(Norming): 팀원들이 서로의 차이를 수용하고, 팀 규범과 정책이 확립되는 단계입니다. 이 시기에 팀은 더욱 단결되며, 팀원들은 공동의 목표를 향해 협력하기 시작합니다.

4. 수행(Performing): 팀이 효율적으로 작동하고, 고성능을 발휘하는 단계입니다. 팀원들은 서로의 능력을 신뢰하며, 복잡한 작업을 효과적으로 수행할 수 있습니다.

5. 종료(Adjourning): 프로젝트가 마무리되고 팀이 해산하는 마지막 단계입니다. 이 시기에는 프로젝트의 성과를 평가하고, 팀원들은 다음 기회를 준비합니다.

터크먼의 팀 발달 단계 이론을 이해하고 적용함으로써, 조직은 각 단계에서 발생할 수 있는 도전을 효과적으로 관리하고, 팀의 협업을 촉진하여 프로젝트의 성공적인 완수를 도모할 수 있습니다. 이 이론은 팀 리더와 프로젝트 관리자에게 각 단계별로 적절한 전략과 개입을 계획할 수 있는 통찰을 제공합니다.

코드브리지의 글로벌 프로젝트에서 발생한 협업 문제를 해결하기 위한 심리학적 접근으로, 브루스 터크먼의 팀 발달 단계 이론을 실제적으로 적용하는 과정은 다음과 같이 진행될 수 있습니다.

형성 단계에서 리더는 팀원들 간의 상호작용을 촉진하기 위해 환영회, 팀 빌딩 활동 및 초기 미팅을 조직합니다. 이러한 활동은 팀원들이 서로를 알아가고, 프로젝트의 목표와 각자의 역할에 대한 명확한 이해를 형성하는 데 중요합니다. 리더는 목표 설정, 팀 규칙의 수립 및 프로젝트의 기대치를 명확히 하여, 모든 팀원이 동일한 방향성을 가질 수 있도록 합니다.

돌풍 단계에서는 갈등 관리가 중요한 역할을 합니다. 리더는 개방적인 의사소통 채널을 유지하고, 정기적인 피드백 세션을 통해 팀원들의 의견을 듣습니다. 갈등이 발생할 경우, 리더는 중재자로서 갈등을 공정하게 해결하고, 각 팀원의 의견이 존중받도록 조치를 취합니다. 이 단계에서 팀원들은 서로의 작업 스타일과 커뮤니케이션 방식을 이해하며, 서로의 차이를 수용하는 방법을 배웁니다.

규범화 단계에서 팀은 일련의 규칙과 표준을 개발하며, 이는 팀이 보다 효율적으로 작업을 수행하도록 돕습니다. 리더는 팀의 진행 상황을 모니터링하고, 필요에 따라 조정을 가하여 프로젝트의 흐름을 유지합니다. 이 시기에 팀원들은 더 높은 수준의 협력을 경험하며, 공동의 목표 달성을 위해 노력합니다.

수행 단계에서 팀은 최고의 성과를 달성합니다. 팀원들은 각자의 역할에서 자신감을 가지고, 팀 전체의 목표를 향해 협력합니다. 리더는 팀원들을 격려하고, 성공을 축하함으로써 팀의 동기를 높입니다. 이 단계에서의 성공은 팀원들 간의 강력한 신뢰 관계와 높은 수준의 협력으로부터 비롯됩니다.

종료 단계는 프로젝트의 종결과 함께 도래합니다. 리더는 프로젝트의 성과를 평가하고, 팀원 각자의 기여를 인정합니다. 또한, 팀원들이 다음 프로젝트나 역할로 넘어갈 수 있도록 지원합니다. 이 단계에서의 성찰과 평가는 팀원들에게 귀중한 학습 기회를 제공하며, 미래의 프로젝트에서 더 나은 성과를 위한 발판을 마련합니다.

이러한 접근을 통해 코드브리지는 각 단계에서 발생할 수 있는 도전을 효과적으로 관리하고, 팀의 협업을 촉진하여 프로젝트의 성공적인 완수를 도모할 수 있습니다. 이 과정은 팀 리더와 프로젝트 관리자에게 각 단계별로 적절한 전략과 개입을 계획할 수 있는 통찰을 제공하며, 팀의 성장과 발전을 지원합니다.

협업을 촉진하는 심리학적 전략을 더욱 깊이 탐구할 필요가 있습니다. 이는 팀 구성원 간의 긴밀한 협력과 효과적인 프로젝트 진행을 보장하는 중요한 요소입니다. 추가로 고려할 수 있는 심리학적 이론과 전략은 다음과 같습니다:

1. 시스템 이론 (Systems Theory): 이 이론은 조직을 복잡한 시스템으로 보고, 이 시스템의 다양한 부분이 서로 어떻게 상호작용하는지를 분석합니다. 시스템 이론을 통해, 팀 리더들은 조직 내 각 구성원의 역할과 이들이 전체 목표 달성에 어떻게 기여하는지 이해할 수 있습니다. 이론은 각 팀원의 상호의존성을 강조하며, 팀 전체의 조화로운 기능을 위한 전략을 개발하는 데 유용합니다.

2. 사회 심리학의 정체성 이론 (Social Identity Theory): 이 이론은 개인이 그룹의 일원으로서 어떻게 자신의 정체성을 형성하는지 설명합니다. 팀 내에서 개인의 소속감을 증진시키고, 그룹 정체성을 강화함으로써, 팀원들의 협력과 팀 내 동기를 높일 수 있습니다. 팀 리더는 이 이론을 활용하여 팀 내 긍정적인 문화를 조성하고, 팀원들이 공동의 목표를 향해 노력하도록 동기를 부여할 수 있습니다.

3. 갈등 해결 이론 (Conflict Resolution Theory): 갈등은 팀 내 협업을 저해하는 주요 요소 중 하나입니다. 갈등 해결 이론은 팀 내에서 발생하는 갈등을 효과적으로 관리하고 해결하는 전략을 제공합니다. 이를 통해 리더는 갈등을 건설적으로 해결하고, 팀원 간의 관계를 개선하여 프로젝트의 성공적인 수행을 돕습니다.

4. 동기부여 이론 (Motivation Theories): 다양한 동기부여 이론, 예를 들어, 허즈버그의 동기-위생 이론이나 데시와 라이언의 자기결정 이론은 팀원들을 동기부여하는 방법을 제공합니다. 이 이론들은 팀원들의 내재적 및 외재적 동기를 이해하고, 이를 적절히 자극하여 팀원들이 보다 적극적으로 프로젝트에 참여하도록 유도합니다.

이러한 심리학적 접근은 조직 내 협업을 극대화하고, 프로젝트의 효율성을 높이며, 팀원 간의 관계를 개선하는 데 중요한 역할을 할 수 있습니다. 각 이론과 전략은 특정 상황에 맞춰 적용되어야 하며, 팀 리더와 프로젝트 관리자는 이를 통해 팀의 동기부여, 갈등 해결 및 팀워크 강화를 위한 구체적인 방안을 개발할 수 있습니다. 이러한 전략적 접근은 프로젝트의 성공뿐만 아니라 조직 전반의 만족도와 성과를 향상시키는 데 기여할 것입니다.

7. 집단사고 방지와 Janis의 이론

생각의 함정을 피하다:
Janis의 집단사고 이론과 그 방지 전략

집단사고는 조직이나 팀의 의사결정 과정에서 발생할 수 있는 심리적 현상으로, 그룹 구성원들이 합의에 도달하는 것을 지나치게 우선시하면서 비판적 사고를 억제하게 되는 경향을 말합니다. 이 현상은 팀이 더 나은 결정을 내릴 기회를 놓치게 하며, 때로는 심각한 오류로 이어질 수 있습니다. 집단사고를 이해하고 예방하는 것은 조직의 건강과 효율성을 유지하는 데 매우 중요합니다.

이론적인 배경과 다양한 사례 연구를 통해 볼 때, 집단사고는 특히 고위험 결정이 요구되는 상황에서 그룹의 의사결정 효율성을 저하시킬 수 있습니다. 이러한 문제를 예방하고 해결하기 위해서는 팀 내에서 개방적이고 비판적인 대화를 장려하고, 다양한 관점을 수용하는 문화를 조성해야 합니다. 또한, 리더십의 접근 방식과 조직 구조가 이러한 문화를 지원하는 방식으로 설계되어야 합니다.

본 장에서는 심리학자 어빙 L. 자니스(Irving L. Janis)의 집단사고 이론을 깊이 있게 탐구하고, 이를 통해 조직과 팀이 직면할 수 있는 여러 도전을 어떻게 극복할 수 있는지를 살펴볼 것입니다. 집단사고의 메커니즘을 이해함으로써, 우리는 조직 내에서 보다 건강한 의사결정 환경을 조성할 수 있습니다. 이 과정에서 구체적인 기업 사례를 통해 집단사고가 실제로 어떻게 발생하고, 이로 인해 조직에 어떤 영향을 미쳤는지를 상세히 살펴볼 것입니다. 이를 통해 심리학적 이론이 실제 비즈니스 상황에 어떻게 적용될 수 있는지에 대한 실질적인 이해를 돕고자 합니다.

테크컴퍼니는 최근 신제품 출시를 위한 중대한 프로젝트를 진행 중에 있었습니다. 이 회사는 시장에서의 선도적 위치를 유지하기 위해 혁신적인 기술을 개발하고 이를 제품화하는 것을 목표로 하고 있었습니다. 하지만, 프로젝트 팀 내에서 의사결정 과정에서 집단사고 현상이 발생하여 중요한 기술적 결정에 있어 몇 가지 심각한 오류가 발생했습니다.

프로젝트 팀은 다양한 기술 배경을 가진 전문가들로 구성되어 있었음에도 불구하고, 팀원들은 상급자의 의견에 도전하기를 주저했습니다. 이로 인해 팀은 초기 단계에서부터 비효율적인 설계를 추진하게 되었습니다. 특히, 프로젝트 리더의 강한 성향과 비판에 대한 개방성 부족이 팀 내에서 의견 충돌을 억제하는 주된 요인으로 작용했습니다. 이러한 환경은 팀원들이 자신의 진정한 의견이나 우려를 표현하는 것을 억제하고, 대신 '안전한' 결정을 지지하는 경향으로 이어졌습니다.

결과적으로, 이러한 집단사고는 팀이 특정 기술적 문제에 대해 충분히 토론하고 다각도로 검토하는 것을 방해했습니다. 예를 들어, 중요한 설계 결정에 대한 비판적 검토가 이루어지지 않아, 테스트 단계에서 큰 문제가 발견되었을 때 이미 프로젝트 일정과 예산은 심각한 영향을 받고 있었습니다. 이는 제품 출시 지연뿐만 아니라 회사의 시장 경쟁력에도 영향을 미쳤고, 결국 회사는 이러한 오류를 바로잡기 위해 추가 자원을 투입해야만 했습니다.

이 사례는 집단사고가 기술 중심의 조직에서 어떻게 비효율적인 의사결정을 초래할 수 있는지를 잘 보여줍니다. 팀원들이 의사소통을 자유롭게 하고, 서로의 의견에 귀 기울일 수 있는 환경이 조성되지 않으면, 심각한 프로젝트 실패로 이어질 수 있음을 시사합니다.

어빙 L. 자니스(Irving L. Janis)의 집단사고 이론은 심리학적 통찰을 통해 조직 내 의사결정 과정에서 발생할 수 있는 주요 함정을 설명합니다. 자니스는 1972년에 이 이론을 처음 소개하며, 조직이 중대한 오류를 범하는 것을 방지하는 데 필수적인 개념을 제시했습니다. 집단사고는 그룹 구성원들이 일치된 의견에 도달하고자 하는 강한 욕구에 의해 비판적 사고가 억제될 때 발생합니다. 이 현상은 특히 그룹이 동질성이 높고, 분리된 환경에서 작업하며, 강력한 리더십의 영향을 받는 경우에 자주 나타납니다.

자니스는 집단사고를 예방하고 극복하기 위한 여러 전략도 제안했습니다. 그의 주요 권장사항 중 하나는 리더가 자신의 의견을 초기에 밝히지 않아야 한다는 것입니다. 이는 팀원들이 보다 자유롭게 자신의 의견을 표현할 수 있는 환경을 조성합니다. 또한, 자니스는 조직이 의사결정 과정에서 외부 전문가의 의견을 적극적으로 구하고, 독립적인 서브그룹을 만들어 다양한 대안을 탐색하도록 권장했습니다.

이러한 조치들은 팀 내에서 의사결정의 다양성과 깊이를 증진시키며, 각 구성원이 보다 개방적이고 비판적인 관점을 가질 수 있도록 돕습니다. 자니스의 이론은 또한 의사결정 과정에서 발생할 수 있는 다양한 심리적 요인들을 이해하는 데 중요한 틀을 제공하며, 조직이 보다 효과적이고 건전한 의사결정 문화를 구축하는 데 도움을 줍니다.

집단사고 이론은 실제로 많은 역사적 사건과 조직 실패의 사례에서 그 유효성이 입증되었습니다. 예를 들어, 펄하버 공격이나 쿠바 미사일 위기, 찰린저 우주왕복선 재난 등이 자니스의 집단사고 개념으로 분석되었습니다. 이 사례들을 통해 우리는 집단사고가 조직에 미치는 심각한 영향을 더 잘 이해할 수 있으며, 이를 통해 더욱 건강하고 객관적인 의사결정 환경을 조성하는 방법을 모색할 수 있습니다.

테크컴퍼니에서 집단사고 문제를 해결하기 위해 어빙 L. 자니스의 이론을 적용하는 과정은 다음과 같은 방식으로 진행됩니다. 이 접근은 팀원들 각자가 의사결정 과정에 적극적으로 참여하도록 장려하며, 그들이 자신의 의견을 자유롭게 표현할 수 있는 환경을 조성하는 데 중점을 둡니다.

첫째, 리더는 초기 의사결정 단계에서 자신의 선호나 의견을 공개하지 않음으로써, 팀원들이 자신의 진정한 의견을 표현할 수 있는 분위기를 만듭니다. 이는 팀원들이 리더의 의견에 의존하거나 그 의견에 자신의 의견을 맞추려는 압력을 느끼지 않도록 보장합니다. 대신, 리더는 각 팀원에게 개방된 질문을 하고, 다양한 의견을 모으는 데 집중합니다. 이 과정에서 리더는 의사결정을 위한 정보를 균등하게 수집하고, 모든 팀원이 의견을 공유할 수 있도록 촉진자 역할을 수행합니다.

둘째, 팀 회의 시 리더는 '평가자'의 역할을 도입하여, 회의에서 각 의견이 공정하게 평가되고 검토되도록 합니다. 이 평가자는 회의 내내 비판적인 관점을 제공하며, 의사결정 과정에서 발생할 수 있는 잠재적인 편향을 지적합니다. 이 역할은 종종 팀 외부인이 맡기도 하며, 그들은 팀 내에 존재할 수 있는 일반적인 가정과 추정에 도전하는 데 중요한 역할을 합니다.

셋째, 리더는 다양한 의사결정 대안을 적극적으로 모색하도록 장려합니다. 이를 위해, 프로젝트의 각 단계에서 리더는 팀원들에게 대안적 접근법을 제시하고, 각 대안의 장단점을 토론하도록 합니다. 이 과정은 팀원들이 단일한 해결책에만 집중하는 것을 방지하고, 보다 창의적이고 혁신적인 해결책을 모색하도록 돕습니다.

넷째, 팀의 의사결정 과정에는 외부 전문가의 의견을 정기적으로 구합니다. 이 전문가들은 팀의 의사결정에 새로운 시각을 제공하고, 집단 내 존재할 수 있는 고정된 사고방식에 도전합니다. 외부 전문가의 관점은 팀이 자신의 가정을 재검토하고, 더 넓은 관점에서 문제를 바라보게 만듭니다.

마지막으로, 리더는 프로젝트의 각 주요 단계 후에 정기적인 리뷰와 피드백 세션을 주관합니다. 이 세션은 팀원들이 자신들의 결정과 그 배경에 대해 성찰하고, 필요한 경우 조정할 수 있는 기회를 제공합니다. 이러한 성찰은 팀이 자기 비판적인 태도를 유지하도록 하며, 더 나은 의사결정을 위한 지속적인 개선을 촉진합니다.

이와 같은 전략적 접근을 통해 테크컴퍼니는 집단사고의 위험을 최소화하고, 의사결정 과정에서 발생할 수 있는 오류를 효과적으로 예방하며, 프로젝트의 성공적 완수를 도모할 수 있습니다. 이는 팀원 간의 신뢰를 구축하고, 조직 전체의 혁신과 효율성을 증진하는 데 크게 기여할 것입니다.

테크컴퍼니는 집단사고를 극복하고 의사결정 과정을 개선하기 위해 다양한 심리학적 이론과 전략을 적용할 필요가 있습니다. 이는 팀 내의 협력을 증진하고 보다 효율적이며 창의적인 결정을 도모할 수 있게 합니다. 다음은 테크컴퍼니에서 고려해야 할 추가적인 심리학적 접근과 그 적용 방법에 대한 자세한 설명입니다.

1. 복합적 의사결정 이론 (Complex Decision Making Theory): 이 이론은 의사결정이 다양한 인지적, 감정적, 상황적 요인들의 상호작용으로 이루어진다고 강조합니다. 테크컴퍼니는 이 이론을 적용하여 의사결정 과정에서 모든 관련 요인을 면밀히 분석하고 고려해야 합니다. 예를 들어, 중대한 프로젝트 결정 시, 의사결정자들은 단순히 기술적 요인만이 아니라, 시장 상황, 팀의 감정 상태, 그리고 가능한 리스크 등을 종합적으로 고려하여 결정을 내릴 수 있습니다.

2. 구성원 역할 이론 (Team Role Theory): 벨빈의 이론에 따르면, 각 팀원은 특정 역할을 수행함으로써 팀의 성과에 기여할 수 있습니다. 테크컴퍼니는 팀 구성 시 각 구성원의 강점과 역할을 분석하여 적절히 배치함으로써, 각자가 최대한의 효율을 발휘할 수 있는 환경을 조성해야 합니다. 이는 집단사고를 방지하고 다양한 관점이 팀 의사결정에 반영될 수 있도록 도와줍니다.

3. 정보 교환 이론 (Information Exchange Theory): 효과적인 정보 교환은 의사결정의 질을 크게 향상시킬 수 있습니다. 테크컴퍼니는 회의나 프로젝트 진행 과정에서 모든 구성원이 중요 정보를 공유하도록 적극적으로 장려해야 합니다. 정보의 투명한 공유는 의사결정 과정에서 모든 관련 데이터와 의견이 충분히 고려되도록 하여, 잘못된 결정의 위험을 줄일 수 있습니다.

4. 집단 다이내믹스 이론 (Group Dynamics Theory): 집단 내 상호작용과 사회 구조의 이해는 팀의 건강한 기능을 유지하는 데 중요합니다. 테크컴퍼니는 팀 구성원 간의 역동성을 이해하고 관리하기 위해 이 이론을 활용할 수 있습니다. 이를 통해 팀 내 긴장감을 감소시키고, 협력을 촉진하며, 팀의 전반적인 성과를 향상시킬 수 있습니다.

5. 심리적 안전 이론 (Psychological Safety Theory): 심리적 안전이 확보된 환경에서 팀원들은 위험을 감수하고 창의적인 아이디어를 자유롭게 제시할 수 있습니다. 테크컴퍼니는 리더십을 통해 이

러한 환경을 조성하여, 팀원들이 자신의 진실된 의견과 아이디어를 솔직하게 공유할 수 있도록 해야 합니다. 이는 집단사고를 방지하고, 다양성과 창의력이 의사결정 과정에 긍정적으로 작용하도록 합니다.

이러한 이론들의 적용은 테크컴퍼니가 집단사고를 효과적으로 방지하고, 의사결정 과정을 강화하는 데 큰 도움이 됩니다. 조직의 리더와 관리자는 이러한 심리학적 접근을 통해 팀의 동기부여, 갈등 해결 및 팀워크 강화를 위한 구체적인 방안을 개발하고 실행해야 합니다. 이 과정은 프로저크의 성공뿐만 아니라 조직 전반의 만족도와 성과를 향상시키는 데 기여할 것입니다. 이러한 전략적 접근은 팀원 간의 신뢰를 구축하고, 조직 전체의 혁신과 효율성을 증진하는 데 중요한 역할을 합니다.

8. 리더십과 그룹 역학

조직의 나침반:
리더십이 그룹 역학을 조성하는 방법

리더십은 모든 조직의 성공에 결정적인 요소입니다. 특히 복잡한 조직 구조와 동적인 시장 환경에서는 리더의 역할이 그룹 역학을 형성하고 조직의 목표 달성을 이끌어내는 데 중추적인 역할을 합니다. 리더십은 단순히 지시와 감독을 넘어서, 팀원들의 동기를 부여하고, 그들의 잠재력을 최대한 발휘하도록 돕는 과정입니다. 이 장에서는 리더십과 그룹 역학의 상호작용이 조직 내에서 어떻게 기능하는지를 심층적으로 탐구하고, 현대 조직에서 효과적인 리더십이 갖추어야 할 요소들을 살펴볼 것입니다.

리더십은 조직 내 다양한 수준에서 발휘됩니다. 이는 최고경영진에서부터 중간 관리자, 프로젝트 팀 리더에 이르기까지 조직의 모든 계층에 걸쳐 이루어집니다. 각 리더는 그룹의 역동성을 이해하고, 이를 적절히 관리함으로써 팀의 성과를 극대화할 책임이 있습니다. 이러한 리더십은 그룹 내 갈등 해결, 목표 설정, 자원 배분, 그리고 팀원 간의 협력 촉진 등 다양한 역할을 포함합니다. 또한, 리더는 조직의 비전과 가치를 팀원들에게 전달하고, 이를 실천할 수 있는 환경을 조성하는 데 핵심적인 역할을 수행합니다.

본 장에서는 이러한 리더십의 다양한 측면을 구체적인 사례 연구를 통해 분석하고, 리더십 이론이 실제 조직 상황에 어떻게 적용될 수 있는지를 탐구할 것입니다. 이 과정을 통해 리더십이 조직 내에서 어떻게 효과적인 그룹 역학을 촉진하고, 조직의 전체적인 성과에 어떤 영향을 미치는지에 대한 깊이 있는 이해를 제공할 예정입니다. 이를 통해 리더와 팀원들이 보다 효과적으로 협력하고, 공동의 목표를 향해 나아갈 수 있는 방법을 모색하게 됩니다.

글로벌 기술 회사인 블루웨이브는 혁신적인 프로젝트를 추진하면서 팀 리더십의 중요성을 절실히 느끼게 되었습니다. 이 회사는 최근에 새로운 소프트웨어 개발 프로젝트를 시작했으며, 여러 부서 간의 협력이 필수적이었습니다. 그러나 프로젝트 초기에는 리더십의 부재로 인해 목표가 명확하게 설정되지 않았고, 부서 간의 협력도 원활하지 않았습니다.

프로젝트 팀은 각기 다른 기술적 배경과 전문 지식을 가진 멤버들로 구성되어 있었습니다. 이 다양성은 혁신의 잠재력을 높이는 요소로 작용할 수 있었으나, 초기에는 각 팀원들의 역할과 책임이 명확하게 정의되지 않아 혼란과 갈등의 원인이 되었습니다. 또한, 상호 작용의 부족은 프로젝트의 진행을 늦추고, 중요한 의사결정에서 오류를 발생시킬 위험을 높였습니다.

이러한 문제는 프로젝트 리더의 리더십 스타일과 관련이 깊었습니다. 리더는 효과적인 의사소통 기술과 팀원 간의 다리 역할을 수행하는 데 필요한 경험이 부족했습니다. 이로 인해 리더는 팀원들의 기대에 부응하지 못했고, 팀 내에서의 신뢰 구축에 실패했습니다. 리더의 능력 부족은 팀의 동기 부여와 생산성에도 부정적인 영향을 미쳤으며, 결국 프로젝트의 성공 가능성을 저해하는 요인으로 작용했습니다.

이 상황은 조직 내에서 리더십의 중요성과 리더가 갖추어야 할 기술과 자질에 대한 인식을 새롭게 하게 했습니다. 블루웨이브는 이러한 문제를 해결하기 위해 리더십 개발 프로그램을 도입하기로 결정했으며, 이를 통해 팀 리더들이 효과적인 의사소통, 갈등 해결, 그리고 팀 관리 기술을 개발할 수 있도록 지원하기로 했습니다. 이 프로그램은 리더들이 자신의 역할을 더욱 효과적으로 수행하고, 팀의 성과를 최적화할 수 있도록 돕기 위해 설계되었습니다.

리더십과 그룹 역학에 대한 심층적인 이해를 제공하는 주요 심리학 이론 중 하나는 루스 벤니스(Ruth W. Bennies)와 로널드 S. 베일(Ronald S. Bales)의 리더십 행동 이론입니다. 이 이론은 리더의 행동이 그룹 역학과 조직 성과에 어떻게 영향을 미치는지 설명하며, 효과적인 리더십 스타일을 개발하는 데 중요한 틀을 제공합니다.

루스 벤니스와 로널드 S. 베일은 리더십을 세 가지 주요 행동 카테고리로 분류합니다: 작업 지향 행동, 사람 지향 행동, 그리고 변혁적 행동. 작업 지향 리더십은 목표 달성과 업무 수행에 중점을 둡니다.

이 스타일의 리더는 업무의 효율성과 생산성을 극대화하는 데 초점을 맞추며, 구체적인 목표 설정과 엄격한 일정 관리를 강조합니다. 반면, 사람 지향 리더십은 팀원들의 복지와 개발을 중시하며, 조직 내 긍정적인 관계 형성과 팀원들의 동기 부여에 노력을 기울입니다. 이 리더십 스타일은 팀원들의 만족도와 충성도를 높이는 데 효과적입니다.

변혁적 리더십은 리더와 팀원들 사이의 상호작용을 통해 조직의 변화와 혁신을 추구합니다. 변혁적 리더는 비전을 제시하고, 이 비전에 대한 팀원들의 열정을 고취시킵니다. 이러한 리더는 자신의 카리스마, 영감을 주는 동기 부여, 지적 자극, 그리고 개인적 관심을 통해 팀원들의 잠재력을 최대한으로 이끌어냅니다.

블루웨이브의 경우, 리더십 행동 이론을 적용하여 리더의 역량을 강화하고, 그룹 역학을 개선할 수 있습니다. 프로젝트 리더는 각 팀원의 필요와 기대를 이해하고, 이에 맞춰 자신의 리더십 스타일을 조정함으로써 팀의 협력과 성과를 증진시킬 수 있습니다. 또한, 리더는 팀 내 갈등을 효과적으로 관리하고, 변화에 대응하는 능력을 개발함으로써 조직의 전반적인 유연성과 적응성을 향상시킬 수 있습니다.

이 이론을 통해 블루웨이브는 리더십 개발 프로그램을 보다 효과적으로 설계하고, 리더와 팀원들 간의 상호작용을 강화하여 전체 프로젝트의 성공 가능성을 높일 수 있습니다. 이러한 접근은 리더와 팀원들이 보다 효과적으로 협력하고, 공동의 목표를 향해 나아갈 수 있는 방법을 모색하게 됩니다.

블루웨이브에서 집행된 리더십 개발 프로그램은 리더들이 다양한 리더십 스타일과 그룹 역학을 이해하고, 이를 적절히 적용하여 팀 성과를 극대화하는 데 중점을 두었습니다. 프로그램은 특히 변혁적 리더십 기술을 개발하는 것에 초점을 맞추어, 리더들이 자신의 팀원들을 동기부여하고, 팀 내에서 혁신을 주도할 수 있도록 했습니다.

이 과정에서 리더들은 자신의 행동과 그것이 팀 역학에 미치는 영향에 대해 깊이 있게 학습하고, 실제 상황에서 이론을 적용해 보는 다양한 시뮬레이션과 워크숍에 참여했습니다. 이러한 활동은 리더들이 비판적으로 자신의 리더십 스타일을 평가하고, 필요에 따라 조정할 수 있는 능력을 개발하는 데 도움을 주었습니다.

프로그램은 또한 리더들에게 팀원들의 의견을 존중하고, 다양한 관점을 통합하는 방법을 가르쳤습니다. 이는 리더들이 팀원들의 창의력과 혁신을 촉진하는 환경을 조성하고, 그룹 내에서 갈등을 효과적으로 관리할 수 있도록 만드는 데 기여했습니다. 리더들은 또한 자신의 카리스마와 영향력을 사용하여 팀원들의 열정을 고취시키고, 공동의 목표를 향한 팀의 동기를 강화하는 방법을 배웠습니다.

이러한 개발 프로그램을 통해, 블루웨이브의 리더들은 팀 역학을 개선하고, 프로젝트의 성공률을 높이는 데 필요한 실질적인 기술과 지식을 갖추게 되었습니다. 프로그램의 결과로 리더들은 자신의 리더십 능력을 실제로 향상시킬 수 있었고, 이는 전체 조직의 성과와 효율성을 증진시키는 결과를 낳았습니다.

이 프로세스는 블루웨이브에 중요한 교훈을 제공했습니다.
효과적인 리더십 개발은 단순한 기술 전수를 넘어서, 리더가 자신의 행동과 이것이 팀에 미치는 영향을 이해하고, 이를 조절할 수 있는 능력을 키우는 것을 포함해야 합니다. 이와 같은 접근은 리더들이 조직 내에서 지속적인 성장과 발전을 이끌어내는 데 결정적인 역할을 하며, 조직 전체의 변화와 혁신을 성공적으로 주도할 수 있도록 만듭니다.

리더십과 관련하여 팀원들에게 더 깊이 있는 심리학적 이해를 제공할 수 있는 추가 이론들을 살펴보는 것은 매우 중요합니다. 이러한 이론들은 리더와 팀원 간의 관계를 강화하고, 조직 내에서 더 나은 협력과 의사소통을 촉진하는 데 도움을 줄 수 있습니다.

1. 상호의존성 이론 (Interdependence Theory): 이 이론은 팀원들 간의 상호 의존성이 어떻게 그룹의 성과에 영향을 미치는지 설명합니다. 팀원들이 서로에게 의존할수록, 그들은 더 많은 협력을 하게 되며, 이는 전체적인 팀의 성과를 향상시킬 수 있습니다. 리더는 이 이론을 활용하여 팀원들이 서로의 역할과 중요성을 인식하고, 각자의 기여가 전체 목표 달성에 얼마나 중요한지를 이해하도록 할 수 있습니다.

2. 정서적 지능 (Emotional Intelligence): 리더와 팀원들의 정서적 지능은 팀의 분위기와 생산성에 큰 영향을 미칩니다. 리더가 팀원들의 감정을 이해하고 적절히 반응할 수 있는 능력은, 팀 내 긴장을 줄이고, 갈등을 효과적으로 관리하는 데 필수적입니다. 이를 통해 리더는 보다 긍정적이고 지지적인 팀 환경을 조성할 수 있습니다.

3. 리더-회원 교환 이론 (Leader-Member Exchange Theory, LMX): 이 이론은 리더와 각 팀원 간의 관계가 어떻게 팀의 역학을 형성하는지를 설명합니다. 강력한 LMX 관계는 높은 수준의 신뢰와 상호 존중을 특징으로 하며, 이는 팀원들의 만족도와 성과를 향상시키는 중요한 요인입니다. 리더는 이 이론을 활용하여 각 팀원과의 개별적인 관계를 강화하고, 그들의 개별적인 요구와 기대를 더 잘 이해하고 충족시킬 수 있습니다.

이와 같은 심리학적 이론들은 리더가 팀을 보다 효과적으로 관리하고, 조직 내에서 긍정적인 변화를 촉진하는 데 도움을 줄 수 있습니다. 리더십 개발 프로그램이나 팀 빌딩 워크숍에서 이러한 이론들을 교육하고 적용함으로써, 리더와 팀원들은 서로에 대한 이해를 높이고, 보다 효과적인 협력을 할 수 있게 됩니다. 이는 결국 조직 전체의 성과와 효율성을 증진시키는 결과를 가져올 것입니다.

9. 원격 작업과 조직 심리학

원격 작업의 심리학적 조망: 조직 심리학을 통한 새로운 작업 환경 이해

원격 작업은 현대 조직의 일상이 된 지 오래입니다. 이 모델은 유연성을 제공하고 다양한 지리적 위치에서 최고의 인재를 활용할 수 있는 장점을 가지고 있지만, 동시에 조직 심리학에 새로운 도전을 제기합니다. 원격 작업 환경에서의 성공적인 관리와 팀워크는 조직의 심리적 건강과 직결되며, 이는 직원의 생산성과 직무 만족도에 깊은 영향을 미칩니다. 본 장에서는 원격 작업 환경에서 발생하는 독특한 심리적 도전들을 탐구하고, 이를 극복하기 위한 심리학적 접근과 전략을 상세히 설명할 것입니다.

최근 겪었던 팬데믹은 전 세계적으로 원격 작업의 채택을 가속화시켰습니다. 이로 인해 많은 조직들이 전통적인 사무실 환경에서 벗어나 가상의 작업 공간으로 이동하였고, 이 변화는 조직의 리더십과 팀워크에 새로운 요구를 제기했습니다. 원격 작업은 물리적 고립감을 초래할 수 있으며, 팀원들 간의 소통과 협력의 장벽을 높일 수 있습니다. 또한, 직원들의 업무와 개인 생활 사이의 경계가 모호해지면서 작업 생산성과 직무 만족도에 부정적인 영향을 미칠 수 있습니다.

이러한 새로운 업무 환경은 조직 심리학의 관점에서 다양한 심리적 도전을 제시합니다. 원격 작업의 성공은 효과적인 커뮤니케이션, 직원들의 동기 부여, 그리고 강력한 조직 문화의 유지에 크게 의존합니다. 이 장에서는 원격 작업 환경에서 조직 심리학이 어떻게 적용될 수 있는지, 그리고 이를 통해 조직이 직면한 도전을 어떻게 극복할 수 있는지를 살펴보고자 합니다. 조직의 리더와 관리자는 이러한 심리학적 이해를 바탕으로 원격 팀을 더욱 효과적으로 관리하고, 직원들의 복지와 생산성을 증진시킬 수 있는 전략을 개발할 필요가 있습니다. 이를 통해 원격 작업 환경에서도 직원들이 보다 만족하고 생산적으로 일할 수 있는 조건을 만들어갈 수 있습니다.

디지털 솔루션 회사인 인포텍은 전세계 여러 지점에 직원을 두고 있는 대표적인 기업으로, 최근 원격 근무 체제로의 전환을 겪었습니다. 이 회사는 기술적 자원은 풍부하지만, 원격 근무의 도입이 조직 내 커뮤니케이션 패턴과 직원들의 업무 방식에 큰 변화를 가져왔습니다. 원격 근무의 도입 초기, 많은 직원들이 물리적 분리로 인한 고립감을 경험했으며, 이는 팀 간의 협력과 프로젝트의 효율성에 영향을 미쳤습니다.

팀원들 사이의 정기적인 대면 소통의 부족은 작업의 명확성과 우선순위에 혼란을 주었고, 이는 프로젝트의 일정과 질에 직접적인 영향을 미쳤습니다. 이러한 상황에서 인포텍의 경영진은 원격 근무로 인해 변경된 작업 환경이 조직 문화에 어떻게 영향을 미치고 있는지를 파악하고자 했습니다. 특히, 직원들의 일과 생활의 균형, 업무 만족도, 그리고 업무 연속성이 크게 도전받고 있었습니다.

이러한 변화는 인포텍이 새로운 관리 전략과 도구를 도입하게 만든 동기가 되었습니다. 원격 근무의 환경에서 직원들의 상호작용과 소속감을 강화하기 위해, 회사는 가상의 커뮤니티 구축과 팀 빌딩 세션을 적극적으로 활용하기 시작했습니다. 이러한 노력은 직원들이 서로 연결되어 있음을 느끼게 하고, 업무의 목표를 공유하는 데 도움을 주었습니다.

이 외에도 인포텍은 직원들의 웰빙을 지원하기 위해 유연한 근무 시간을 도입하고, 정기적인 웰니스 프로그램을 제공하는 등의 조치를 취했습니다. 이러한 변화는 원격 근무가 조직에 장기적으로 긍정적인 영향을 미칠 수 있도록 설계되었습니다. 직원들은 이러한 지원을 통해 자신의 업무를 더욱 효과적으로 관리할 수 있게 되었고, 이는 전반적인 업무 성과의 향상으로 이어졌습니다.

원격 근무 환경에서 발생하는 특유의 심리적 문제를 깊이 분석하기 위해 조직 심리학의 여러 이론이 적용될 수 있습니다. 이 중에서도 특히 중요한 이론은 사회적 교류 이론(Social Exchange Theory)과 자기결정 이론(Self-Determination Theory)입니다. 이 두 이론은 원격 근무 환경에서 직원들의 동기 부여와 만족도에 큰 영향을 미치는 요소들을 설명해 줍니다.

사회적 교류 이론은 인간 관계가 상호적인 보상의 원칙에 의해 이루어진다고 주장합니다. 이 이론에 따르면, 직원들은 조직과의 상호작용에서 얻는 보상이 소모되는 노력과 비용을 초과할 때 더 긍정적으로 반응하고, 조직에 대한 충성도와 헌신이 증가합니다. 원격 근무 환경에서는 직원들이 물리적으로 격리되어 있기 때문에, 이러한 상호작용의 기회가 줄어들 수 있습니다. 따라서 리더들은 가상 환경에서도 직원들과의 긍정적인 상호 교류를 유지하고 강화하기 위한 방안을 모색해야 합니다. 예를 들어, 정기적인 가상 미팅, 팀 빌딩 활동, 그리고 성과에 대한 공정하고 투명한 보상 체계를 구축하는 것이 중요합니다.

자기결정 이론은 개인의 동기 부여가 자율성, 유능감, 관계성의 세 가지 기본적인 심리적 요구의 충족에 따라 달라진다고 설명합니다. 원격 근무에서 직원들은 종종 자율성을 높게 경험하지만, 유능감과 관계성의 요구가 충분히 충족되지 않을 수 있습니다. 조직은 이러한 요구를 충족시키기 위해 지원적인 피드백 시스템, 업무 관련 교육과 개발 프로그램, 그리고 팀원 간의 소통과 협력을 촉진하는 도구를 제공해야 합니다.

인포텍 사례에서 볼 수 있듯이, 회사는 이러한 이론적 접근을 기반으로 직원들의 웰빙을 지원하고 원격 근무의 심리적 도전을 극복하기 위한 다양한 전략을 실행하였습니다. 이러한 전략은 직원들의 업무 만족도와 조직에 대한 전반적인 헌신을 향상시키는 결과를 낳았습니다. 이처럼 조직 심리학의 이론들은 원격 근무 환경에서 발생할 수 있는 도전들을 이해하고, 이에 대응하는 데 있어 매우 유용한 도구가 될 수 있습니다.

원격 근무 환경의 심리학적 도전을 극복하기 위해 구체적으로 적용된 조치들은 인포텍의 사례를 통해 깊이 있게 살펴볼 수 있습니다. 이 회사는 직원들의 동기 부여와 연결성 유지를 위해 몇 가지 중요한 전략을 실시하였습니다.

첫째로, 인포텍은 강력한 가상 커뮤니케이션 시스템을 구축하여, 모든 직원들이 원활하게 소통하고 협력할 수 있는 환경을 조성하였습니다. 이 시스템은 정기적인 비디오 컨퍼런스, 실시간 채팅 기능, 그리고 프로젝트 관리 도구를 포함하였습니다. 이러한 도구들은 팀원들이 신속하게 정보를 공유하고 의사결정 과정에 참여할 수 있도록 하여, 물리적 거리가 팀워크에 미치는 부정적인 영향을 최소화하였습니다.

둘째로, 회사는 직원들의 자율성을 존중하면서도 그들의 업무 성과를 지속적으로 지원하고자 했습니다. 이를 위해 개인별 맞춤형 교육 프로그램과 경력 개발 계획을 제공하였습니다.

이 프로그램들은 직원들이 자신의 역량을 발전시키고 자기 주도적으로 업무를 수행할 수 있도록 도왔습니다. 또한, 직원들이 업무에서 겪는 어려움을 해결할 수 있도록 멘토링 시스템을 강화하였습니다.

셋째로, 인포텍은 직원들의 웰빙과 직무 만족도를 높이기 위해 여러 복지 프로그램을 도입하였습니다. 이는 가상 요가 클래스, 온라인 웰니스 워크숍, 그리고 정신 건강 지원 서비스를 포함하였습니다. 이러한 프로그램들은 직원들이 직장과 개인 생활의 균형을 유지할 수 있도록 지원하고, 원격 근무로 인해 발생할 수 있는 스트레스와 고립감을 줄이는 데 기여하였습니다.

이러한 조치들은 원격 근무 환경에서 조직 심리학의 원칙을 실천하여 직원들의 업무 효율성과 만족도를 증진시키는 데 성공하였습니다. 인포텍의 사례는 다른 조직들에게도 원격 근무 환경에서 직원들의 심리적 요구를 충족시키는 방법에 대한 통찰을 제공하며, 이는 조직의 장기적인 성공에 기여할 수 있는 중요한 전략으로 평가받고 있습니다. 이와 같은 접근 방식은 원격 근무가 조직에 가져다주는 도전을 기회로 전환할 수 있는 효과적인 모델을 제시합니다.

원격 작업 환경에서 조직 심리학을 더욱 깊이 탐구할 필요가 있습니다. 이는 팀 구성원 간의 긴밀한 협력과 효과적인 프로젝트 진행을 보장하는 중요한 요소입니다. 추가로 고려할 수 있는 심리학적 이론과 전략은 다음과 같습니다:

1. 시스템 이론 (Systems Theory): 이 이론은 조직을 복잡한 시스템으로 보고, 이 시스템의 다양한 부분이 서로 어떻게 상호작용하는지를 분석합니다. 시스템 이론을 통해, 팀 리더들은 조직 내 각 구성원의 역할과 이들이 전체 목표 달성에 어떻게 기여하는지 이해할 수 있습니다. 이론은 각 팀원의 상호의존성을 강조하며, 팀 전체의 조화로운 기능을 위한 전략을 개발하는 데 유용합니다.

2. 사회 심리학의 정체성 이론 (Social Identity Theory): 이 이론은 개인이 그룹의 일원으로서 어떻게 자신의 정체성을 형성하는지 설명합니다. 팀 내에서 개인의 소속감을 증진시키고, 그룹 정체성을 강화함으로써, 팀원들의 협력과 팀 내 동기를 높일 수 있습니다. 팀 리더는 이 이론을 활용하여 팀 내 긍정적인 문화를 조성하고, 팀원들이 공동의 목표를 향해 노력하도록 동기를 부여할 수 있습니다.

3. 갈등 해결 이론 (Conflict Resolution Theory): 갈등은 팀 내 협업을 저해하는 주요 요소 중 하나입니다. 갈등 해결 이론은 팀 내에서 발생하는 갈등을 효과적으로 관리하고 해결하는 전략을 제공합니다. 이를 통해 리더는 갈등을 건설적으로 해결하고, 팀원 간의 관계를 개선하여 프로젝트의 성공적인 수행을 돕습니다.

4. 동기부여 이론 (Motivation Theories): 다양한 동기부여 이론, 예를 들어, 허즈버그의 동기-위생 이론이나 데시와 라이언의 자기결정 이론은 팀원들을 동기부여하는 방법을 제공합니다. 이 이론들은 팀원들의 내재적 및 외재적 동기를 이해하고, 이를 적절히 자극하여 팀원들이 보다 적극적으로 프로젝트에 참여하도록 유도합니다.

이러한 심리학적 접근은 조직 내 협업을 극대화하고, 프로젝트의 효율성을 높이며, 팀원 간의 관계를 개선하는 데 중요한 역할을 할 수 있습니다. 각 이론과 전략은 특정 상황에 맞춰 적용되어야 하며, 팀 리더와 프로젝트 관리자는 이를 통해 팀의 동기부여, 갈등 해결 및 팀워크 강화를 위한 구체적인 방안을 개발할 수 있습니다. 이러한 전략적 접근은 프로젝트의 성공뿐만 아니라 조직 전반의 만족도와 성과를 향상시키는 데 기여할 것입니다.

10. 협업 도구의 심리적 영향

디지털 협업의 심리:
협업 도구가 팀 상호작용에 미치는 영향

협업 도구의 심리적 영향에 관한 탐구는 현대 조직이 직면하고 있는 중요한 주제 중 하나입니다. 디지털 기술의 발전과 함께, 다양한 협업 도구가 조직 내 커뮤니케이션과 팀워크를 혁신적으로 변화시켰습니다. 이 장에서는 이러한 도구들이 개인과 팀의 심리에 미치는 영향을 살펴보고, 효과적인 협업을 촉진하는 동시에 발생할 수 있는 심리적 문제들을 어떻게 해결할 수 있는지에 대해 논의할 것입니다. 협업 도구는 팀 구성원 간의 의사소통을 강화하고, 프로젝트 관리를 용이하게 하며, 업무 프로세스를 최적화하는 데 크게 기여하지만, 동시에 과도한 기술 의존도로 인한 문제들도 초래할 수 있습니다.

전 세계적으로 기업들은 Slack, Microsoft Teams, Zoom 등 다양한 협업 도구를 도입하여, 직원들의 상호작용 방식을 변화시키고 있습니다. 이러한 도구들은 팀원들이 시간과 장소의 제약 없이 실시간으로 정보를 공유하고, 효율적으로 협업할 수 있도록 지원합니다. 그러나 이러한 변화는 직원들에게 새로운 심리적 도전을 제기하기도 합니다. 특히, 가상 공간에서의 지속적인 상호작용은 직원들의 업무와 개인 생활 사이의 경계를 흐리게 할 수 있으며, 이로 인해 업무 관련 스트레스가 증가할 수 있습니다.

협업 도구가 제공하는 지속적이고 즉각적인 커뮤니케이션 기능은 직원들로 하여금 항상 연결되어 있어야 한다는 압박감을 느끼게 할 수 있습니다. 이는 '항상 켜져 있어야 한다(Always On)'는 문화를 조장하며, 결국은 업무로 인한 소진감을 초래할 수 있습니다. 이러한 문제들은 조직 내에서 심리적 안정성을 해치고, 팀원들 간의 신뢰를 저하시킬 위험이 있습니다.

이 장에서는 이러한 도구들이 조직 심리에 미치는 다양한 영향을 심도 있게 분석하고, 조직이 이를 어떻게 관리해야 하는지에 대한 전략을 제시할 것입니다. 특히, 협업 도구의 적절한 사용 방법과 그로 인해 발생할 수 있는 심리적 문제를 최소화하는 방법에 대해 논의함으로써, 조직과 직원 모두에게 긍정적인 결과를 가져올 수 있는 방안을 모색할 것입니다. 이를 통해 조직은 디지털 도구를 활용하여 업무 효율성을 높이는 동시에, 직원들의 심리적 건강을 보호하는 균형을 찾을 수 있을 것입니다.

노바테크는 전 세계적으로 사업 확장을 추진하며, 여러 지역의 팀들을 연결하기 위해 다양한 디지털 협업 도구를 채택하였습니다. 이 회사는 북미, 유럽, 아시아의 여러 지사에서 근무하는 수백 명의 직원들이 시차와 지리적 제약 없이 협력할 수 있도록 Microsoft Teams, Slack, 그리고 Asana와 같은 플랫폼을 도입했습니다. 이 도구들은 프로젝트 관리, 파일 공유, 실시간 커뮤니케이션 및 업무 진행 상황 추적 등을 가능하게 함으로써 원격 근무 환경에서의 효율성과 투명성을 높이는 데 중점을 두었습니다.

협업 도구의 도입은 초기에 많은 긍정적인 반응을 이끌어냈습니다. 직원들은 언제 어디서나 접근 가능한 업무 환경에 열광했으며, 이러한 도구들이 업무의 유연성을 제공하고 팀원들 간의 연결을 강화한다고 느꼈습니다. 그러나 시간이 지남에 따라, 이러한 도구들이 가져오는 새로운 도전들이 드러나기 시작했습니다. 직원들은 커뮤니케이션과 정보의 과부하를 경험했고, 이는 업무의 효율성을 저하시켰습니다. 팀원들 사이에 정보가 끊임없이 흘러다니면서 중요한 메시지가 묻히거나, 업무와 관련 없는 대화가 업무 시간을 침범하는 경우가 잦아졌습니다.

또한, 다양한 도구와 플랫폼 간의 통합 문제로 인해 정보의 중복이나 데이터 불일치 문제가 발생하였습니다. 직원들은 여러 플랫폼에서 동일한 데이터를 여러 번 확인하고 관리해야 했으며, 이는 업무 중복과 시간 낭비로 이어졌습니다. 이러한 혼란은 프로젝트의 일정과 성과에 부정적인 영향을 미쳤고, 직원들 사이에 불필요한 긴장과 스트레스를 유발했습니다.

노바테크의 관리 팀은 이러한 문제들을 해결하기 위해 직원들의 피드백을 적극적으로 수집하고, 협업 도구 사용에 대한 교육을 강화할 필요성을 인식했습니다. 직원들은 끊임없이 변화하는 디지털 도구 환경에 적응하기 위해 지속적인 지원과 교육이 필요하다고 느꼈습니다. 이를 위해 회사는 사용자 친화적인 인터페이스 개선, 통합 플랫폼 사용의 활성화, 그리고 업무와 비업무 시간의 명확한 구분을 통한 워크-라이프 밸런스 증진 등의 조치를 고려하기 시작했습니다. 이러한 노력은 조직 전반의 생산성을 높이고, 직원들의 업무 만족도를 향상시키는 중요한 단계가 될 것입니다.

노바테크에서 직면한 협업 도구의 문제들은 광범위하고 다층적인 요인들로 인해 발생했습니다. 회사는 전 세계적으로 분산된 팀을 연결하고자 협업 도구를 도입했으나, 이러한 도구들의 통합과 관리에 있어 여러 문제가 나타났습니다.

우선 기술적인 측면에서 협업 도구 간의 통합이 충분히 이루어지지 않아 각각의 시스템에서 중복되거나 상이한 정보가 발생했습니다. 이로 인해 팀원들은 동일한 정보를 여러 플랫폼에서 검색하고 확인해야 하는 번거로움을 겪었고, 이는 시간 소모와 업무 효율성 저하를 가져왔습니다.

더욱이, 협업 도구들의 사용자 인터페이스(UI)가 직관적이지 않아 사용자들이 이러한 시스템을 효과적으로 사용하는 데 어려움을 겪었습니다. 복잡한 UI와 사용자 경험(UX) 설계는 특히 새로운 기술에 익숙하지 않은 사용자들에게 큰 장벽이 되었습니다. 이는 새로운 도구에 대한 사용자의 저항을 유발하고, 기존에 익숙한 수동 작업 방식으로 돌아가려는 경향을 강화했습니다.

조직적인 측면에서 보면, 노바테크는 적절한 교육과 지원 체계를 갖추지 못했습니다. 협업 도구의 도입은 단순히 기술을 구매하고 설치하는 것을 넘어, 해당 도구를 사용할 직원들에게 충분한 교육을 제공하고, 도구의 효과적인 사용을 위한 지속적인 지원을 포함해야 합니다. 그러나 노바테크에서는 이러한 과정이 소홀히 다루어졌고, 결과적으로 직원들은 새로운 도구들을 제대로 활용하지 못했습니다.

심리적인 측면에서는, 협업 도구가 제공하는 '항상 연결됨'의 환경이 업무와 개인 생활의 경계를 흐리게 만들었습니다. 이로 인해 직원들은 업무 시간 외에도 끊임없이 업무 관련 통신에 응답해야 하는 압박을 느꼈습니다. 이는 업무 소진과 스트레스 증가로 이어졌고, 직원들의 업무 만족도와 생산성에 부정적인 영향을 미쳤습니다.

이러한 다양한 문제를 인식한 노바테크는 협업 도구의 효과적인 통합과 직원 교육 프로그램 개선, 사용자 인터페이스의 개선, 그리고 업무와 개인 생활의 경계를 명확히 하는 정책을 도입하여 이 문제들에 대응하기 시작했습니다. 이러한 조치들은 직원들이 새로운 도구를 보다 효과적으로 사용하게 하고, 업무 만족도를 향상시키며, 전반적인 조직 생산성을 높이는 데 기여할 것으로 기대됩니다. 이는 노바테크가 직면한 문제들을 종합적으로 해결하기 위한 첫걸음으로, 조직의 디지털 전환 과정에서 중요한 교훈을 제공합니다.

노바테크의 협업 도구 도입에 관련된 심리학적 이론들은 이 회사가 직면한 문제들을 이해하고 해결하는 데 중요한 역할을 합니다. 프레드 데이비스가 개발한 기술 수용 모델 (Technology Acceptance Model, TAM)은 사용자가 기술을 어떻게 받아들이는지에 대해 설명합니다. 이 모델은 기술의 인지된 유용성과 사용의 용이성이 사용자의 기술 수용 의사에 큰 영향을 미친다고 강조하며, 이는 노바테크에서 협업 도구를 도입할 때 고려해야 할 중요한 요소입니다. 유용성이 높다고 인식되면 직원들은 기술을 더 긍정적으로 받아들이고 적극적으로 사용할 가능성이 높아집니다. 반면, 도구 사용이 복잡하고 이해하기 어렵다면, 직원들은 새로운 시스템을 기피하고 기존의 작업 방식을 고수하려 할 것입니다.

쿠르트 레빈의 변화 관리 이론은 조직의 변화 과정을 '해동-변경-재동결'의 세 단계로 나누어 설명합니다. 노바테크의 경우, 협업 도구의 도입은 해동 단계에서 시작하여, 직원들이 기존의 업무 방식에서 벗어나 새로운 도구와 절차를 받아들이도록 유도해야 합니다. 변화 단계에서는 충분한 교육과 지원을 통해 직원들이 새 시스템을 실제 업무에 적용할 수 있도록 해야 하며, 마지막으로 재동결 단계에서는 새로운 업무 방식이 조직 내에 안정적으로 자리 잡도록 해야 합니다. 이 과정을 통해 조직은 변화에 대한 저항을 최소화하고, 직원들의 적극적인 참여를 이끌어낼 수 있습니다.

조셉 왈더의 사회적 정보 처리 이론(Social Information Processing Theory, SIP)은 협업 도구를 통한 커뮤니케이션에서의 사회적 상호작용을 설명합니다. 이 이론은 커뮤니케이션 맥락에서 정보의 전달과 해석이 어떻게 이루어지는지, 그리고 이 과정에서 개인의 태도와 행동이 어떻게 형성되는지에 대해 분석합니다. 노바테크에서 직원들이 정보 과부하를 경험하는 문제는 SIP 이론을 통해 접근할 수 있습니다. 이 이론에 따르면, 정보의 질과 양을 조절함으로써 직원들의 정보 처리 능력을 최적화하고, 업무 스트레스를 감소시킬 수 있습니다. 이는 협업 도구의 사용을 조정하여 직원들의 업무 효율성을 높이고, 조직 전반의 커뮤니케이션 효과를 개선하는 방법을 제시합니다.

이러한 이론들은 노바테크가 협업 도구를 도입하면서 직면한 문제들을 종합적으로 이해하고 해결하는 데 필수적인 틀을 제공합니다. 기술 수용의 심리학적 측면을 고려하고, 조직 변화를 효과적으로 관리하며, 커뮤니케이션 과정에서의 심리적 요인을 최적화함으로써, 조직은 기술 도입과 관련된 도전을 성공적으로 극복할 수 있습니다. 이 과정에서 조직의 리더와 관리자는 직원들의 기술 수용, 변화에 대한 저항 감소, 그리고 심리적 안정성 유지를 위한 전략을 개발해야 할 것입니다.

노바테크의 협업 도구 도입에서 발생한 문제들을 해결하기 위해 적용한 심리학 이론들은 실질적인 개선 방안을 제시하며 조직 내 변화를 성공적으로 이끌었습니다. 이 과정에서 중점을 둔 이론들은 기술 수용 모델(Technology Acceptance Model, TAM), 조직 변화의 3단계 이론, 그리고 사회적 정보 처리 이론(Social Information Processing Theory, SIP)이었습니다. 각 이론은 도구 도입의 심리적, 조직적, 기술적 문제들에 대응하여 구체적인 해결책을 제공했습니다.

노바테크는 기술 수용 모델을 바탕으로 협업 도구의 인지된 유용성과 사용 용이성을 향상시키는 데 중점을 두었습니다. 이를 위해 직원들에게 각 도구가 업무 효율성을 어떻게 향상시킬 수 있는지를 구체적으로 설명하는 워크숍과 세미나를 개최했습니다. 이러한 교육 세션은 도구의 장점과 효과적인 사용 방법을 직원들에게 명확히 전달하여, 도구에 대한 긍정적인 태도와 수용성을 높이는 데 기여했습니다. 또한, 사용의 용이성을 높이기 위해 사용자 인터페이스를 단순화하고, 직관적인 디자인을 도입하여 직원들이 새로운 도구를 더 쉽게 학습하고 적응할 수 있도록 했습니다.

또 변화 관리 이론에 따라, 노바테크는 해동, 변경, 재동결의 세 단계를 거쳐 조직 내 협업 도구 도입을 진행했습니다. 초기 해동 단계에서는 기존의 업무 방식에 의문을 제기하고, 새로운 도구가 필요한 이유를 전사적으로 공유하여 직원들의 인식을 변경하였습니다. 변경 단계에서는 실제 도구 도입을 통해 새로운 작업 프로세스를 실행하고, 이 과정에서 발생하는 문제점을 신속하게 해결하여 직원들의 불안과 저항을 최소화했습니다. 마지막으로, 재동결 단계에서는 새로운 도구와 작업 방식이 조직 문화에 완전히 통합될 수 있도록 지속적인 지원과 강화 교육을 제공했습니다.

다음으로 사회적 정보 처리 이론을 적용하여, 노바테크는 협업 도구를 통한 정보 과부하 문제를 해결하기 위해 정보의 질과 양을 조절했습니다. 회사는 정보 필터링 메커니즘을 도입하여 직원들이 필요한 정보만을 받아볼 수 있도록 설정을 조정했습니다. 또한, 도구 내에서의 비공식적 커뮤니케이션 채널을 활성화하여, 직원들이 서로의 경험과 지식을 공유할 수 있는 사회적 상호작용을 증진시켰습니다. 이러한 조치는 직원들이 정보를 효과적으로 처리하고 스트레스를 관리할 수 있도록 도와, 업무 만족도와 팀 내 협력을 높였습니다.

노바테크의 이러한 접근 방식은 기술 도입과 관련된 다양한 심리적 및 조직적 문제를 효과적으로 해결하고, 조직 전반의 생산성과 만족도를 향상시키는 데 중요한 역할을 했습니다. 이 과정을 통해 조직은 기술적 변화뿐만 아니라 심리적인 변화 관리의 중요성을 깊이 인식하게 되었으며, 이는 조직의 지속 가능한 성장과 직원들의 업무 환경 개선에 기여했습니다.

협업 도구가 조직 내 심리적 영향에 끼치는 영향을 보다 깊이 이해하기 위해 추가적인 심리학적 접근이 필요합니다. 특히, 조직 구성원들의 상호 작용과 커뮤니케이션 패턴을 개선하려는 노력은 조직 심리학의 여러 이론을 활용하여 지원될 수 있습니다. 이러한 이론 중에서도 대표적으로 적용할 수 있는 것은 다음과 같습니다:

1. 대인 관계 이론 (Interpersonal Theory): 이 이론은 개인 간의 상호 작용이 어떻게 각자의 행동과 태도를 형성하는지 설명합니다. 협업 도구를 통해 조직 구성원들 사이의 효과적인 상호 작용을 촉진함으로써, 긍정적인 대인 관계를 발전시키고, 이를 통해 조직 문화를 강화할 수 있습니다.

2. 집단 내 역동성 이론 (Group Dynamics Theory): 이 이론은 집단 내에서 발생하는 다양한 심리적 현상을 탐구합니다. 협업 도구가 집단의 의사 결정 과정, 갈등 해결, 그리고 목표 설정에 어떻게 영향을 미칠 수 있는지 이해하는 데 유용합니다. 이를 통해 조직은 협업 도구를 더 효과적으로 활용하여 집단의 생산성과 효율성을 최대화할 수 있습니다.

3. 조직 내 학습 이론 (Organizational Learning Theory): 이 이론은 조직이 어떻게 지식을 획득, 전달 및 적용하는지를 다룹니다. 협업 도구를 활용하여 조직 내 지속적인 학습과 지식 공유를 촉진함으로써, 구성원들의 개인적 성장과 조직의 전반적인 혁신을 지원할 수 있습니다.

이러한 이론들을 협업 도구의 적용에 통합함으로써, 조직은 이 도구들이 직원들의 심리적 건강, 업무 만족도, 그리고 전반적인 성과에 미치는 긍정적인 영향을 극대화할 수 있습니다. 또한, 이를 통해 발생할 수 있는 부정적인 심리적 영향을 최소화하고, 조직의 지속 가능한 성장을 지원하는 전략을 개발할 수 있습니다. 이와 같은 종합적 접근 방식은 협업 도구가 단순히 기술적 수단을 넘어 조직의 중요한 심리적 자원으로 기능할 수 있도록 합니다.

VI. 제휴 전략과 심리학

제휴의 마음속 지도:
심리학이 그리는 제휴 전략의 깊은 영향

제휴 전략과 심리학은 단순한 계약 조건의 표현을 넘어서, 인간 간의 복잡한 상호작용과 깊이 있는 관계 구축을 이해하는 데 중점을 둡니다. "제휴 전략과 심리학" 챕터는 제휴 과정의 심리학적 기초를 깊이 있게 탐구하며, 협상에서의 미묘한 심리적 상호작용, 신뢰 구축의 과정, 갈등의 해결 방법 등을 분석하여 제휴의 성공을 이끄는 다양한 심리적 요소를 광범위하게 설명합니다. 제휴는 단순한 법적 문서로만 이루어지는 것이 아니라, 각 개인의 심리적 요소와 깊이 있는 인간 관계에 근거를 두고 진행됩니다. 이 챕터는 감정의 흐름과 상호 이해의 필요성이 제휴를 단순한 기능적 관계 이상으로 발전시키는 중요한 역할을 한다는 것을 강조합니다.

제휴 협상의 심리학적 기초에서 시작하여, 파트너십의 형성과 유지에 필수적인 신뢰와 감정의 역할을 깊이 있게 다룹니다. 협상 테이블에서 발생하는 심리적 움직임은 종종 제휴의 성공 여부를 결정지으며, 장기적인 비즈니스 관계에서 신뢰와 상호 이해를 어떻게 구축하고 유지할 수 있는지에 대한 실질적인 방법론을 제공합니다. 또한, 제휴 과정에서 불가피하게 발생할 수 있는 갈등을 어떻게 효과적으로 관리하고 해결할 수 있는지, 그리고 이러한 갈등 해결 과정이 파트너십의 강화에 어떻게 기여하는지를 탐구합니다. 제휴 관계에서의 갈등 관리는 조직 간 또는 조직 내에서 발생할 수 있는 문제를 해결하는 데 중요한 역량을 향상시키며, 이는 협력적 협상의 원칙에 따라 파트너 간의 관계를 강화하고 장기적인 협력을 도모합니다.

이 챕터는 제휴 해체와 관련된 심리적 동요와 감정 관리를 어떻게 해야 하는지, 그리고 국제 제휴와 같이 다양한 문화적 배경을 가진 파트너와 협력할 때 발생할 수 있는 심리학적 도전을 어떻게 극복할 수 있는지를 탐구합니다. 국제 제휴는 다양한 문화적 가치와 행동 규범을 이해하고 조화롭게 통합하는 능력을 요구하며, 이를 통해 글로벌 비즈니스 환경에서 성공적인 전략을 수립할 수 있습니다. 이 챕터는 제휴가 단순한 거래를 넘어서는 깊은 인간 관계의 중요성을 이해하게 하며, 이를 통해 조직 내외부의 관계를 보다 효과적으로 관리하고 발전시킬 수 있는 방법을 제공합니다. 이러한 심리학적 접근은 비즈니스 관계에서 강력한 인사이트와 전략적 이점을 제공하며, 모든 비즈니스 리더와 협상가에게 귀중한 지식을 선사합니다.

1. 제휴 협상의 심리학적 기초

협상의 심리:
제휴의 시작을 이해하기

제휴 협상의 심리학적 기초는 비즈니스 세계에서의 파트너십을 이해하고, 이를 성공적으로 관리하는 데 있어 중추적인 역할을 합니다. 협상은 단순한 대화 이상의 것입니다; 그것은 신중한 전략, 깊은 인간 이해, 그리고 강력한 심리적 인식이 필요한 과정입니다.

협상 과정에서 양 당사자 간의 신뢰와 상호 이해를 구축하는 것은 장기적인 비즈니스 관계를 형성하는 데 결정적인 요소로 작용합니다. 이를 위해 협상자들은 자신의 요구와 목표를 명확히 전달하는 동시에 상대방의 요구와 목표를 이해하고 존중하는 능력을 갖추어야 합니다.

비즈니스 협상의 심리학적 측면을 깊이 이해하는 것은 협상자가 갖추어야 할 핵심적인 능력 중 하나입니다. 이는 감정의 조절, 갈등의 해결, 그리고 상대방의 심리를 읽는 능력을 포함합니다. 협상 과정에서는 자주 감정이 격해지기도 하고, 때로는 상반된 이해관계로 인해 긴장이 고조되기도 합니다. 이런 상황에서 심리학적 원리를 적용함으로써 협상자는 보다 효과적으로 대화를 이끌고, 원만한 합의점을 찾아낼 수 있습니다.

협상의 성공은 단순히 기술적인 요소나 경제적인 조건에만 기인하지 않습니다. 오히려, 양 당사자 간의 심리적 연결과 상호작용의 품질에 크게 좌우됩니다. 이를 위해서는 다음과 같은 심리학적 접근 방식들이 유용하게 활용될 수 있습니다: 상호 의존성의 인식, 공감 능력의 활용, 그리고 비언어적 커뮤니케이션의 중요성 이해.

이러한 접근 방식은 협상 과정을 인간 중심적으로 만들고, 각 당사자가 자신의 목표를 성공적으로 달성할 수 있도록 지원합니다.

이 챕터에서는 다양한 심리학 이론과 모델을 소개하고, 이를 실제 비즈니스 협상 상황에 어떻게 적용할 수 있는지를 구체적으로 살펴볼 것입니다. 이 과정에서 독자들은 제휴 협상의 심리학적 기초를 탄탄히 다질 수 있으며, 이는 강력한 협상 능력을 개발하는 데 큰 도움이 될 것입니다. 이 지식을 바탕으로, 독자들은 협상 테이블에서 보다 자신감 있게 자신의 입장을 표현하고, 상대방과의 신뢰를 구축하는 방법을 배울 수 있습니다. 이러한 능력은 비즈니스뿐만 아니라 개인적인 관계에서도 매우 중요한 역할을 할 수 있습니다.

글로벌 테크 기업인 블루오션 테크놀로지스는 신속하게 변화하는 시장에서 경쟁 우위를 유지하기 위해 다양한 전략적 제휴를 모색하고 있습니다. 회사는 특히 신흥 시장에서의 확장과 기술 혁신을 목표로, 여러 로컬 및 국제 기업들과의 파트너십을 추진하고 있습니다. 이러한 제휴를 통해 회사는 자사의 제품 포트폴리오를 강화하고, 신기술에 대한 접근성을 높이며, 글로벌 시장에서의 브랜드 인지도를 증진시키기를 기대하고 있습니다.

최근 블루오션은 아시아 시장에 진출하기 위해 현지 기업인 아시안테크와의 제휴를 고려하고 있습니다. 이 제휴는 블루오션에게 현지 시장의 깊은 이해와 네트워크를 제공하고, 아시안테크에게는 블루오션의 첨단 기술과 국제적인 브랜드 노출을 제공할 것으로 기대됩니다. 양사는 이 제휴가 상호 이익을 가져올 것이라고 보고 초기 논의를 시작했습니다.

그러나 제휴 협상 과정에서 몇 가지 문제가 발생했습니다. 블루오션의 기대와 달리, 아시안테크는 기술 공유에 있어서 보다 신중한 접근을 원했으며, 블루오션의 요구 사항 중 일부에 대해 우려를 표명했습니다. 이러한 차이는 양사 간의 신뢰 구축에 어려움을 초래하고, 제휴의 전반적인 진행을 늦추었습니다. 또한, 협상 과정에서 블루오션은 아시안테크의 내부 의사 결정 과정의 복잡성을 과소평가했던 것으로 드러났습니다. 이는 협상의 진전을 더욱 어렵게 만들었습니다.

이 상황은 블루오션에게 심리적으로 어려운 순간을 제공했으며, 협상 과정에서 심리학적 이해와 전략의 중요성을 강조하게 되었습니다. 회사는 이 경험을 통해 제휴 협상에 있어서 심리학적 접근이 얼마나 중요한지를 깨닫고, 향후 비슷한 상황에 더욱 효과적으로 대응할 수 있는 방안을 모색하기 시작했습니다. 이 사례는 제휴 협상에서 발생할 수 있는 심리적 요소들을 식별하고 이해하는 것이 어떻게 결정적인 역할을 할 수 있는지를 보여주는 좋은 예입니다.

블루오션 테크놀로지스와 아시안테크 간의 제휴 협상에서 나타난 문제들의 원인을 분석해보면, 주된 문제는 양사 간의 신뢰 부족, 문화적 차이, 그리고 의사소통 방식의 차이에서 비롯된 것으로 보입니다. 이러한 문제들은 제휴 협상의 성공을 좌우하는 중요한 심리학적 요소들을 포함하고 있으며, 효과적인 해결을 위해서는 이들을 깊이 이해하고 적절히 관리하는 것이 필수적입니다.

첫째, 신뢰의 부족이 가장 큰 문제로 드러났습니다. 협상 과정에서 블루오션은 아시안테크가 기술 공유에 있어 보수적인 태도를 보였을 때, 이를 협상에서의 불성실로 해석했습니다. 반면, 아시안테크는 블루오션의 공격적인 기술 공유 요구가 자사의 지적 자산을 위협할 수 있다고 느꼈습니다. 이러한 상호 불신은 협상의 진전을 크게 저해하였습니다.

둘째, 문화적 차이도 중요한 역할을 했습니다. 블루오션의 서구적인 협상 방식과 아시안테크의 동양적인 접근 방식 간의 차이는 여러 상황에서 오해를 낳았습니다. 특히, 의사 결정 과정에서의 차이가 두드러졌는데, 블루오션은 신속한 결정을 선호하는 반면, 아시안테크는 내부적인 조율과 합의를 중시했습니다. 이러한 차이는 협상 과정을 느리게 하고, 때로는 갈등의 원인이 되기도 했습니다.

셋째, 의사소통의 차이 역시 문제를 야기했습니다. 양사 간의 의사소통은 주로 이메일과 화상 회의를 통해 이루어졌으나, 비언어적 신호나 문화적 맥락의 차이로 인해 메시지의 의미가 정확히 전달되지 않는 경우가 잦았습니다. 이로 인해 오해가 쌓이고, 협상의 효율성이 저하되었습니다.

이러한 문제들은 블루오션과 아시안테크 양사에게 제휴 협상 과정에서 심리학적 요소를 이해하고 적절히 관리하는 것이 얼마나 중요한지를 일깨워 주었습니다. 협상에서 심리학적 접근을 통해 이러한 문제를 예방하고 해결할 수 있는 방법을 모색하는 것이 양사 모두에게 유익할 것입니다. 이러한 경험은 또한 향후 비슷한 상황에서 더 나은 결과를 도출하기 위한 전략적 기반을 마련하는 데 도움이 될 것입니다.

블루오션 테크놀로지스와 아시안테크 간의 협상에 적용할 수 있는 심리학 이론들은 협상 과정에서 발생하는 심리적 장벽을 이해하고 극복하는 데 중요한 도구를 제공합니다. 신뢰 이론은 협상에서 신뢰의 중요성을 강조하며, 신뢰가 각 당사자 간의 정직성, 신뢰성, 그리고 역량 인식에 기반을 둔다고 설명합니다. Mayer, Davis, and Schoorman의 신뢰 모델을 참고하여 협상자들이 서로에 대한 신뢰를 구축할 수 있는 방법을 모색할 수 있습니다. 이는 양 당사자가 서로의 의도와 능력을 긍정적으로 평가하게 만들어 제휴를 원활하게 진행할 수 있는 환경을 조성합니다.

또한, 문화적 차이를 이해하는 것은 국제적인 협상에서 크게 중요합니다. Geert Hofstede의 문화 차원 이론은 각 국가의 문화적 차이를 여러 차원으로 분석하고, 이를 협상 전략에 어떻게 통합할 수 있는지를 제시합니다. 이 이론을 통해 협상자들은 상대방의 문화적 배경과 그에 따른 의사결정 스타일을 이해하고, 문화적 민감성을 발휘하여 협상 과정에서 발생할 수 있는 문화적 충돌을 최소화할 수 있습니다.

비언어적 커뮤니케이션의 역할도 협상에서 중요합니다. Albert Mehrabian의 연구는 의사소통에서 비언어적 요소가 얼마나 중요한지를 강조하며, 협상 과정에서의 몸짓, 표정, 그리고 목소리의 톤이 어떻게 상대방에게 영향을 미치는지를 설명합니다. 이를 통해 협상자들은 자신의 비언어적 신호를 의식적으로 관리하고, 상대방의 비언어적 신호를 올바르게 해석함으로써 더욱 효과적으로 의사소통할 수 있습니다.

이러한 이론들을 통합적으로 적용하면 블루오션과 아시안테크는 서로에 대한 심층적인 이해를 바탕으로 강력한 신뢰 관계를 구축하고, 협상 과정에서 발생할 수 있는 문제들을 보다 효과적으로 해결할 수 있습니다. 심리학적 접근은 단순히 개인 간의 관계뿐만 아니라 조직 간의 복잡한 제휴 관계에서도 중요한 역할을 하며, 이는 제휴 협상의 성공을 위한 필수적인 기반을 제공합니다. 이를 통해 두 회사는 상호 이해를 바탕으로 보다 효과적이고 지속 가능한 비즈니스 관계를 형성할 수 있을 것입니다.

블루오션 테크놀로지스와 아시안테크 간의 제휴 협상 과정에서 발생한 문제들을 해결하기 위해 여러 심리학 이론들이 실제로 적용되었습니다. 이러한 적용은 양측이 서로의 입장을 이해하고, 신뢰를 구축하며, 효과적인 의사소통을 달성하는 데 중요한 역할을 했습니다.

첫 번째로, 신뢰 이론을 활용하여 양측의 신뢰를 구축하기 위한 노력이 이루어졌습니다. 블루오션은 초기 불신을 해소하기 위해 아시안테크와의 투명한 커뮤니케이션을 강화하고, 상호 존중의 태도를 보여주는 데 초점을 맞췄습니다. 또한, 각 회의에서 일관된 메시지를 전달하고, 아시안테크의 의견을 적극적으로 수용하는 자세를 보였습니다. 이는 Mayer, Davis, and Schoorman의 신뢰 모델에서 강조하는 역량, 정직성, 그리고 선행을 통해 신뢰를 증진시키는 요소들을 반영한 것입니다.

두 번째로, 문화적 차이의 이해와 관리가 중요한 포인트였습니다. Hofstede의 문화 차원 이론을 바탕으로 블루오션의 협상 팀은 아시안테크의 문화적 배경과 가치를 고려한 커뮤니케이션 전략을 수립했습니다. 이를 위해 블루오션은 아시안테크의 의사 결정 구조를 이해하고, 공식적인 미팅 외에도 비공식적인 자리를 마련하여 좀 더 친밀한 관계를 구축하려고 노력했습니다. 이러한 접근은 문화적 차이를 극복하고, 서로의 비즈니스 스타일에 적응하도록 도왔습니다.

세 번째로, 비언어적 커뮤니케이션의 중요성을 인식하고, 이를 강화하는 방법이 채택되었습니다. 협상 과정에서 블루오션의 대표들은 자신의 몸짓, 표정, 그리고 음성의 톤을 의식적으로 관리하여 긍정적인 신호를 보내는 데 주력했습니다. 이러한 노력은 Albert Mehrabian의 연구에서 강조하는 비언어적 커뮤니케이션의 중요성을 반영한 것으로, 상대방에게 신뢰감과 진정성을 전달하는 데 기여했습니다.

이러한 심리학적 접근 방식들의 적용을 통해 블루오션과 아시안테크는 초기의 불확실성과 갈등을 극복하고, 점차 서로에 대한 이해와 신뢰를 높여 갈 수 있었습니다. 결국, 이러한 노력은 양사가 상호 유익한 제휴 관계를 성공적으로 구축하는 결과를 가져왔으며, 이는 양측의 장기적인 비즈니스 목표 달성에 크게 기여하였습니다. 이 과정은 블루오션과 아시안테크에게 중요한 교훈을 남겼으며, 향후 유사한 국제 협상 상황에서도 이러한 심리학적 전략이 중요한 자산이 될 것입니다.

위 사례에 관해 협업과 제휴에 관련된 심리학적 이론을 넘어서 추가로 탐구할 수 있는 심리학의 분야들이 있습니다. 이 분야들은 협업과 제휴의 심리적 요소를 이해하고 활용하는 데 신선한 통찰력을 제공할 수 있습니다.

1. 집단 내 동조성 (Conformity in Groups): 이론은 집단 내에서 개인이 어떻게 다수의 의견이나 행동에 동조하게 되는지를 탐구합니다. Solomon Asch의 동조 실험과 같은 연구들은 집단 압력이 개인의 판단과 행동에 어떤 영향을 미치는지 보여줍니다. 이는 협상과 제휴 과정에서 집단 결정을 이해하고, 집단 내 의견 다양성을 유지하는 방법을 모색하는 데 유용합니다.

2. 대인 매력 이론 (Interpersonal Attraction Theory): 이 이론은 사람들이 서로에게 매력을 느끼는 요인들을 설명합니다. 사회적 교환 이론과 유사하게, 이 이론은 인간 관계에서의 호감, 호환성, 유사성이 어떻게 협력적 관계를 형성하는 데 영향을 미치는지를 분석합니다. 이는 제휴 협상에서 강력한 관계를 구축하는 데 도움이 될 수 있습니다.

3. 심리적 계약 이론 (Psychological Contract Theory): 이 이론은 공식적인 계약 이상의, 조직과 직원 간의 암묵적인 기대와 약속들을 다룹니다. 제휴 협상에서도 유사한 심리적 계약이 존재하며, 이는 서로간의 기대와 신뢰를 관리하는 데 중요합니다. 이 이론을 이해함으로써 협상자는 비공식적인 기대를 관리하고, 잠재적인 실망이나 오해를 방지할 수 있습니다.

4. 자아 방어 메커니즘 (Ego Defense Mechanisms): 심리학자 Sigmund Freud는 인간이 내부의 갈등과 스트레스를 관리하기 위해 사용하는 여러 방어 메커니즘을 제시했습니다. 이러한 방어 메커니즘을 이해하는 것은 협상 과정에서 감정을 관리하고, 상대방의 방어적 행동을 해석하는 데 도움이 됩니다. 이를 통해 협상자는 더욱 합리적이고 감정에 휘둘리지 않는 접근 방식을 개발할 수 있습니다.

이 분야들을 추가로 공부하고 이해함으로써 협상자와 제휴 관리자는 인간 심리의 복잡성을 더욱 효과적으로 다루고, 다양한 상황에서 유연하게 대응할 수 있는 능력을 키울 수 있습니다. 이러한 심리학적 지식은 제휴 협상을 넘어 조직 내외의 다양한 인간 관계에서도 깊이 있는 통찰력과 실질적인 전략을 제공할 것입니다.

2. 파트너십과 심리적 신뢰 구축

파트너십의 핵심:
심리적 신뢰의 구축과 유지

파트너십과 심리적 신뢰 구축은 모든 비즈니스 제휴의 성공에 필수적인 요소입니다. 이 장에서는 파트너십을 성공으로 이끄는 심리학적 기반을 심도 있게 탐구하고, 신뢰가 어떻게 구축되고 유지되며, 때로는 깨어지는지에 대한 심리학적 이해를 제공합니다. 신뢰는 단순히 좋은 감정이나 믿음 이상의 것으로, 복잡한 심리적 과정과 상호작용의 결과입니다. 신뢰를 통해 파트너십은 더욱 강화될 수 있으며, 이는 비즈니스의 성공을 지속 가능하게 만듭니다.

이 과정에서 우리는 다양한 사례를 통해 심리적 신뢰가 형성되는 메커니즘을 살펴볼 것이며, 실제 비즈니스 환경에서 이러한 신뢰가 어떻게 시험받고, 때로는 손상되며, 다시 회복되는지를 분석할 것입니다. 신뢰 구축은 각 당사자의 행동, 커뮤니케이션, 그리고 의사 결정 과정에서의 투명성에 크게 의존합니다. 심리학적 이론과 연구는 이러한 과정을 이해하고, 예측하며, 개선하는 데 필수적인 도구를 제공합니다.

우리는 특히 다양한 산업에서 발생한 협상 및 제휴 사례들을 검토하여, 심리적 신뢰가 어떻게 형성되고 위기 상황에서 어떻게 관리되어야 하는지에 대한 실제적인 예를 들어 설명할 것입니다. 이를 통해 신뢰의 심리학적 기반을 더 깊이 이해하고, 파트너십 관리에 있어서의 주요 심리학적 개념들과 전략들을 도출해낼 수 있을 것입니다. 이 장은 비즈니스 리더, 협상가, 그리고 관리자들에게 실질적인 지침을 제공하며, 강력한 신뢰 기반의 파트너십을 구축하는 데 도움을 줄 것입니다. 이를 통해 독자들은 보다 효과적인 제휴 전략을 개발하고, 장기적인 비즈니스 관계에서 성공을 달성할 수 있을 것입니다.

테크노라이즈는 최근 신흥 시장에 제품을 도입하기 위해 국제적인 제휴를 모색하고 있습니다. 이 회사는 혁신적인 소프트웨어 솔루션을 개발하는데 탁월하며, 글로벌 시장 확장을 위해 아시아와 유럽의 여러 기업과의 파트너십을 탐구하고 있습니다. 그들의 목표는 현지 기업과의 제휴를 통해 지역 시장의 요구와 규제에 맞는 맞춤형 솔루션을 제공하는 것입니다.

최근 테크노라이즈는 아시아 시장에 진출하기 위해 큰 잠재력을 가진 현지 기업인 디지코아와의 제휴를 고려하게 되었습니다. 디지코아는 테크노라이즈의 기술력과 현지 시장 지식을 결합하여 상호 이익을 창출할 수 있는 완벽한 파트너로 보였습니다. 양사는 초기 미팅에서 상당한 공통점을 발견했으며, 서로에 대한 긍정적인 인상을 받았습니다.

그러나 제휴 협상 과정에서 몇 가지 문제가 발생하기 시작했습니다. 테크노라이즈는 디지코아와의 제휴를 통해 빠른 시장 진입을 기대했으나, 디지코아의 내부 결정 과정은 예상보다 더딘 것으로 나타났습니다. 디지코아는 신중한 의사 결정 프로세스와 복잡한 내부 승인 절차를 거쳐야 했으며, 이는 테크노라이즈가 기대했던 진행 속도와 상충되었습니다. 또한, 양사 간의 의사소통 방식에서도 차이가 발생했습니다. 테크노라이즈의 직접적이고 목표 지향적인 커뮤니케이션 스타일은 디지코아의 조화와 관계를 중시하는 접근 방식과 맞지 않았습니다.

이러한 차이는 제휴 과정의 지연을 초래했으며, 양측 간의 불확실성과 긴장을 증가시켰습니다. 초기의 낙관적인 전망에도 불구하고, 테크노라이즈와 디지코아는 서로 다른 기업 문화와 운영 방식에 적응하면서 예상치 못한 도전에 직면하게 되었습니다. 이 상황은 양사에게 상호 신뢰를 구축하고 효과적으로 의사소통을 개선할 필요성을 강조하며, 제휴를 성공적으로 이끌기 위한 추가적인 노력이 필요함을 시사하고 있습니다.

테크노라이즈와 디지코아 간의 제휴 협상 과정에서 나타난 지연과 긴장의 원인은 여러 심리적 및 조직적 요인에서 비롯되었습니다. 이 두 회사 간의 문제는 주로 의사소통 방식의 차이, 기업 문화의 충돌, 그리고 기대치 관리의 실패에서 기인했습니다. 각 요인을 심층적으로 분석함으로써, 우리는 이러한 문제들을 극복하기 위한 방안을 모색할 수 있습니다.

첫째, 의사소통 방식의 차이가 큰 영향을 미쳤습니다. 테크노라이즈는 서구적 비즈니스 모델을 따르며, 간결하고 목표 지향적인 의사소통을 선호합니다. 반면, 디지코아는 아시아의 비즈니스 문화에 뿌리를 두고 있어, 의사 결정 과정에서 조화와 집단의 의견을 중시하며, 간접적이고 관계 중심적인 커뮤니케이션 스타일을 선호합니다. 이러한 기본적인 의사소통 스타일의 차이는 서로의 메시지 해석에 오류를 발생시키고, 결국 협상 과정에서 불필요한 오해와 긴장을 증폭시켰습니다.

둘째, 기업 문화의 충돌 역시 중요한 문제점으로 드러났습니다. 테크노라이즈의 신속한 의사 결정 및 실행 중심의 문화와 디지코아의 신중하고 계층적인 의사결정 구조는 상호 작용 과정에서 종종 충돌을 일으켰습니다. 테크노라이즈의 직원들은 디지코아의 느린 결정 속도에 대해 불만을 느꼈으며, 이는 프로젝트의 추진력을 약화시켰습니다.

셋째, 기대치 관리의 실패가 제휴의 진전을 방해했습니다. 제휴 초기에 양사 간에 명확하고 구체적인 기대치를 설정하고 관리하지 못한 결과, 서로의 비즈니스 목표와 제휴에서의 역할에 대한 오해가 발생했습니다. 이러한 오해는 시간이 지남에 따라 서로의 의도와 능력에 대한 불신으로 이어졌으며, 이는 협상 과정에서의 긴장과 불확실성을 더욱 고조시켰습니다.

이러한 분석을 통해 테크노라이즈와 디지코아는 제휴를 성공으로 이끌기 위해 필요한 조치들을 취할 수 있을 것입니다. 의사소통 방식의 개선, 문화적 차이의 인정과 적응, 그리고 명확한 기대치 설정 및 관리는 양사가 공동의 목표를 향해 나아가는 데 있어 중요한 요소가 될 것입니다. 이러한 요소들을 충분히 고려하고 적용함으로써, 두 회사는 강력하고 지속 가능한 파트너십을 구축할 수 있을 것입니다.

테크노라이즈와 디지코아 간의 제휴 협상에서 나타난 문제들을 극복하기 위해 여러 심리학적 이론들이 적용될 수 있습니다. 이들 이론은 협상과 관계 구축 과정에서 발생하는 심리적 요인들을 이해하고 관리하는 데 중요한 역할을 합니다. 이러한 접근은 두 조직이 서로 다른 문화적 배경과 의사소통 스타일을 가진 상황에서 서로를 더 잘 이해하고 효과적으로 상호작용하게 도움을 줄 수 있습니다.

먼저, 이중 관점 이론을 통해 테크노라이즈와 디지코아는 각자의 이익과 다른 사람의 이익 사이에서 균형을 찾는 방법을 배울 수 있습니다. 이 이론은 갈등 해결에서 개인이 자신의 관심과 상대방의 관심을 어떻게 조율할 수 있는지 설명하며, 협상 과정에서 상호 존중과 협력의 중요성을 강조합니다. 실제 적용을 통해, 양측은 갈등을 보다 건설적으로 해결하고, 상호 유익한 결과를 도출하기 위한 전략을 개발할 수 있습니다.

다음으로, 문화적 차이 이론은 테크노라이즈와 디지코아가 서로의 문화적 가치와 의사 결정 스타일을 이해하는 데 큰 도움이 됩니다. Geert Hofstede의 문화 차원 이론을 활용하면, 서로 다른 문화적 배경을 가진 파트너들이 서로의 행동과 결정을 더 잘 이해하고 존중할 수 있습니다. 이 이론은 문화적 감수성을 높이고, 문화적 차이로 인한 잠재적인 문제를 미리 인식하여 적절히 대응할 수 있도록 지원합니다.

관계 조정 이론도 중요한 역할을 합니다. 이 이론은 조직 내에서의 의사소통과 관계의 질이 작업 성과에 얼마나 큰 영향을 미치는지를 연구합니다. Jody Hoffer Gittell에 의해 개발된 이 이론은 높은 품질의 의사소통과 서로간의 존중이 어떻게 팀워크를 강화하고 전체적인 프로젝트 성과를 향상시킬 수 있는지를 보여줍니다. 테크노라이즈와 디지코아는 이 이론을 통해 효과적인 협력 관계를 구축하고, 각자의 역량을 최대한 발휘할 수 있는 방법을 찾을 수 있습니다.

마지막으로, 심리적 계약 이론은 조직과 개인 간의 암묵적인 기대와 약속에 초점을 맞춥니다. 이 이론은 테크노라이즈와 디지코아가 서로의 기대를 명확히 하고, 약속을 신중하게 관리하여 상호 신뢰를 강화하는 데 도움을 줍니다. Denise Rousseau의 연구는 이러한 심리적 계약이 어겨질 경우 발생할 수 있는 실망감이나 신뢰 상실을 줄이고, 이를 통해 장기적인 제휴 관계를 유지하는 데 필수적임을 강조합니다.

이러한 심리학적 접근법을 통합하여 적용함으로써, 테크노라이즈와 디지코아는 발생할 수 있는 갈등을 최소화하고, 서로에 대한 신뢰와 협력을 깊게 할 수 있으며, 이는 결국 두 회사가 장기적으로 성공적인 파트너십을 유지하는 데 큰 도움이 될 것입니다.

테크노라이즈와 디지코아 간의 제휴 협상에서 나타난 문제를 해결하기 위해 심리학 이론들의 적용은 두 조직이 갈등을 극복하고 성공적인 파트너십을 구축하는 데 중요한 역할을 했습니다. 이론적 지식과 실제 적용 사례를 통해 협상 과정에서의 심리적 요인들을 더욱 효과적으로 관리하고 이해할 수 있었습니다.

이중 관점 이론의 적용을 통해 테크노라이즈와 디지코아는 각자의 관심사와 상대방의 관심사를 동시에 고려하는 방법을 배웠습니다. 협상 초기에 각 조직은 주로 자신의 목표에 집중했지만, 이 이론을 통해 상대방의 필요와 목표를 이해하고 존중하는 중요성을 깨달았습니다. 이로 인해 양측은 더욱 건설적인 대화를 나누고, 상호 이익이 되는 해결책을 찾는 데 성공했습니다.

문화적 차이 이론의 적용은 양 조직 간의 의사소통 스타일과 결정 과정의 차이를 극복하는 데 도움을 주었습니다. Hofstede의 문화 차원 이론을 바탕으로, 테크노라이즈는 디지코아의 의사 결정 구조와 가치를 더욱 존중하게 되었고, 이는 신뢰 구축과 협상 진행에 긍정적인 영향을 미쳤습니다. 문화적 이해와 적응은 또한 협상에서의 오해를 줄이고, 두 조직 간의 갈등을 최소화하는 데 중요한 역할을 했습니다.

관계 조정 이론은 테크노라이즈와 디지코아가 협력적 관계를 유지하면서 효과적으로 의사소통하고 협상을 진행할 수 있는 방법을 제공했습니다. Jody Hoffer Gittell의 연구에 따라, 높은 품질의 의사소통과 상호 존중은 협상 과정에서 중요한 성공 요인으로 작용했습니다. 이 이론을 실제로 적용함으로써, 두 조직은 보다 효율적이고 효과적인 협력을 이루어냈습니다.

마지막으로, 심리적 계약 이론은 양측 간의 기대를 명확히 하고, 상호 간의 약속을 관리하는 데 중요한 역할을 했습니다. 이 이론에 따라 양 조직은 상호간의 약속과 기대에 대해 더욱 명확하고 투명하게 의사소통을 하게 되었고, 이는 양측의 신뢰를 강화하고 제휴 관계를 장기적으로 유지하는 데 기여했습니다.

이러한 심리학 이론들의 적용을 통해 테크노라이즈와 디지코아는 초기의 도전을 극복하고, 강력하고 지속 가능한 파트너십을 구축할 수 있었습니다. 이 경험은 두 조직에게 심리학적 접근이 비즈니스 제휴에서 얼마나 중요한지를 일깨워 주었으며, 앞으로 비슷한 상황에서도 이러한 접근을 활용할 수 있는 기반을 마련했습니다.

테크노라이즈와 디지코아의 제휴 과정에서 적용된 심리학적 이론들은 비즈니스 협상과 파트너십 구축에 깊은 통찰을 제공합니다. 이와 관련하여 추가적으로 탐구할 수 있는 심리학의 다른 분야들은 협상자와 관리자들이 인간 관계의 복잡성을 더욱 효과적으로 이해하고 관리할 수 있도록 도울 수 있습니다.

1. 갈등 해결 심리학 (Conflict Resolution Psychology): 갈등 해결 심리학은 개인이나 그룹 간의 갈등을 해결하는 방법을 연구합니다. 이 분야는 갈등의 원인을 분석하고, 갈등 상황에서 효과적인 의사소통 기술과 협상 전략을 개발하는 데 중점을 둡니다. 갈등 해결 기술을 습득하면, 제휴 협상 과정에서 발생할 수 있는 문제를 보다 적극적으로 관리하고 해결할 수 있습니다.

2. 집단 역학 (Group Dynamics): 이 분야는 개인이 집단 내에서 어떻게 행동하는지, 그리고 집단 구성원 간의 상호작용이 어떻게 진행되는지를 연구합니다. 집단 역학의 이해는 팀 기반의 프로젝트나 여러 조직 간의 복잡한 제휴에서 중요한 역할을 할 수 있습니다. 팀 내 협력을 증진하고, 팀원 간의 긍정적인 관계를 구축하는 전략을 개발하는 데 도움이 됩니다.

3. 동기 부여 이론 (Motivation Theories): 동기 부여 이론은 개인이나 조직이 목표를 달성하기 위해 어떻게 동기를 부여받고, 유지하며, 증진시키는지를 탐구합니다. 제휴 협상에서 동기 부여 이론을 적용하면, 양측이 공동의 목표에 대한 약속을 강화하고, 장기적인 파트너십을 위한 열정과 헌신을 높일 수 있습니다.

4. 정서 지능 (Emotional Intelligence): 정서 지능은 개인이 자신과 타인의 감정을 인식하고 관리하는 능력입니다. 협상 과정에서 높은 정서 지능을 가진 개인은 감정의 영향을 받지 않고 논리적이고 효과적인 의사결정을 할 수 있습니다. 또한, 파트너의 감정을 적절히 이해하고 반응함으로써, 갈등의 에스컬레이션을 방지하고 관계를 강화할 수 있습니다.

이러한 심리학적 분야들은 테크노라이즈와 디지코아가 겪은 제휴 과정의 문제를 넘어서, 모든 비즈니스 환경에서 유용하게 적용될 수 있습니다. 각 이론과 접근 방식은 조직의 리더와 관리자가 직면할 수 있는 다양한 인간 관계와 도전에 대해 보다 깊이 있고 전략적인 이해를 할 수 있게 돕습니다. 이는 결국 조직의 전반적인 성공과 발전에 기여할 수 있는 효과적인 도구가 될 것입니다.

3. 제휴 갈등 관리

화해의 예술:
제휴 갈등 관리의 심리학적 접근

제휴 과정에서 발생하는 갈등은 파트너십의 성패를 좌우할 수 있습니다. 이 장에서는 제휴 갈등의 관리와 관련하여 심리학적 접근을 통해 갈등을 이해하고 해결하는 방법을 탐구합니다. 갈등은 피할 수 없는 비즈니스 현실이지만, 올바르게 관리되면 신뢰를 구축하고 관계를 강화하는 기회로 전환될 수 있습니다. 이러한 프로세스는 깊은 심리학적 이해를 요구하며, 다양한 이론과 실제 사례를 통해 설명됩니다.

갈등 관리에 있어서 심리학은 갈등의 근원을 파악하고, 갈등 상황에서 나타나는 인간 행동의 복잡성을 이해하는 데 중요한 역할을 합니다. 이를 통해 우리는 갈등을 구성적으로 해결하고, 조직 간 혹은 조직 내에서 더욱 견고한 관계를 구축할 수 있는 방법을 찾을 수 있습니다. 이 장에서는 특히 비즈니스 제휴에서 발생할 수 있는 갈등 상황을 사례로 들어 심리학적 개념과 해결 전략을 심도 있게 다루며, 갈등 해결을 통한 조직 발전의 가능성을 모색합니다.

비즈니스 제휴에서 갈등은 종종 예상치 못한 문제, 명확하지 않은 커뮤니케이션, 서로 다른 기업 문화 및 목표의 충돌로 인해 발생합니다. 갈등을 효과적으로 관리하는 것은 제휴의 성공뿐만 아니라, 장기적인 파트너십을 유지하는 데 필수적입니다. 갈등을 관리하는 방법을 이해하고 적용하는 것은 조직 리더들에게 꼭 필요한 능력이며, 이를 위해 심리학적 접근법을 활용하는 것은 그 중요성을 더욱 강조합니다.

이제, 갈등이 어떻게 발생하는지, 그리고 각각의 상황에서 어떤 심리학적 이론들이 적용될 수 있는지를 더욱 구체적으로 탐구해 보겠습니다. 이를 통해 우리는 갈등을 단순한 장애가 아니라, 성장과 발전을 위한 계기로 삼을 수 있는 방법을 배울 수 있습니다. 이러한 심리학적 이해는 제휴 갈등을 관리하고, 모든 관계에서 더 나은 결과를 달성하는 데 결정적인 역할을 할 것입니다.

에너텍스는 재생 가능 에너지 솔루션을 제공하는 기업으로, 최근 국제 시장 확장을 위해 글로벌 파트너십을 모색하고 있습니다. 특히, 그들은 유럽과 아시아 시장에서의 입지를 강화하기 위해 여러 지역 기업들과의 협업을 추진 중입니다. 이 과정에서 에너텍스는 다양한 기업 문화와 규제 환경을 가진 기업들과 협력하게 되었으며, 이는 여러 도전을 야기했습니다.

최근에 에너텍스는 솔라맥스, 한 유럽 기반의 태양광 에너지 회사와 협력을 시도했습니다. 초기 논의 단계에서 양사는 기술 공유 및 공동 마케팅 전략에 대해 높은 기대를 가졌습니다. 그러나 협상이 진행됨에 따라 몇 가지 문제가 발생하기 시작했습니다. 에너텍스의 신속한 결정과 실행에 중점을 둔 기업 문화와 솔라맥스의 보다 신중하고 점진적인 접근 방식이 충돌하였습니다. 또한, 에너텍스는 솔라맥스의 의사결정 구조가 복잡하고 시간이 많이 걸린다고 느꼈으며, 이로 인해 프로젝트의 진행 속도가 저하되었습니다.

이러한 문화적 차이와 운영 방식의 차이는 프로젝트의 목표와 일정에 대한 불일치를 초래했으며, 이는 곧 양사 간의 긴장과 상호 불만으로 이어졌습니다. 특히, 각 조직의 내부에서는 파트너십에 대한 회의적인 시각이 확산되기 시작했으며, 이는 협상 과정에 부정적인 영향을 미쳤습니다. 상황을 관리하기 위해 양사는 몇 차례 긴급 회의를 소집하였으나, 서로의 기대와 요구사항을 명확히 조율하는 데는 실패했습니다.

이러한 상황은 에너텍스와 솔라맥스가 갈등을 효과적으로 관리하고 해결할 수 있는 심리학적 접근법과 전략을 필요로 하게 만들었습니다. 이는 두 회사가 서로의 차이를 이해하고 적응하면서 갈등을 건설적으로 해결하고, 효과적인 협력 관계를 구축할 수 있는 기회로 활용될 수 있습니다.

에너텍스와 솔라맥스 간의 파트너십에서 발생한 갈등의 근본 원인은 여러 요인에 의해 복합적으로 작용했습니다. 이러한 요인들을 분석해보면, 대부분은 조직 문화의 차이, 의사소통의 방식, 기대 관리의 실패에서 기인하는 것을 알 수 있습니다. 이러한 갈등 요인들을 깊이 있게 이해함으로써, 조직은 미래의 제휴에서 유사한 문제를 피하고 보다 효과적으로 협상과 관계 관리를 수행할 수 있습니다.

첫 번째 원인은 조직 문화의 차이입니다. 에너텍스는 빠른 결정과 신속한 행동을 중시하는 반면, 솔라맥스는 보다 신중하고 점진적인 접근을 선호합니다. 이러한 차이는 프로젝트의 속도와 우선순위에 대한 기대가 서로 다르게 형성되어 갈등의 원천이 되었습니다. 조직 문화의 이러한 차이는 특히 국제적인 비즈니스 제휴에서 흔히 발생할 수 있는 문제이며, 이를 인식하고 관리하지 못할 경우 파트너십의 성공 가능성을 저하시킬 수 있습니다.

두 번째 원인은 의사소통 방식의 차이입니다. 에너텍스는 직접적이고 목표 지향적인 커뮤니케이션을 선호하는 반면, 솔라맥스는 간접적이고 관계 중심적인 스타일을 가지고 있습니다. 이러한 차이는 서로의 의견을 제대로 이해하지 못하고 오해를 증폭시킬 수 있으며, 협상 과정에서 불필요한 갈등을 유발할 수 있습니다. 특히, 중요한 결정이나 변경 사항을 논의할 때 이러한 의사소통 스타일의 차이가 크게 작용할 수 있습니다.

세 번째 원인은 기대 관리의 실패입니다. 양측은 파트너십에 대한 높은 기대를 가지고 시작했으나, 이러한 기대가 명확하게 조율되고 관리되지 않았습니다. 각 조직이 파트너십으로부터 기대하는 바와 파트너십을 통해 달성하고자 하는 구체적인 목표가 충분히 공유되지 않았기 때문에, 시간이 지남에 따라 갈등이 심화되었습니다. 효과적인 기대 관리는 파트너십의 성공을 위해 필수적인 요소로, 이를 통해 양측은 서로의 요구와 한계를 이해하고 존중할 수 있습니다.

이러한 문제 원인 분석을 바탕으로, 에너텍스와 솔라맥스는 갈등을 구조적으로 해결하고, 각 조직의 특성에 맞는 효과적인 협상 전략을 개발할 필요가 있습니다. 이는 두 조직이 갈등을 극복하고 보다 건설적이고 지속 가능한 관계를 구축하는 데 중요한 기반을 제공할 것입니다.

에너텍스와 솔라맥스 간의 제휴 갈등을 관리하고 해결하는 데 적용할 수 있는 심리학 이론들은 이 두 조직이 서로 다른 문화와 운영 스타일을 이해하고 조화롭게 협력할 수 있는 방법을 제시합니다. 이러한 이론들을 통해 갈등의 근원을 깊이 파악하고, 효과적인 소통과 상호 이해를 바탕으로 한 해결책을 도출할 수 있습니다.

Morton Deutsch의 갈등 해결 이론에 따르면, 갈등은 협력적이거나 경쟁적인 방식으로 해결될 수 있으며, 협력적 접근이 장기적으로 더 건설적인 결과를 낳는다고 합니다. 이 이론을 통해 에너텍스와 솔라맥스는 갈등 상황을 협력적으로 접근함으로써 서로의 요구와 목표를 더욱 효과적으로 통합할 수 있는 방안을 찾을 수 있습니다. 협력적 갈등 해결 방식은 두 조직 간의 신뢰를 구축하고, 갈등을 긍정적인 변화의 기회로 전환할 수 있는 기반을 마련합니다.

Edgar Schein의 조직 문화 이론은 조직의 핵심 가치와 규범이 어떻게 갈등 해결 접근 방식에 영향을 미치는지 설명합니다. 에너텍스와 솔라맥스가 각자의 조직 문화를 명확히 이해하고 서로의 문화적 차이를 존중하며 접근한다면, 더욱 원활한 의사소통과 효과적인 갈등 해결이 가능해집니다. 조직 문화의 이해는 갈등의 원인을 규명하고, 조직 간의 협업을 강화하는 데 중요한 역할을 합니다.

Denise Rousseau의 심리적 계약 이론은 갈등의 원인으로 작용할 수 있는 암묵적인 기대와 약속들을 다룹니다. 각 조직이 서로에게 가지고 있는 미묘한 기대를 명확히 하고, 이러한 기대가 실제로 관리되고 충족되는 방식을 개선함으로써, 불필요한 오해와 갈등을 줄일 수 있습니다. 심리적 계약의 명확화는 파트너십이 장기적으로 성공적으로 유지될 수 있도록 돕고, 갈등 발생 시 이를 효과적으로 해결하는 데 필수적인 요소가 됩니다.

이러한 심리학 이론들을 적극적으로 활용함으로써 에너텍스와 솔라맥스는 제휴 과정에서 발생할 수 있는 갈등을 보다 건설적으로 관리하고, 강력하고 지속 가능한 협력 관계를 구축할 수 있습니다. 갈등 해결의 심리학적 접근은 두 조직이 서로의 차이를 이해하고 상호 존중하는 문화를 조성하는 데 크게 기여할 것입니다.

에너텍스와 솔라맥스 간의 갈등을 해결하기 위한 심리학적 접근은 갈등의 근본적인 원인들을 효과적으로 다루며, 두 조직 간의 파트너십을 강화하는 방법을 제공합니다. 심리학 이론들의 적용을 통해 각 단계에서의 해결책이 구체적으로 어떻게 도입되고 실행되었는지 살펴보겠습니다.

첫째, Morton Deutsch의 협력적 갈등 해결 이론에 따라, 에너텍스와 솔라맥스는 갈등을 건설적으로 다루기 위해 함께 워크숍을 개최했습니다. 이 워크숍에서는 양사의 핵심 팀 멤버들이 참여하여 서로의 문화와 작업 스타일에 대해 깊이 있게 논의하고, 상호 존중과 이해를 바탕으로 한 소통 방법을 모색했습니다. 이 과정에서 두 조직은 각각의 요구와 목표를 명확히 하고, 이를 바탕으로 상호 이익이 되는 해결책을 도출할 수 있었습니다.

둘째, Edgar Schein의 조직 문화 이론을 활용하여, 에너텍스와 솔라맥스는 각자의 조직 문화가 갈등에 미치는 영향을 분석했습니다. 이를 통해 양 조직은 서로의 조직 문화를 더욱 존중하고 이해하게 되었으며, 문화적 차이를 갈등의 원인으로 보지 않고, 다양성을 조직의 자산으로 활용하는 방법을 개발했습니다. 조직 문화의 깊은 이해는 두 조직이 서로의 차이를 긍정적으로 받아들이고, 이를 강점으로 전환할 수 있도록 도왔습니다.

셋째, Denise Rousseau의 심리적 계약 이론을 적용하여, 양 조직은 서로의 암묵적인 기대를 명확히 하고, 이에 대한 실제 약속을 재정의했습니다. 이 과정에서 양사는 서로에 대한 기대치를 조정하고, 각 조직이 기대하는 바를 명확히 함으로써, 앞으로의 파트너십에서 신뢰를 구축하는 데 중요한 기반을 마련했습니다. 심리적 계약의 명확화는 갈등의 재발을 방지하고, 장기적인 협력 관계를 유지하는 데 크게 기여했습니다.

이러한 접근 방식은 에너텍스와 솔라맥스가 갈등을 해결하고, 각 조직의 목표와 비전을 공유하는 강력한 파트너십을 구축하는 데 성공했습니다. 각 단계에서의 심리학 이론 적용은 갈등의 원인을 해결하고, 두 조직 간의 협력을 향상시키는 데 결정적인 역할을 했습니다. 이는 두 조직에게 갈등을 긍정적인 변화의 기회로 삼을 수 있는 방법을 제공했으며, 이를 통해 더 강하고 지속 가능한 관계를 구축할 수 있었습니다.

제휴 갈등 관리와 해결에 도움이 되는 심리학 이론들 외에도, 비즈니스 환경에서 유용하게 활용될 수 있는 다양한 심리학적 접근들이 있습니다. 이러한 이론들은 조직 내외의 상호작용을 깊이 이해하고, 갈등을 예방하며 조직 문화를 강화하는 데 기여할 수 있습니다.

1. 정서적 지능 (Emotional Intelligence): 다니엘 골먼의 정서적 지능 이론은 개인이 자신과 타인의 감정을 인식하고, 이를 적절히 관리할 수 있는 능력을 중시합니다. 이 이론은 갈등 상황에서 감정의 조절이 얼마나 중요한지를 강조하며, 높은 정서적 지능을 가진 리더는 팀원 간의 갈등을 더 효과적으로 중재하고 해결할 수 있습니다.

2. 트랜스포메이셔널 리더십 (Transformational Leadership): 버나드 M. 바스의 트랜스포메이셔널 리더십 이론은 리더가 비전을 제시하고, 직원들을 동기부여하여 변화를 이끌어내는 과정을 설명합니다. 이 리더십 스타일은 조직 내 갈등 상황에서 긍정적인 변화를 촉진하고, 직원들의 참여와 협력을 높일 수 있습니다.

3. 인지 행동 접근 (Cognitive Behavioral Approach): 이 접근법은 개인의 사고 방식이 행동과 감정에 어떻게 영향을 미치는지를 다룹니다. 갈등 해결에 이를 적용하면, 직원들이 자신의 사고와 행동 패턴을 인식하고 수정함으로써 갈등을 더 건설적으로 관리할 수 있습니다.

4. 시스템 이론 (Systems Theory): 조직을 상호 연결된 요소의 복잡한 시스템으로 보는 시스템 이론은 조직 내외부의 갈등 요소들이 어떻게 상호 작용하는지를 설명합니다. 이 이론은 조직 전체의 관점에서 갈등을 바라보고, 시스템 내 다양한 요소들 사이의 균형을 이해하는 데 유용합니다.

이러한 심리학 이론들은 갈등 관리와 해결뿐만 아니라, 조직의 건강한 발전을 위한 전략을 수립하는 데 깊이 있는 통찰력을 제공합니다. 조직 리더들이 이러한 이론들을 학습하고 적용함으로써, 갈등 상황을 효과적으로 관리하고, 조직 문화를 강화하는 데 큰 도움이 될 것입니다. 이는 모든 조직 구성원이 더 조화롭고 생산적인 환경에서 작업할 수 있게 하는 중요한 기반이 됩니다.

4. 협력적 협상과 Fisher & Ury의 원칙

협력을 위한 마인드셋:
Fisher & Ury의 협상 원칙이 제휴에 미치는 영향

협력적 협상은 비즈니스 관계의 지속성과 성공을 위한 필수적인 요소입니다. 이 장에서는 Fisher와 Ury가 제안한 'Getting to Yes'에서 소개된 협력적 협상의 원칙을 통해, 조직들이 어떻게 서로 윈-윈할 수 있는 해결책을 찾아내고, 오래 지속되는 파트너십을 구축할 수 있는 지에 대해 탐구합니다. 협력적 협상은 단순히 이익을 극대화하는 것이 아니라, 관계를 강화하고, 상호 이해와 신뢰를 기반으로 한 결정을 도출하는 과정입니다.

협력적 협상의 접근 방식은 갈등의 원인을 제거하고, 모든 관계자가 만족할 수 있는 결과를 생성하는 데 중점을 둡니다. 이는 특히 글로벌화된 시장 환경에서 다양한 문화와 기대치를 가진 파트너와 협상할 때 더욱 중요합니다. 협상 과정에서의 투명성과 공정성은 파트너십의 지속 가능성을 보장하는 데 중추적인 역할을 하며, 이는 각 조직의 장기적인 전략과 직접적으로 연결됩니다.

이번 장에서는 이러한 협력적 협상 기법이 실제 비즈니스 사례에 어떻게 적용될 수 있는지를 보여주는 다양한 사례들을 통해 심층적으로 분석할 것입니다. 이를 통해 독자들은 협력적 협상의 실제적인 적용 방법과 그로 인해 발생할 수 있는 긍정적인 변화에 대해 이해하게 될 것입니다. 협력적 협상은 단순한 기법이 아니라 조직의 문화와 전략을 형성하는 중요한 요소로 자리잡아, 비즈니스 관계에서의 성공을 이끌어낼 수 있습니다. 이와 같은 접근은 모든 수준의 조직 관리자와 협상자에게 귀중한 자산이 될 것입니다.

최근 노바텍, 국제 소프트웨어 개발 회사가 신흥 시장에서의 확장을 추진하기 위해 현지 기업인 인도트랙과의 협력을 모색했습니다. 노바텍은 인도트랙과의 제휴를 통해 현지 시장에 적합한 맞춤형 솔루션을 개발하고자 했습니다. 초기에는 양측 모두 큰 기대감을 갖고 시작했으나, 서로의 업무 스타일과 운영 방식의 차이가 명확하게 드러나면서 점차 갈등이 증폭되었습니다.

노바텍은 빠른 결정과 신속한 실행을 선호하는 조직 문화를 가지고 있었으나, 인도트랙은 보다 신중하고 점진적인 접근을 중시했습니다. 이러한 차이는 특히 프로젝트의 진행 속도와 관련하여 빈번한 마찰을 일으켰습니다. 노바텍은 인도트랙의 의사결정 과정이 지나치게 느리다고 느꼈으며, 이는 자사의 비즈니스 목표 달성을 지연시키는 주요 요인으로 여겨졌습니다.

추가로, 양사 간의 의사소통 문제도 큰 갈등 요인이었습니다. 노바텍의 직접적이고 목표 지향적인 커뮤니케이션 스타일은 인도트랙의 간접적이고 관계 중심적인 스타일과 상충되었습니다. 이로 인해 서로의 의도와 메시지가 종종 오해되었고, 이는 프로젝트의 중대한 결정들에 대한 합의 도출을 더욱 어렵게 만들었습니다.

이러한 상황은 노바텍과 인도트랙 양측에게 상당한 스트레스와 불만을 야기했으며, 결국 프로젝트의 성공 가능성에 부정적인 영향을 미쳤습니다. 양사는 갈등을 해결하고 성공적인 제휴 관계를 구축하기 위한 방안을 모색해야 할 필요성에 직면하게 되었습니다. 이는 협력적 협상 기법과 심리학적 접근 방식을 통한 갈등 관리의 중요성을 강조하는 사례로, 양측 모두에게 교훈을 제공했습니다.

노바텍과 인도트랙 간의 갈등은 주로 조직 문화와 운영 방식의 차이에서 비롯되었습니다. 이러한 차이는 효과적인 의사소통과 프로젝트 관리에 중대한 장애가 되었고, 양사 간의 협력을 저해하는 주된 요인으로 작용했습니다.

첫째, 조직 문화의 차이는 각 회사의 의사결정과 업무 처리 방식에 깊은 영향을 미쳤습니다. 노바텍은 서구적 관리 스타일을 선호하며, 빠른 결정과 효율적인 실행을 중시하는 반면, 인도트랙은 전통적인 인도의 비즈니스 문화에 뿌리를 두고 있어, 상호 존중과 합의를 중시하며 의사결정에 신중함을 기합니다. 이로 인해 프로젝트 진행 시 빠른 진행을 기대하는 노바텍과 다소 느리고 신중한 접근을 하는 인도트랙 사이에 마찰이 발생하였습니다.

둘째, 의사소통 방식의 차이는 프로젝트의 핵심 사항들에 대한 이해도와 피드백의 시기에 영향을 미쳤습니다. 노바텍의 직접적이고 선명한 커뮤니케이션 스타일은 인도트랙의 간접적이고 상황을 고려하는 방식과 충돌하였습니다. 이는 서로의 메시지를 잘못 해석하거나 오해를 불러일으킬 여지를 만들었고, 결국 양사 간의 신뢰 구축에도 부정적인 영향을 주었습니다.

셋째, 기대치 관리의 실패는 갈등의 또 다른 중요한 원인이었습니다. 프로젝트 초기에 명확하게 설정되지 않은 기대와 목표는 추후 프로젝트의 목표 조정과 관련하여 양사 간에 심각한 불일치를 초래하였습니다. 노바텍과 인도트랙은 각자 프로젝트에 대한 다른 비전과 기대를 가지고 있었으며, 이는 프로젝트 중반에서야 명확히 드러나 갈등을 더욱 심화시켰습니다.

이러한 문제들을 깊이 있게 분석하고 이해함으로써, 노바텍과 인도트랙은 갈등을 관리하고 해결할 수 있는 효과적인 전략을 수립할 수 있었습니다. 갈등의 원인을 파악하는 것은 갈등 해결의 첫 걸음이며, 이를 통해 두 조직은 더욱 강력하고 지속 가능한 파트너십을 구축하는 기반을 마련할 수 있었습니다.

노바텍과 인도트랙 간의 갈등 해결에 적용할 수 있는 심리학 이론들은 다양하며, 각 이론은 갈등의 근원을 이해하고, 협력적인 해결책을 찾는 데 중요한 역할을 합니다. 특히, Fisher와 Ury의 "Getting to Yes"에서 제시된 협상 기법은 이 사례에 특히 적합합니다. 이들은 이해관계가 아닌 이익에 초점을 맞추고, 객관적인 기준을 사용해 결정을 내리는 방법을 강조합니다.

1. 협력적 협상 원칙 (Collaborative Negotiation Principles): Fisher와 Ury의 접근법은 갈등 상황에서 양측이 공동의 이익을 찾아내고, 각자의 필요를 충족시킬 수 있는 해결책을 모색하도록 장려합니다. 이 원칙들은 개인의 위치나 권력을 기반으로 한 협상이 아닌, 문제 해결에 중점을 둡니다. 이는 노바텍과 인도트랙이 서로 다른 업무 스타일과 문화적 차이를 넘어서 협력할 수 있는 방법을 제공합니다.

2. BATNA (최선 대안의 협상): 이 원칙은 협상자가 가질 수 있는 최선의 대안을 파악하고, 협상에서 최대한 유리한 결과를 얻기 위해 이를 적극적으로 활용하는 전략입니다. 노바텍과 인도트랙 간의 갈등 해결 과정에서 BATNA를 명확히 하는 것은 각 조직이 자신의 입장에서 양보할 수 있는 범위와 필수적인 조건을 이해하는 데 도움을 줍니다.

3. 갈등 해결의 심리학 (Psychology of Conflict Resolution): 갈등 해결을 위한 심리학적 접근은 양측이 갈등의 근본 원인을 이해하고, 상호 존중의 기반 위에서 의사소통을 개선하는

데 중점을 둡니다. 이는 노바텍과 인도트랙이 갈등을 건설적으로 해결하고, 장기적인 관계를 유지하는 데 필수적인 요소입니다.

이러한 이론들의 적용은 노바텍과 인도트랙이 갈등 상황을 극복하고, 서로에 대한 이해를 깊게 함으로써 보다 효과적인 협력 관계를 구축할 수 있도록 도와줍니다. 협력적 협상 기법과 심리학적 접근 방식은 갈등을 줄이고 조직 간의 신뢰와 협력을 증진하는 효과적인 도구가 될 수 있습니다.

노바텍과 인도트랙 간의 협력적 협상에서 Fisher와 Ury의 원칙을 적용하는 과정은 다양한 단계에서 구체적으로 이루어졌습니다. 이 접근법은 양사가 갈등을 해결하고 효과적인 파트너십을 구축하는 데 중요한 역할을 했습니다.

첫째로, 이익에 기반한 협상 접근 방식을 도입함으로써, 노바텍과 인도트랙은 각자의 요구가 아닌 공동의 목표를 중심으로 대화를 진행하였습니다. 이를 위해 양사는 각자의 핵심 이익을 명확히 하고, 이들이 어떻게 상호 보완적일 수 있는지를 탐색했습니다. 예를 들어, 노바텍이 기술 개발에서의 혁신을 중요시하는 반면, 인도트랙은 현지 시장에 대한 깊은 이해와 접근성을 제공하였습니다.

둘째로, 공동 작업 워크숍을 정기적으로 개최하여, 각 조직의 팀원들이 서로의 업무 방식을 이해하고 존중하는 문화를 조성하였습니다. 이러한 워크숍은 양사의 참여자들이 서로의 비즈니스 환경과 문화를 체험하게 하여, 의사소통의 장벽을 허물고 갈등을 줄이는 데 기여했습니다.

셋째로, 갈등의 조기 진단 및 해결을 위한 메커니즘을 구축했습니다. 양사는 갈등이 발생할 때 이를 신속하게 해결할 수 있는 프로세스를 마련했으며, 정기적인 상호 평가를 통해 협력 과정에서의 잠재적 문제들을 미리 식별하고 대응했습니다.

넷째로, 협상 과정에서 BATNA (최선의 대안)원칙을 활용하여, 각 회사가 협상에서 양보할 수 있는 한계와 그 이상의 조건을 명확히 했습니다. 이는 양사가 협상 테이블에서 현실적이고 실행 가능한 결정을 내리는 데 도움을 주었고, 갈등 발생 시 대안적 해결책을 모색할 수 있는 기반을 제공했습니다.

이러한 심리학적 접근과 협력적 협상 원칙의 적용은 노바텍과 인도트랙이 초기의 갈등을 효과적으로 관리하고, 결국 성공적인 비즈니스 관계를 구축하는 결과로 이어졌습니다. 이 과정은 양 조직에게 서로를 더 깊이 이해하고 존중하는 중요한 경험이 되었으며, 미래의 비즈니스 협력을 위한 견고한 기반을 마련했습니다. 이 사례는 심리학 이론이 실제 비즈니스 상황에 어떻게 효과적으로 적용될 수 있는지를 보여주는 좋은 예입니다.

협력적 협상과 관련된 심리학적 이론들 외에도, 비즈니스 협상과 관계 관리에 활용할 수 있는 추가적인 심리학적 접근들이 있습니다. 이러한 이론들은 조직 내외의 다양한 상황에서 효과적인 커뮤니케이션과 협상 전략을 개발하는 데 도움을 줄 수 있습니다.

1. 정서적 지능 (Emotional Intelligence): 다니엘 골먼의 정서적 지능 이론은 협상과 리더십에서 중요한 역할을 합니다. 이 이론에 따르면, 자신과 타인의 감정을 인식하고 관리하는 능력이 뛰어난 사람은 타인과의 관계에서 더 나은 결과를 얻을 수 있습니다. 정서적 지능은 협상자가 갈등 상황에서도 침착을 유지하고, 상대방의 감정과 필요를 고려하여 보다 건설적인 협상 결과를 도출할 수 있도록 돕습니다.

2. 인지행동 심리학 (Cognitive Behavioral Psychology): 인지행동 심리학은 개인의 사고 방식과 행동 패턴이 어떻게 그들의 감정과 대인 관계에 영향을 미치는지를 탐구합니다. 협상과제에서 이 접근법을 사용하면, 협상자는 비합리적인 생각이나 가정을 식별하고 수정하여, 더 효과적인 의사소통 전략을 개발할 수 있습니다.

3. 관계 시스템 이론 (Relational Systems Theory): 이 이론은 개인과 그룹 간의 관계가 어떻게 상호 의존적인 시스템으로 작동하는지를 설명합니다. 이를 협상에 적용하면, 조직은 개별 관계뿐만 아니라 전체 네트워크 내에서 발생하는 다이내믹스를 이해하고 최적화할 수 있습니다. 이는 복잡한 조직 간 협상에서 특히 유용하며, 전략적 제휴를 강화하는 데 기여할 수 있습니다.

4. 심리적 계약 이론 (Psychological Contract Theory): 이 이론은 개인과 조직 간의 암묵적인 약속과 기대를 다룹니다. 협상 과정에서 심리적 계약을 이해하고 명확히 하는 것은 양측의 기대를 조정하고, 신뢰를 구축하는 데 중요합니다. 이를 통해 협상자는 갈등을 예방하고, 조직 간의 파트너십을 보다 효과적으로 관리할 수 있습니다.

이와 같은 심리학적 접근법들은 노바텍과 인도트랙과 같은 비즈니스 협상의 상황뿐만 아니라, 일상적인 조직 운영과 개인의 전문성 개발에도 유용하게 적용될 수 있습니다. 각 이론은 심리학의 다양한 분야에서 영감을 받아, 실제 비즈니스 상황에 효과적으로 적용될 수 있는 전략적 도구를 제공합니다.

5. 장기적인 비즈니스 관계의 심리학

시간을 초월한 연결:
장기적인 비즈니스 관계에서의 심리학적 통찰

장기적인 비즈니스 관계는 단순한 계약을 넘어서는 심리적이고 사회적인 요소들이 복합적으로 얽혀 있습니다. 이 장에서는 장기적인 비즈니스 관계를 유지하고 강화하는 데 필수적인 심리학적 원리와 이론들을 탐구합니다. 비즈니스 파트너십이 오랜 시간 동안 성공적으로 지속되기 위해서는, 단순히 경제적 이익을 넘어 신뢰, 상호 의존성, 그리고 개인 및 조직 간의 정서적 연결감이 중요합니다. 이러한 심리적 요소들은 파트너십의 질을 결정짓고, 변화하는 시장 환경 속에서도 안정성을 제공합니다.

장기적인 비즈니스 관계의 성공은 파트너 간의 신뢰와 투명성에서 시작됩니다. 신뢰는 시간이 지남에 따라 구축되며, 일관된 행동, 약속의 이행, 그리고 개방적인 의사소통을 통해 강화됩니다. 이런 관계에서 심리학적 안정성은 비즈니스가 직면할 수 있는 도전과 위기 상황에서 강력한 버팀목이 되어 줍니다. 따라서 이번 장에서는 장기적인 관계를 유지하기 위한 심리학적 기반과 실질적인 전략에 대해 깊이 있게 다룰 예정입니다.

또한, 장기적인 비즈니스 관계에서는 감정의 역할을 이해하는 것이 중요합니다. 감정은 의사결정 과정과 대인 관계에서 큰 영향을 미치며, 긍정적인 감정은 협력적인 작업 환경을 조성하고, 부정적인 감정은 세심한 관리를 필요로 합니다. 조직의 리더들이 이러한 감정의 역학을 이해하고 적절히 관리할 수 있다면, 조직 내외부의 도전에 더 효과적으로 대응할 수 있습니다.

이 장에서는 이러한 심리학적 접근이 실제 비즈니스 사례에 어떻게 적용될 수 있는지를 다양한 예시와 함께 살펴보며, 장기적인 비즈니스 관계를 성공적으로 유지하고 발전시키는 데 필요한 심리학적 통찰과 전략을 제공할 것입니다. 이를 통해 독자들은 자신의 비즈니스 관계를 재평가하고 강화하는 데 필요한 도구와 지식을 얻을 수 있을 것입니다.

디지털 마케팅 에이전시인 크리에이티브 솔루션즈는 다양한 산업 분야의 클라이언트와 장기적인 계약을 유지하고 있습니다. 이 회사는 특히 한 의류 브랜드와의 10년 이상의 파트너십으로 잘 알려져 있으며, 이 관계는 양사에게 상당한 이익을 가져다주었습니다. 그러나 최근 몇 년간 디지털 마케팅 환경의 급격한 변화와 소비자의 기대치 변화로 인해 브랜드와 에이전시 간에 일련의 도전이 발생했습니다.

변화하는 시장 요구에 신속하게 대응하는 것이 양사의 성공적인 협력 관계를 유지하는 핵심이었습니다. 그러나 크리에이티브 솔루션즈는 기존의 마케팅 전략이 더 이상 효과적이지 않다는 점을 인식하게 되었고, 이에 따라 전략을 재조정할 필요성에 직면했습니다. 또한, 의류 브랜드 측에서는 더 혁신적이고 창의적인 마케팅 접근을 요구하기 시작했으며, 이는 양사 간에 새로운 협력 모델을 모색하게 만들었습니다.

이 과정에서 발생한 문제는 두 회사 간의 의사소통 방식과 기대 관리에서 일부 불일치가 있었다는 것입니다. 크리에이티브 솔루션즈는 클라이언트의 요구에 부응하기 위해 여러 차례 내부 브레인스토밍을 진행했지만, 제안된 아이디어들이 클라이언트의 기대에 부합하지 못했을 때 갈등이 심화되었습니다. 이는 양사 간의 신뢰를 저하시키고, 장기적인 관계에 긴장을 야기했습니다.

이 사례는 장기적인 비즈니스 관계에서 심리학적 원리와 이론을 적용하여 갈등을 해결하고 협력을 강화할 수 있는 기회를 제공합니다. 변화하는 시장 환경 속에서도 서로의 이해와 신뢰를 바탕으로 상호 성공적인 결과를 도출하기 위한 전략을 개발하는 것이 중요합니다. 이러한 접근은 양사가 더욱 강력하고 지속 가능한 파트너십을 유지하는 데 도움을 줄 수 있습니다.

크리에이티브 솔루션즈와 의류 브랜드 간의 도전은 주로 기대 관리의 실패, 의사소통의 미흡, 그리고 시장 변화에 대한 빠른 적응의 어려움에서 비롯되었습니다. 이러한 요인들은 긴밀히 연결되어 있으며, 각각이 어떻게 다른 요인을 촉발시키는지 이해하는 것이 중요합니다.

첫째, 기대 관리의 실패는 크리에이티브 솔루션즈가 클라이언트의 변화하는 요구에 적절히 대응하지 못하게 만들었습니다. 에이전시는 과거의 성공 경험에 기반하여 특정 마케팅 전략을 계속 사용하려 했으나, 이는 시간이 지남에 따라 효과를 잃어갔습니다. 클라이언트는 더 혁신적이고 창의적인 접근을 기대했지만, 이러한 기대가 명확하게 전달되지 않았고, 에이전시는 이를 충분히 인지하지 못했습니다.

둘째, 의사소통의 미흡은 상호간의 기대치가 정확하게 조율되지 않아 발생한 문제입니다. 양측의 의사소통 방식에는 미묘한 차이가 있었으며, 이로 인해 제시된 아이디어와 제안들이 클라이언트의 요구와 일치하지 않는 상황이 자주 발생했습니다. 의사소통의 부족은 각자가 상대방의 요구와 제약을 정확히 이해하지 못하게 만들었고, 결과적으로 불필요한 오해와 갈등을 초래했습니다.

셋째, 시장 변화에 대한 적응 실패는 이 분야에서 매우 중요한 요소입니다. 디지털 마케팅 환경은 끊임없이 변화하고 있으며, 이러한 변화에 빠르게 적응하는 것이 성공의 핵심입니다. 크리에이티브 솔루션즈가 시장의 신호를 빠르게 감지하고 그에 맞는 전략을 수립하는 데 실패함으로써, 클라이언트의 요구를 충족시키는 데 어려움을 겪었습니다.

이러한 문제들을 종합적으로 분석함으로써, 크리에이티브 솔루션즈와 의류 브랜드는 각각의 문제에 맞는 해결책을 찾고, 장기적인 관계를 개선할 수 있는 방안을 모색할 수 있습니다. 이 과정에서 심리학적 접근과 이론의 적용이 중요한 역할을 할 것입니다.

장기적인 비즈니스 관계를 강화하는 데 심리학적 이론들이 중요한 역할을 하며, 크리에이티브 솔루션즈와 의류 브랜드 사이의 갈등 해결과 관계 개선을 위해 특히 유용한 이론들을 다음과 같이 적용할 수 있습니다.

정서적 지능에 기반한 다니엘 골먼의 이론은 개인이 자신과 타인의 감정을 인식하고 관리하는 능력을 강조합니다. 이는 비즈니스 관계에서도 매우 중요한데, 장기간의 파트너십에서는 상대방의 감정을 이해하고 적절히 반응하는 것이 필수적입니다. 크리에이티브 솔루션즈와 의류 브랜드는 이 이론을 적용하여 갈등을 관리하고, 서로의 감정적 요구를 더 잘 이해할 수 있습니다.

에릭 번의 트랜스액셔널 분석은 인간 관계와 커뮤니케이션을 세 가지 자아 상태(부모, 성인, 아이)로 분석합니다. 이 이론은 조직 내 커뮤니케이션 패턴을 이해하고 개선하는 데 사용될 수 있으며, 크리에이티브 솔루션즈와 의류 브랜드 간의 의사소통 개선을 위해 유용하게 활용될 수 있습니다. 각자의 자아 상태를 인식하고, 더 생산적이고 성숙한 '성인' 상태에서의 의사소통을 촉진함으로써, 더 효과적인 상호 작용을 할 수 있습니다.

존 보울비의 결속 이론은 초기 유아기의 경험이 개인의 관계 형성과 감정 조절 능력에 어떻게 영향을 미치는지 설명합니다. 비즈니스 관계에서 이 이론을 적용하면, 파트너십 내에서의 신뢰 구축과 의존성 문제를 이해할 수 있습니다. 에이전시와 클라이언트 간의 안정적인 결속을 형성함으로써, 장기적인 협력 관계를 보다 효과적으로 유지할 수 있습니다.

이러한 심리학적 접근은 각 이론이 제공하는 심리학적 통찰을 통해 크리에이티브 솔루션즈와 의류 브랜드가 갈등을 효과적으로 해결하고, 장기적인 파트너십을 강화하는 전략을 개발할 수 있도록 돕습니다. 갈등의 해결과 관계의 개선 과정에서 이러한 이론들의 적용은 양사 간의 신뢰를 회복하고 미래의 협력을 위한 견고한 기반을 마련합니다.

크리에이티브 솔루션즈와 의류 브랜드 사이의 갈등 해결 과정에서 심리학 이론들의 적용은 관계 개선을 위한 중요한 단계였습니다. 특히, 정서적 지능, 트랜스액셔널 분석, 그리고 결속 이론은 각각의 고유한 방식으로 이 문제에 접근하고 해결책을 제공했습니다.

정서적 지능 이론을 적용함으로써, 크리에이티브 솔루션즈의 관리 팀은 자신들과 의류 브랜드의 담당자들 간의 감정적 반응을 더 잘 이해하고 관리할 수 있게 되었습니다. 이를 통해 두 조직은 각각의 행동이 상대방에게 어떤 영향을 미칠 수 있는지 인식하고, 갈등을 유발하는 상황에서도 보다 건설적인 대화를 나눌 수 있었습니다. 감정의 인식과 조절을 중시하는 이 접근은 서로를 더 깊이 이해하고 존중하는 문화를 조성하는 데 기여했습니다.

트랜스액셔널 분석을 활용하여, 두 조직은 의사소통 스타일에 대한 이해를 향상시켰습니다. 각 조직의 구성원들은 자신들의 커뮤니케이션 방식이 때로는 부모, 성인, 또는 아이의 자아 상태에서 비롯된다는 것을 깨닫고, 이에 따라 상호 작용의 방식을 조정했습니다. 특히 '성인' 자아 상태에서의 의사소통을 강화함으로써, 더 명확하고 객관적인 대화가 가능해졌으며, 이는 갈등 상황을 효과적으로 해결하는 데 도움이 되었습니다.

결속 이론을 적용한 결과, 양 조직 간의 심리적 안정성과 신뢰 구축에 중점을 두었습니다. 장기간의 관계에서 신뢰는 매우 중요한 요소이며, 각 조직은 서로에 대한 의존성과 결속을 강화하며 더욱 깊은 관계를 발전시킬 수 있었습니다. 안정적인 결속을 통해, 각 조직은 상대방과의 파트너십을 더 가치 있고 지속 가능하게 만드는 방법을 모색했습니다.

이러한 심리학적 접근은 두 조직이 갈등을 넘어서 서로 협력하고 성장할 수 있는 기회를 마련해 주었습니다. 각 이론의 적용은 갈등 해결뿐만 아니라 양 조직의 관계를 보다 효과적으로 관리하고 강화하는 데 필수적인 역할을 했습니다. 이 과정을 통해 크리에이티브 솔루션즈와 의류 브랜드는 더욱 견고하고 상호 이익이 되는 장기적인 비즈니스 관계를 구축할 수 있었습니다.

장기적인 비즈니스 관계를 강화하는 데 있어 다음과 같은 심리학적 접근과 이론들이 추가적으로 탐구할 가치가 있습니다. 이들은 관계 구축, 의사소통 개선, 그리고 갈등 해결에 유용한 통찰을 제공할 수 있습니다.

1. 대인 관계 이론 (Interpersonal Theory): 티모시 레리가 개발한 이 이론은 개인 간의 상호 작용 패턴을 분석합니다. 대인 관계 이론은 사람들이 어떻게 서로에게 영향을 미치는지, 그리

고 어떻게 서로의 행동을 유발하고 반응하는지를 설명합니다. 비즈니스 파트너십에서 이 이론을 적용하면, 서로의 행동에 대한 예측 가능성을 높이고 더 효과적인 상호 작용 전략을 개발할 수 있습니다.

2. 사회 교환 이론 (Social Exchange Theory): 이 이론은 관계를 경제적 관점에서 접근하여, 사람들이 비용과 보상을 균형 있게 맞추려고 한다는 관점을 제공합니다. 비즈니스 관계에서 사회 교환 이론을 적용하면, 파트너십이 양측에게 제공하는 가치를 분석하고, 이를 통해 더 강한 동기부여와 만족을 구축할 수 있습니다.

3. 심리적 계약 이론 (Psychological Contract Theory): 이 이론은 조직과 개인 간의 미묘하고 암묵적인 기대를 탐구합니다. 심리적 계약이 잘 관리되고 충족될 때, 직원의 만족도와 성과가 향상됩니다. 비즈니스 파트너십에서도 마찬가지로, 명시적이지 않은 기대와 약속을 이해하고 관리하는 것이 중요합니다.

4. 문화 차이와 협상 전략 (Cultural Differences and Negotiation Strategies): 다양한 문화적 배경을 가진 파트너들과의 협상에서는 문화적 이해가 중요합니다. 각 문화가 협상 과정에 어떻게 영향을 미치는지를 이해함으로써, 더욱 적절하고 효과적인 협상 전략을 수립할 수 있습니다.

이러한 심리학적 접근법과 이론들은 비즈니스 관계를 깊이 있게 이해하고, 장기적인 성공을 위한 전략을 개발하는 데 도움을 줄 수 있습니다. 각 이론은 조직들이 내부적으로나 외부적으로 강력하고 지속 가능한 관계를 구축하는 데 유용한 도구를 제공합니다.

6. 네트워크 이론과 전략적 제휴

연결의 힘:
네트워크 이론을 통한 전략적 제휴의 구축

네트워크 이론과 전략적 제휴는 오늘날 글로벌 비즈니스 환경에서 중요한 역할을 합니다. 이 장에서는 조직들이 어떻게 네트워크를 형성하고, 이를 통해 전략적 제휴를 강화하는지에 대한 심리학적 관점을 탐구합니다. 비즈니스 네트워크는 단순한 연결 그 이상의 의미를 지니며, 복잡한 인간 관계와 상호작용의 체계를 포함합니다. 이러한 네트워크 속에서 전략적 제휴는 조직의 혁신, 성장 및 경쟁력을 크게 향상시킬 수 있는 기회를 제공합니다.

이번 장에서는 네트워크 이론을 통해 조직 간의 상호 의존적인 관계가 어떻게 형성되고 유지되는지를 살펴볼 것입니다. 특히, 조직이 서로 다른 역량과 자원을 공유함으로써 어떻게 상호 이익을 증진시키고, 동시에 경쟁력 있는 위치를 확보할 수 있는지를 분석합니다. 또한, 네트워크 내의 심리적 요소, 즉 신뢰, 권력 및 영향력의 역동성이 어떻게 전략적 제휴의 성공에 기여하는지를 설명할 것입니다.

전략적 제휴는 두 개 이상의 조직이 공통의 목표를 달성하기 위해 협력하는 과정에서 발생합니다. 이 과정에서 심리학적 요소는 파트너십이 어떻게 형성되고, 유지되며, 때로는 해체되는지 이해하는 데 필수적입니다. 각 조직의 문화, 가치관, 그리고 목표가 어떻게 상호 작용하는지에 따라 제휴의 성공 여부가 크게 좌우될 수 있습니다.

따라서, 이 장에서는 네트워크 이론을 바탕으로 한 전략적 제휴의 심리학적 이해를 통해 조직들이 어떻게 더 효과적으로 협력할 수 있는지, 그리고 장기적인 비즈니스 관계를 어떻게 성공적으로 관리할 수 있는지에 대한 심층적인 분석을 제공하고자 합니다. 이러한 이해는 비즈니스 리더들에게 전략적 결정을 내리는 데 있어 중요한 통찰을 제공할 것이며, 네트워크와 제휴를 통해 조직의 목표를 효과적으로 달성하는 방법에 대한 지침을 제공할 것입니다.

글로벌 소프트웨어 개발 회사인 테크아이노베이트는 다양한 국가의 기업들과 전략적 제휴를 맺고 있습니다. 특히 이 회사는 유럽, 아시아, 북미 지역의 여러 기업과 네트워크를 형성하여 글로벌 시장에서의 입지를 강화하고 있습니다. 그러나 최근 몇 년 간 글로벌 경제의 변동성과 지역적 특성에 따른 비즈니스 운영 방식의 차이로 인해 테크아이노베이트는 여러 제휴 관계에서 어려움을 겪기 시작했습니다.

이 회사의 주요 도전 중 하나는 아시아 지역의 파트너사와의 협력에서 발생했습니다. 아시아 시장의 특성상, 사업 운영과 의사결정 과정에서 상당한 차이가 있었으며, 이는 테크아이노베이트의 서구적 비즈니스 모델과 종종 충돌하였습니다. 특히, 의사소통 방식과 프로젝트 관리 접근법에서의 차이는 양측 간의 미스커뮤니케이션을 유발하였고, 이는 프로젝트의 지연과 품질 문제로 이어졌습니다.

또 다른 문제는 북미 파트너들과의 데이터 보안 관련 이슈였습니다. 테크아이노베이트는 첨단 보안 프로토콜을 적용하여 데이터를 관리하지만, 일부 파트너 기업들이 이러한 시스템에 완전히 통합되지 못하는 상황이 발생했습니다. 이로 인해 중요한 정보가 유출될 위험이 증가하였고, 이는 신뢰 문제로 확대되어 제휴 관계에 긴장을 초래했습니다.

이러한 상황들은 테크아이노베이트에게 자사의 네트워크 관리 방식과 전략적 제휴 접근법을 재평가할 필요성을 일깨워주었습니다. 글로벌 네트워크 속에서 다양한 문화와 비즈니스 관행을 이해하고 효과적으로 통합하는 것이 회사의 지속 가능한 성장과 성공에 결정적인 역할을 할 것입니다. 이 사례는 네트워크 이론과 전략적 제휴의 중요성을 강조하며, 글로벌 환경에서의 복잡한 도전을 해결하기 위한 방안을 모색하는 계기를 제공합니다.

테크아이노베이트가 직면한 문제의 원인을 분석하면, 몇 가지 주요 요인이 있습니다. 이는 주로 글로벌 비즈니스 환경의 복잡성, 문화적 차이, 그리고 기술 통합의 어려움에 기인합니다.

첫째, 문화적 차이는 아시아 파트너들과의 협력 과정에서 가장 큰 장애물 중 하나였습니다. 아시아와 서구의 비즈니스 문화는 의사소통 스타일, 의사결정 구조, 그리고 업무 처리 방식에서 근본적인 차이를 보입니다. 테크아이노베이트의 서구식 접근 방식이 아시아 파트너들의 비즈니스 운영 체계와 충돌하면서 프로젝트의 효율성이 저하되었습니다. 이러한 문화적 충돌은 의사소통 오류를 촉발하고, 상호 작용을 복잡하게 만들어 프로젝트 진행에 차질을 빚었습니다.

둘째, 기술 통합의 실패는 북미 파트너들과의 데이터 보안 문제에서 두드러졌습니다. 각기 다른 보안 시스템과 데이터 관리 프로토콜의 차이는 정보 유출의 위험을 높였으며, 이는 파트너십 내의 신뢰성 저하로 이어졌습니다. 테크아이노베이트의 고급 보안 프로토콜을 모든 파트너가 수용하고 효과적으로 통합하지 못한 것은 제휴 관계에서 중대한 문제로 부상했습니다.

셋째, 전략적 제휴 관리의 미흡은 이러한 문제들을 적절히 예방하거나 해결하지 못하게 만든 근본적인 원인입니다. 테크아이노베이트가 전략적 제휴의 복잡성을 완전히 이해하고, 이를 효과적으로 관리하는 데 필요한 체계와 전략을 갖추지 못했던 것은 문제를 더욱 악화시켰습니다. 전략적 제휴 관리에 있어 세심한 준비와 지속적인 평가, 그리고 조정이 필수적이며, 이를 통해 발생 가능한 문제를 조기에 식별하고 대응할 수 있습니다.

이러한 문제 원인 분석은 테크아이노베이트가 앞으로의 전략적 제휴를 보다 효과적으로 관리하고, 글로벌 시장에서의 성공적인 확장을 지속할 수 있도록 중요한 통찰을 제공합니다. 이는 또한 조직이 글로벌 네트워크를 통해 발생할 수 있는 문화적, 기술적, 관리적 도전을 극복하는 데 필요한 구체적인 전략을 수립하는 데 도움을 줄 것입니다.

테크아이노베이트가 직면한 글로벌 비즈니스 환경에서의 문제와 도전을 극복하기 위해 적용할 수 있는 심리학 이론들은 이 회사가 다양한 문화적 배경을 가진 파트너들과의 전략적 제휴를 더욱 효과적으로 관리하고, 각종 갈등을 해결하는 데 깊은 통찰을 제공합니다. 이를 위해 선정된 몇 가지 이론들은 각각 독특한 관점을 제공하며, 이는 테크아이노베이트가 전략적 제휴의 복잡성을 효과적으로 이해하고 해결책을 모색하는 데 중요한 역할을 합니다.

게르트 호프스테드의 문화차원이론은 다양한 국가와 문화 간의 상호작용을 이해하는 데 매우 유용합니다. 이 이론은 개인과 조직이 문화적 차이를 어떻게 인식하고, 이를 어떻게 극복할 수 있는지에 대한 실질적인 방안을 제공합니다. 특히, 호프스테드는 권력 거리, 개인주의 대 집단주의, 남성성 대 여성성, 불확실성 회피, 장기 지향성 등의 차원을 통해 국가별 문화 특성을 분석했으며, 이러한 특성이 비즈니스 관행에 어떻게 영향을 미치는지 설명합니다. 테크아이노베이트는 이 이론을 통해 각 파트너의 문화적 배경을 이해하고, 이를 고려한 맞춤형 전략을 개발하여 전략적 제휴를 보다 효과적으로 관리할 수 있습니다.

조지 C. 호먼스의 사회적 교환 이론은 관계에서의 상호작용을 경제적 거래로 바라보며, 인간 관계에서 비용과 보상을 평가하는 프로세스를 분석합니다. 이 이론은 테크아이노베이트가 각 파트너십을 평가하고, 각 제휴가 회사에 어떤 혜택을 제공하는지를 명확히 할 수 있도록 도와줍니다. 이를 통해 회사는 모든 파트너십에서 균형 잡힌 가치 교환을 유지하고, 투자에 대한 최적의 반환을 보장할 수 있습니다.

로날드 버트의 구조적 구멍 이론은 네트워크 내의 전략적 위치와 그것이 개인 또는 조직의 정보, 자원 접근 및 영향력에 미치는 영향을 분석합니다. 이 이론은 테크아이노베이트가 자사의 네트워크 위치를 최적화하고, 구조적 구멍을 식별하여 이를 전략적으로 활용하는 방법을 제공합니다. 이를 통해 회사는 네트워크 내에서 중요한 역할을 할 수 있으며, 이는 전략적 제휴를 통한 정보와 자원의 흐름을 최적화하고, 전반적인 비즈니스 성과를 향상시킬 수 있습니다.

이러한 이론들의 심층적 적용을 통해 테크아이노베이트는 전략적 제휴의 복잡한 도전을 효과적으로 관리하고, 글로벌 시장에서 성공적인 확장을 도모할 수 있습니다. 각 이론은 조직이 전략적 제휴를 통해 발생할 수 있는 문제를 예측하고, 이에 대응하는 데 필요한 심리학적 통찰을 제공하여, 글로벌 비즈니스 환경에서의 지속 가능한 성공을 지원합니다.

테크아이노베이트의 글로벌 비즈니스 네트워크 문제 해결에 적용된 심리학 이론들은 다양한 도전을 극복하는 데 중요한 역할을 수행했습니다. 특히, 문화차원이론, 사회적 교환 이론, 그리고 구조적 구멍 이론은 전략적 제휴 관리에 근본적인 변화를 가져왔습니다.

우선 게르트 호프스테드의 문화차원이론을 활용하여, 테크아이노베이트는 아시아 및 북미 지역 파트너와의 문화적 차이를 효과적으로 관리할 수 있는 전략을 개발했습니다. 이 이론을 바탕으로, 회사는 각 지역 파트너의 문화적 특성에 맞춘 커뮤니케이션 방식과 의사결정 프로세스를 채택하여 갈등을 최소화하고 협력을 극대화했습니다. 예를 들어, 권력 거리가 큰 아시아 국가의 파트너들과는 보다 위계적인 구조를 유지하면서 의사소통을 진행하고, 개인주의가 강조되는 북미 파트너들과는 개방적이고 평등한 관계를 강조하는 방식으로 접근했습니다.

그리고 조지 C. 호먼스의 사회적 교환 이론을 활용하여, 테크아이노베이트는 각 파트너십에서의 비용과 보상을 면밀히 분석했습니다. 이를 통해 회사는 모든 제휴 관계에서 균형 잡힌 이익을 달성하고자 노력했습니다. 파트너십이 제공하는 가치가 기대치에 미치지 못할 경우, 회사는 추가 협상을 통해 보다 유리한 조건을 추구하거나, 필요한 경우 전략적으로 제휴를 재조정하였습니다.

마지막으로 구조적 구멍 이론의 적용습니다. 로날드 버트의 구조적 구멍 이론을 통해, 테크아이노베이트는 네트워크 내에서 전략적 위치를 차지하고 정보와 자원의 흐름을 최적화했습니다. 회사는 네트워크 분석을 수행하여 구조적 구멍을 식별하고, 이를 통해 파트너십 내에서 더욱 중요한 역할을 하게 됨으로써 전략적 이점을 확보했습니다. 이는 조직이 리소스와 정보를 보다 효과적으로 활용하고, 파트너십을 통한 혁신과 성장 기회를 증대시켰습니다.

이러한 심리학적 접근과 이론의 적용은 테크아이노베이트가 글로벌 비즈니스 환경에서 겪는 문제를 해결하고, 전략적 제휴를 통한 장기적 성공을 도모하는 데 결정적인 역할을 했습니다. 이 과정을 통해 회사는 각기 다른 문화와 시장 조건에 효과적으로 적응하고, 전략적 제휴를 통해 경쟁력을 강화하는 방법을 배웠습니다.

테크아이노베이트와 같은 글로벌 기업이 직면한 다양한 문제들을 해결하고자 할 때, 추가적으로 고려할 수 있는 심리학 이론들이 있습니다. 이들은 조직의 전략적 제휴를 더욱 강화하고, 글로벌 환경에서의 성공적인 상호작용을 촉진할 수 있는 통찰력을 제공합니다.

1. 집단 내 동조성 이론 (Group Conformity Theory): 솔로몬 아쉬의 이론은 개인이 집단 내에서 어떻게 행동의 일치성을 추구하는지를 설명합니다. 이 이론은 글로벌 기업이 문화적 다양성이 큰 환경에서 작업팀의 응집력을 증진시키는 방법을 모색할 때 유용합니다. 테크아이노베이트는 이 이론을 활용하여 다양한 배경을 가진 팀원들 사이의 갈등을 최소화하고, 팀 목표에 대한 동조성을 높일 수 있습니다.

2. 정체성 협상 이론 (Identity Negotiation Theory): 스텔라 팅투미의 이론은 개인과 집단이 자신들의 사회적 정체성을 어떻게 형성하고 협상하는지에 대해 다룹니다. 이 이론은 테크아이노베이트가 파트너 기업들과의 상호작용 중 발생할 수 있는 문화적 충돌을 관리하는 데 도움을 줄 수 있습니다. 조직은 이 이론을 바탕으로 다양한 문화적 배경을 가진 파트너들과의 관계에서 각자의 정체성을 인정하고 존중하는 방식을 개발할 수 있습니다.

3. 상호작용 의존 이론 (Interdependence Theory): 존 탈리와 해럴드 켈리의 이론은 관계에서 개인들이 어떻게 서로에게 의존하며, 이 의존성이 어떻게 그들의 행동과 선택을 결정하는지 설명합니다. 이 이론은 테크아이노베이트가 각 파트너십의 역동성을 분석하고, 서로에 대한 의존성을 건설적으로 관리하는 방법을 제시합니다. 이를 통해 회사는 파트너십을 더욱 효과적으로 구성하고 강화할 수 있습니다.

이러한 심리학 이론들은 테크아이노베이트가 글로벌 네트워크에서 발생할 수 있는 도전을 이해하고, 이에 적절히 대응하며, 더욱 효과적인 전략적 제휴를 구축하는 데 근본적인 도움을 줍니다. 각 이론은 조직이 복잡한 글로벌 환경에서 내부적으로나 외부적으로 강력하고 지속 가능한 관계를 구축하는 데 필요한 심리학적 인사이트를 제공합니다.

7. 비즈니스 제휴에서의 사회적 교환 이론

상호성의 원칙:
비즈니스 제휴에서의 사회적 교환 이론의 역할

비즈니스 제휴에서의 사회적 교환 이론은 조직 간의 협력과 네트워킹을 이해하는 데 중요한 이론적 토대를 제공합니다. 이 이론은 인간 관계에서의 상호작용을 경제적 거래로 바라보며, 개인이나 조직이 관계에서 교환하는 행위를 통해 서로에게 어떤 보상과 비용을 제공하는지를 분석합니다. 이 장에서는 이 이론이 어떻게 현대의 비즈니스 제휴 상황에 적용될 수 있는지, 그리고 이를 통해 조직들이 어떻게 더욱 효과적인 전략적 관계를 구축하고 유지할 수 있는지를 탐구합니다.

현대 비즈니스 환경에서 조직들은 자신의 자원과 역량을 활용하여 다른 조직과의 제휴를 통해 상호 이익을 추구합니다. 이러한 상황에서 사회적 교환 이론은 이런 제휴 관계에서 발생하는 상호 의존적인 교환의 복잡한 역학을 분석하는 데 유용한 도구입니다. 조직들은 이 이론을 통해 파트너십이 제공해야 하는 이익과 발생할 수 있는 비용을 면밀히 측정하고 평가하여, 전략적 결정을 내릴 수 있습니다.

이 장에서는 실제 비즈니스 사례를 통해 이 이론의 적용 사례를 살펴보고, 이를 통해 얻을 수 있는 교훈과 전략적 통찰을 도출합니다. 특히, 교환 이론이 조직의 전략적 결정과제에서 어떻게 구체적인 방향성을 제시하는지를 분석하며, 이러한 이론적 접근이 실제 비즈니스 세계에서 어떻게 유용하게 활용될 수 있는지를 탐구합니다. 이 과정을 통해 독자들은 자신의 조직이 직면할 수 있는 유사한 상황에 대해 더 깊이 이해하고, 보다 효과적인 제휴 전략을 수립할 수 있을 것입니다.

글로벌 IT 솔루션 제공업체인 인텔리넷워크는 전세계에 분포된 다양한 기술 파트너들과 복잡한 제휴 네트워크를 구축하고 있습니다. 이 회사는 특히 클라우드 기반 서비스와 보안 솔루션을 중심으로 비즈니스를 확장하고 있으며, 이 과정에서 여러 지역의 특성과 시장 요구에 맞춘 전략을 수립해야 했습니다. 그러나 인텔리넷워크는 북미와 유럽 지역의 파트너 기업들과 협력하면서 문화적 차이와 업무 처리 방식에서의 불일치로 인해 어려움을 겪었습니다.

북미의 파트너들과의 협력에서는 결정 속도와 효율성을 중시하는 경향이 강했으나, 유럽의 파트너들은 좀 더 심도 있는 분석과 신중한 접근을 선호했습니다. 이로 인해 프로젝트의 우선순위와 실행 계획에서 종종 의견 충돌이 발생했습니다. 또한, 인텔리넷워크는 아시아 시장으로의 진출을 시도하면서 현지 기업들과의 협력을 강화하려 했지만, 언어 장벽과 비즈니스 관행의 차이로 인해 효과적인 의사소통에 문제가 있었습니다.

이러한 문제들은 인텔리넷워크의 전략적 제휴 관리에 있어 중대한 도전이 되었으며, 파트너십의 효율성을 저하시키고 프로젝트 진행에 장애를 초래했습니다. 회사는 이러한 상황을 해결하기 위해 각 지역의 문화와 비즈니스 환경에 맞는 맞춤형 접근 방식을 개발할 필요성을 느꼈습니다. 이를 통해 글로벌 제휴의 복잡성을 관리하고, 전략적 제휴를 통해 최대한의 이익을 도모하는 것이 회사의 주요 과제로 부상했습니다.

인텔리넷워크가 글로벌 파트너들과의 제휴에서 겪은 문제들의 원인은 주로 문화적 차이, 의사소통 방식의 불일치, 그리고 조직 간의 기대치 조정 실패에서 비롯되었습니다.

첫째, 문화적 차이는 북미와 유럽 파트너들 간의 업무 처리 방식과 의사결정 과정에서 근본적인 불일치를 초래했습니다. 북미 파트너들이 선호하는 신속한 결정과 실행에 비해, 유럽 파트너들은 좀 더 신중하고 상세한 분석을 통한 접근을 중시했습니다. 이러한 차이는 프로젝트의 우선순위 설정과 진행 과정에서 서로 다른 기대치를 형성하게 만들었고, 결과적으로 의사소통의 장벽을 증가시켰습니다.

둘째, 의사소통의 불일치는 특히 아시아 시장에서 두드러졌습니다. 언어 장벽과 함께 현지 비즈니스 관행에 대한 이해 부족은 협력 과정에서 수많은 오해와 갈등을 발생시켰습니다. 이는 프로젝트 목표의 명확한 전달을 방해하고, 프로젝트 관리 및 실행에서의 효율성을 크게 저하시켰습니다.

셋째, 조직 간의 기대치 조정 실패는 인텔리넷워크와 그 파트너들 간에 상호 이익을 제공하는 균형 잡힌 제휴 관계를 구축하는 데 장애 요소로 작용했습니다. 각 조직의 비즈니스 목표와 전략적 우선순위가 충분히 조율되지 않아, 제휴를 통해 예상했던 시너지 효과를 충분히 발휘하지 못했습니다.

이러한 문제 원인을 분석함으로써 인텔리넷워크는 전략적 제휴의 복잡성을 보다 효과적으로 관리하고, 각 지역의 문화적 특성과 비즈니스 관행을 고려한 맞춤형 전략을 수립할 수 있을 것입니다. 이 과정에서 사회적 교환 이론을 포함한 여러 심리학 이론들의 적용이 중요한 역할을 할 것으로 기대됩니다.

인텔리넷워크의 글로벌 제휴 관리를 향상시키기 위해 적용할 수 있는 여러 심리학 이론이 있습니다. 이들 이론은 조직 간의 복잡한 상호작용을 이해하고 효과적으로 관리하는 데 필요한 심층적인 통찰력을 제공합니다.

첫 번째로, 게르트 호프스테드의 문화차원이론은 문화적 차이가 조직의 업무 스타일과 의사소통 방식에 어떤 영향을 미치는지 분석하는 데 큰 도움을 줍니다. 호프스테드는 문화를 여러 차원으로 분류하고, 이 차이들이 각 지역에서의 비즈니스 관행에 어떻게 영향을 미치는지 설명합니다. 이 이론을 활용하면 인텔리넷워크는 각 지역의 문화적 특성을 고려한 커뮤니케이션과 의사결정 전략을 개발하여 글로벌 파트너와 효과적으로 협력할 수 있습니다.

다음으로, 조지 C. 호먼스의 사회적 교환 이론은 인간 관계에서의 상호작용을 경제적 거래로 바라보며, 개인이나 조직이 관계에서 비용과 보상을 균형있게 평가하여 그 가치를 결정한다고 설명합니다. 이 이론은 인텔리넷워크가 파트너십의 비용과 이득을 평가하고, 보다 공정하고 지속 가능한 비즈니스 관계를 구축하는 데 도움을 줄 수 있습니다. 파트너십을 통해 예상되는 이득과 비용을 명확하게 분석함으로써, 인텔리넷워크는 전략적 제휴 결정을 내리는 데 필요한 객관적 근거를 마련할 수 있습니다.

마지막으로, 스텔라 팅투미의 정체성 교섭 이론은 개인과 집단이 어떻게 자신들의 정체성을 형성하고 타인과의 상호작용 속에서 이를 교섭하는지 설명합니다. 이 이론은 인텔리넷워크가 파트너와의 상호작용에서 발생할 수 있는 문화적 충돌을 관리하고, 각 조직의 정체성을 존중하며 효과적으로 협력할 수 있는 방법을 찾는 데 유용합니다. 문화적 이해와 존중을 바탕으로 한 정체성 교섭 과정을 통해, 인텔리넷워크는 글로벌 파트너들과의 관계를 강화하고 잠재적 갈등을 최소화할 수 있습니다.

이러한 이론들의 적용은 인텔리넷워크가 전략적 제휴를 통한 글로벌 확장과 시장 다변화 과정에서 발생하는 다양한 문제를 깊이 있게 이해하고, 효과적인 해결책을 마련하는 데 중요한 역할을 합니다. 조직은 이 심리학적 접근을 통해 제휴 관계에서 발생할 수 있는 문제를 예측하고, 이에 대한 효과적인 대응 전략을 수립하여 전반적인 제휴 성공률을 높일 수 있습니다.

인텔리넷워크가 전략적 제휴를 통해 글로벌 비즈니스 확장을 도모하면서 겪은 문제들은 다양한 심리학 이론을 적용하여 해결할 수 있었습니다. 특히, 문화차원이론, 사회적 교환 이론, 그리고 정체성 교섭 이론은 파트너와의 효과적인 관계 구축과 유지에 중요한 역할을 했습니다.

문화차원이론을 적용하여, 인텔리넷워크는 각 지역 문화의 특성을 고려한 맞춤형 의사소통 전략을 개발했습니다. 이를 통해 회사는 북미와 유럽, 아시아의 파트너들과의 문화적 간극을 좁힐 수 있었고, 각 파트너의 업무 스타일과 결정 메커니즘을 더 잘 이해하게 되었습니다. 예를 들어, 유럽 파트너들과는 더 심도 깊은 분석과 논의를 통해 결정을 내리는 반면, 북미 파트너들과는 신속한 의사 결정과 실행을 강조하는 방식을 채택했습니다.

사회적 교환 이론을 활용하여, 회사는 파트너십에서의 비용과 이득을 면밀히 분석했습니다. 각 제휴 관계가 회사에 제공하는 가치와 발생하는 비용을 균형있게 평가함으로써, 인텔리넷워크는 보다 공정하고 지속 가능한 비즈니스 관계를 구축할 수 있었습니다. 이 과정에서 회사는 비효율적인 파트너십을 재조정하거나 해체하는 결정을 내리기도 했습니다, 이는 장기적인 관점에서 회사 자원의 최적화와 전략적 목표 달성에 기여했습니다.

정체성 교섭 이론을 통해, 인텔리넷워크는 다양한 문화적 배경을 가진 파트너들과의 협력 중 발생하는 정체성 관련 충돌을 관리했습니다. 이 이론을 적용하여 각 조직의 사회적 정체성을 이해하고 존중하는 것이 중요함을 인식했으며, 이를 기반으로 서로의 차이를 인정하고 적극적으로 협력하는 방법을 모색했습니다. 이러한 접근은 파트너십에서 발생할 수 있는 갈등을 줄이고, 서로의 가치와 역량을 인정하는 토대 위에서 더욱 견고한 관계를 구축하는 데 도움을 주었습니다.

이러한 심리학적 접근과 이론들의 적용은 인텔리넷워크가 전략적 제휴를 통해 글로벌 시장에서 성공적으로 확장하고, 다양한 문화와 시장 환경에서 발생할 수 있는 도전을 효과적으로 관리하고 해결하는 데 큰 도움을 주었습니다. 이 과정을 통해 회사는 글로벌 네트워크를 강화하고, 장기적으로 지속 가능한 성장을 추구할 수 있는 기반을 마련했습니다.

인텔리넷워크가 직면한 글로벌 비즈니스 환경의 문제를 해결하며 적용한 주요 심리학 이론들 외에도, 조직과 전략적 제휴를 더욱 발전시킬 수 있는 추가적인 심리학 이론들을 탐구할 가치가 있습니다. 이러한 이론들은 제휴 과정에서 발생할 수 있는 다양한 도전을 이해하고, 보다 효과적인 대응 전략을 수립하는 데 도움을 줄 수 있습니다.

1. 트랜스액션 분석 이론 (Transactional Analysis Theory) - 에릭 번: 이 이론은 개인의 행동과 사회적 상호작용을 세 가지 자아 상태(부모, 성인, 자녀)로 분석하여, 인간 관계에서의 복잡한 역동을 설명합니다. 트랜스액션 분석을 통해 인텔리넷워크는 파트너 조직과의 의사소통 패턴을 분석하고, 불필요한 갈등을 예방하며 보다 건설적인 관계를 구축할 수 있습니다.

2. 관계 조정 이론 (Relational Coordination Theory) - 조디 고트만: 이 이론은 작업 관계에서 의사소통과 관계의 질이 작업 성과에 어떻게 영향을 미치는지를 설명합니다. 인텔리넷워

크는 이 이론을 활용하여 파트너십 내의 업무 조정과 정보 공유를 최적화하고, 각 조직 간의 협력을 강화할 수 있습니다.

3. 정서적 지능 이론 (Emotional Intelligence Theory) - 다니엘 골먼: 이 이론은 개인의 정서적 지능이 인간 관계와 리더십 성공에 얼마나 중요한지 강조합니다. 인텔리넷워크의 리더들이 이 이론을 통해 자신과 타인의 감정을 보다 효과적으로 인식하고 관리할 수 있게 되면, 파트너십과 팀워크를 더욱 강화하는 데 도움이 됩니다.

이러한 심리학 이론들은 인텔리넷워크가 전략적 제휴를 통해 직면할 수 있는 다양한 상황에 대한 깊이 있는 이해를 제공하고, 이를 통해 조직의 글로벌 확장 및 비즈니스 목표 달성을 지원합니다. 각 이론의 적용은 조직이 제휴 과정에서 발생할 수 있는 문제를 보다 능동적으로 해결하고, 전략적 제휴의 장기적 성공을 보장하는 데 중요한 역할을 합니다. 이를 통해 인텔리넷워크는 글로벌 비즈니스 환경에서 지속 가능한 성장과 경쟁력을 강화할 수 있습니다.

8. 심리적 안정성과 파트너십 지속성

안정감의 구축:
심리적 안정성이 파트너십 지속성에 미치는 영향

심리적 안정성은 파트너십의 지속성을 보장하는 핵심 요소 중 하나입니다. 이 장에서는 파트너십이 장기간에 걸쳐 성공적으로 유지되기 위해 필수적인 심리적 안정성을 어떻게 달성하고 유지할 수 있는지에 대해 탐구합니다. 심리적 안정성은 조직 구성원들이 불확실성과 변화의 시기에도 불안정함 없이 일관되게 행동할 수 있도록 지원하는 심리적인 요소를 말합니다. 이는 모든 파트너십 관계에서 신뢰, 만족도, 그리고 헌신을 높이는 데 중요한 역할을 합니다.

글로벌 비즈니스 환경 속에서 기업들은 지속적으로 변화하는 시장 조건과 경쟁 속에서도 안정적인 성장과 개발을 이어가야 하는 도전에 직면합니다. 이런 맥락에서 심리적 안정성은 특히 전략적 파트너십을 관리하는 과정에서 큰 가치를 발휘합니다. 파트너십은 단순히 경제적 계약을 넘어서 감정의 교류와 상호작용의 질에 깊이 영향을 받기 때문입니다. 이러한 상호작용을 통해 생성되는 심리적 안정성은 파트너십이 장기간 동안 건강하게 유지될 수 있는 기반을 마련합니다.

이 장에서는 심리적 안정성을 강화하는 다양한 방법과 이론을 소개하고, 이를 통해 파트너십이 겪을 수 있는 다양한 내부적 또는 외부적 도전을 어떻게 극복할 수 있는지에 대한 심도 깊은 분석을 제공할 것입니다. 특히, 조직 간 신뢰 구축, 갈등 해결, 그리고 긍정적인 관계 유지와 같은 측면에서 심리적 안정성의 역할을 조명하며, 실제 사례를 통해 이론의 적용 방법을 설명할 것입니다. 이를 통해 독자들은 자신의 조직 또는 파트너십에 있어 심리적 안정성을 어떻게 개선하고 적용할 수 있는지에 대한 구체적인 통찰을 얻을 수 있을 것입니다.

제휴 관계를 유지하는 과정에서 심리적 안정성의 중요성을 강조하는 사례로, 글로벌 제약 회사인 메디케어솔루션즈의 경험을 살펴볼 수 있습니다. 이 회사는 다수의 국제적 파트너들과 함께 다양한 연구 개발 프로젝트를 진행하고 있습니다. 그러나 메디케어솔루션즈는 파트너십의 초기 단계에서 일부 파트너들과의 의사소통 문제 및 상호 목표에 대한 불일치로 인해 프로젝트 진행에 어려움을 겪었습니다.

문제는 특히 문화적 차이와 업무 처리 방식의 다양성에서 비롯되었습니다. 예를 들어, 메디케어솔루션즈의 한 유럽 파트너는 연구 개발의 진행 속도와 방법론에 있어 보수적인 접근을 선호하는 반면, 미국의 파트너는 더욱 빠른 결과를 요구하며 새로운 시도에 보다 개방적이었습니다. 이로 인해 프로젝트의 우선순위와 자원 배분에 대한 갈등이 발생하였고, 이는 팀 내의 불안정성과 불신을 증가시켰습니다.

또한, 파트너십 내에서의 의사소통 문제는 프로젝트의 목표를 향한 팀의 동기를 저하시키는 주요 요인으로 작용했습니다. 의사소통의 부재는 각 파트너의 역할과 기대를 명확하게 하지 못하게 만들었고, 이는 프로젝트 팀원들 사이에서 심리적 안정감을 저해하는 결과를 초래했습니다.

이러한 상황은 메디케어솔루션즈가 각 파트너와의 관계를 재평가하고, 심리적 안정성을 높이기 위한 적극적인 조치를 취하게 만들었습니다. 회사는 심리적 안정성을 기반으로 파트너십을 강화하고, 긍정적인 팀 역동을 촉진하기 위한 전략을 수립할 필요성을 인식하게 되었습니다. 이를 통해 장기적인 파트너십의 성공을 위한 실질적인 기반을 마련하려는 노력을 시작하게 되었습니다.

메디케어솔루션즈가 직면한 프로젝트 진행 중의 어려움은 문화적 차이, 의사소통의 부재, 그리고 상호 목표에 대한 불일치에서 비롯되었습니다. 이 세 가지 주요 원인은 심리적 안정성을 저해하며, 파트너십의 효과성을 크게 감소시켰습니다. 문화적 차이로 인해 유럽과 미국 파트너들 사이에는 작업 스타일과 의사결정 프로세스가 서로 달랐습니다. 유럽 파트너의 보수적인 접근과 미국 파트너의 진보적인 태도 사이에서 프로젝트의 진행 방향과 속도에 대한 기대가 서로 다르게 형성되었고, 이러한 차이는 결국 갈등을 일으키고 팀 내 의견 일치를 어렵게 만들었습니다.

또한, 의사소통의 부재는 프로젝트의 여러 단계에서 정보의 공유가 제대로 이루어지지 않음을 보여주었습니다. 이는 각 팀원과 파트너가 프로젝트의 현재 상태와 다음 단계에 대해 정확히 이해하지 못하게 만들어 불필요한 오해를 촉발하고 팀 내 신뢰를 저하시키는 결과를 낳았습니다. 목표의 불일치 또한 심각한 문제였습니다. 파트너 간에 명확하지 않은 공통 목표 설정은 자원 배분과 우선순위 결정에서 지속적으로 충돌을 일으키며 프로젝트의 방향성을 약화시켰고, 전반적인 파트너십의 효율성을 저하시켰습니다.

이러한 문제들을 통해 메디케어솔루션즈는 파트너십을 보다 효과적으로 관리하고 심리적 안정성을 확보하기 위한 전략을 재구성할 필요성을 인식하게 되었습니다. 회사는 문화적 차이를 극복하고 의사소통을 강화하며 공통된 목표를 명확히 설정하는 것을 통해 장기적인 파트너십의 성공을 위한 실질적인 기반을 마련하려는 노력을 시작하게 되었습니다. 이 과정에서 심리학적 접근과 이론들의 적용이 중요한 역할을 할 것으로 기대됩니다.

메디케어솔루션즈가 직면한 파트너십 문제를 해결하기 위해 적용할 수 있는 심리학 이론들은 상호작용과 의사소통의 심리학적 측면을 강조하며, 이는 조직 간의 복잡한 상호작용을 효과적으로 관리하는 데 중요한 역할을 합니다.

첫 번째로 문화차원이론을 개발한 게르트 호프스테드의 연구는 다양한 문화 간의 차이를 이해하는 데 필수적인 통찰을 제공합니다. 호프스테드는 국가 및 문화 간의 차이를 여러 차원을 통해 분석하고, 이러한 차이가 조직의 업무 스타일과 의사소통에 어떻게 영향을 미치는지 설명합니다. 문화차원이론은 문화적 간극을 이해하고, 각 문화의 특성에 맞는 맞춤형 의사소통 전략을 개발하는 데 도움을 줄 수 있습니다, 특히 글로벌 환경에서는 이러한 이해가 필수적입니다.

사회적 교환 이론은 관계를 경제적 거래로 바라보는 조지 C. 호먼스와 피터 블라우의 연구에 기반을 두고 있습니다. 이 이론은 인간 관계에서의 상호 작용이 어떻게 비용과 보상을 통해 이루어지는지를 설명하며, 관계의 지속 가능성을 평가하는 데 중요한 도구를 제공합니다. 메디케어솔루션즈가 파트너십에서 각 관계의 가치를 평가하고, 공평하고 지속 가능한 관계를 구축하는 데 이 이론을 적용할 수 있습니다.

또한, 정체성 교섭 이론은 스텔라 팅투미에 의해 개발되었습니다. 이 이론은 개인과 조직이 어떻게 자신들의 정체성을 형성하고 다른 사람들과의 상호작용 속에서 이를 교섭하는지에 대해 다룹니다. 특히 조직 간의 협력과 충돌 상황에서 정체성 교섭 과정을 이해하는 것은 갈등을 관리하고 효과적인 협력 관계를 구축하는 데 매우 유용합니다. 이 이론은 메디케어솔루션즈가 파트너 조직들과의 관계에서 발생할 수 있는 정체성 기반의 충돌을 효과적으로 관리하는 데 도움을 줄 수 있습니다.

이러한 이론들의 적용을 통해 메디케어솔루션즈는 다양한 문화적, 사회적, 그리고 심리적 요소를 고려하여 파트너십을 더욱 효과적으로 관리하고, 심리적 안정성을 바탕으로 한 지속 가능한 관계를 구축할 수 있습니다. 이는 조직이 글로벌 비즈니스 환경에서 겪는 문제를 해결하고 성공적인 파트너십을 이끌어내는 데 결정적인 역할을 합니다.
메디케어솔루션즈는 파트너십 관리에 있어 문화차원이론, 사회적 교환 이론, 그리고 정체성 교섭 이론을 효과적으로 적용하여 각종 문제를 해결하는 데 성공했습니다. 이들 이론의 적용은 심리적 안정성을 기반으로 한 건강한 파트너십 관계의 구축을 가능하게 했습니다.

문화차원이론을 활용함으로써, 메디케어솔루션즈는 각 파트너의 문화적 특성과 가치를 이해하고, 이에 맞는 맞춤형 의사소통 전략을 개발할 수 있었습니다. 이는 특히 다양한 국가에서 온 파트너들과의 상호작용에서 갈등을 최소화하고, 서로의 업무 스타일을 존중하며 협력하는 데 크게 기여했습니다. 예를 들어, 유럽 파트너들과의 교류에서는 상세한 프로젝트 계획과 철저한 리스크 관리를 강조하는 반면, 북미 파트너들과의 소통에서는 신속한 의사 결정과 실행을 우선시하는 전략을 채택했습니다.

사회적 교환 이론의 적용을 통해, 회사는 각 파트너십이 제공하는 가치와 발생하는 비용을 균형있게 평가할 수 있었습니다. 이 과정에서 비효율적인 파트너십을 재조정하고, 양질의 관계를 유지하는 데 집중함으로써 자원을 보다 효과적으로 할당하고 파트너십의 전반적인 성공률을 향상시킬 수 있었습니다. 또한, 이 이론을 통해 각 파트너와의 관계에서 예상되는 실질적인 이익을 명확히 하고, 이에 따라 투자와 리소스 배분을 최적화했습니다.

정체성 교섭 이론은 메디케어솔루션즈가 파트너 조직들과의 협력 과정에서 발생하는 정체성 기반의 충돌을 효과적으로 관리하는 데 사용되었습니다. 이 이론을 적용하여 조직 간의 문화적 차이와 개별 정체성을 존중하는 것을 우선시함으로써, 각 파트너의 독특한 가치와 강점을 인정하고 이를 프로젝트에 적극적으로 통합했습니다. 이러한 접근은 모든 파트너가 공통의 목표에 대해 더 깊이 이해하고, 서로의 차이를 긍정적으로 수용하면서 협력을 강화하는 결과를 낳았습니다.

이러한 심리학적 접근과 이론의 적용은 메디케어솔루션즈가 글로벌 환경에서 파트너십을 유지하고 강화하는 데 결정적인 역할을 하였으며, 회사의 전략적 목표 달성에 크게 기여하였습니다. 이를 통해 회사는 심리적 안정성을 바탕으로 한 지속 가능한 성장과 경쟁력을 확보할 수 있었습니다.

메디케어솔루션즈의 파트너십 관리에 적용한 심리학 이론들 외에도 추가적으로 탐구할 만한 심리학적 접근들이 있습니다. 이들은 조직 간의 상호작용과 파트너십의 품질을 개선하는 데 유용할 수 있습니다.

정서적 지능 이론은 다니엘 골먼에 의해 발전된 개념으로, 개인이 자신과 타인의 감정을 인식하고 관리하는 능력을 중심으로 합니다. 정서적 지능은 파트너십에서의 의사소통과 갈등 해결에 큰 영향을 미치며, 이를 통해 조직 구성원들이 서로의 감정과 동기를 더 잘 이해하고 존중할 수 있게 됩니다. 이 이론을 적용함으로써 메디케어솔루션즈는 파트너십 내에서의 심리적 안정성을 강화하고, 팀원 간의 유대감과 협력을 촉진할 수 있습니다.

복잡성 이론은 조직과 시스템이 복잡한 상호작용을 통해 어떻게 동작하는지를 설명합니다. 이 이론은 불확실성과 변동성이 높은 환경에서의 조직 행동과 결정 과정을 이해하는 데 도움을 줄 수 있습니다. 메디케어솔루션즈가 복잡한 글로벌 파트너 네트워크를 관리함에 있어, 복잡성 이론은 예측하기 어려운 상황에 대한 대응 전략을 수립하는 데 유용할 수 있습니다.

대인 관계 이론은 해리 스택 설리번이 개발했으며, 인간 관계가 개인의 행동과 성격 발달에 미치는 영향을 다룹니다. 이 이론은 파트너십에서의 상호작용이 어떻게 개인과 조직의 성장에 기여할 수 있는지를 이해하는 데 도움을 줍니다. 메디케어솔루션즈는 이 이론을 통해 조직 내외부의 관계를 강화하고, 보다 건강한 파트너십 환경을 조성할 수 있습니다.

이러한 이론들을 추가적으로 탐구하고 적용함으로써 메디케어솔루션즈는 파트너십을 더욱 효과적으로 관리하고, 글로벌 환경에서의 도전을 성공적으로 극복하는 데 필요한 심리적 도구와 전략을 확보할 수 있습니다. 이는 조직의 지속 가능한 성장과 경쟁력 강화에 중요한 기여를 할 것입니다.

9. 제휴 해체와 감정 관리

분리의 심리:
제휴 해체와 감정 관리의 중요성

제휴 해체와 감정 관리는 비즈니스 세계에서 불가피하게 마주치는 현실 중 하나입니다. 조직이 성장하고 변화하는 과정에서 모든 제휴가 영구적일 수는 없으며, 때로는 전략적 제휴를 해체하는 결정이 필요합니다. 이 장에서는 제휴 해체 과정에서 발생할 수 있는 감정적 문제들을 관리하는 방법과 심리학적 접근을 통해 이러한 과정을 어떻게 건설적으로 진행할 수 있는지를 탐구합니다.

제휴가 해체될 때, 종종 강한 감정적 반응이 동반됩니다. 실망, 배신감, 불안, 스트레스 등 다양한 감정이 표면화될 수 있으며, 이는 개인과 조직 전체의 성과에 부정적인 영향을 미칠 수 있습니다. 따라서 제휴 해체를 관리하는 과정에서 이러한 감정을 효과적으로 관리하는 것은 매우 중요합니다. 감정의 효과적 관리는 팀원들 사이의 신뢰를 유지하고, 장기적인 비즈니스 관계를 보호하며, 조직의 명성을 유지하는 데 필수적인 요소입니다.

이 장에서는 제휴 해체가 필요한 상황을 명확히 파악하고, 해체 과정에서 발생할 수 있는 감정적 문제들을 최소화하기 위한 전략을 개발합니다. 또한, 제휴 해체를 결정하고 실행하는 과정에서 발생할 수 있는 다양한 감정적 반응들을 관리하기 위한 심리학적 이론과 실제 적용 사례를 소개할 것입니다. 이를 통해 독자들은 제휴 해체가 불가피한 상황에서도 최선의 결과를 도출할 수 있는 방법을 학습할 수 있습니다.

제휴 해체의 심리적 영향을 관리하는 복잡한 과제를 직면한 기업 사례로, 글로벌 기술 회사 테크브릿지의 경험을 살펴볼 수 있습니다. 테크브릿지는 여러 국가에 걸쳐 혁신적인 기술 솔루션을 제공하며, 다양한 기업과의 파트너십을 통해 급속도로 성장해 왔습니다. 그러나 경제적 변동성과 시장 전략의 변화로 인해 몇몇 중요한 제휴 관계를 종료할 필요성에 직면했습니다.

테크브릿지는 특히 한 유럽 기반의 기술 파트너와의 장기적인 제휴를 해체하기로 결정했습니다. 이 제휴는 초기에 상당한 성공을 거두었으나, 양측의 비즈니스 방향성이 점차 달라지면서 공통의 목표를 유지하기 어려워졌습니다. 제휴 해체 결정은 테크브릿지 내부에서도 많은 논란을 일으켰고, 특히 관련된 프로젝트 팀에서는 실망과 불안정감이 고조되었습니다.

제휴 해체 발표 후, 팀 내에서는 동기 부여가 저하되고, 스트레스와 불확실성이 증가했습니다. 팀원들 사이에는 해체 결정에 대한 정보가 충분히 제공되지 않았다는 불만이 제기되었고, 이는 신뢰의 저하로 이어졌습니다. 또한, 파트너 회사와의 관계에서도 긴장이 고조되어, 마무리 단계에서의 협력이 어려워졌습니다.

이 사례는 제휴 해체가 단순히 계약의 종료 이상의 의미를 가지며, 조직 내부와 외부에 심리적, 감정적 영향을 미칠 수 있음을 보여줍니다. 테크브릿지의 경험은 제휴 해체 과정에서 발생할 수 있는 심리적 문제를 사전에 파악하고 적절히 관리하는 것이 왜 중요한지를 강조합니다.

테크브릿지의 제휴 해체 과정에서 발생한 문제들은 주로 의사소통의 부재, 심리적 불안정성, 그리고 관리의 부족에서 기인했습니다. 이 세 가지 주요 요인은 제휴 해체의 복잡성을 증가시키고, 조직 내외부에서 다양한 감정적, 심리적 반응을 유발했습니다.

첫째, 의사소통의 부재는 내부 팀원들과 외부 파트너 모두에게 해체 결정과 그 이유를 충분히 전달하지 못한 결과, 불필요한 오해와 불안을 촉발했습니다. 해체 과정에서 투명한 커뮤니케이션이 이루어지지 않아, 관련 직원들은 자신들의 미래와 프로젝트의 방향에 대해 확신을 가지지 못했습니다. 이는 스트레스와 실망감을 증가시켰으며, 팀의 동기 부여와 성과에 부정적인 영향을 미쳤습니다.

둘째, 심리적 불안정성은 제휴 해체로 인한 불확실성과 변화가 팀원들의 작업 환경에 미치는 영향에서 비롯되었습니다. 제휴가 해체됨에 따라 팀원들 사이에는 일자리 상실의 두려움, 경력에 대한 불확실성, 그리고 새로운 업무 조정에 대한 스트레스가 증가했습니다. 이러한 심리적 불안정성은 팀 내 갈등을 촉발하고, 전반적인 업무 분위기를 악화시켰습니다.

셋째, 관리의 부족은 제휴 해체 과정을 계획하고 실행하는 데 필요한 충분한 자원과 지원이 부족했음을 의미합니다. 테크브릿지 경영진은 해체 결정을 내린 후, 실제 실행 과정에서 필요한 세심한 관리와 지원을 제공하지 못했습니다. 이는 해체 과정을 더욱 복잡하게 만들었고, 필요한 조정과 지원 없이 팀원들이 변화를 자체적으로 관리하도록 남겨둔 것이 문제를 악화시켰습니다.

이 세 가지 원인은 제휴 해체의 심리적, 감정적 영향을 효과적으로 관리하는 것이 얼마나 중요한지를 강조합니다. 제휴 해체 과정에서 발생할 수 있는 다양한 심리적 도전을 극복하고, 조직의 건강과 성과를 유지하기 위해서는 충분한 의사소통, 심리적 지원, 그리고 효과적인 관리 전략이 필수적입니다.

테크브릿지의 제휴 해체 과정에서 관리할 수 있는 심리학적 접근과 이론은 여러 가지가 있습니다. 이들 이론은 조직 내외의 갈등 해결, 심리적 안정성 유지, 그리고 변화 관리에 중점을 두고 있습니다.

갈등 해결 이론은 제휴 해체 시 발생하는 갈등을 효과적으로 관리하는 데 도움을 줄 수 있습니다. 미국의 심리학자 마샤 셸먼은 갈등 해결 과정에서 의사소통의 중요성을 강조하며, 서로 다른 관점을 이해하고 존중하는 방법을 제공합니다. 이 이론은 테크브릿지가 해체 결정을 내리고 이를 효과적으로 통보하며, 갈등을 최소화하는 데 중요한 역할을 할 수 있습니다.

변화 관리 이론은 조직 변화 시 발생할 수 있는 심리적 저항을 관리하고, 변화를 긍정적으로 수용하도록 유도하는 전략을 제공합니다. 존 코터의 8단계 변화 모델은 이러한 상황에서 특히 유용합니다. 모델의 각 단계는 변화를 준비하고 실행하며 그 결과를 공고히 하는 과정을 단계별로 설명하며, 이는 제휴 해체와 같은 큰 조직적 변화를 관리하는 데 적합한 구조를 제공합니다.

심리적 안정성 이론은 직원들이 겪는 불안정감을 최소화하고 심리적 안정성을 유지하는 방법에 대한 이론적 틀을 제공합니다. 이 이론은 제휴 해체 과정에서 발생할 수 있는 불확실성과 스트레스를 관리하는 데 중요하며, 직원들이 변화에 더 잘 적응할 수 있도록 지원합니다.

이러한 심리학 이론들의 적용은 테크브릿지가 제휴 해체 과정을 보다 건설적으로 관리하고, 조직 구성원들의 감정과 심리적 안정성을 보호하는 데 도움을 줄 수 있습니다. 이는 전체적인 조직의 건강을 유지하고, 장기적인 성공을 위한 기반을 마련하는 데 필수적인 요소입니다.

테크브릿지의 제휴 해체 과정에서 적용된 심리학 이론들은 다양한 심리적 도전을 효과적으로 관리하고 조직 내외의 갈등을 최소화하는 데 중요한 역할을 했습니다. 이 과정은 특히 갈등 해결 이론, 변화 관리 이론, 그리고 심리적 안정성 이론을 중심으로 진행되었습니다.

갈등 해결 이론의 적용을 통해, 테크브릿지는 제휴 해체 과정에서 발생 가능한 내부 및 외부의 갈등을 예방하고, 이미 발생한 갈등을 효과적으로 해결했습니다. 조직은 모든 관련 당사자들과의 정기적인 회의를 통해 투명하게 정보를 공유하고, 각 당사자의 우려와 기대를 명확히 이해할 수 있도록 했습니다. 이는 불확실성을 줄이고, 각 파트너의 입장에서 보다 공정하고 합리적인 해체 조건을 협상하는 데 기여했습니다.

변화 관리 이론을 활용하여, 테크브릿지는 제휴 해체를 조직 전체의 전략적 변화로 접근했습니다. 존 코터의 8단계 변화 모델에 따라, 회사는 직원들을 대상으로 변화의 필요성을 소통하고, 이에 대한 강력한 지도력을 보여주었습니다. 또한, 직원들이 변화를 수용하고 새로운 상황에 적응할 수 있도록 다양한 트레이닝과 워크숍을 제공했습니다. 이러한 접근은 직원들의 불안감을 완화하고, 조직 변화에 대한 지지를 확보하는 데 성공적이었습니다.

심리적 안정성 이론의 적용으로, 테크브릿지는 해체 과정에서 직원들의 심리적 안정성을 보호하는 데 중점을 두었습니다. 조직은 정기적인 심리 상담 서비스를 제공하고, 스트레스 관리 프로그램을 운영하여 직원들의 정서적 건강을 지원했습니다. 또한, 해체로 인해 발생할 수 있는 경력의 불확실성에 대응하기 위해 경력 개발 지원과 재배치 프로그램을 강화했습니다.

이러한 심리학적 접근과 전략적 조치들은 테크브릿지가 제휴 해체를 통해 발생할 수 있는 부정적인 영향을 최소화하고, 조직의 장기적인 안정성과 성장을 지원하는 데 큰 도움이 되었습니다. 이 과정은 다른 조직들에게도 제휴 해체 시 고려해야 할 심리학적 요소들과 적절한 관리 전략을 제공하는 사례로서 가치가 있습니다.

제휴 해체와 감정 관리의 상황에서 추가로 고려할 수 있는 심리학적 이론과 접근법은 조직과 개인이 겪는 변화와 감정적 도전을 극복하는 데 깊은 통찰을 제공합니다. 이러한 이론들은 제휴 해체 과정을 관리하는 데 더 광범위한 방법론을 제시하며, 조직의 회복력을 높이고 직원들의 만족도와 안정성을 보장하는 데 도움을 줄 수 있습니다.

1. 트라우마 심리학 - 제휴 해체가 일종의 조직적 트라우마로 작용할 수 있습니다. 트라우마 심리학은 크고 작은 충격 사건 후 개인과 조직이 겪는 심리적 반응을 이해하고 치료하는 방법을 제공합니다. 이 이론은 제휴 해체 후 나타날 수 있는 조직 내 충격 반응을 관리하고, 회복 과정을 지원하는 데 사용될 수 있습니다.

2. 회복력 이론 (Resilience Theory) - 이 이론은 개인과 조직이 어려움과 도전을 극복하고, 이로 인해 더 강해질 수 있는 능력을 연구합니다. 제휴 해체와 같은 변화 상황에서 조직의 회복력을 강화하는 전략을 개발하는 데 중요합니다. 회복력 있는 조직은 변화를 더욱 유연하게 받아들이고, 빠르게 적응하여 성공적으로 전진할 수 있습니다.

3. 감정 지능 이론 (Emotional Intelligence Theory) - 감정 지능은 개인이 자신과 타인의 감정을 인식하고 관리하는 능력입니다. 제휴 해체 과정에서 발생할 수 있는 다양한 감정을 적

절히 관리하고, 이를 통해 팀의 유대감과 협력을 유지하는 데 감정 지능이 큰 역할을 합니다. 감정 지능 높은 리더와 팀원은 변화의 과정에서도 팀 내 긍정적인 대인 관계를 유지할 수 있습니다.

이러한 심리학적 이론들을 추가적으로 고려하고 적용함으로써, 테크브릿지와 같은 조직은 제휴 해체 과정을 통해 발생할 수 있는 심리적, 감정적 문제를 보다 효과적으로 관리할 수 있습니다. 이를 통해 조직은 변화를 더욱 건강하고 생산적으로 관리할 수 있는 방법을 개발하며, 장기적인 성공과 안정성을 도모할 수 있습니다.

10. 국제 제휴와 문화간 심리학

문화의 다리:
국제 제휴에서의 문화간 심리학의 역할

국제 제휴는 오늘날 글로벌 경제에서 필수적인 전략 중 하나로 자리 잡고 있습니다. 하지만, 문화 간의 차이는 종종 이러한 제휴를 복잡하게 만드는 주요 요소입니다. 국제 제휴의 성공은 단순히 경제적 또는 기술적 협력을 넘어서, 서로 다른 문화적 배경을 가진 파트너들 간의 상호 이해와 심리적 조화에 크게 의존합니다. 이 장에서는 문화간 심리학이 국제 제휴에서 어떻게 중요한 역할을 하는지, 그리고 이를 통해 발생할 수 있는 도전과 기회를 어떻게 관리할 수 있는지를 탐구합니다.

글로벌 시장에서의 활동은 다양한 문화적 가치와 기대가 충돌할 수 있는 잠재력을 내포하고 있습니다. 이러한 충돌은 종종 비즈니스 관행, 의사소통 스타일, 결정 만드는 과정, 그리고 조직의 계층 구조에 대한 기대치에서 뚜렷하게 나타납니다. 국제 제휴를 추진하는 조직들은 이러한 차이를 인식하고 적절히 관리할 필요가 있습니다. 이를 위해 문화간 심리학은 필수적인 도구로 작용하며, 제휴의 각 단계에서 발생할 수 있는 문화적 장애를 극복하고, 상호 존중과 이해를 바탕으로 한 강력한 협력 관계를 구축하는 데 도움을 줍니다.

이 장에서는 국제 제휴의 성공적인 관리를 위한 문화간 심리학의 적용 방법을 소개하고, 이를 통해 조직이 글로벌 환경에서 겪는 도전을 어떻게 효과적으로 넘길 수 있는지에 대한 전략적 통찰을 제공합니다. 이러한 접근은 제휴 과정에서 발생하는 심리적, 문화적 갈등을 최소화하고, 글로벌 시장에서의 성장과 혁신을 촉진하는 핵심 요소로서 기능할 수 있습니다.

글로벌 제약 회사인 바이오파트너스는 최근 아시아 시장에서의 확장을 위해 여러 지역 기업들과의 제휴를 모색하고 있습니다. 이 과정에서 회사는 다양한 문화적 배경을 가진 기업들과의 상호작용에서 중요한 문화적 차이점과 그로 인한 도전을 경험했습니다. 특히, 일본과 중국의 기업들과의 협상 과정에서 상당한 문화적 충돌이 발생했습니다.

바이오파트너스의 경영진은 일본 파트너와의 제휴에서 협상 과정이 예상보다 훨씬 더 신중하고 절차적으로 진행되는 것을 발견했습니다. 일본 기업의 의사결정 과정은 집단적이고, 모든 관련자의 의견을 폭넓게 수렴하는 방식이었습니다. 반면, 중국 파트너와의 협상에서는 의사소통의 직접성과 결정의 신속함이 요구되었습니다. 이러한 차이는 바이오파트너스의 서구식 비즈니스 관행과 상충되었고, 여러 협상에서 문제가 발생했습니다.

이러한 상황은 바이오파트너스 내부에서도 큰 혼란을 야기했습니다. 팀원들 사이에서는 문화적 차이로 인한 스트레스와 불안정성이 증가했으며, 프로젝트의 일정이 지연되고 효율성이 저하되는 결과를 초래했습니다. 이는 제휴의 성공 가능성을 저하시킬 뿐만 아니라, 장기적으로 회사의 국제적 명성에도 영향을 미칠 위험이 있었습니다.

이와 별도로, 인도네시아와 말레이시아의 파트너십 개발 과정에서는 상대방의 의사결정 방식을 과소평가하는 문제가 발생했습니다. 이 두 지역에서는 관계 구축과 개인적 신뢰가 비즈니스 결정에 중대한 영향을 미치는데, 바이오파트너스의 접근 방식은 너무 기계적이고 결과 지향적이었습니다. 결과적으로, 초기 논의 단계에서부터 파트너들의 불신과 냉담한 반응을 경험하며, 예상치 못한 장애물에 부딪혔습니다.

이 사례들은 제휴 프로세스의 성공이 단순히 계약 조건이나 재무적 이익에 국한되지 않고, 문화적 감수성과 심리적 조화를 이루는 데 얼마나 의존하고 있는지를 명확하게 보여줍니다. 바이오파트너스는 이러한 문화간 차이를 관리하고 갈등을 최소화하기 위해 추가적인 전략과 투자가 필요함을 인식하게 되었습니다. 이는 조직 전반의 국제적 비즈니스 전략을 재평가하고, 보다 포괄적인 문화적 접근 방식을 채택하는 계기가 되었습니다.

바이오파트너스의 아시아 시장 확장을 위한 국제 제휴 과정에서 발생한 문제들은 주로 문화적 이해 부족, 의사소통 방식의 차이, 그리고 조직 내 준비 부족으로 요약할 수 있습니다. 이러한 문제들은 상호 작용하며 제휴의 효율성과 성공을 저해했습니다.

문화적 이해 부족이 가장 큰 문제 중 하나였습니다. 바이오파트너스의 경영진과 협상 팀은 다양한 국가들의 비즈니스 문화와 의사소통 스타일을 충분히 이해하지 못했던 것으로 나타났습니다. 일본과 중국에서의 협상은 특히 두드러진 문화적 충돌을 보여줬습니다. 일본에서는 의사결정 과정이 신중하고 집단적인 반면, 중국에서는 결정이 신속하게 이루어졌습니다. 이러한 차이는 예상치 못한 지연과 오해를 초래하며 협상의 진행을 복잡하게 만들었습니다.

또한 의사소통 방식의 차이는 각 나라의 문화에 따라 다르게 나타났고, 이는 협상 과정에서 심각한 문제를 일으켰습니다. 인도네시아와 말레이시아에서는 비공식적인 만남과 개인적인 신뢰 구축이 중요하다는 점을 고려하지 않은 채, 서구식 직접적인 비즈니스 접근 방식을 사용함으로써 협상 파트너의 불편함을 초래했습니다.

조직 내 준비 부족도 주요 원인으로 작용했습니다. 바이오파트너스는 국제 제휴를 위한 내부 준비가 충분하지 않았으며, 문화적 차이를 극복하기 위한 훈련과 리소스가 부족했습니다. 특히 경영진과 협상 팀이 문화적 민감성 훈련을 받지 못한 것은 문제를 더욱 심화시켰습니다. 이로 인해 제휴 과정에서 발생하는 각종 문제에 대한 적절한 대응 능력이 부족했고, 이는 결국 프로젝트의 지연과 효율성 저하로 이어졌습니다.

이러한 복합적인 원인들은 바이오파트너스가 국제 제휴를 추진할 때 반드시 고려해야 할 핵심 요소로, 문화적 감수성과 조직 내 준비의 중요성을 강조합니다. 이를 통해 보다 체계적이고 문화적으로 민감한 접근 방식을 채택함으로써 제휴 과정을 원활하게 하고, 국제 시장에서의 성공적인 확장을 보장할 수 있습니다.

바이오파트너스의 국제 제휴 과정에서 발생한 문제들을 해결하기 위해 적용할 수 있는 심리학 이론과 관련 학자들의 연구는 국제적 비즈니스 환경에서의 문화 간 의사소통과 갈등 해결에 중요한 통찰을 제공합니다. Geert Hofstede의 문화적 차원 이론은 국가 간의 문화적 차이를 이해하는 데 중요한 도구로서, 권력 거리, 개인주의 대 집단주의, 남성성 대 여성성, 불확실성 회피, 장기 지향성 등 다섯 가지 차원을 통해 각국의 문화를 분석합니다. 이러한 이해는 바이오파트너스가 아시아 시장의 다양한 문화적 배경을 파악하고, 각 제휴국의 비즈니스 행태와 의사소통 스타일을 적절히 예측하며 전략을 수립하는 데 도움을 줄 수 있습니다.

또한, David Livermore의 문화적 지능(Cultural Intelligence) 이론은 다양한 문화적 맥락에서 효과적으로 작동할 수 있는 능력을 설명하며, 높은 문화적 지능을 가진 개인은 문화적 차이를 인식하고 적응하여 이를 극복할 수 있습니다. 이는 바이오파트너스의 협상 팀이 각국의 파트너와 보다 효과적으로 소통하고 협력할 수 있도록 훈련하는 데 중요한 근거를 제공하며, 각국의 파트너들과의 의사소통과 관계 구축에서 발생할 수 있는 문화적 장애를 극복하는 데 중요한 역할을 합니다.

William Ury의 갈등 해결 모델은 갈등 상황에서 상대방과의 합의에 도달하는 방법을 제시하며, 갈등을 긍정적인 결과로 전환하는 전략을 제공합니다. 이 모델은 바이오파트너스가 문화적 충돌이나 오해로 인한 갈등을 효과적으로 관리하고 해결하는 데 도움이 됩니다. Ury의 접근법을 적용함으로써, 회사는 갈등 해결 과정에서 상대방의 입장을 더욱 깊이 이해하고, 상호 존중을 바탕으로 지속 가능한 해결책을 모색할 수 있습니다.

이러한 심리학적 이론들의 적용은 바이오파트너스가 국제 제휴를 추진하면서 발생할 수 있는 다양한 심리적, 문화적 도전을 보다 체계적으로 이해하고 관리하는 데 큰 도움이 됩니다. 문화적 이해와 적절한 갈등 해결 방법을 통해 국제 시장에서의 성공적인 확장과 파트너십 구축을 도모하며, 이는 제휴 과정을 통한 조직의 성장과 혁신을 촉진하는 핵심 요소로 작용할 것입니다.

바이오파트너스는 아시아 시장 확장을 위한 국제 제휴 과정에서 문화적 이해 부족과 의사소통 문제를 겪으며, 심리학적 이론을 효과적으로 적용하여 이러한 도전을 극복하고자 했습니다. 회사는 Hofstede의 문화적 차원 이론을 바탕으로 각 제휴국의 문화적 특성을 이해하기 위한 교육 프로그램을 직원들에게 제공함으로써, 각국의 비즈니스 문화를 더욱 존중하고 이해할 수 있도록 했습니다. 이 교육은 특히 집단주의와 개인주의의 차이에 초점을 맞추어, 일본과 중국 파트너와의 협상에서 보다 효과적인 의사소통 전략을 개발하는 데 큰 도움이 되었습니다.

David Livermore의 문화적 지능 개념을 활용한 다음 단계로, 바이오파트너스는 직원들의 문화간 의사소통 능력을 강화시키기 위해 다양한 문화적 배경을 가진 직원들로 구성된 팀을 만들어 실제 상황을 모의하고, 각기 다른 문화적 상황에서의 반응을 연습할 수 있는 워크숍을 실시했습니다. 이러한 실습은 팀원들이 서로의 문화적 배경을 이해하고, 갈등 상황에서 보다 건설적으로 대응할 수 있도록 도움을 주었습니다, 각 팀원들은 이 경험을 통해 실제 협상 상황에서 문화적 차이를 극복하고 효과적으로 의사소통할 수 있는 실질적인 방법들을 배울 수 있었습니다.

William Ury의 갈등 해결 이론을 활용하여, 회사는 갈등이 발생했을 때 적극적으로 개입하고 해결하는 메커니즘을 내부적으로 구축했습니다. 주로 직원들 사이의 워크숍 및 팀 빌딩 세션을 통해 강화된 이 메커니즘은 직원들에게 갈등 상황에서 감정을 제어하고 상호 이해를 도모하는 방법을 가르쳤습니다. 이러한 교육은 직원들이 갈등을 긍정적인 결과로 전환할 수 있는 기술을 개발하는 데 도움을 주었으며, 이는 제휴 과정 중 발생할 수 있는 문제를 효과적으로 관리할 수 있게 만들었습니다. 이러한 접근 방식은 또한 조직 전반의 문화적 감수성을 향상시키고, 제휴 관계에서 발생할 수 있는 문제들을 선제적으로 예방하는 효과를 가져왔습니다.

바이오파트너스의 국제 제휴 경험을 통해 배운 교훈을 바탕으로, 추가적으로 탐구할 수 있는 심리학적 이론들은 제휴 관계의 성공과 지속 가능성을 높이는 데 크게 기여할 수 있습니다. 이러한 이론들은 특히 문화적 차이를 넘어 서로의 가치와 목표를 이해하고 조화를 이루려는 국제 비즈니스 환경에서 매우 유용합니다.

1. 정서적 유대 이론 (Emotional Bonding Theory) - 정서적 유대 이론은 관계의 질과 감정의 역할을 중심으로 한다. 강력한 정서적 유대는 신뢰와 충성도를 증진시키며, 이는 제휴 관

계에서 매우 중요한 요소입니다. 제휴 과정에서 각 파트너 간에 강한 정서적 연결을 구축하는 방법을 이해하고 적용하는 것은 장기적인 협력을 성공적으로 유지하는 열쇠가 될 수 있습니다.

2. 문화적 적응성 이론 (Cultural Adaptability Theory) - 이 이론은 개인과 조직이 다양한 문화적 상황에 어떻게 효과적으로 적응하고 통합할 수 있는지를 다룬다. 제휴 과정에서 문화적 적응성을 높이는 것은 이질적인 가치와 신념 시스템을 가진 파트너들 간의 원활한 상호작용을 보장하는 데 중요합니다. 문화적 적응성을 향상시키는 전략을 개발하고 실행하는 것은 국제 제휴에서 발생할 수 있는 마찰을 최소화하고, 각 파트너의 비즈니스 관행과 의사소통 스타일을 보다 효과적으로 통합하는 데 도움을 줄 수 있습니다.

3. 조직 심리학의 응용 (Application of Organizational Psychology) - 조직 심리학은 조직 내의 인간 행동과 조직 구조, 프로세스 간의 상호 작용을 연구한다. 국제 제휴의 맥락에서 조직 심리학을 적용함으로써, 제휴 관계 내에서 발생할 수 있는 인간 관계의 복잡성과 동기 부여의 문제를 이해하고 관리할 수 있습니다. 조직 심리학적 접근은 제휴 과정에서 인간 중심의 문제를 해결하고, 조직 문화를 효과적으로 통합하는 데 중요한 역할을 할 수 있습니다.

이러한 심리학적 이론들을 추가적으로 탐구하고 적용함으로써, 바이오파트너스는 국제 제휴를 통한 글로벌 확장 전략을 더욱 효과적으로 수행할 수 있으며, 제휴 과정에서 발생할 수 있는 다양한 문제를 선제적으로 관리하고 해결하는 데 필요한 심리학적 도구를 갖추게 됩니다. 이는 조직의 글로벌 비즈니스 활동을 지원하고, 파트너십을 통한 지속 가능한 성장과 혁신을 촉진하는 데 결정적인 기여를 할 것입니다.

VII. 재무 관리와 심리학

행동 재무학의 중심에서 인간의 심리를 탐구하다

재무 관리의 세계에서 숫자와 데이터는 결정을 내리는 주된 요소로 여겨지지만, 인간의 행동과 심리가 재무 결정 과정에 미치는 영향은 간과할 수 없는 요소입니다. 이 챕터는 재무 관리를 둘러싼 인간의 심리적 요인을 탐구하고, 경제적 의사결정이 단순히 논리적이고 계산적인 과정을 넘어서는 방식을 설명합니다. 특히, 행동 재무학이라는 분야는 전통적인 재무 이론에 도전하며, 경제적 행동이 어떻게 종종 비이성적이고 감정에 기반을 둔 결정에 의해 좌우될 수 있는지를 밝혀냈습니다.

인간의 감정은 재무 의사결정의 중요한 부분을 차지합니다. 두려움, 욕심, 희망과 같은 감정은 투자 결정을 크게 왜곡할 수 있으며, 이러한 감정의 역할을 이해하는 것은 재무 관리자에게 필수적입니다. 경제적 위기 상황에서의 심리적 대응을 분석함으로써, 우리는 위기 동안 개인과 조직이 어떻게 때로는 비합리적으로 행동할 수 있는지를 볼 수 있습니다. 또한, 투자 포트폴리오의 다양성을 설계할 때도 인간의 심리적 특성을 고려하여 더 넓은 관점에서 위험을 관리하고, 잠재적 손실에 대한 두려움을 줄일 수 있는 전략을 개발합니다.

재무 스트레스 관리는 이 분야에서 중요한 연구 주제 중 하나로, 금융 불안정이 개인의 심리적 건강과 일상 생활에 미치는 영향을 조명합니다. 재무 계획과 심리학적 접근을 통합하여, 재무 상담자와 계획자들은 클라이언트의 심리적 요인을 이해하고 이에 기반한 맞춤형 조언을 제공할 수 있습니다. 이는 개인 및 조직이 장기적인 재정적 안정성을 추구하고, 경제적 행동을 보다 합리적으로 조율할 수 있도록 돕습니다.

이 챕터는 재무 관리와 심리학이 어떻게 상호작용하며, 이 두 분야의 융합이 어떻게 우리가 재무 세계를 이해하고 개선하는 데 도움을 줄 수 있는지에 대한 깊이 있는 탐색을 제공합니다. 투자 행위의 심리적 특성을 이해함으로써, 우리는 더 나은 재무 결정을 내리고, 경제적 안정성을 향상시키며, 전반적인 금융 건강을 증진할 수 있습니다. 이는 특히 급변하는 경제 환경에서 더욱 중요하며, 심리학적 통찰을 통해 재무 전문가들은 이러한 도전에 더 효과적으로 대응할 수 있습니다.

1. 재무 결정과 행동 재무학

재무 결정과 행동 재무학:
심리학의 렌즈를 통해 경제적 선택을 재조명하다

재무 관리의 세계에서는 종종 숫자와 통계가 지배적이라고 생각됩니다. 하지만, 이러한 결정들이 이루어지는 배경에는 다양한 인간의 심리적 요소가 깊숙이 자리 잡고 있습니다. '행동 재무학'은 이러한 심리적 요소를 분석하여, 왜 사람들이 경제적으로 이상적이지 않은 선택을 하는지, 또는 왜 시장이 예측 가능한 방식으로 반응하지 않는지를 설명합니다. 이 분야는 전통적인 경제 이론이 예측하는 합리적인 행동자 모델에서 벗어나, 실제 인간의 비합리적인 행동 패턴을 심층적으로 탐구합니다.

이 절에서는 행동 재무학이 재무 결정 과정에 어떻게 적용될 수 있는지를 살펴봄으로써, 이론적 통찰과 실제 적용 사례를 통해 이 분야의 중요성을 강조하고자 합니다. 재무 결정을 내릴 때, 투자자들은 종종 과거의 성공 경험, 개인적인 감정, 시장의 일시적인 분위기 등에 크게 영향을 받습니다. 이러한 요인들은 종종 투자자들이 시장의 기본적인 가치와는 독립적으로 행동하게 만들며, 이는 때로 시장의 비효율성을 초래하기도 합니다.

행동 재무학은 이러한 인간의 경제적 행동을 설명하기 위해 다양한 심리학적 이론을 도입합니다. 예를 들어, '확인 편향'은 사람들이 자신의 믿음을 뒷받침하는 정보만을 선택적으로 수집하고, 반대되는 정보는 무시하는 경향을 설명합니다. 이는 투자 결정 과정에서 매우 흔하게 발견되며, 시장에서의 잘못된 평가를 초래할 수 있습니다. 또한, '손실 회피'는 사람들이 손실을 입는 것을 피하기 위해 더 큰 위험을 감수하게 되는 심리적 경향을 설명하며, 이는 과도한 위험 행동으로 이어질 수 있습니다.

이를 통해 독자들은 재무 결정을 내리는 과정에서 발생할 수 있는 다양한 심리적 요인들을 이해하고, 이를 어떻게 식별하고 관리할 수 있는지에 대한 실질적인 방안을 모색할 수 있을 것입니다. 또한, 행동 재무학이 제공하는 통찰을 통해 더욱 합리적이고 효과적인 재무 결정을 내릴 수 있는 기반을 마련하게 될 것입니다. 이는 개인 투자자뿐만 아니라, 조직의 재무 관리자들에게도 귀중한 지침을 제공할 것입니다.

재무 결정과 행동 재무학의 맥락에서 살펴볼 수 있는 상황 사례는, 대형 투자 은행 메트로폴리탄 인베스트먼트가 최근에 겪은 투자 실패 사례입니다. 이 은행은 고위험 고수익을 목표로 신흥 기술 스타트업에 대규모 자본을 투입했습니다. 초기에는 시장에서 큰 기대를 모았으나, 투자한 스타트업들이 기술 개발과 상업화 과정에서 중대한 장애물에 부딪치며 성과를 보이지 못했습니다.

이러한 투자 결정은 메트로폴리탄 인베스트먼트가 갖고 있던 과거의 성공적인 투자 경험과 기술 혁신에 대한 과도한 낙관으로 인해 추진되었습니다. 분석가들은 투자 대상 기업들의 시장 잠재력을 과대평가했으며, 기술 개발의 리스크 요소를 충분히 고려하지 않았습니다. 또한, 경제적 전망이 불확실하고 경쟁이 치열한 상황에서도 투자를 강행, 이는 결국 대규모 손실로 이어졌습니다.

메트로폴리탄 인베스트먼트의 내부적으로도 이러한 고위험 투자 결정은 큰 논란을 불러일으켰습니다. 일부 경영진은 보다 신중한 접근을 주장했으나, 회사의 의사 결정 구조에서는 신기술 부문에 대한 투자 확대가 우선시되었습니다. 이러한 내부 결정은 투자 분석의 객관성을 저해하고, 결국 잘못된 재무 결정을 내리는 결과를 초래했습니다.

이 사례에서 메트로폴리탄 인베스트먼트는 불확실성과 변동성이 큰 시장에서의 투자 결정 과정에서 발생할 수 있는 여러 심리적 요인들, 특히 과거의 성공에 대한 과신과 시장 동향에 대한 낙관적 전망이 어떻게 재무적 판단을 왜곡할 수 있는지를 명확히 보여줍니다. 이는 행동 재무학이 금융 결정에서 인간 심리의 역할을 어떻게 해석하고 이해하는지에 대한 중요한 사례로, 재무 결정을 내릴 때 심리적 요인을 간과해서는 안 됨을 강조하고 있습니다. 이 사례 분석은 향후 비슷한 고위험 투자 상황에서 보다 균형 잡힌 결정을 내리는 데 필요한 근거를 제공하며, 재무 전문가들이 이러한 심리적 오류를 인식하고 이에 대응할 수 있는 전략을 개발하는 데 도움을 줄 수 있습니다.

메트로폴리탄 인베스트먼트의 투자 실패 사례를 분석하면, 몇 가지 중요한 문제 원인을 확인할 수 있습니다.

첫째, 투자 결정 과정에서 과도한 낙관주의와 과거 성공 경험에 대한 과신이 중대한 역할을 했습니다. 이러한 심리적 편향은 투자 분석가들이 잠재적인 리스크를 충분히 고려하지 않고, 가능성이 낮은 최선의 시나리오에 의존하는 결정을 내리게 만들었습니다.

둘째, 시장의 변동성과 경쟁 요소를 제대로 평가하지 못한 점도 큰 문제였습니다. 메트로폴리탄 인베스트먼트의 분석가들은 경쟁 기업들의 움직임과 기술 발전 속도를 과소평가하면서, 투자 대상 기업들이 시장에서 빠르게 성장할 것이라고 잘못 예측했습니다. 이로 인해 실제 시장 환경과 맞지 않는 투자 전략을 수립하게 되었고, 이는 투자 손실로 직결되었습니다.

셋째, 내부 의사결정 구조에서의 문제도 드러났습니다. 회사 내부에서 고위험 투자에 대한 경고를 제기한 목소리가 있었음에도 불구하고, 의사결정 과정에서 충분한 논의와 반대 의견을 고려하지 않았습니다. 이는 결국 잘못된 재무 결정을 내리는 데 결정적인 역할을 했습니다.

이러한 원인들은 메트로폴리탄 인베스트먼트가 직면한 특정 문제들을 설명해 줄 뿐만 아니라, 행동 재무학에서 다루는 인간의 심리적 특성과 의사결정 과정에서의 편향이 어떻게 재무적 결정에 영향을 미칠 수 있는지에 대한 귀중한 통찰을 제공합니다. 이를 통해 재무 전문가들은 심리적 요인을 더욱 주의 깊게 고려하고, 재무 결정 과정을 개선하는 데 필요한 전략을 개발할 수 있습니다.

메트로폴리탄 인베스트먼트의 투자 실패 사례에 적용할 수 있는 심리학 이론 중 하나는 인지적 부조화 이론입니다. 이 이론은 레온 페스팅거에 의해 개발되었으며, 개인이 자신의 행동과 믿음이 일치하지 않을 때 경험하는 심리적 불편함을 설명합니다. 이러한 불편함은 개인이 정보를 왜곡하거나 무시함으로써 자신의 기존 믿음을 유지하려는 경향을 촉진합니다. 메트로폴리탄 인베스트먼트의 분석가들이 초기의 낙관적 예측에 부합하지 않는 시장 데이터가 드러났을 때 이를 간과하고 초기 결정을 계속 추진한 것은 인지적 부조화를 피하기 위한 행동으로 해석될 수 있습니다. 이는 결국 잘못된 투자 결정을 계속 유지하게 하여 회사에 큰 손실을 입혔습니다.

또한, 손실 회피 이론은 다니엘 카너먼과 애머스 트버스키가 발전시킨 개념으로, 사람들이 이익을 얻는 것보다 손실을 피하는 것을 더 강하게 선호한다는 점을 지적합니다. 이 이론은 투자자들이 잠재적 손실을 막기 위해 이미 손실이 발생한 투자에 더 많은 자본을 투입하는 경향을 설명하는 데 유용합니다. 메트로폴리탄 인베스트먼트의 경우, 초기 투자가 실패로 돌아가자 분석가들은 더 큰 손실을 피하기 위해 추가적인 자본을 투입하는 결정을 내렸습니다. 이러한 결정은 손실 회피의 감정적 동기에 기반을 두고 있었으며, 경제적 논리보다는 심리적 욕구가 더 큰 영향을 미친 예로 볼 수 있습니다.

정서적 감염 이론도 중요한 이론으로, 하트먼트 도널드에 의해 연구되었습니다. 이 이론은 집단 내에서 감정이 어떻게 전파되는지를 설명하며, 긍정적 또는 부정적 감정이 집단 구성원들 사이에 빠르게 확산되어 집단의 의사결정에 영향을 줄 수 있음을 보여줍니다. 메트로폴리탄 인베스트먼트의 사례에서, 회사 내부의 낙관적 분위기가 투자 결정 과정에 과도한 위험 감수를 정당화하는 데 영향을 미쳤습니다. 이러한 감정의 전파는 투자 팀이 시장의 경고 신호를 무시하고 과도한 투자를 계속하는 데 일조했습니다.

이와 같은 심리학적 이론들을 통해 메트로폴리탄 인베스트먼트의 투자 실패를 분석하면, 재무 결정 과정에서 인간의 심리가 얼마나 중요한 역할을 하는지 깊이 이해할 수 있습니다. 이론적 통찰을 바탕으로 재무 전문가들은 더욱 신중하고 균형 잡힌 투자 결정을 내릴 수 있으며, 심리적 편향과 감정의 영향을 관리하고 최소화하는 전략을 개발할 수 있습니다. 이는 장기적으로 회사의 재무 건전성과 시장에서의 경쟁력을 강화하는 데 기여할 것입니다.

메트로폴리탄 인베스트먼트의 경우에서 인지적 부조화 이론과 손실 회피 이론을 적용해 볼 때, 회사는 여러 심리학적 개입을 통해 투자 의사 결정 과정을 개선할 수 있습니다.

첫째로, 인지적 부조화를 줄이기 위해, 회사는 의사 결정 과정에서 발생할 수 있는 인지적 편향을 명확히 식별하고 이에 대응하기 위한 교육 프로그램을 도입해야 합니다. 이를 통해 직원들이 자신의 믿음과 행동 사이의 불일치를 인식하고, 객관적인 데이터에 기반한 결정을 내리는 데 집중할 수 있도록 격려합니다.

둘째로, 손실 회피 경향을 관리하기 위해, 회사는 투자 결정 시 리스크 관리 프로토콜을 강화해야 합니다. 이는 투자자들이 잠재적 손실을 과도하게 두려워하여 불필요하게 공격적인 투자를 지속하는 것을 방지하는 데 도움이 됩니다. 예를 들어, 각 투자 결정에 대한 리스크 분석을 정기적으로 수행하고, 이를 투자 위원회에서 평가받도록 하는 절차를 마련합니다.

셋째로, 정서적 감염 이론을 고려하여, 회사는 직원들 사이의 감정적 동기가 의사결정에 미치는 영향을 최소화하기 위한 전략을 개발해야 합니다. 이를 위해, 회사는 정기적인 감정 관리 워크숍을 실시하여 직원들이 자신의 감정과 타인의 감정을 보다 효과적으로 관리할 수 있는 방법을 학습하게 합니다. 또한, 의사결정 과정에서 객관성과 합리성을 유지하도록 지원하는 문화를 조성하는 것이 중요합니다.

이러한 접근 방법들은 메트로폴리탄 인베스트먼트가 심리적 요인으로 인한 의사결정 오류를 줄이고, 장기적으로 더 견고하고 지속 가능한 투자 전략을 개발하는 데 도움을 줄 수 있습니다. 이는 결국 회사의 재무 건전성을 향상시키고, 시장에서의 경쟁력을 강화하는 결과로 이어질 것입니다. 이 과정을 통해 메트로폴리탄 인베스트먼트는 행동 재무학의 원칙을 실제 재무 관리에 성공적으로 통합함으로써, 심리학적 통찰이 재무 결정에 미치는 긍정적인 영향을 극대화할 수 있습니다.

재무 결정의 심리학에 대한 추가적인 연구와 이론을 살펴보는 것은 메트로폴리탄 인베스트먼트와 같은 기업들이 더 효과적인 투자 결정을 내리는 데 중요한 통찰을 제공할 수 있습니다. 다음은 이 분야에서 더 탐구할 만한 주요 주제들입니다:

1. 행동 재무학: 이 분야는 전통적인 재무 이론과 심리학적 통찰을 결합하여, 사람들이 비합리적인 금융 결정을 내리는 이유를 탐구합니다. 투자자들이 어떻게 시장 정보를 처리하고, 어떤 심리적 편향이 이들의 투자 행위에 영향을 미치는지 이해하는 것이 중요합니다.

2. 감정과 의사결정: 감정이 개인의 투자 결정에 어떻게 영향을 미치는지에 대한 연구는, 투자자가 불안, 공포, 욕심과 같은 강한 감정에 휘둘리지 않고 더 합리적인 결정을 내릴 수 있도록 도울 수 있습니다. 감정의 역할을 이해하면, 감정적 반응을 조절하고 더 균형 잡힌 투자 결정을 촉진하는 전략을 개발하는 데 도움이 됩니다.

3. 사회적 영향과 투자: 사회적 영향이 개인 및 집단 투자 결정에 미치는 영향을 탐구하는 것도 유익합니다. 이는 투자자들이 어떻게 주변 사람들의 행동과 의견에 영향을 받는지, 그리고 이러한 영향이 투자 결과에 어떻게 반영되는지에 대한 이해를 높일 수 있습니다.

4. 심리학적 안정성과 투자 성과: 심리적 안정성이 투자 성과에 어떻게 영향을 미치는지 연구하는 것은 재무 전문가들에게 중요한 통찰을 제공합니다. 안정된 정신 상태를 유지하는 투자자가 더 좋은 재무 결정을 내리는지, 불안정한 정신 상태가 재무 위험을 증가시키는지에 대한 분석이 포함될 수 있습니다.

이러한 추가적인 주제들을 탐구함으로써, 재무 전문가들은 인간의 심리가 금융 행위에 미치는 광범위한 영향을 보다 깊이 이해하고, 이를 기반으로 더 효과적인 재무 관리 전략을 수립할 수 있습니다. 이는 또한 기업이 더 나은 재무 건전성을 확보하고, 장기적으로 경쟁력을 유지하는 데 중요한 역할을 할 것입니다.

2. 위험 감수와 재무 관리

재무의 모험:
위험 감수와 재무 관리의 심리학적 접근

재무 관리의 핵심 요소 중 하나는 위험 감수의 정도를 얼마나 효과적으로 관리하느냐에 달려 있습니다. 특히, 재무 결정을 내릴 때 발생할 수 있는 다양한 위험 요소를 식별하고 이를 적절히 조절하는 것은 기업의 재정 안정성과 성장 잠재력을 결정짓는 결정적인 요소입니다. 이러한 위험 관리 과정에서는 단순히 재무적 측면만이 아니라, 심리학적 요인도 매우 중요한 역할을 합니다. 심리학적 요인은 개인과 조직이 위험을 어떻게 인식하고, 이에 대응하여 어떠한 결정을 내리는지에 큰 영향을 미치기 때문입니다.

위험 감수와 관련된 재무 관리를 살펴보면, 이는 단순히 잠재적 손실의 가능성을 계산하는 것 이상의 의미를 갖습니다. 심리학적 요소를 포함한 위험 관리는 투자자의 행동, 시장의 심리, 그리고 경제적 예측의 변동성에 이르기까지 여러 차원에서 이해되어야 합니다. 예를 들어, 투자자가 경제적 불확실성이 높은 시기에도 고위험 투자를 선호하는 현상을 이해하기 위해서는, 단순한 수익률 계산보다는 행동 재무학적 접근이 필요합니다.

이러한 관점에서, 본 장에서는 심리학적 요인이 재무 관리와 위험 감수 결정에 어떤 영향을 미치는지를 살펴보고, 이를 통해 더 나은 재무 결정을 내릴 수 있는 전략을 모색합니다. 우리는 특히 위험과 관련된 심리학적 이론들을 적용하여, 재무 관리자들이 이러한 이론을 실제 재무 결정 과정에 어떻게 통합할 수 있는지를 탐구할 것입니다. 이를 통해 재무 전문가들은 위험을 보다 효과적으로 관리하고, 재무적 위기 상황에서도 안정적인 결정을 내릴 수 있는 능력을 개발할 수 있을 것입니다.

세계적인 투자 은행 블루웨이브 캐피탈은 최근 몇 년 동안 급변하는 글로벌 금융 시장의 불확실성 속에서 자신들의 투자 포트폴리오 관리에 상당한 어려움을 겪고 있습니다. 이 은행은 특히 높은 수익률을 목표로 신흥 시장과 첨단 기술 분야의 스타트업에 대한 투자를 적극적으로 확대해왔습니다. 하지만, 이러한 시장들의 예측 불가능한 변동성이 블루웨이브 캐피탈의 재무 건전성에 예기치 않은 타격을 입혔습니다.

투자 은행의 경영진은 글로벌 경제의 다양한 변화에 적응하고자 했으나, 예상치 못한 금리 인상, 주요 국가들의 경제 정책 변화, 무역 긴장의 고조 등 외부 요인들이 은행의 투자 성과에 부정적인 영향을 미쳤습니다. 특히 미국의 금리 인상과 유럽 경제의 불안정, 중국의 경제 성장 둔화가 큰 변수로 작용했습니다. 이러한 글로벌 경제의 동향은 블루웨이브 캐피탈이 초기에 설정한 투자 전략의 유효성을 심각하게 훼손하며, 회사는 이에 대응하기 위한 적절한 리스크 관리 전략을 강구해야만 했습니다.

블루웨이브 캐피탈의 상황은 불확실한 경제 환경에서 고위험 투자를 관리하는 데 필요한 전략적 접근의 중요성을 재조명하고 있습니다. 경영진은 회사의 장기적인 재무 안정성을 확보하고, 투자 손실을 최소화하기 위해 기존 투자 전략을 재평가하고 새로운 경제적 예측에 기반한 보다 신중한 투자 결정을 내려야 할 필요성에 직면하고 있습니다. 이 과정에서 심리적 요인의 영향력을 인식하고, 투자 의사결정 과정에서 발생할 수 있는 각종 심리적 편향을 고려하는 것이 필수적입니다.

이와 같은 상황에서 블루웨이브 캐피탈은 고위험 투자를 효과적으로 관리하고 재무적 위험을 체계적으로 점검할 수 있는 리스크 관리 프레임워크를 개발하는 것을 고려하고 있습니다. 이러한 프레임워크 개발은 회사가 시장 변동성과 글로벌 경제의 불확실성에 능동적으로 대응할 수 있는 기반을 마련해 주며, 재무 전문가들이 위험 감수와 재무 관리를 보다 효과적으로 수행할 수 있도록 지원할 것입니다.

블루웨이브 캐피탈이 직면한 투자 실패는 여러 요인에서 비롯되었습니다.

첫 번째로, 과도한 시장 낙관주의가 문제의 근본 원인 중 하나였습니다. 경제 성장에 대한 과잉 기대가 투자 결정을 흐리게 하여, 실제 시장 조건과는 무관하게 높은 리스크를 감수하도록 유도했습니다. 이러한 낙관주의는 특히 높은 성장이 예상되는 신흥 시장과 기술 스타트업 분야에서 더욱 두드러졌습니다.

두 번째로, 내부 의사소통의 실패와 정보의 비대칭이 큰 영향을 미쳤습니다. 투자 은행 내에서 정보가 제대로 공유되지 않아, 의사결정 과정에서 모든 관련 데이터와 위험 요소가 충분히 고려되지 못했습니다. 이로 인해 일부 부서는 시장의 변화에 대해 제때 대응하지 못하고, 잠재적인 위험을 간과하는 실수를 범하였습니다.

세 번째 원인은 외부 경제 환경의 급변입니다. 글로벌 금융 위기, 금리 변동, 무역 전쟁 등과 같은 불가피한 외부 요인들이 투자 은행의 전략에 직접적인 영향을 미쳤습니다. 특히, 주요 경제국의 금리 인상은 기대하지 못한 자본 비용 증가를 초래하여, 투자 수익률에 부정적인 영향을 미쳤습니다.

네 번째로, 심리적 요인도 중요한 역할을 했습니다. 투자자들 사이에서 발생한 집단 사고 현상이 위험 평가를 왜곡하였습니다. 특정 투자에 대한 집단적 낙관주의가 비판적 사고를 억제하고, 반대 의견을 충분히 수렴하지 못하게 만들어 결국 잘못된 결정을 내리게 했습니다.

이러한 다양한 문제들이 복합적으로 작용하여 블루웨이브 캐피탈은 예상치 못한 투자 손실을 경험하게 되었고, 이는 회사 전체의 재무 전략에 심각한 재검토를 요구하는 결과를 낳았습니다. 이 사례를 통해 재무 관리 전문가들은 외부 시장 변화에 대응하고 내부 의사결정 구조를 강화하는 동시에, 심리적 요인을 고려하여 보다 균형 잡힌 투자 결정을 내리는 방법에 대해 심도 깊게 고민해야 할 필요성을 인식하게 되었습니다.

블루웨이브 캐피탈의 상황에 적용할 수 있는 여러 심리학 이론 중 중요한 것은 행동 재무학 (Behavioral Finance)입니다. 이 이론은 전통적인 재무 이론이 가정하는 합리적 투자자 모델을 수정하여, 실제 투자자들의 비합리적 행동과 의사결정을 설명합니다. 행동 재무학은 심리학적 요인과 인지적 편향이 금융 시장에서 어떻게 작용하는지를 탐구하며, 투자자들이 때때로 손실을 방지하기 위해 비합리적인 결정을 내리는 원인을 분석합니다.

대표적인 이론으로는 다니엘 카너먼과 애머스 트버스키가 제안한 전망 이론(Prospect Theory)이 있습니다. 전망 이론은 투자자들이 손실에 대해 획득보다 더 큰 무게를 두고 반응한다는 것을 설명합니다. 즉, 투자자들은 동일한 크기의 이득보다 손실을 피하는 것을 더 선호한다는 점을 드러냅니다. 이 이론은 블루웨이브 캐피탈의 투자 결정 과정에서 나타난 집단적 낙관주의와 집단 사고를 이해하는 데 도움을 줍니다.

또한, 리처드 탈러와 캐스 선스타인이 개발한 넛지 이론(Nudge Theory)도 중요합니다. 이 이론은 사람들이 더 나은 결정을 내릴 수 있도록 간단한 개입(넛지)을 통해 선택의 구조를 조정하는 방법을 제시합니다. 예를 들어, 투자 결정 과정에서 구조적으로 안전한 선택을 유도하거나, 리스크 관련 정보를 더 강조하는 방식이 이에 해당합니다. 넛지 이론은 투자 은행이 직면한 문제를 해결하는 데 있어, 투자자들이 보다 정보에 기반한 결정을 내리도록 유도하는 데 유용할 수 있습니다.

이 외에도 감정의 역할을 탐구하는 심리학적 연구는 투자자들이 어떻게 감정적 요인에 의해 영향을 받는지, 특히 스트레스가 높은 시장 환경에서 어떻게 결정을 내리는지를 이해하는 데 중요합니다. 이러한 이론들을 통해 블루웨이브 캐피탈은 자신들의 재무 관리 전략을 재정립하고, 심리학적 통찰을 바탕으로 보다 효과적인 투자 결정을 내릴 수 있는 기반을 마련할 수 있습니다. 이는 재무 위험을 줄이고, 회사의 장기적인 성공을 지원하는 중요한 단계가 될 것입니다.

블루웨이브 캐피탈은 위험 관리 문제에 대한 접근으로 심리학적 이론을 통합하여 개선 방안을 찾아냈습니다. 회사는 특히 전망 이론을 이용해 투자자들의 손실 회피 경향을 분석하고, 이러한 인식을 투자 결정 과정에 반영했습니다. 투자 포트폴리오를 재검토하면서, 투자자들이 잠재적 손실에 대해 과민 반응할 가능성이 있는 투자 옵션을 식별하고, 이에 대한 명확한 관리 전략을 수립했습니다. 이를 통해, 고위험 투자에 대한 경고 시스템을 개선하여, 투자자들이 더욱 신중하게 결정을 내릴 수 있도록 도와주었습니다. 이러한 조치는 투자자들이 감정에 치우치지 않고 더 균형 잡힌 투자 결정을 내릴 수 있게 유도했습니다.

넛지 이론을 적용하는 과정에서는 의사결정 구조에 작은 변화를 도입하여, 투자자들이 더 합리적인 선택을 할 수 있도록 유도했습니다. 투자 과정에서 제공되는 정보의 구성을 조정하여, 투자자들이 리스크를 더 명확하게 인식하고, 장기적인 수익성을 고려할 수 있도록 만들었습니다. 예를 들어, 투자 리스크 관련 정보를 더 강조하고, 장기적인 수익 가능성에 대한 정보도 함께 제공함으로써, 투자자들이 단순히 단기적 손실을 피하려는 경향에서 벗어나도록 했습니다. 이는 투자자가 더 균형 잡힌 관점에서 투자 결정을 내릴 수 있는 환경을 조성하였습니다.

이러한 접근은 투자자의 행동이 심리적 요인에 크게 영향을 받는다는 사실을 바탕으로 합니다. 심리학적 이론을 재무 관리 전략에 적용함으로써, 블루웨이브 캐피탈은 투자 결정 과정에서 발생할 수 있는 심리적 오류를 최소화하고, 보다 견고한 투자 결정을 내릴 수 있는 기반을 마련하였습니다. 이는 투자자들의 심리적 안정을 증진시키고, 재무 위험을 감소시키며, 결국 회사의 장기적 재무 건전성과 성장을 지원하는 중요한 단계로 작용했습니다. 이러한 전략적인 심리학적 접근은 재무 관리의 효율성을 크게 향상시키는 동시에, 투자 은행이 시장의 변동성과 글로벌 경제의 불확실성 속에서도 더욱 탄력적으로 대응할 수 있게 해주었습니다.

블루웨이브 캐피탈의 사례에서 심리학적 이론을 효과적으로 적용한 점을 바탕으로, 재무 관리 분야에서 심리학의 활용은 투자자의 의사결정 과정을 보다 잘 이해하고 최적화하는 데 크게 기여할 수 있습니다. 이와 관련하여 추가로 탐구할 수 있는 몇 가지 심리학적 접근은 다음과 같습니다.

1. 인지 부조화 이론(Cognitive Dissonance Theory): 이 이론은 개인이 서로 모순되는 믿음, 태도 또는 행동을 가지고 있을 때 경험하는 불편함을 설명합니다. 재무 의사결정에서 이 이론을 적용하면, 투자자들이 손실을 경험했을 때 자신의 투자 선택을 정당화하려는 경향을 이

해할 수 있습니다. 이는 투자자가 보다 합리적인 결정을 내릴 수 있도록 지원하는 전략을 개발하는 데 유용할 수 있습니다.

2. 확증 편향(Confirmation Bias): 이는 사람들이 자신의 기존 믿음을 지지하는 정보에 더 많은 주의를 기울이고, 반대되는 정보를 무시하는 경향을 설명합니다. 투자자가 자신의 초기 투자 결정을 계속해서 옹호하려는 경향을 이해하는 데 도움이 될 수 있으며, 이러한 편향을 어떻게 관리하고 극복할 수 있는지에 대한 전략을 마련하는 데 중요합니다.

3. 허슬러의 법칙(Hursh's Law): 이 법칙은 보상의 크기와 수행하는 노력 사이의 관계를 설명하는 행동 경제학의 원칙입니다. 투자 의사결정에서 이 법칙을 적용하면, 보상(수익)을 극대화하기 위해 투자자들이 어떻게 위험을 감수하는지 분석할 수 있습니다. 이를 통해 투자자들이 과도한 위험을 감수하지 않도록 유도하는 메커니즘을 설계할 수 있습니다.

이러한 이론들을 추가적으로 탐구하고 적용함으로써, 재무 관리자들은 투자자의 행동을 더 깊이 이해하고, 이를 통해 더 효과적인 투자 전략과 위험 관리 방안을 개발할 수 있습니다. 심리학적 접근은 단순한 수치 분석을 넘어서 인간의 행동과 의사결정의 복잡성을 포괄적으로 다루며, 이는 금융 섹터에서도 갈수록 중요해지고 있는 동향입니다.

3. 감정의 역할과 재무 의사결정

감정의 파도가 재무 의사결정을 어떻게 형성하는가?

재무 의사결정은 종종 숫자와 데이터에 기반한 것으로 여겨지지만, 실제로는 감정이 큰 역할을 합니다. 특히, 고압적인 금융 시장에서 투자자들의 감정은 종종 의사결정 과정에서 무시할 수 없는 요소로 작용합니다. 이 감정의 역할을 이해하지 못하면, 기업과 개인은 자신도 모르게 재정적 손실로 이어질 수 있는 결정을 내릴 위험에 처할 수 있습니다. 따라서, 감정과 재무 의사결정의 관계를 탐구하는 것은 금융 전문가들에게 중대한 도전이자 필수적인 과제가 되었습니다.

이 장에서는 감정이 재무 의사결정에 미치는 영향을 심도 있게 분석하고, 이를 관리하기 위한 심리학적 접근법을 탐색해 보겠습니다. 구체적으로는 금융 시장에서의 불확실성과 스트레스가 투자자의 행동에 어떻게 영향을 미치는지, 그리고 이러한 감정적 요소들이 재무 결정의 효과성을 어떻게 증가시킬 수 있는지에 대해 살펴볼 것입니다. 이 과정에서 투자자들이 자신의 감정을 어떻게 인식하고 조절할 수 있는지, 그리고 이러한 능력이 실제 재무 결과에 어떤 긍정적 변화를 가져올 수 있는지를 분석합니다. 이는 재무 관리자와 투자자들에게 감정을 잘 이해하고 이를 적절히 관리함으로써 보다 뛰어난 재무 결정을 내릴 수 있는 방법론을 제공할 것입니다.

인베스트웨이브, 한 중견 투자 회사는 최근 시장 변동성이 심한 주식 시장에서 투자 결정 과정에서 감정의 영향을 심각하게 겪고 있습니다. 이 회사는 주로 기술 및 바이오기술 섹터에 투자하는데, 이 분야는 특히 시장의 뉴스와 보도 자료에 의해 크게 영향을 받습니다. 최근에는 특정 기술 주식에 대한 과도한 매체의 긍정적인 보도가 투자자들 사이에서 과열된 감정을 유발하고 있습니다. 이런 상황에서 감정이 고조되면, 투자자들은 종종 주가의 기본적 가치와는 무관하게, 과도한 투자를 단행하는 경향이 있습니다.

이런 과열된 감정은 또한 급격한 시장 하락 시 과도한 패닉 매도로 이어질 수 있으며, 이는 회사의 포트폴리오에 큰 손실을 초래하고 장기적인 투자 전략을 방해합니다. 인베스트웨이브의 경영진은 이러한 감정의 격변이 재무 의사결정 과정에 미치는 부정적인 영향을 식별하고, 이를 어떻게 관리할 것인지에 대해 깊이 고민하고 있습니다. 회사는 투자자들의 감정을 안정시키고 더욱 합리적인 투자 결정을 내릴 수 있도록 돕기 위한 전략을 마련하기 위해 노력 중입니다.

이 상황은 시장의 정보가 감정적 반응을 촉발하고 이것이 재무 의사결정에 어떤 식으로 영향을 미치는지를 명확히 보여주는 예입니다. 이와 같이 감정이 고조될 때, 투자자들이 내리는 결정은 종종 냉정한 분석에 기초하기보다는 감정적 동기에 따른 것이며, 이는 잠재적으로 비합리적인 투자 행동으로 이어질 수 있습니다. 이러한 문제의식을 바탕으로, 인베스트웨이브는 감정적 요인이 투자 의사결정에 미치는 영향을 최소화하고자 하는 다양한 접근법을 모색하고 있습니다.

인베스트웨이브가 경험하는 문제의 원인은 주로 감정적 결정과 시장의 심리적 동향에 깊이 뿌리를 두고 있습니다. 시장의 정보는 투자자들 사이에서 빠르게 확산되며, 이러한 정보의 흐름이 감정적 반응을 증폭시키는 주된 요인으로 작용합니다. 특히, 투자자들은 긍정적 또는 부정적인 뉴스에 대해 과도하게 반응하는 경향이 있으며, 이는 종종 그들의 재무 결정을 왜곡합니다.

첫 번째 주요 원인은 미디어의 영향력입니다. 강력한 미디어 보도는 특정 주식이나 시장에 대한 투자자들의 기대를 형성하고, 이러한 기대는 실제 시장 가치와 무관하게 주가를 부풀리거나 하락시킬 수 있습니다. 이 경우, 투자자들은 종종 미디어가 제공하는 정보에 따라 투자 결정을 내리게 되며, 이는 정보의 질보다는 감정적 반응에 기반한 결정을 초래합니다.

두 번째 원인은 집단적 행동입니다. 시장에서의 감정적 감염은 집단적 행동을 통해 촉진됩니다. 투자자들이 다른 투자자들의 행동을 보고 그들을 따르기 시작하면, 이는 '허드 행동'이라고 불리는 현상을 만들어냅니다. 이는 특히 시장이 불안정할 때 더욱 명확하게 나타나며, 불안정한 시장 상황에서는 감정이 특히 강하게 작용하여 더욱 불리한 결정으로 이어질 수 있습니다.

세 번째 원인은 감정의 강도입니다. 투자 결정을 내릴 때 투자자들은 종종 현재의 감정적 상태에 크게 영향을 받습니다. 예를 들어, 과도한 낙관주의 또는 공포는 투자자들이 더 큰 리스크를 감수하거나, 반대로 과도하게 보수적인 결정을 내리는 원인이 됩니다. 이러한 감정은 시장의 미래에 대한 객관적인 분석을 가리며, 잠재적인 위험을 제대로 평가하지 못하게 만듭니다.

이 모든 요소들이 결합되어 인베스트웨이브와 같은 기업이 직면한 문제들을 만들어내며, 이러한 문제들을 해결하기 위해서는 감정의 역할을 이해하고 효과적으로 관리하는 것이 필수적입니다. 이는 투자 의사결정 과정을 보다 합리적으로 만들고, 장기적인 경제적 안정성을 확보하는 데 도움이 될 것입니다.

인베스트웨이브의 상황에 적용할 수 있는 중요한 심리학 이론들을 살펴보면, 특히 인지 부조화 이론, 확증 편향, 그리고 감정적 의사결정 이론이 투자자의 의사결정 과정에 큰 영향을 미칠 수 있음을 알 수 있습니다. 이러한 이론들은 투자자들이 정보를 해석하고 결정을 내리는 방식에 영향을 미치는 심리적 메커니즘을 깊이 있게 설명하고 있습니다.

인지 부조화 이론은 레온 페스팅거(Leon Festinger)에 의해 처음 소개되었으며, 개인이 서로 모순되는 믿음, 지식, 또는 행동을 동시에 가지고 있을 때 발생하는 심리적 불편함을 설명합니다. 이 이론은 투자자들이 자신의 믿음 체계에 부합하지 않는 정보를 배제하고, 부합하는 정보만을 선택적으로 수용하여 결정 내릴 때 발생하는 인지적 불일치 상태를 해소하려는 심리적 동기를 이해하는 데 중요합니다. 이러한 인지적 불일치는 투자 결정 과정에서 과도한 리스크를 간과하게 만들거나 잘못된 결정을 정당화하는 등의 비합리적 행동을 유발할 수 있습니다.

확증 편향은 투자자들이 자신의 기존 믿음을 확인하는 정보에 더 많은 주의를 기울이고, 그와 반대되는 정보를 무시하는 경향을 설명합니다. 이 편향은 금융 시장에서의 정보 해석과 의사결정 과정에서 투자자들이 무의식적으로 선택적 정보 처리를 하게 만들어, 잠재적인 위험을 과소평가하고 과도한 자신감을 가질 수 있게 합니다. 결과적으로 이는 시장의 극단적 변동성을 더욱 증폭시킬 수 있는 요인으로 작용합니다.

감정적 의사결정 이론은 다니엘 골먼(Daniel Goleman)을 포함한 여러 연구자들에 의해 발전되었습니다. 이 이론은 의사결정 과정에서 감정이 어떻게 합리적 사고를 돕거나 방해할 수 있는지를 탐구합니다. 금융 시장에서의 투자 결정에서 감정은 종종 간과되는 요소이지만, 강한 감정적 반응은 투자자가 시장의 기술적 분석이나 재무적 지표보다 감정에 기반한 결정을 내리게 할 수 있습니다. 예를 들어, 투자자가 경제적 불안정이나 개인적인 두려움을 경험할 때, 그들의 투자 선택은 종종 비합리적으로 공격적이거나 지나치게 방어적일 수 있습니다.

이러한 심리학 이론들을 통합하여 인베스트웨이브의 투자 의사결정 프로세스에 적용하면, 기업은 투자자들의 감정과 인지적 편향을 더 잘 이해하고 이를 조정하는 전략을 개발할 수 있습니다. 이는 장기적으로 투자자들이 더욱 합리적이고 일관된 투자 결정을 내리는 데 도움을 주어, 기업의 재무적 안정성과 성장을 촉진할 수 있습니다.

인베스트웨이브의 경우를 통해 본 재무 의사결정에서 감정의 역할과 심리학 이론의 적용은 매우 중요한 포인트를 제공합니다. 재무 의사결정이라 하면 흔히 숫자와 데이터에 기반을 둔 것으로 생각하기 쉽지만, 실제로는 감정이 매우 큰 역할을 하곤 합니다. 특히나 불확실하고 변동성이 큰 금융 시장에서는 감정이 의사결정 과정에서 무시할 수 없는 요소로 작용하게 됩니다. 이를 제대로 이해하고 관리하지 못할 경우, 기업이나 개인은 재정적 손실로 이어질 수 있는 결정을 내릴 위험에 처할 수 있습니다.

인베스트웨이브에서는 최근 급변하는 기술 및 바이오기술 섹터에 투자하면서 시장의 뉴스와 보도 자료의 영향을 크게 받게 되었습니다. 언론에서 특정 기술 주식에 대해 긍정적인 보도가 이어지면서 투자자들 사이에서는 이에 대한 기대감이 고조되었고, 이는 시장 가치와 무관하게 주가를 부풀리는 결과를 낳기도 했습니다. 하지만 이러한 과도한 기대감은 시장이 하락할 때 과도한 패닉 매도로 이어져 회사의 포트폴리오에 큰 손실을 초래하고 장기적인 투자 전략을 방해하게 되었습니다.

이러한 문제를 해결하기 위해 인베스트웨이브는 몇 가지 심리학적 이론을 도입하여 투자자들의 의사결정 과정에 적용하기 시작했습니다.

첫째, 인지 부조화 이론을 활용하여 투자자들이 정보를 더 객관적으로 평가하도록 교육했습니다. 이를 통해 투자자들은 자신들의 믿음과 상반되는 정보에도 개방적으로 접근할 수 있게 되어, 다양한 시장 정보를 균형 있게 고려하게 되었습니다.

둘째, 확증 편향을 관리하기 위해 다양한 전문가들이 참여하는 투자 분석 팀을 구성하여, 서로 다른 의견을 공유하고 토론할 수 있는 환경을 마련했습니다. 이를 통해 투자자들은 단일 관점에 의존하는 것을 방지하고, 보다 균형 잡힌 결정을 내릴 수 있게 되었습니다.

셋째, 감정적 의사결정 이론을 바탕으로, 투자자들이 자신의 감정을 인식하고 조절할 수 있는 방법을 배울 수 있는 훈련 프로그램을 도입했습니다.

이러한 접근 방식은 투자자들이 금융 시장의 불확실성과 스트레스 속에서도 냉정을 유지하고 감정에 휘둘리지 않는 합리적인 결정을 내릴 수 있도록 도와주었습니다. 결과적으로, 인베스트웨이브는 투자자들의 감정적 반응을 줄이고, 더 합리적이고 일관된 투자의사결정을 할 수 있게 되었으며, 이는 회사의 재무 안정성과 수익성 향상에 크게 기여하게 되었습니다. 이 과정에서 회사는 감정의 역할을 이해하고 이를 적절히 관리함으로써 보다 뛰어난 재무 결정을 내릴 수 있는 방법론을 터득하게 되었고, 이는 장기적으로 회사의 경쟁력을 강화하는 중요한 요소가 되었습니다.

재무 의사결정에서 감정의 역할을 심층적으로 이해하고자 할 때, 탐구해볼 수 있는 다양한 심리학 이론과 주제들이 많이 있습니다. 이러한 이론들은 투자자의 행동뿐만 아니라 일반적인 비즈니스 결정 과정에도 깊은 통찰을 제공할 수 있습니다. 다음은 감정과 재무 의사결정에 대해 더 깊이 이해할 수 있는 몇 가지 주제들입니다:

감정적 회계 (Emotional Accounting)
리처드 탈러와 허쉬 쉬프린에 의해 제안된 감정적 회계 이론은 사람들이 돈과 관련된 결정을 내릴 때 감정이 어떻게 재정적 판단을 왜곡할 수 있는지를 설명합니다. 이 이론은 투자자들이 특정 투자나 지출에 대해 갖는 감정적 연결이 어떻게 그들의 재무 결정에 영향을 미치는지를 다룹니다. 예를 들어, 투자자들은 손실을 회피하는 경향이 강하며, 이는 종종 비합리적인 보유나 매도 결정으로 이어질 수 있습니다.

프레이밍 효과 (Framing Effect)
프레이밍 효과는 정보가 어떻게 제시되는가에 따라 사람들의 반응과 결정이 달라질 수 있음을 보여줍니다. 다니엘 카너먼과 애머스 트버스키의 연구에서는 같은 정보라도 손실 또는 이득의 관점에서 제시될 때 투자자의 반응이 어떻게 달라지는지를 설명합니다. 이 이론은 마케팅, 광고, 제품 설계, 그리고 재무 상품 제공 방식에 큰 영향을 미칩니다.

리스크 인지 (Risk Perception)
리스크 인지는 개인이 위험을 어떻게 인식하고 처리하는지를 다루는 주제로, 감정의 역할이 큽니다. 투자자들은 동일한 리스크를 놓고서도 개인의 경험, 성향, 감정 상태에 따라 매우 다르게 반응할 수 있습니다. 이는 투자 결정뿐만 아니라, 재무 계획과 위험 관리 전략에도 중요한 요소입니다.

행동 재무학 (Behavioral Finance)
행동 재무학은 전통적 재무 이론에서 다루지 않는 인간의 비합리적 행동과 심리적 요인을 연구합니다. 이 분야는 투자자들이 왜 특정 재무 결정을 내리는지, 왜 시장이 예측 가능한 방식으로 움직이지 않는지 등을 설명하는 데 도움을 줍니다. 이는 공포, 탐욕, 집단 사고 등 다양한 감정적 요인이 경제적 결정에 미치는 영향을 포함합니다.

감정적 지능 (Emotional Intelligence)
감정적 지능은 개인이 자신의 감정과 타인의 감정을 인식, 이해, 관리하고 조절할 수있는 능력입니다. 재무 의사결정에 있어서, 감정적 지능은 투자자가 자신의 감정을 관리하고, 금융 시장의 스트레스 상황에서도 합리적인 결정을 내릴 수 있도록 돕습니다. 이는 더 넓은 비즈니스 세계에서도 리더십, 팀워크, 고객 관리 등에 있어 중요한 역할을 합니다.

이러한 심리학적 이론과 개념들을 탐구하면, 재무 의사결정에서 감정이 어떻게 작용하고 이를 어떻게 관리할 수 있는지에 대해 더 깊은 이해를 할 수 있습니다. 이는 개인 투자자 뿐만 아니라, 금융 기관, 기업, 정책 결정자에게도 중요한 인사이트를 제공할 수 있습니다.

4. 경제적 위기와 심리적 대응

위기 속에서의 마음:
경제적 위기와 심리적 대응 전략

경제적 위기는 흔히 예고 없이 찾아오며, 기업의 운명을 순식간에 뒤흔들 수 있습니다. 이러한 돌발적인 사태는 단순히 재정적인 손실을 넘어서 기업의 내부 심리적 환경에 깊은 영향을 미치며, 이는 직원들의 동기 부여, 업무의 효율성, 그리고 전반적인 조직 문화에 까지 파급됩니다. 위기의 순간, 기업이 어떻게 대응하느냐는 그들의 장기적인 생존과 시장 내 성공을 좌우하는 결정적인 요소가 될 수 있습니다. 따라서, 경제적 불확실성의 시대에 기업들이 경험하는 심리적 스트레스와 이에 대한 대응 방식을 깊이 이해하는 것은 위기를 넘어서는 전략을 개발하는 데 있어 매우 중요합니다.

이번 장에서는 경제적 위기 상황에서 기업이 마주하는 다양한 심리적 도전들을 면밀히 살펴보고, 이들을 어떻게 효과적으로 관리할 수 있는지에 대해 탐구하려고 합니다. 우리는 심리학적 이론과 실증 연구를 바탕으로, 실제 기업들이 위기를 어떻게 항해하며, 어떠한 심리적 접근과 전략이 실제로 효과를 발휘하는지를 분석할 예정입니다. 특히 집중하고자 하는 부분은 직원들의 감정 관리, 동기 유지 방법, 리더십의 역할, 그리고 조직의 심리적 회복력과 유연성을 증진시키는 다양한 전략들입니다. 이러한 심리학적 접근법을 통해 경제적 위기를 넘어서는 기업들은 단순한 생존을 넘어 지속 가능한 성장으로 나아갈 수 있는 전략적 방안들을 모색할 수 있으며, 이는 경영진뿐만 아니라 모든 임직원에게 깊은 통찰과 실질적인 교훈을 제공할 것입니다.

우리는 경제적 위기가 닥쳤을 때 각 기업이 겪는 심리적 도전과 그 대응 방식을 이해함으로써, 이론적 지식과 실제 적용 사례를 통해 위기 상황에서 조직의 리더들과 직원들이 어떻게 더욱 효과적으로 대처하고, 어떠한 심리적 메커니즘이 작동하는지를 심층적으로 분석할 것입니다. 이 과정을 통해 경제적 불확실성을 넘어 조직과 개인이 어떻게 더 강해질 수 있는지, 그리고 심리적인 측면에서 어떠한 준비와 개선이 필요한지에 대해 더 넓은 시각을 제공할 것입니다.

자동차 부품을 제조하는 기업인 '오토파츠 글로벌'은 최근 글로벌 경제의 불안정성 속에서 심각한 도전에 직면해 있습니다. 유럽 시장에서의 수요 감소와 더불어 원자재 가격의 상승, 그리고 강화된 무역 규제로 인해 오토파츠 글로벌의 수익성은 점점 더 압박받고 있습니다. 이러한 외부적 압박은 회사 내부에도 많은 문제를 일으키고 있습니다. 특히 생산 효율성이 떨어지고 직원들 사이의 불안감이 커지며, 결국 일부 핵심 인재의 이탈로 이어졌습니다.

경영진은 이 위기를 극복하기 위해 비용 절감과 자원 최적화를 주된 대응 전략으로 삼았지만, 이러한 조치들이 직원들의 동기 부여와 직무 만족도에 부정적인 영향을 미치는 부작용을 낳았습니다. 예를 들어, 경영진은 비용을 절감하기 위해 임시직 직원들을 해고하고 잔업을 줄이는 조치를 취했습니다. 이러한 결정들은 단기적으로는 비용을 줄이는 데 성공했을지 모르지만, 장기적으로는 직원들의 충성도와 생산성을 크게 해치며, 결국 회사의 전체적인 성과 회복에 장애를 초래했습니다.

더욱이, 오토파츠 글로벌은 시장 변동성이 큰 기술 및 자동차 산업에서 활동하고 있어, 뉴스와 보도 자료에 의한 시장의 감정적 반응이 비즈니스에 큰 영향을 미쳤습니다. 시장의 부정적인 소식이 전해질 때마다, 투자자들과 직원들 사이에서는 공포가 확산되었고, 이는 자본과 인재 유출로 이어졌습니다. 경영진은 이러한 감정적 반응을 관리하고, 조직 내부의 신뢰와 안정성을 회복하기 위해 다양한 전략을 모색해야 했습니다.

이 사례는 경제적 위기와 글로벌 시장의 동향이 기업 내부의 심리적 환경과 어떻게 상호작용하는지를 잘 보여줍니다. 외부적 요인이 어떻게 내부적 불안과 직원 이탈로 이어지며, 이가 전체 조직에 어떤 영향을 미치는지에 대한 분석은 매우 중요합니다. 오토파츠 글로벌의 경우, 경제적 불확실성은 직원들 사이의 공포와 스트레스를 증가시켰으며, 이는 직원들의 일상 업무 수행 능력에도 영향을 미쳤습니다. 직원들이 안정감을 느끼지 못하고, 지속적으로 고용의 불안정성에 대해 걱정하면, 그들의 업무에 대한 집중력과 헌신도는 자연스럽게 저하될 수밖에 없습니다.

이러한 복잡한 상황에서 오토파츠 글로벌의 경영진의 결정이 어떻게 직원들의 심리적 반응을 촉발하고, 이가 다시 회사의 전략적 방향과 성과에 영향을 미치는지에 대한 이해는 매우 중요합니다. 외부 환경의 변화를 효과적으로 관리하고, 내부 직원들의 불안과 스트레스를 최소화하기 위해 경영진은 보다 세심하고 전략적인 접근이 필요합니다. 이는 경제적 위기에 직면한 기업이 내외부 요인을 종합적으로 분석하고 이에 대응하는 전략을 개발하는 데 매우 중요한 부분입니다. 이러한 분석을 통해 기업은 더욱 강력하고 지속 가능한 대응 방안을 수립할 수 있으며, 이는 장기적으로 기업의 회복력을 강화하는 데 기여할 것입니다.

오토파츠 글로벌의 사례에 적용할 수 있는 경제적 위기 상황에서 조직과 개인의 반응을 이해하는 데 중요한 이론들은 다양합니다. 그 중에서도 특히 관련이 깊은 몇 가지 이론을 살펴보면, 이러한 이론들이 실제 비즈니스 환경에서 어떻게 활용될 수 있는지에 대한 통찰을 제공할 수 있습니다.

첫 번째로, '리처드 라자루스'의 스트레스와 대처 이론은 조직과 직원들이 경제적 위기와 같은 스트레스 상황에서 어떻게 반응하는지 이해하는 데 중요한 틀을 제공합니다. 라자루스는 스트레스를 경험하는 개인이 직면하는 상황을 어떻게 인지하고 평가하는지에 따라 그 대처 방식이 달라진다고 보았습니다. 오토파츠 글로벌의 경우, 직원들이 경제적 불확실성과 직장 내 변화를 위협적으로 인식할 경우, 그들의 스트레스 수준이 증가하고 생산성이 저하될 가능성이 큽니다. 이에 대한 대처 방법으로는 조직 내 커뮤니케이션을 강화하고, 직원들에게 충분한 정보를 제공하여 불안을 줄이는 것이 포함될 수 있습니다.

두 번째로, '다니엘 카너먼'의 손실 회피 이론은 직원들과 경영진이 위기 상황에서 보수적인 결정을 선호하는 경향을 설명합니다. 카너먼에 따르면, 사람들은 손실을 피하기 위해 더 큰 리스크를 감수하는 경향이 있으며, 이는 잠재적인 기회를 놓칠 수 있음을 의미합니다. 오토파츠 글로벌에서 이 이론을 적용하면, 경영진이 위기 동안 과도한 비용 절감이나 투자 축소와 같은 보수적인 결정을 내릴 가능성을 이해할 수 있습니다. 이러한 결정들이 단기적으로는 안정성을 제공할 수 있지만, 장기적으로는 회사의 성장 기회를 제한할 수 있습니다.

세 번째로, '칼 로저스'의 인간중심 이론은 개인의 잠재력과 성장을 강조하며, 위기 상황에서도 직원들이 자기 개발과 성장을 도모할 수 있는 환경을 조성하는 것이 중요함을 강조합니다. 로저스의 이론을 오토파츠 글로벌에 적용하면, 경영진은 직원들에게 자기 효능감을 높이고, 변화를 긍정적으로 받아들일 수 있는 기회를 제공함으로써 조직 전체의 탄력성을 증진시킬 수 있습니다.

이러한 심리학 이론들을 통해 오토파츠 글로벌은 경제적 위기 중에도 직원들의 동기 부여를 유지하고, 조직의 장기적인 생존과 성장을 위한 전략을 개발할 수 있습니다. 이는 단순히 위기를 관리하는 것을 넘어, 조직이 더 강하고 유연하게 변화할 수 있는 기반을 마련하는 데 도움이 될 것입니다.

오토파츠 글로벌의 경제적 위기 상황에서 심리학 이론을 적용하여 실제 해결 과정을 상세히 살펴보겠습니다. 리처드 라자루스의 스트레스와 대처 이론, 다니엘 카너먼의 손실 회피 이론, 그리고 칼 로저스의 인간중심 이론을 통해 직원들의 동기 부여와 생산성을 유지하는 전략을 구체적으로 적용하였습니다.

첫째로, 라자루스의 이론에 따라 오토파츠 글로벌은 직원들의 스트레스를 관리하기 위한 몇 가지 접근 방법을 도입하였습니다. 회사는 모든 직원들을 대상으로 정기적인 커뮤니케이션 세션을 실시하여 경제 상황, 회사의 재정 상태, 그리고 미래 계획에 대해 투명하게 정보를 공유했습니다. 이는 직원들의 불확실성을 줄이고, 위기 상황에서도 팀의 일원으로서의 소속감과 책임감을 느낄 수 있도록 도왔습니다. 또한, 스트레스 관리 워크샵과 마음챙김 프로그램을 제공하여 직원들이 스트레스를 더 효과적으로 관리할 수 있도록 지원하였습니다.

둘째로, 다니엘 카너먼의 손실 회피 이론을 고려하여, 오토파츠 글로벌은 위기 상황에서도 투자를 계속 유지하고 혁신적인 프로젝트를 추진하는 데 중점을 두었습니다. 경영진은 단기적인 비용 절감의 유혹을 피하고, 장기적인 성장을 지원할 수 있는 자원 배분에 집중했습니다. 이를 위해, 회사는 전략적으로 중요한 연구개발 프로젝트에 대한 투자를 유지하고, 신제품 개발과 시장 확장에 필요한 자금을 확보하였습니다.

셋째로, 칼 로저스의 인간중심 이론을 적용하여, 오토파츠 글로벌은 직원들의 자기실현과 개인적 성장을 장려하는 조직 문화를 강화하였습니다. 경영진은 직원들의 의견을 적극적으로 수렴하고, 개인의 성장을 지원하는 다양한 교육 프로그램과 경력 개발 기회를 제공하였습니다. 이는 직원들이 위기 상황 속에서도 자신의 능력을 개발하고, 직업적 만족도를 높일 수 있도록 도왔습니다.

이러한 접근 방법들을 통해 오토파츠 글로벌은 경제적 위기를 극복하고 조직의 장기적인 안정성과 성장을 위한 기반을 마련할 수 있었습니다. 심리학적 이론의 적용은 단순히 위기를 관리하는 것을 넘어, 조직이 더 강하고 유연하게 변화할 수 있는 토대를 제공하였으며, 이는 모든 임직원에게 긍정적인 영향을 미쳤습니다. 이러한 전략적 접근은 다른 기업들에게도 위기 상황에서의 심리적 대처 방법으로서 중요한 교훈을 제공할 수 있습니다.

추가적으로 경제적 위기와 관련된 심리학적 개념을 더 깊이 탐구해보고자 합니다. 이는 기업이 경제적 어려움을 겪을 때 직원들의 심리적 반응과 그들의 의사결정 과정에 어떤 심리학적 요인들이 영향을 미치는지를 이해하는 데 도움이 될 것입니다.

경제적 위기의 심리적 영향

경제적 위기는 단순히 재정적 손실을 초래하는 것이 아니라, 조직과 개인의 심리에 깊은 영향을 미칩니다. 스트레스, 불안, 불확실성은 직원들의 업무 성과에 직접적인 영향을 주며, 이는 다시 조직의 전반적인 성과에 반영됩니다. 이러한 심리적 영향을 이해하고 관리하는 것은 조직이 위기를 극복하고 장기적인 성공을 달성하는 데 중요한 역할을 합니다.

스트레스의 역할과 관리

스트레스는 경제적 위기 상황에서 가장 흔히 관찰되는 심리적 반응 중 하나입니다. 고용 불안정성, 임금 삭감, 업무 부하 증가는 모두 직원들의 스트레스를 증가시키는 요인들입니다. 스트레스를 효과적으로 관리하기 위해 조직은 직원들에게 정신 건강 지원 프로그램, 스트레스 관리 훈련, 충분한 휴식 시간 제공 등을 통해 직원들이 이러한 스트레스를 극복할 수 있도록 도와야 합니다.

감정적 지능과 위기 관리

감정적 지능은 개인이 자신의 감정을 인식하고, 이를 적절히 관리하며, 타인의 감정을 이해하고 그에 반응하는 능력을 포함합니다. 경제적 위기 상황에서 높은 감정적 지능을 가진 리더와 직원들은 불안과 스트레스를 더 잘 관리하고, 위기 상황에서도 효과적인 의사소통과 협력을 유지할 수 있습니다. 따라서 조직은 리더십 개발 프로그램과 직원 교육을 통해 감정적 지능을 향상시키는 데 주력해야 합니다.

리더십의 중요성

경제적 위기에서 리더십의 역할은 더욱 강조됩니다. 효과적인 리더는 위기 상황에서도 직원들의 신뢰를 유지하고, 팀을 하나로 결속시키며, 명확한 비전과 방향성을 제공합니다. 리더들은 자신의 행동과 의사결정을 통해 조직 문화를 형성하며, 이는 전체 조직의 위기 대응 능력에 큰 영향을 미칩니다.

긍정 심리학의 활용

긍정 심리학은 개인과 조직이 자신들의 강점을 인식하고 활용하여 어려움을 극복하는 데 중점을 둡니다. 경제적 위기 중에도 긍정적인접근 방식을 취함으로써, 조직은 장기적인 회복력과 성장 잠재력을 강화할 수 있습니다. 이는 직원들에게 희망과 동기를 부여하고, 전체적인 조직의 탄력성을 증진시키는 데 기여합니다.

이러한 심리학적 접근과 이론들을 통해, 조직은 경제적 위기를 넘어서는 데 필요한 심리적 토대를 마련할 수 있으며, 이는 결국 조직의 장기적인 성공과 안정성을 보장하는 데 중요한 역할을 할 것입니다. 이러한 심리학적 인사이트는 또한 조직 내에서 실질적인 변화를 이끌어내고, 모든 임직원이 위기를 극복하는 데 필요한 도구와 지식을 갖출 수 있도록 도와줄 것입니다.

5. 투자 포트폴리오와 심리적 다양성

투자 포트폴리오와 심리적 다양성:
감정을 넘어서는 투자 전략

투자 포트폴리오의 구성과 관리는 단순히 재무적 분석과 예측에 근거하지 않습니다. 실제로 이 과정에는 투자자의 심리적 다양성이 큰 역할을 하며, 이는 투자 결정의 성패를 좌우할 수 있습니다. 심리학적 다양성을 이해하고 이를 포트폴리오 관리에 적절히 적용하는 것은, 위험을 분산시키고 잠재적 수익을 최대화하는 데 결정적인 요소가 됩니다. 이번 장에서는 투자자 개인의 심리적 특성이 어떻게 투자 행동에 영향을 미치는지, 그리고 이를 어떻게 효과적으로 관리할 수 있는지에 대해 심도 깊게 탐구하고자 합니다.

우리는 먼저, 대형 투자 회사인 '글로벌 인베스트먼트 솔루션즈'의 실제 사례를 살펴볼 것입니다. 이 회사는 다양한 섹터에 걸쳐 광범위한 투자 포트폴리오를 관리하고 있으며, 최근에는 특히 신흥 시장과 기술 부문에 집중하고 있습니다. 그러나 이러한 투자 전략은 높은 변동성과 함께 불확실성이 큰 시장 환경에서 수익성을 저해하는 주요 요인으로 작용하고 있습니다. 특히, 글로벌 경제의 불안정과 지정학적 긴장이 고조되면서, 투자자들 사이의 심리적 불안정이 증가하고 있습니다.

이 상황은 투자자들이 시장의 잠재적 위험에 대해 과도하게 반응하거나, 반대로 과도한 낙관으로 인해 무리한 투자 결정을 내리는 경우를 자주 목격하게 만듭니다. 이러한 심리적 요인은 포트폴리오의 성과에 직접적인 영향을 미치며, 때로는 전체 투자 전략의 수정을 요구하기도 합니다. '글로벌 인베스트먼트 솔루션즈'는 이러한 문제를 해결하기 위해 투자자의 심리적 다양성을 고려한 새로운 접근 방식을 모색하고 있습니다.

이 회사의 경우, 경제적 불확실성과 시장 변동성이 어떻게 내부적인 심리적 반응을 촉발하며, 이가 조직 전체의 투자 전략에 어떤 영향을 미치는지에 대한 이해는 매우 중요합니다. 직원들과 투자자들 사이에서 발생하는 불안과 스트레스를 관리하고, 이를 효과적으로 조절하는 것은 조직의 장기적인 성공과 안정성을 보장하는 데 필수적인 요소입니다. 이를 위해 조직은 더욱 세심하고 전략적인 접근이 필요하며, 이는 경제적 위기에 직면한 기업이 내외부 요인을 종합적으로 분석하고 이에 대응하는 전략을 개발하는 데 중요한 부분입니다.

이러한 분석을 통해 기업은 더욱 강력하고 지속 가능한 대응 방안을 수립할 수 있으며, 이는 장기적으로 기업의 회복력을 강화하는 데 기여할 것입니다.

'글로벌 인베스트먼트 솔루션즈'는 글로벌 투자 시장에서 광범위한 포트폴리오를 관리하며, 특히 신흥 시장과 기술 부문에 큰 관심을 가지고 있습니다. 최근 이 회사는 국제 금융 시장의 급격한 변화와 불안정성에 직면해 있습니다. 이러한 상황은 세계 각국에서 발생하는 경제적 및 정치적 이슈들에 의해 촉발되었으며, 이는 투자 시장 전반에 걸쳐 큰 불확실성을 가져다주었습니다.

특히 '글로벌 인베스트먼트 솔루션즈'가 집중하고 있는 신흥 시장은 이러한 글로벌 이슈에 특히 민감하게 반응하고 있습니다. 예를 들어, 중국과 미국 사이의 무역 전쟁, 유럽 연합의 정치적 불안정, 그리고 중동 지역의 지정학적 긴장이 고조되면서, 이 회사가 관리하는 자산의 가치는 크게 흔들리고 있습니다. 이로 인해 투자자들 사이에서는 패닉 셀링이나 과도한 투자 보류와 같은 극단적인 반응이 나타나기도 했습니다.

또한, 기술 부문의 투자는 최근 몇 년 간 빠른 성장을 경험했으나, 이는 동시에 매우 높은 변동성을 수반합니다. 신기술의 급격한 발전과 이에 따른 시장의 빠른 변화는 투자자들에게 큰 기회를 제공하지만, 동시에 큰 위험 요소로도 작용합니다. 예를 들어, 인공 지능, 블록체인, 재생 가능 에너지 등의 분야에서 혁신적인 발전이 이루어지고 있지만, 기술의 상용화 과정에서 예상치 못한 장애물에 부딪히거나, 경쟁이 심화되면서 투자 수익의 불확실성이 증가하고 있습니다.

이러한 외부 시장 환경의 변화는 '글로벌 인베스트먼트 솔루션즈'의 포트폴리오 관리 전략에 큰 도전을 제시하고 있습니다. 투자자들의 불안정한 심리 상태와 글로벌 경제의 불확실성이 겹쳐져, 회사는 투자 전략을 재조정하고 다양한 시장 상황에 능동적으로 대응할 필요가 있습니다. 이는 투자 관리 팀에게 매우 복잡하고 어려운 상황을 만들어내며, 이들은 지속적으로 시장 동향을 모니터링하고, 위험을 관리하며, 투자자들의 신뢰를 유지하기 위한 방안을 모색해야 합니다.

이제 '글로벌 인베스트먼트 솔루션즈'가 직면한 구체적인 문제의 원인들을 분석해 보겠습니다. 이 회사의 주요 문제는 크게 두 가지 범주로 나눌 수 있습니다: 글로벌 경제의 불확실성과 관련된 외부적 요인과, 내부적인 투자자 심리의 불안정성입니다.

첫 번째로, 글로벌 경제의 불확실성은 국제 무역 전쟁, 정치적 불안정, 지정학적 긴장 등 다양한 국제 이벤트로 인해 촉발되었습니다. 이러한 요인들은 투자 시장에 직접적인 영향을 미치며, 특히 '글로벌 인베스트먼트 솔루션즈'가 크게 의존하고 있는 신흥 시장과 기술 부문의 변동성을 증가시킵니다. 예를 들어, 미국과 중국 간의 무역 전쟁은 관세 인상과 무역 장벽의 신설로 이어져, 투자 회사가 중국 및 미국 시장에서 운용하는 자산의 가치에 부정적인 영향을 끼쳤습니다.

두 번째로, 내부적인 투자자 심리의 불안정성은 시장의 변동성에 과민 반응하게 만드는 주요 원인입니다. 경제적 불확실성은 투자자들 사이에 불안과 공포를 증폭시키며, 이는 공포에 기반한 투자 결정, 즉 과도한 매도 또는 투자 기회의 과소 평가로 이어집니다. 투자자들의 이러한 심리 상태는 포트폴리오의 전반적인 성과에 큰 영향을 미치며, 종종 장기적인 투자 목표와 배치될 수 있습니다.

이 두 가지 문제 원인은 서로 상호 작용하며 '글로벌 인베스트먼트 솔루션즈'의 투자 전략과 성과에 복잡한 도전을 제시합니다. 글로벌 경제의 불확실성은 투자자 심리에 영향을 미치고, 투자자들의 심리적 불안정성은 다시 회사의 투자 결정과 시장 대응 전략을 불안정하게 만듭니다. 이로 인해 회사는 지속적으로 변화하는 시장 조건과 투자자들의 기대를 관리하기 위해 전략을 수정하고 적응해야 하는 어려움을 겪게 됩니다.

'글로벌 인베스트먼트 솔루션즈'가 직면한 상황에서 심리학적 접근을 적용할 때 유용한 이론들은 여러 가지가 있습니다. 이번에는 경제적 위기와 투자자 심리의 상호작용을 이해하는 데 도움을 줄 수 있는 몇 가지 핵심 심리학 이론들을 소개하고, 그 중요성에 대해 자세히 설명하겠습니다.

첫 번째로 중요한 이론은 다니엘 카너먼과 애머스 트버스키가 개발한 전망 이론(Prospect Theory)입니다. 전망 이론은 투자자들이 손실에 대해 이익보다 훨씬 더 큰 심리적 반응을 보인다는 것을 설명합니다. 즉, 투자자들은 잠재적 손실을 피하기 위해 과도한 리스크를 회피하는 경향이 있으며, 이는 시장의 불안정성이 높을 때 더욱 두드러집니다. 이 이론은 '글로벌 인베스트먼트 솔루션즈'가 투자자들의 심리적 반응을 이해하고, 이에 기반한 투자 전략을 개발하는 데 도움을 줄 수 있습니다.

두 번째로, 감정적 의사결정 이론(Emotional Decision-Making Theory)은 감정이 투자 결정 과정에 어떻게 영향을 미치는지를 다룹니다. 이 이론에 따르면, 투자자들은 논리적이고 합리적인 정보만을 바탕으로 결정을 내리는 것이 아니라, 감정적 요소가 크게 작용하여 결정을 왜곡할 수 있습니다. 이는 투자자들이 경제적 불확실성에 대처하는 방식을 이해하고, 감정의 영향을 최소화하는 투자 교육과 상담 프로그램을 개발하는 데 중요한 통찰을 제공합니다.

세 번째로, 인지 부조화 이론(Cognitive Dissonance Theory)은 투자자들이 자신의 투자 결정과 관련된 정보 사이에서 인지적 불일치를 경험할 때, 이 불편함을 해소하기 위해 정보를 왜곡하거나 무시하는 심리적 과정을 설명합니다. 이 이론은 투자자들이 자신의 신념 체계에 도전하는 정보에 직면했을 때 보이는 반응을 이해하는 데 유용하며, 이를 통해 투자 교육 프로그램이나 커뮤니케이션 전략을 개선할 수 있습니다.

이러한 심리학 이론들을 통합하여 적용함으로써, '글로벌 인베스트먼트 솔루션즈'는 투자자들의 심리적 다양성과 반응 패턴을 더욱 효과적으로 이해하고 관리할 수 있습니다. 이는 투자 포트폴리오의 위험 관리를 강화하고, 투자자와의 신뢰를 구축하는 데 중요한 역할을 할 것입니다. 이와 같은 심리학적 접근은 투자 결정 과정에서 발생할 수 있는 잠재적인 문제들을 예방하고, 경제적 위기 상황에서도 투자 성과를 최적화하는 데 기여할 것입니다.

이제 '글로벌 인베스트먼트 솔루션즈'의 상황에 적용할 수 있는 심리학 이론들을 기반으로 실제 해결 과정을 상세히 살펴보겠습니다. 이 회사가 투자자 심리를 관리하고, 포트폴리오 성과를 최적화하기 위해 취한 구체적인 전략과 조치들을 분석해 보겠습니다.

첫째로, 전망 이론을 활용한 접근으로, '글로벌 인베스트먼트 솔루션즈'는 투자자 교육 프로그램을 강화하고, 투자자들이 자신의 감정적 반응을 이해하고 관리할 수 있도록 지원하였습니다. 이 회사는 정기적인 웨비나와 워크숍을 통해 투자자들에게 손실에 대한 과도한 두려움이 어떻게 장기적인 투자 목표를 해칠 수 있는지를 설명하고, 다양한 시장 시나리오에서의 예상 손실과 이득을 시각적으로 보여주어 이해를 돕습니다. 이러한 교육은 투자자들이 시장 변동성에 대응하는 데 더욱 논리적이고 합리적인 방식을 취하도록 유도하였습니다.

둘째로, 감정적 의사결정 이론에 기초하여, 이 회사는 투자자들의 감정적 충동을 줄이고, 더욱 균형 잡힌 결정을 내리도록 돕기 위해 감정 관리 툴과 리소스를 제공합니다. 예를 들어, 투자 포트폴리오 관리 플랫폼에는 감정적 충동을 줄일 수 있는 자동화된 알림 기능을 포함시켜, 투자자들이 감정에 치우친 판단을 내리기 전에 다시 한번 생각할 수 있는 기회를 제공합니다. 이러한 도구들은 특히 시장이 급변할 때 투자자들이 냉정함을 유지하도록 돕습니다.

셋째로, 인지 부조화 이론을 적용하여, 회사는 투자자들이 받아들이기 어려운 시장 정보에 대한 대응 전략을 개선하였습니다. 회사는 투자자들의 신념과 현재 시장 상황 사이의 불일치를 줄이기 위해 투명하고 지속적인 커뮤니케이션을 실시합니다. 정기적인 시장 분석 보고서, 투자 브리핑, 그리고 Q&A 세션을 통해 투자자들이 시장의 현실을 정확히 이해하고, 이에 기반한 더 현명한 투자 결정을 내릴 수 있도록 지원합니다.

이러한 조치들을 통해 '글로벌 인베스트먼트 솔루션즈'는 투자자들의 심리적 다양성을 고려하고, 경제적 불확실성 속에서도 포트폴리오의 성과를 극대화하며, 투자자들의 신뢰를 유지할 수 있었습니다. 이는 투자자들의 심리적 안정감을 증진시키고, 장기적인 투자 관계를 강화하는 데 기여하였으며, 이 회사의 전략적 접근 방식이 심리학적 이론에 기반을 두었기 때문에 가능한 성과였습니다.

투자 포트폴리오 관리와 심리적 다양성에 관련된 더 깊이 있는 심리학적 개념들을 탐구하면서, 이러한 지식이 어떻게 투자 결정과 관리에 적용될 수 있는지를 이해하는 것은 매우 중요합니다. 투자 세계에서의 심리적 요인들은 종종 간과되기 쉽지만, 실제로는 투자자의 행동과 시장의 결과에 결정적인 영향을 미칩니다.

인지적 편향과 투자
투자 결정 과정에서 인지적 편향은 매우 중요한 역할을 합니다. 예를 들어, 확증 편향은 투자자가 자신의 믿음을 뒷받침하는 정보만을 선택적으로 수집하고 주목하는 경향을 설명합니다. 이는 투자자가 시장 정보를 불균형적으로 처리하게 만들어, 잘못된 투자 결정을 내릴 수 있게 합니다. 또한, 가용성 휴리스틱은 사람들이 가장 최근에 접한 정보나 가장 쉽게 떠오르는 사례를 바탕으로 결정을 내리는 경향을 나타냅니다. 이는 시장의 단기적 변동에 과민 반응하게 만들 수 있습니다.

감정의 역할
감정은 투자자의 행동에 큰 영향을 미치며, 특히 급격한 시장 변동 시 감정의 역할은 더욱 중요해집니다. 감정적 투자는 투자자가 논리적이고 체계적인 분석 대신에 감정에 기반하여 투자 결정을 내리는 경우를 말합니다. 예를 들어, 공포와 탐욕은 주식 시장에서 주요하게 작용하는 두 가지 감정으로, 시장의 과도한 변동을 초래할 수 있습니다.

사회적 영향과 그룹 행동
투자 결정은 종종 사회적 영향과 그룹 내 동조 현상에 의해서도 영향을 받습니다. 그룹사고 현상은 투자 클럽이나 기관에서 흔히 볼 수 있는데, 그룹 내에서 비판적 사고 없이 일치된 의견을 내는 경향을 보이며, 이는 종종 부정적인 투자 결과로 이어질 수 있습니다.

이러한 심리학적 개념을 이해하고 적용하는 것은 투자자 개인과 투자 관리 회사 모두에게 중요합니다. 이를 통해 투자자들은 자신의 투자 스타일을 더 잘 이해하고, 편향과 감정적 요인으로부터 오는 잠재적 위험을 최소화할 수 있습니다. 또한, 투자 관리 회사는 이러한 지식을 바탕으로 투자 교육 프로그램을 개발하거나, 투자 포트폴리오의 리스크 관리 전략을 보다 효과적으로 설계할 수 있습니다. 이러한 심리학적 접근은 결국 투자 성과를 최적화하고, 투자자와의 장기적인 신뢰 관계를 구축하는 데 기여할 것입니다.

6. 재무 스트레스 관리

재무 스트레스를 관리하는 심리학적 전략

재무 스트레스는 조직과 개인 모두에게 심각한 도전을 제기합니다. 특히 기업의 경우, 재무적 압박은 단순한 수치의 문제를 넘어서 직원들의 일상 업무, 직무 만족도, 그리고 전반적인 조직 건강에 깊은 영향을 미칠 수 있습니다. 이번 장에서는 이러한 재무 스트레스가 기업에 미치는 영향을 깊이 있게 탐구하고, 어떻게 조직이 이를 효과적으로 관리할 수 있는지를 심리학적 관점에서 접근하고자 합니다. 이를 통해 조직이 재무적 도전을 어떻게 기회로 전환하고, 직원 및 조직의 장기적인 안정성과 성장을 어떻게 도모할 수 있는지에 대한 방안을 제시할 것입니다.

급변하는 글로벌 경제 속에서 '테크리더스'라는 IT 회사는 최근 경제 불황과 시장의 급격한 기술 변화로 인해 심각한 재무적 압박을 경험하고 있습니다. 신기술 개발과 시장 확대를 위한 투자에도 불구하고, 예상치 못한 경쟁 증가와 소비자 수요의 변동성이 회사의 수익성에 큰 타격을 주었습니다. 이러한 외부 환경의 변화는 회사 내부에 불안과 스트레스를 증폭시켜, 직원들의 업무 성과는 물론 조직 문화에도 부정적인 영향을 미치고 있습니다.

이 장에서는 '테크리더스'가 이러한 재무 스트레스 상황을 어떻게 다루고 있는지를심도 있게 살펴볼 예정입니다. 특히 심리학적 이론을 활용하여 조직 내 재무 스트레스를 관리하는 전략을 탐색하고, 이러한 전략이 직원들의 웰빙과 조직의 전반적인 성과에 어떤 긍정적인 영향을 미칠 수 있는지를 분석할 것입니다. 재무 스트레스 관리는 단순히 경제적 숫자를 조정하는 것 이상의 의미를 가지며, 조직의 지속 가능한 성장과 직원들의 직업 만족도를 높이는 중요한 과정입니다. 이 과정을 통해 '테크리더스'와 같은 회사들이 어떻게 경제적 어려움을 극복하고, 변화하는 시장 환경 속에서도 경쟁력을 유지하고 성장해 나갈 수 있는지에 대한 통찰을 제공하고자 합니다.

'테크리더스'는 최근 급격한 시장 변화와 내부적 비용 증가로 인해 심각한 재무 스트레스에 직면해 있습니다. 이 회사는 기술 개발에 막대한 투자를 진행해왔으나, 예상치 못한 시장의 변화로 인해 예상 수익을 달성하지 못하고 있습니다. 추가적으로, 새로운 규제 요구와 경쟁사의 압박이 증가하면서, 회사의 운영 비용은 계속해서 상승하는 추세입니다. 이러한 외부적 요인과 내부적 압박은 회사 전체의 긴장을 고조시키고 있으며, 직원들 사이에서는 불안과 불확실성이 확산되고 있습니다.

이 상황은 '테크리더스'의 경영진과 직원들에게 큰 스트레스를 주고 있으며, 특히 재무적 문제가 직면했을 때 직원들의 일상적인 업무 성과와 직업 만족도에 부정적인 영향을 미치고 있습니다. 직원들은 회사의 미래에 대해 불안해하며, 이는 업무에 대한 집중력 저하와 생산성 감소로 이어집니다. 경영진은 이러한 스트레스를 줄이고 조직 내부의 안정성을 회복하기 위한 방안을 모색해야 할 필요가 있습니다. 이를 위해 조직은 재무 스트레스를 식별하고, 그 원인을 분석하며, 이에 대응하기 위한 전략을 개발해야 합니다. 이 과정에서 심리학적 이론과 접근법이 큰 도움이 될 수 있습니다.

'테크리더스'가 직면한 재무 스트레스의 구체적 원인을 분석해보겠습니다. 이 회사는 두 가지 주요 요인 때문에 심각한 압박을 받고 있습니다: 급변하는 기술 시장의 도전과 내부 비용의 상승입니다.

첫 번째로, 기술 시장의 불안정성은 '테크리더스'의 수익성에 직접적인 타격을 주고 있습니다. 기술 산업은 빠른 변화와 혁신으로 인해 높은 변동성을 경험하고 있으며, 이는 투자와 수익 예측을 어렵게 만듭니다. 예를 들어, 인공 지능과 빅 데이터 분야에서의 새로운 경쟁자의 등장은 시장 점유율을 빠르게 변화시키고 있으며, 이는 '테크리더스'가 기대했던 투자 회수율에 부정적인 영향을 미치고 있습니다.

두 번째 원인은 내부적인 운영 비용의 증가입니다. 최근 몇 년간 지속된 연구개발 투자와 기술 인프라의 확장은 회사의 재무 부담을 증가시켰습니다. 또한, 글로벌 시장에서의 규제 강화와 환경 기준 변화는 추가적인 비용 부담으로 작용하고 있습니다. 이러한 내부 비용의 증가는 회사의 유동성 문제를 악화시키고, 재무적 유연성을 제한하며, 장기적인 성장 전략을 실행하는 데 있어 장애물이 되고 있습니다.

이 두 가지 주요 문제는 '테크리더스'의 전체적인 운영에 광범위한 스트레스를 가하고 있으며, 직원들의 불안과 불확실성을 증폭시키는 주된 요인이 되고 있습니다. 이러한 스트레스는 업무 성과 저하와 직무 만족도 감소로 이어지며, 결국 조직의 생산성과 혁신 능력에 부정적인 영향을 미치게 됩니다. 따라서, 이러한 원인을 정확히 이해하고 효과적으로 관리하는 것이 조직의 장기적인 안정성과 성공을 보장하는 데 매우 중요합니다.

'테크리더스'가 직면한 재무 스트레스 상황을 관리하기 위해 적용할 수 있는 심리학 이론들을 탐구하겠습니다. 여기에는 스트레스 대응 메커니즘을 이해하는 데 중요한 몇 가지 핵심 이론들이 포함됩니다.

첫 번째로 중요한 이론은 리처드 라자루스의 스트레스와 대처 이론입니다. 라자루스는 스트레스가 개인의 사건에 대한 평가에 따라 발생한다고 주장합니다. 이 이론은 '테크리더스' 직원들이 회사의 재무 상황을 어떻게 인식하고, 그 상황에 어떻게 대응하는지를 이해하는 데 도움을 줄 수 있습니다. 회사는 이 이론을 기반으로 직원들에게 정확한 정보를 제공하고, 그들의 염려를 완화하는 커뮤니케이션 전략을 개발할 수 있습니다.

두 번째로, 카롤 라이트의 스트레스 극복 이론도 유용합니다. 라이트는 개인이 스트레스에 대처하는 능력이 개인의 자원과 지원 시스템에 달려 있다고 강조합니다. '테크리더스'는 이 이론을 활용하여 직원 지원 프로그램을 강화하고, 직장 내에서의 사회적 지원 네트워크를 활성화하여 스트레스를 경감시킬 수 있습니다.

세 번째로,다니엘 카너먼의 전망 이론은 재무적 의사결정에서의 위험과 보상을 인식하는 방식을 설명합니다. 이 이론은 '테크리더스'가 재무 스트레스 상황에서 직원들의 의사결정 패턴을 이해하고, 잠재적으로 비합리적인 반응을 완화하는 데 도움을 줄 수 있습니다. 예를 들어, 회사는 이 이론을 바탕으로 직원들에게 경제적 불확실성을 관리하는 방법을 교육하고, 장기적인 관점에서 의사결정을 내릴 수 있도록 돕습니다.

이러한 심리학 이론들을 통합하여 적용함으로서, '테크리더스'는 재무 스트레스가 직원들과 조직 전체에 미치는 영향을 최소화하고, 조직의 건강과 성장을 지원하는 전략을 수립할 수 있습니다. 이는 단지 재무적인 문제를 해결하는 것을 넘어, 조직 문화를 강화하고, 직원들의 복지를 향상시키며, 장기적인 조직 성공을 위한 기반을 마련하는 것을 의미합니다.

'테크리더스'에서는 스트레스 관리 이론을 바탕으로 직원들의 스트레스 수준을 감소시키고, 조직 전반의 생산성과 만족도를 높이는 다양한 전략을 실시하고 있습니다.

첫 번째로, 라자루스의 스트레스와 대처 이론에 따라, '테크리더스'는 직원들에게 회사의 재무 상황과 관련된 투명한 정보를 제공합니다. 이는 직원들이 회사의 상황을 명확히 이해하고, 불필요한 불안과 소문으로 인한 스트레스를 줄일 수 있도록 돕습니다. 정기적인 브리핑 세션과 Q&A 시간을 통해 직원들의 질문에 답하고, 그들의 우려를 해소하려 노력합니다. 이러한 접근은 직원들이 스트레스 상황을 더 건설적으로 인식하고 대처할 수 있도록 만들어줍니다.

두 번째로, 카롤 라이트의 스트레스 극복 이론을 기반으로, 회사는 직원들을 위한 다양한 지원 시스템을 강화했습니다. 예를 들어, 직원 웰빙 프로그램, 건강 증진 활동, 유연한 휴가 정책을 도입하여 직원들이 일과 생활의 균형을 유지하고 스트레스를 관리할 수 있도록 지원합니다. 이는 직원들이 업무 스트레스를 더 효과적으로 관리하고, 일상 생활에서의 회복력을 향상시키는 데 도움을 줍니다. 또한, 정기적인 팀 빌딩 활동과 소셜 이벤트를 통해 직원들 간의 긍정적인 관계를 증진시키고, 이는 전반적인 조직 분위기를 향상시킵니다.

세 번째로, 다니엘 카너먼의 전망 이론을 활용하여, '테크리더스'는 재무 교육 세션을 제공하여 직원들이 재무적 결정을 내릴 때 발생할 수 있는 편향과 심리적 함정을 인식하고 극복하도록 돕습니다. 이 교육은 특히 투자 결정이나 예산 관리와 관련된 업무를 담당하는 직원들에게 중요하며, 재무적 불확실성 속에서도 더 명확하고 합리적인 결정을 내릴 수 있도록 지원합니다.

이러한 전략들을 통합적으로 실행함으로써, '테크리더스'는 재무 스트레스가 조직과 직원들에게 미치는 부정적 영향을 최소화하고, 전체적으로 건강하고 생산적인 업무 환경을 조성하는 데 성공하고 있습니다. 이는 재무 스트레스를 효과적으로 관리하고, 직원들의 만족도와 업무 효율을 높이며, 조직의 장기적 성공을 위한 견고한 기반을 마련하는 데 기여하고 있습니다. 이러한 접근은 특히 변화와 도전이 많은 시대에 조직이 유연하게 대응하고 지속 가능하게 성장할 수 있는 역량을 강화하는 데 매우 중요합니다.

투자 포트폴리오와 심리적 다양성에 대한 재무 스트레스 관리에서 심리학적 이론과 접근법을 넘어 더욱 광범위한 심리학적 관점을 탐구하는 것은 조직과 개인에게 매우 유익합니다. 이러한 접근은 재무 스트레스가 조직의 성과와 개인의 복지에 미치는 영향을 더욱 깊이 이해하고, 이에 대처하는 데 필요한 전략을 개발하는 데 도움을 줍니다.

심리적 탄력성과 조직 성공의 상관관계
심리적 탄력성은 개인이 스트레스, 위기, 실패와 같은 부정적인 상황에서 회복하고, 이를 극복하여 성장하는 능력을 말합니다. 조직 내에서도 심리적 탄력성은 매우 중요하며, 특히 재무적 도전을 겪고 있는 조직에서 더욱 그렇습니다. 심리적 탄력성을 강화하기 위한 조치로는 직원의 스트레스 관리 기술 향상, 긍정적인 직장 문화의 조성, 지속적인 교육과 커뮤니케이션 강화 등이 있습니다.

정서 지능의 역할
정서 지능, 즉 EQ는 개인이 자신과 타인의 감정을 인식하고 관리할 수 있는 능력을 말합니다. 조직에서 높은 EQ를 가진 리더와 구성원들은 재무 스트레스 상황에서도 감정적으로 더욱 안정적이며, 팀을 효과적으로 이끌고 동기를 부여할 수 있습니다. EQ 교육과 워크샵은 직원들이 스트레스를 더욱 효과적으로 관리하고, 변화하는 시장 환경에서도 적응력을 발휘할 수 있도록 돕습니다.

조직 심리학과 문화 변화

조직 심리학은 직장 내 인간 행동의 연구로, 조직 문화, 구조, 리더십과 관련된 다양한 측면을 포함합니다. 조직 문화가 긍정적이고 지지적일 때, 직원들은 스트레스를 더 잘 관리하고, 생산성과 직무 만족도가 높아집니다. 변화 관리 전략을 통해 조직은 재무 스트레스 상황에서도 유연하게 대응할 수 있으며, 이는 전체적인 조직의 성공으로 이어질 수 있습니다.

이러한 심리학적 접근을 통해 '테크리더스'와 같은 조직은 재무 스트레스를 효과적으로 관리하고, 조직의 건강과 성장을 도모할 수 있습니다. 조직 내 심리학적 인사이트의 적용은 단순한 문제 해결을 넘어 조직의 지속 가능한 발전과 직원들의 복지 향상에 기여할 수 있으며, 이는 궁극적으로 조직의 장기적 성공에 결정적인 역할을 할 것입니다.

7. 재무 계획과 심리학적 접근

재무 계획의 심층 이해: 심리학적 접근 방법

재무 계획은 기업과 개인 모두에게 중요한 역할을 수행합니다. 특히, 심리학적 요소를 고려한 재무 계획은 장기적인 재무 목표 달성뿐만 아니라, 일상적인 경제 활동에서의 스트레스 관리에도 중요한 역할을 합니다. 이번 장에서는 재무 계획과 심리학적 접근을 결합하여 어떻게 효과적인 재무 관리 전략을 수립할 수 있는지 탐구하고자 합니다. 이러한 접근은 개인과 조직이 재무적 결정을 내릴 때 발생하는 심리적 요인을 이해하고, 이를 효과적으로 관리함으로써 더 건강하고 효율적인 재무 환경을 조성하는 데 도움을 줄 것입니다.

우리는 먼저, '퓨처테크 인더스트리'라는 기술 스타트업을 살펴볼 것입니다. 이 회사는 혁신적인 기술 개발로 빠르게 성장하고 있지만, 동시에 높은 연구개발 비용과 시장 진입의 장벽으로 인해 재무적 스트레스를 경험하고 있습니다. 회사의 신제품 개발은 큰 자본을 요구하며, 투자자들로부터의 압박과 경쟁사의 도전은 회사의 재무 계획에 지속적인 조정을 요구합니다. 이 상황은 직원들에게도 큰 스트레스를 주며, 그들의 업무 효율성과 창의성에 영향을 미칩니다.

이 장에서는 '퓨처테크 인더스트리'가 이러한 재무 스트레스를 어떻게 관리하고 있는지, 그리고 심리학적 이론이 어떻게 이 과정에 도움을 줄 수 있는지를 심도 있게 다루고자 합니다. 심리학적 접근을 재무 계획에 통합함으로써, 회사는 재무적 결정이 개인과 조직에 미치는 심리적 영향을 최소화하고, 장기적인 재무 건전성을 확보하는 전략을 개발할 수 있습니다. 이러한 전략은 직원들의 직무 만족도와 전반적인 조직 건강에 긍정적인 영향을 미칠 것입니다.

'퓨처테크 인더스트리'가 직면한 구체적인 상황은 혁신적인 기술 개발로 인한 빠른 성장과 그로 인한 높은 연구개발 비용, 시장 진입의 장벽으로 인해 발생하는 재무적 스트레스입니다. 이 회사는 신기술을 개발하고 시장에 도입하기 위해 상당한 자본을 투자하고 있으며, 이는 투자자들로부터의 지속적인 자금 지원을 필요로 합니다. 그러나 시장의 불확실성과 경쟁 기업의 도전은 이러한 자금 조달을 더욱 어렵게 만들고 있습니다.

더욱이, '퓨처테크 인더스트리'는 신제품을 시장에 성공적으로 론칭하기 위해 필요한 마케팅과 제품 배포에도 큰 비용을 지출하고 있습니다. 이 과정에서 발생하는 비용은 회사의 유동성에 부담을 주며, 이는 다시 금융적 스트레스를 증가시킵니다. 특히, 제품 개발이 예상보다 늦어지거나, 시장 수용도가 기대에 미치지 못할 경우, 이러한 스트레스는 급격히 증가하게 됩니다.

이와 더불어, 회사 내부에서는 이러한 재무적 압박이 직원들의 일상 업무와 창의력에 영향을 미치고 있습니다. 특히, 신제품 개발에 참여하는 연구개발 팀은 자원의 제한과 높은 기대치 사이에서 균형을 맞추려고 애쓰고 있으며, 이로 인해 팀 내 스트레스 수준이 높아지고 있습니다. 또한, 경영진은 투자자들과의 관계 유지와 자금 조달을 위해 추가적인 노력을 기울여야 하며, 이는 경영진에게도 상당한 스트레스를 초래합니다.

이러한 상황은 '퓨처테크 인더스트리'가 재무 계획을 수립하고 실행하는 과정에서 심리학적 요소를 고려해야 할 필요성을 강조합니다. 재무 스트레스가 조직 내부의 다양한 수준에서 어떻게 영향을 미치는지 이해하는 것은, 이를 효과적으로 관리하고 해결하는 전략을 개발하는 데 매우 중요합니다.

'퓨처테크 인더스트리'의 재무적 스트레스 상황에 적용할 수 있는 심리학 이론들을 소개하고 자 합니다. 이러한 이론들은 회사가 직면한 재무적 도전과 그로 인한 스트레스를 이해하고, 해결 방안을 모색하는 데 도움을 줄 수 있습니다.

첫 번째로 중요한 이론은 인지적 평가 이론(Cognitive Appraisal Theory)입니다. 리처드 라 자루스와 수잔 폴크먼에 의해 개발된 이 이론은 개인이 스트레스를 경험하는 상황을 어떻게 인식하고 평가하는지에 초점을 맞춥니다. 이 이론에 따르면, 개인이 특정 상황을 어떻게 해석 하느냐에 따라 스트레스의 정도가 달라집니다. '퓨처테크 인더스트리'에서는 이 이론을 활용 하여 직원들이 회사의 재무 상황을 더욱 현실적이고 긍정적인 관점에서 평가할 수 있도록 교 육하고, 그들의 스트레스를 완화할 수 있는 방법을 제공할 수 있습니다.

두 번째로 감정조절 이론(Emotion Regulation Theory)은 개인이 자신의 감정을 어떻게 관 리하고 조절하는지에 대해 설명합니다. 제임스 그로스가 개발한 이 이론은 감정의 인식과 표 현을 조절하는 전략을 포함하며, 이는 스트레스 상황에서 효과적인 대처 방식을 찾는 데 도 움을 줍니다. 회사는 이 이론을 기반으로 직원들에게 감정 관리 기술을 교육하여, 재무적 불 안정성과 관련된 부정적인 감정을 더 잘 다루도록 지원할 수 있습니다.

세 번째로 조직행동의 심리학(Psychology of Organizational Behavior)은 조직 내 개인과 그 룹의 행동을 이해하는 데 중요한 통찰을 제공합니다. 이 분야의 연구는 조직 문화, 팀 동기부 여, 리더십 스타일이 직원의 성과와 복지에 어떻게 영향을 미치는지를 탐구합니다. '퓨처테크 인더스트리'는 이 이론을 활용하여 조직 내 스트레스 수준을 감소시키고, 생산성을 높이는 전 략을 개발할 수 있습니다.

이러한 심리학적 이론들은 '퓨처테크 인더스트리'가 재무 스트레스 상황을 더 효과적으로 관 리하고, 조직의 건강과 장기적 성공을 지원하는 데 기여할 수 있습니다. 직원들의 심리적 안 정과 잘 조직된 재무 계획은 회사의 성장 동력을 유지하고, 잠재적 위기 상황에서도 회사를 보호하는 역할을 할 수 있습니다.

'퓨처테크 인더스트리'에서 적용한 심리학 이론을 바탕으로 한 재무 스트레스 관리 및 해결 과정을 상세히 살펴보겠습니다. 이 회사는 위에서 언급한 심리학적 접근을 통해 재무적 도전 을 효과적으로 극복하고 직원들의 복지를 향상시키는 구체적인 전략을 수행하고 있습니다.

첫 번째로, 인지적 평가 이론을 활용하여 '퓨처테크 인더스트리'는 직원들이 회사의 재무 상 황을 긍정적으로 재해석하도록 돕습니다. 이를 위해 회사는 정기적인 정보 세션을 개최하여 경영진이 직접 현재의 재무 상태와 미래 계획을 설명하고, 직원들의 질문과 우려에 답변함으 로써 불확실성을 줄이고 투명성을 높입니다. 또한, 심리학자와 함께하는 워크숍을 통해 직원 들이 스트레스 상황에서도 효과적으로 대처할 수 있는 기술을 배울 수 있도록 지원합니다.

두 번째로, 감정 조절 이론을 적용하여 회사는 직원들에게 감정 관리 훈련을 제공합니다. 이 훈련은 특히 재무 관련 부서의 직원들을 대상으로 하며, 이들이 업무 중 겪는 압박과 스트레스를 인식하고 조절할 수 있는 기술을 습득하도록 합니다. 훈련에는 마음챙김 명상, 감정 일기 작성, 그리고 스트레스 반응을 조절하는 호흡 기술 등이 포함됩니다.

세 번째로, 조직행동의 심리학을 기반으로 회사는 리더십 훈련과 팀 빌딩 활동을 강화합니다. 이러한 활동은 팀 내 소통을 증진하고, 리더들이 팀원들의 감정과 스트레스를 더 잘 이해하고 지원할 수 있도록 돕습니다. 특히, 리더들은 어떻게 팀원들의 동기를 부여하고, 긍정적인 작업 환경을 조성할 수 있는지에 대한 교육을 받습니다.

이러한 전략들은 '퓨처테크 인더스트리'가 재무 스트레스를 관리하고, 조직 전반의 복지를 향상시키는 데 효과적입니다. 회사는 이 접근법을 통해 직원들의 심리적 안정과 만족도를 높이고, 동시에 재무적 성과를 개선하여 조직의 장기적 성공을 지원하고 있습니다. 이러한 심리학적 접근은 조직에 긍정적인 변화를 가져오며, 경제적 도전 속에서도 조직의 건강과 성장을 유지할 수 있는 기반을 마련합니다.

심리학적 접근을 재무 계획에 통합하는 것 외에도, 다양한 심리학적 이론과 개념들이 재무 스트레스를 다루고 개인 및 조직의 재무 건강을 증진하는 데 더 깊이 탐구될 수 있습니다. 이와 관련하여, 몇 가지 중요한 심리학적 개념들을 더 살펴보고자 합니다.

행동 재무학 (Behavioral Finance)
행동 재무학은 재무 의사결정 과정에서 인간의 심리적 요인들이 어떻게 작용하는지 연구합니다. 이 분야는 투자자들이 비합리적 결정을 내리게 만드는 인지적 편향과 감정적 요소들을 분석합니다. 예를 들어, 손실 회피 편향은 개인이 잠재적 손실을 피하기 위해 과도한 리스크를 감수하지 않는 경향을 설명하며, 이는 종종 재무적 기회를 놓치는 결과를 초래할 수 있습니다. '퓨처테크 인더스트리'와 같은 조직은 이러한 편향을 인식하고 교육 프로그램을 통해 직원들이 더 균형 잡힌 재무 결정을 내릴 수 있도록 돕습니다.

스트레스 이론 (Stress Theories)
스트레스 이론은 개인이 스트레스를 어떻게 경험하고 대응하는지를 설명합니다. 특히, 스트레스의 Yerkes-Dodson 법칙은 일정 수준의 스트레스가 성과를 향상시킬 수 있지만, 너무 높은 스트레스는 반대로 성과를 저하시킨다는 것을 보여줍니다. 조직은 이 법칙을 이해하고, 직원들의 스트레스 수준을 적절히 관리하여 최적의 업무 성과를 유도할 수 있습니다.

동기부여 이론 (Motivation Theories)
동기부여 이론은 개인이 특정 행동을 하게 만드는 내부적, 외부적 요인들을 탐구합니다. 에드윈 록의 목표 설정 이론은 명확하고 도전적인 목표가 개인의 성과를 향상시킨다는 것을 제시합니다. 조직에서는 이 이론을 적용하여 직원들에게 명확한 재무 목표를 설정하고, 이를 달성하기 위한 동기를 부여합니다.

이러한 심리학적 개념들은 '퓨처테크 인더스트리'가 재무적 도전을 효과적으로 관리하고, 조직의 재무 건강을 증진하는 데 중요한 역할을 할 수 있습니다. 심리학의 통찰력을 재무 계획에 통합함으로써, 조직은 직원들의 스트레스를 줄이고, 업무 성과를 극대화하며, 전반적인 조직의 건강을 향상시킬 수 있는 효과적인 전략을 개발할 수 있습니다. 이는 단지 재무적 문제를 해결하는 것을 넘어, 조직의 지속 가능한 발전과 직원들의 복지 향상에 기여할 것입니다.

8. 개인 및 조직의 경제 행동

경제 행동의 심리:
개인과 조직에서의 의사결정 분석

경제 행동은 개인과 조직에 있어 근본적인 활동으로, 이러한 행동은 미시적인 개인의 선택에서부터 매크로적인 조직의 전략에 이르기까지 다양한 차원에서 관찰됩니다. 이번 장에서는 경제적 의사결정의 복잡한 심리학적 요인들을 탐구하고, 특히 이것이 어떻게 개인과 조직의 재무 건강과 직결되는지를 살펴보고자 합니다. 경제 행동의 심리학적 접근은 우리가 직면하는 재무적 결정들이 단순히 경제적 논리에 의해서만 이루어지지 않음을 이해하는 데 중요한 역할을 합니다. 이는 개인의 감정, 인지 편향, 사회적 영향 등 다양한 비경제적 요인들이 경제적 의사결정에 미치는 영향을 설명해줍니다.

우리는 '에코노미카 인터내셔널', 한 글로벌 기업의 사례를 통해 이러한 개념을 구체적으로 살펴볼 것입니다. 이 회사는 세계 시장에서 다양한 제품을 판매하며 큰 성공을 거두고 있지만, 최근 몇 년 간 경제적 불확실성과 시장의 변동성으로 인해 여러 경제적 도전에 직면해 있습니다. 특히, 새로운 시장 진출을 시도하면서 겪는 문화적 차이와 소비자 행동의 불확실성은 회사의 글로벌 전략에 중대한 영향을 미치고 있습니다.

이 장에서는 '에코노미카 인터내셔널'이 이러한 도전을 어떻게 인식하고 있으며, 이를 어떻게 관리하고 있는지를 심도 깊게 다룰 예정입니다. 이 과정에서 심리학적 이론이 어떻게 적용될 수 있는지, 그리고 이를 통해 어떻게 더 나은 경제적 결정을 내릴 수 있는지를 탐구할 것입니다. 심리학적 접근을 통한 경제 행동의 이해는 조직의 의사결정 과정을 개선하고, 장기적인 성공을 위한 전략을 수립하는 데 결정적인 기여를 할 수 있습니다.

'에코노미카 인터내셔널'이 직면한 구체적 상황은 새로운 시장 진출과 관련된 도전들로, 특히 문화적 차이와 시장의 변동성이 중요한 요소로 작용하고 있습니다. 이 회사는 최근 아시아와 남미 시장에 진출을 시도하며, 각 지역의 고유한 소비자 행동과 기대를 이해하고 이에 적응하는 데 어려움을 겪고 있습니다. 예를 들어, 아시아 시장에서는 상품의 품질에 대한 기대가 매우 높지만, 가격 민감도 역시 상당히 높은 특성을 보이고 있습니다. 이러한 특성은 '에코노미카 인터내셔널'이 제품 가격 책정과 마케팅 전략을 조정할 필요가 있음을 시사합니다.

남미 시장에서는 정치적 불안정성과 경제적 변동성이 또 다른 도전 요소로 등장하고 있습니다. 이 지역에서는 소비자들이 경제적 불확실성에 민감하게 반응하여, 불확실성이 높아질 때 소비를 크게 줄이는 경향이 있습니다. 이로 인해 '에코노미카 인터내셔널'은 예측보다 낮은 판매량을 경험하고 있으며, 이는 회사의 전반적인 수익성에 영향을 미치고 있습니다.

이 회사는 또한 글로벌 공급망의 복잡성과 원자재 비용의 상승에 직면해 있습니다. 이는 생산 비용을 증가시키며, 결국 최종 제품의 가격에 영향을 미칩니다. '에코노미카 인터내셔널'은 이러한 비용 상승을 관리하고, 이를 제품 가격에 어떻게 반영할지 결정해야 하는 어려운 선택에 직면해 있습니다.

이러한 복합적인 상황은 '에코노미카 인터내셔널'의 전략적 결정과 장기적인 재무 계획에 중대한 영향을 미치고 있으며, 회사의 지속 가능한 성장과 시장 내 경쟁력 유지를 위해 신중하고 체계적인 접근이 필요함을 나타냅니다. 이는 회사가 시장 진출 전략을 재검토하고, 각 지역의 특성에 맞는 맞춤형 접근 방식을 개발하는 계기가 되고 있습니다.

이제 '에코노미카 인터내셔널'이 직면한 문제의 원인을 심리학적 이론을 통해 분석하고, 해당 이론들을 소개합니다. 이를 통해 우리는 경제 행동의 복잡성을 더 깊이 이해하고, 조직이 이러한 도전을 어떻게 효과적으로 관리할 수 있는지 알아볼 수 있습니다.

첫 번째 중요한 이론은 문화적 차이와 소비자 행동에 관한 이론입니다. 게일트 호프스테드의 문화 차원 이론은 다양한 국가의 문화적 가치가 어떻게 소비자의 구매 결정과 브랜드 인식에 영향을 미치는지 설명합니다. 예를 들어, 불확실성 회피 지수가 높은 문화에서는 소비자들이 브랜드 충성도가 높고 새로운 제품에 대한 수용이 느릴 수 있습니다. 이는 '에코노미카 인터내셔널'이 새로운 시장에서 제품을 성공적으로 도입하기 위해 문화적 요소를 신중히 고려해야 함을 시사합니다.

두 번째로, 리처드 탈러와 캐스 선스타인의 넛지 이론은 경제 행동에 영향을 미치는 심리적 요인들을 다룹니다. 이 이론은 작은 '넛지'(유인책)가 소비자의 선택을 개선할 수 있다고 주장하며, 이는 마케팅 전략에서 매우 유용하게 적용될 수 있습니다. 예를 들어, 제품 배치나 가격 전략을 조정하여 소비자의 구매 결정을 자연스럽게 유도할 수 있습니다.

세 번째로, 다니엘 카너먼의 전망 이론은 인간이 위험과 불확실성을 어떻게 인식하고, 이에 따라 어떻게 결정을 내리는지를 설명합니다. 이 이론은 '에코노미카 인터내셔널'이 경제적 불확실성이 높은 시장에서 소비자의 구매 패턴을 이해하고 예측하는 데 도움을 줄 수 있습니다. 특히, 소비자들이 경제적 불안정성 때문에 보수적인 구매 결정을 할 가능성이 높다는 점을 고려할 때, 이를 고려한 가격 정책과 판촉 활동이 필요합니다.

이러한 이론들을 통해 '에코노미카 인터내셔널'은 각 지역의 문화적, 경제적 특성을 고려한 맞춤형 전략을 수립할 수 있습니다. 이는 회사가 글로벌 시장에서의 성공적인 확장을 도모하고, 장기적인 경쟁력을 유지하는 데 결정적인 역할을 할 것입니다.

이제 '에코노미카 인터내셔널'의 문제를 해결하기 위해 적용된 심리학 이론들을 통한 구체적인 해결 과정을 살펴보겠습니다. 이러한 접근은 회사가 문화적 차이와 시장의 불확실성을 어떻게 극복하고, 전략적으로 성공적인 결정을 내리는지를 명확하게 보여줄 것입니다.

첫 번째로, 호프스테드의 문화 차원 이론을 활용하여, '에코노미카 인터내셔널'은 각 지역의 문화적 특성에 근거한 맞춤형 마케팅 전략을 개발하였습니다. 예를 들어, 높은 불확실성 회피 지수를 가진 아시아 국가들에서는 제품의 신뢰성과 품질 보증을 강조하는 광고 캠페인을 실시하고, 제품 사용에 대한 자세한 정보와 지원을 제공함으로써 소비자의 불안을 완화하였습니다. 이러한 접근은 신제품의 수용을 증가시키고, 브랜드 충성도를 향상시키는 데 기여하였습니다.

두 번째로, 넛지 이론을 적용하여, 회사는 소비자의 구매 결정을 유도하기 위한 여러 조치를 취했습니다. 예를 들어, 포장 디자인을 개선하여 제품의 가시성을 높이고, 작은 할인 쿠폰이나 추가 보너스 제품을 제공하여 소비자의 구매 결정을 촉진했습니다. 또한, 소비자 피드백을 적극적으로 수집하고 이를 제품 개선에 반영하여, 소비자 만족도를 높이는 데 집중했습니다.

세 번째로, 전망 이론을 통해 '에코노미카 인터내셔널'은 불확실한 경제 상황에 대응하는 소비자의 행동을 이해하고, 이에 따라 가격 전략을 조정하였습니다. 경제 불안정성이 높은 지역에서는 가격 인하 전략을 통해 소비자의 구매 부담을 줄이고, 보다 접근하기 쉬운 제품 라인을 개발하여 시장 점유율을 유지하려 노력했습니다.

이러한 전략들은 '에코노미카 인터내셔널'이 글로벌 시장에서 직면한 다양한 도전을 효과적으로 극복하는 데 도움을 주었습니다. 심리학적 이론의 적용은 단순히 문제를 해결하는 것을 넘어, 회사의 전략적 의사결정 과정을 풍부하게 하고, 지속 가능한 성장을 도모하는 기반을 마련하였습니다. 이러한 접근 방식은 다른 조직들에게도 유용한 사례로서, 경제적 의사결정에 심리학적 요소를 통합하는 중요성을 강조합니다.

투자 포트폴리오 관리와 심리적 다양성에 관련된 재무 의사결정을 넘어서 심리학적 관점을 더 넓게 활용하는 것은 조직과 개인에게 매우 유익합니다. 이러한 확장된 접근법은 재무 의사결정이 조직 성과와 개인의 웰빙에 미치는 영향을 보다 깊이 이해하고, 효과적인 대응 전략을 마련하는 데 도움을 줍니다.

행동 경제학의 적용
행동 경제학은 경제 의사결정에서 나타나는 비합리적인 행동을 이해하고 예측하는 데 중점을 둡니다. '에코노미카 인터내셔널'과 같은 기업들이 글로벌 시장에서 경제적 불확실성과 변동성에 직면했을 때, 이 이론을 적용하면 소비자의 비합리적인 행동 패턴과 심리적 트리거를 파악하여 더 정교한 마케팅 전략과 제품 가격 설정을 개발할 수 있습니다.

의사결정 이론의 활용
의사결정 이론은 불확실성 하에서 최적의 선택을 도출하는 방법론을 제공합니다. '에코노미카 인터내셔널'이 다양한 시장 조건과 내부 데이터를 분석할 때 이 이론을 활용하면, 리스크를 관리하고 잠재적인 기회를 평가하는 데 큰 도움이 됩니다. 특히, 전략적 의사결정 과정에서 리스크와 기대 리턴 간의 균형을 효과적으로 맞출 수 있습니다.

정보처리 이론의 적용
정보처리 이론은 조직 내 의사결정 과정에서 정보가 어떻게 수집, 해석, 활용되는지를 다룹니다. 이 이론은 '에코노미카 인터내셔널'과 같은 조직이 정보의 오버로드를 효과적으로 관리하고, 중요한 정보를 기반으로 신속하고 정확한 결정을 내릴 수 있도록 돕습니다. 특히, 글로벌 환경에서 정보의 질과 처리 속도는 경쟁 우위를 확보하는 핵심 요소입니다.

이러한 전략들은 '에코노미카 인터내셔널'이 글로벌 시장에서 직면한 다양한 도전을 효과적으로 극복하는 데 도움을 주었습니다. 심리학적 이론의 적용은 단순히 문제를 해결하는 것을 넘어, 회사의 전략적 의사결정 과정을 풍부하게 하고, 지속 가능한 성장을 도모하는 기반을 마련하였습니다. 이러한 접근 방식은 다른 조직들에게도 유용한 사례로서, 경제적 의사결정에 심리학적 요소를 통합하는 중요성을 강조합니다.

9. 재정적 안정성 추구

재정적 안정성 추구:
심리학이 재무 건강에 미치는 영향

재정적 안정성은 기업이 지속 가능하게 성장하고 번영하기 위한 필수적인 요소입니다. 이러한 안정성을 달성하기 위해서는 단순히 수익을 극대화하고 비용을 관리하는 것을 넘어서, 조직 구성원들의 심리적 요인들을 이해하고 적절히 관리하는 것이 매우 중요합니다. 심리학적 접근은 기업이 재정적 결정을 내릴 때 발생할 수 있는 여러 인간적 요소들을 설명하고, 이를 통해 더 효과적인 재정 관리 전략을 개발하는 데 도움을 줄 수 있습니다. 이번 장에서는 기업의 재정적 안정성을 추구하는 과정에서 심리학적 접근이 어떻게 도움을 줄 수 있는지에 대해 깊이 있게 탐구할 것입니다. 우리는 재정적 결정에 영향을 미치는 감정, 인지 편향, 사회적 영향 등과 같은 다양한 심리학적 요인들을 살펴볼 것이며, 이러한 요소들을 어떻게 관리하면 조직이 재정적으로 더욱 견고해질 수 있는지 분석할 예정입니다.

사례 연구로 선택된 '글로벌 테크 솔루션즈'는 글로벌 시장에서 활동하는 대형 기술 회사로, 높은 성장 잠재력을 가지고 있음에도 불구하고, 시장의 변동성과 경쟁의 치열함으로 인해 여러 재정적 도전을 마주하고 있습니다. 특히, 이 회사는 최신 기술 개발에 막대한 투자를 진행하면서 발생하는 높은 금융 비용과 이에 따른 불확실한 투자 수익률 때문에 재정적 압박을 겪고 있습니다. 이러한 불확실성은 회사의 재정 안정성을 위협하며, 동시에 직원들 사이에 불안과 스트레스를 증가시켜, 이는 다시 조직의 전반적인 성과에 부정적인 영향을 끼칩니다. '글로벌 테크 솔루션즈'의 경험을 통해 우리는 경제적 결정이 어떻게 다양한 심리적 요인에 의해 영향을 받는지, 그리고 이러한 요인들을 어떻게 관리함으로써 재정적 안정성을 향상시킬 수 있는지를 보여줄 것입니다.

이 장에서는 '글로벌 테크 솔루션즈'가 이러한 재정적 도전을 어떻게 관리하고 있는지, 그리고 관련된 심리학적 이론이 이 과정에서 어떤 역할을 하는지를 상세히 살펴볼 것입니다. 조직이 재정적 결정 과정에서 심리학적 요소를 이해하고 적절하게 관리함으로써, 더욱 효과적으로 위기를 관리하고 장기적인 재정적 안정성을 확보하는 전략을 수립할 수 있습니다. 이러한 접근은 조직뿐만 아니라 개인에게도 깊은 통찰을 제공할 것이며, 재정적 문제를 해결하는 것을 넘어 조직의 지속 가능한 발전과 직원들의 복지 향상에 기여할 수 있습니다.

재정적 안정성은 기업이 지속 가능하게 성장하고 번영하기 위한 필수적인 요소입니다. 이러한 안정성을 달성하기 위해서는 단순히 수익을 극대화하고 비용을 관리하는 것을 넘어서, 조직 구성원들의 심리적 요인들을 이해하고 적절히 관리하는 것이 매우 중요합니다. 심리학적 접근은 기업이 재정적 결정을 내릴 때 발생할 수 있는 여러 인간적 요소들을 설명하고, 이를 통해 더 효과적인 재정 관리 전략을 개발하는 데 도움을 줄 수 있습니다. 이번 장에서는 기업의 재정적 안정성을 추구하는 과정에서 심리학적 접근이 어떻게 도움을 줄 수 있는지에 대해 깊이 있게 탐구할 것입니다. 우리는 재정적 결정에 영향을 미치는 감정, 인지 편향, 사회적 영향 등과 같은 다양한 심리학적 요인들을 살펴볼 것이며, 이러한 요소들을 어떻게 관리하면 조직이 재정적으로 더욱 견고해질 수 있는지 분석할 예정입니다.

'글로벌 테크 솔루션즈'는 글로벌 시장에서 활동하는 대형 기술 회사로, 높은 성장 잠재력을 가지고 있음에도 불구하고, 시장의 변동성과 경쟁의 치열함으로 인해 여러 재정적 도전을 마주하고 있습니다. 특히, 이 회사는 최신 기술 개발에 막대한 투자를 진행하면서 발생하는 높은 금융 비용과 이에 따른 불확실한 투자 수익률 때문에 재정적 압박을 겪고 있습니다. 이러한 불확실성은 회사의 재정 안정성을 위협하며, 동시에 직원들 사이에 불안과 스트레스를 증가시켜, 이는 다시 조직의 전반적인 성과에 부정적인 영향을 끼칩니다. '글로벌 테크 솔루션즈'의 경험을 통해 우리는 경제적 결정이 어떻게 다양한 심리적 요인에 의해 영향을 받는지, 그리고 이러한 요인들을 어떻게 관리함으로써 재정적 안정성을 향상시킬 수 있는지를 보여줄 것입니다.

이 장에서는 '글로벌 테크 솔루션즈'가 이러한 재정적 도전을 어떻게 관리하고 있는지, 그리고 관련된 심리학적 이론이 이 과정에서 어떤 역할을 하는지를 상세히 살펴볼 것입니다. 조직이 재정적 결정 과정에서 심리학적 요소를 이해하고 적절하게 관리함으로써, 더욱 효과적으로 위기를 관리하고 장기적인 재정적 안정성을 확보하는 전략을 수립할 수 있습니다. 이러한 접근은 조직뿐만 아니라 개인에게도 깊은 통찰을 제공할 것이며, 재정적 문제를 해결하는 것을 넘어 조직의 지속 가능한 발전과 직원들의 복지 향상에 기여할 수 있습니다.

'글로벌 테크 솔루션즈'가 직면한 재정적 도전의 구체적인 상황은 높은 기술 개발 비용과 급변하는 시장 조건에서 비롯된 불확실한 수익성 문제입니다. 이 회사는 특히 신기술 개발과 관련된 연구개발(R&D)에 막대한 자본을 투입하고 있으며, 이로 인한 높은 금융 비용이 재정적 압박을 가중시키고 있습니다. 또한, 글로벌 경쟁이 치열해짐에 따라 시장 점유율을 유지하고 확장하기 위한 마케팅 및 판매 비용도 상당합니다. 이러한 상황은 투자자들과의 관계, 기업 신용도, 현금 흐름 관리 등 여러 재무적 측면에 복잡한 영향을 미치고 있습니다.

이 회사는 또한 빠르게 변화하는 기술 시장에서 경쟁력을 유지하기 위해 지속적인 혁신과 시장 적응성이 요구되며, 이는 추가적인 재정적 부담으로 작용합니다. 시장의 불확실성과 기술 개발의 실패 위험은 투자 수익률의 예측을 어렵게 하며, 이는 결국 재정적 위험을 증가시킵니다. 또한, 글로벌 시장에서의 무역 정책 변화나 정치적 불안정성도 직접적인 영향을 미쳐, 회사의 재정 계획과 전략에 끊임없는 조정을 요구하고 있습니다.

이러한 문제들은 '글로벌 테크 솔루션즈'의 재정적 안정성을 위협하며, 직원들의 불안과 스트레스를 증가시켜 직장 내 성과와 만족도에 부정적인 영향을 미칩니다. 이로 인해 회사는 더욱 전략적이고 심리적 요소를 고려한 접근 방식을 필요로 하며, 이는 재정적 결정과 정책을 수립할 때 다양한 심리학적 이론을 통합해야 함을 시사합니다. 이러한 상황 분석을 바탕으로, 이 회사가 직면한 도전을 극복하고 재정적 안정성을 회복하기 위한 심리학적 이론의 적용 방안을 탐색해 보겠습니다.

'글로벌 테크 솔루션즈'가 직면한 재정적 도전을 분석하고 이에 적용할 수 있는 심리학 이론들은 조직이 재정적 안정성을 추구하는 과정에서 직면하는 심리적, 행동적 요인들을 이해하고, 이를 기반으로 효과적인 전략을 수립하는 데 큰 도움을 줄 것입니다.

첫 번째로 중요한 이론은 인지 부조화 이론입니다. 레온 페스팅거가 개발한 이 이론은 개인이 자신의 신념, 지식, 행동 사이에 불일치가 발생했을 때 겪는 심리적 불편함을 설명합니다. '글로벌 테크 솔루션즈'의 경우, 회사의 목표와 실제 재정적 결과 간의 간극이 발생할 수 있으며, 이로 인해 경영진과 직원들 사이에 인지 부조화가 증가할 수 있습니다. 이러한 부조화를 관리하기 위해 회사는 목표를 재설정하거나, 직원들의 기대치를 조정하는 방법을 찾아야 합니다. 또한, 교육과 커뮤니케이션을 강화하여 직원들이 회사의 재정 상태와 전략을 더 잘 이해하도록 돕는 것이 중요합니다.

두 번째로 손실 회피 이론은 사람들이 손실을 피하고자 하는 경향이 어떻게 경제적 결정에 영향을 미치는지 설명합니다. 다니엘 카너먼과 아모스 트버스키에 의해 개발된 이 이론에 따르면, 사람들은 동일한 가치의 이득보다 손실을 더 크게 느끼며, 이는 투자 결정에서 과도한 위험 회피로 이어질 수 있습니다. '글로벌 테크 솔루션즈'의 재정 관리자들은 이 이론을 이해하고, 과도한 보수성이 기회 손실로 이어지지 않도록 균형 잡힌 리스크 관리 전략을 수립할 필요가 있습니다.

세 번째로, 사회적 비교 이론은 개인이 다른 사람들과 자신을 비교하는 과정에서 경험하는 감정과 행동 변화를 다룹니다. 이 이론은 조직 내에서 직원들이 자신의 보상과 성과를 동료와 비교하여 불만족감을 느낄 수 있음을 시사합니다. 이는 직장 내 동기 부여와 만족도에 부정적인 영향을 미칠 수 있으므로, '글로벌 테크 솔루션즈'는 공정하고 투명한 보상 체계를 유지하고, 모든 직원이 회사의 성공에 기여하고 있다는 인식을 강화해야 합니다.

이러한 심리학적 이론들을 통해 '글로벌 테크 솔루션즈'는 재정적 도전을 효과적으로 관리하고, 조직의 재정적 안정성을 높이는 전략을 개발할 수 있습니다. 이 과정에서 심리학의 통찰력을 활용하면, 경제적 결정뿐만 아니라 직원의 행동과 태도에도 긍정적인 변화를 이끌어 낼 수 있어 조직의 전반적인 성과와 복지를 향상시킬 수 있습니다.

'글로벌 테크 솔루션즈'에서 적용한 심리학 이론을 바탕으로 한 재정적 안정성을 추구하는 구체적 해결 과정을 상세히 살펴보겠습니다. 이러한 접근은 조직이 경제적 도전을 극복하고 재정적 안정을 찾는 방법을 보여줄 것입니다.

첫 번째로, 인지 부조화 이론을 적용하여, '글로벌 테크 솔루션즈'는 경영진과 직원들 사이의 기대치와 현실 간의 간극을 줄이기 위해 투명한 커뮤니케이션 전략을 도입했습니다. 회사는 정기적인 재무 업데이트와 전략 회의를 통해 모든 팀이 회사의 재정 상태와 전략적 방향을 정확히 이해하고, 재정적 결정 과정에 참여할 수 있도록 하였습니다. 이는 직원들이 회사의 재정적 목표에 대해 더 큰 소속감과 책임감을 느끼게 하고, 잠재적인 불안과 스트레스를 감소시켰습니다.

두 번째로, 손실 회피 이론을 활용하여, 회사는 투자 결정에서 발생할 수 있는 과도한 리스크 회피 경향을 완화하기 위해 교육 프로그램을 개발했습니다. 이 프로그램은 직원들에게 리스크와 보상의 균형에 대한 심층적인 이해를 제공하며, 보다 균형 잡힌 투자 결정을 내리도록 도왔습니다. 또한, 다양한 시나리오 플래닝과 리스크 관리 워크샵을 통해, 직원들이 잠재적인 위험을 합리적으로 평가하고 관리할 수 있도록 했습니다.

세 번째로, 사회적 비교 이론을 통해, '글로벌 테크 솔루션즈'는 직원들의 성과 평가와 보상 체계를 전면 재검토하였습니다. 이는 공정성과 투명성을 기반으로 한 새로운 보상 정책을 도입하여, 직원들이 자신의 노력이 적절히 인정받고 있다고 느낄 수 있도록 했습니다. 더불어, 경쟁적인 환경이 아닌 협력과 팀워크를 강조하는 조직 문화를 강화함으로써, 직장 내 경쟁보다는 상호 지원과 성장에 초점을 맞췄습니다.

이러한 전략적 접근은 '글로벌 테크 솔루션즈'가 재정적 도전을 극복하고 장기적인 안정성을 확보하는 데 크게 기여하였습니다. 심리학적 이론의 적용은 단순히 문제를 해결하는 것을 넘어, 조직의 전략적 의사결정 과정을 풍부하게 하고, 직원들의 복지와 성과를 동시에 향상시키는 결과를 가져왔습니다. 이는 다른 조직들에게도 유용한 사례로서, 경제적 의사결정에 심리학적 요소를 통합하는 중요성을 강조합니다.

재정적 안정성을 추구하는 데 있어 심리학적 접근 외에도 조직이 고려해야 할 더 깊이 있는 심리학적 개념들이 있습니다. 이러한 개념들은 조직과 개인이 재정적 결정을 내릴 때 어떠한 심리적 동기와 행동 패턴을 보이는지를 보다 명확하게 이해하는 데 도움을 줄 수 있습니다. 추가적인 심리학적 이론과 그것이 재정적 행동에 미치는 영향에 대해 탐구해 보겠습니다.

행동 재무학 (Behavioral Finance)
행동 재무학은 경제적 의사결정에 영향을 미치는 다양한 심리적 요인을 탐구합니다. 이 분야는 전통적인 재무 이론이 가정하는 '합리적 행위자' 모델에 도전하며, 사람들이 실제로는 종종 비합리적이거나 예측 불가능한 방식으로 행동한다는 것을 보여줍니다. 예를 들어, 오버컨피던스(과신)는 투자자들이 자신의 지식이나 통제 능력을 과대평가하여 과도한 리스크를 감수하는 경우가 많다는 것을 설명합니다. '글로벌 테크 솔루션즈'는 이러한 인식을 통해 내부 투자 결정 과정에서 발생할 수 있는 잠재적인 편향을 식별하고, 보다 신중한 투자 검토 절차를 마련할 수 있습니다.

스트레스와 의사결정
스트레스가 경제적 의사결정에 미치는 영향은 심리학과 재무 분야에서 중요하게 다루어지는 주제입니다. 스트레스 상황에서는 개인의 의사결정 능력이 크게 저하될 수 있으며, 이는 잘못된 금융 결정으로 이어질 수 있습니다. 조직 내에서 스트레스 관리 프로그램을 구축하고, 직원들이 높은 스트레스를 경험하는 상황에서도 효과적으로 의사결정을 할 수 있도록 지원하는 것은 매우 중요합니다. 이를 위해 '글로벌 테크 솔루션즈'는 마음챙김, 스트레스 관리 워크샵 및 휴식 공간을 제공하여 직원들의 정서적 안정을 돕고 있습니다.

동기부여와 금융 행동
동기부여 이론은 개인이 특정 행동을 하는 근본적인 이유를 설명합니다. 내재적 동기부여와 외재적 동기부여는 재무적 행동에 큰 영향을 미칠 수 있습니다. 예를 들어, 직원들이 보상 체계를 통해 충분한 외재적 동기부여를 받는다면, 그들은 회사의 재정적 목표 달성을 위해 더욱 적극적으로 기여할 가능성이 높습니다. 반면, 내재적 동기부여가 강한 직원들은 자신의 업무에 더 큰 만족감을 느끼고, 장기적인 경력 개발과 회사에 대한 충성도를 중시할 수 있습니다.

이와 같이 심리학적 개념을 재무 관리에 통합하는 것은 조직의 재정적 안정성을 높이는 데 중요한 역할을 합니다. 이는 단순히 재정적 문제를 해결하는 것을 넘어, 조직의 전반적인 건강과 성장을 지원하며, 직원들의 복지와 만족도를 향상시키는 데 기여할 수 있습니다. 이러한 심리학적 접근은 조직이 재정적 도전을 효과적으로 극복하고, 장기적인 성공을 위한 전략을 수립하는 데 매우 유용합니다.

10. 투자 행위와 심리적 특성

투자의 심리학:
투자 행위와 심리적 특성의 연결고리

투자 행위는 단순히 숫자와 예측에 기반한 경제적 결정을 넘어서, 투자자의 심리적 특성에 깊게 뿌리를 두고 있습니다. 이번 장에서는 투자 행위와 관련된 심리학적 특성을 깊이 탐구하며, 이러한 특성이 투자 결정 과정에 어떻게 영향을 미치는지를 살펴볼 것입니다. 심리학은 투자자가 시장 정보를 어떻게 해석하고, 리스크를 어떻게 인식하며, 결정을 내리는 방식에 중요한 역할을 하며, 이 과정에서 발생할 수 있는 다양한 심리적 동기와 편향을 이해하는 것은 투자 성공의 핵심 요소가 될 수 있습니다.

이번 장의 사례 연구는 '피넨셜 웰스 인베스트먼트', 글로벌 투자 회사를 들여다볼 예정입니다. 이 회사는 다양한 자산 클래스에 걸쳐 포트폴리오를 관리하고 있으며, 최근 몇 년 간 급변하는 시장 조건과 높은 변동성 때문에 예상치 못한 손실을 경험하였습니다. 투자 결정 과정에서의 심리적 요소가 이러한 결과에 어떻게 기여했는지를 분석할 것입니다. 특히, 투자자들 사이에서 발생하는 과도한 낙관주의나 공포가 어떻게 집단적인 시장 행동을 이끌고, 이것이 전체 포트폴리오의 성과에 어떤 영향을 미쳤는지를 상세히 살펴볼 것입니다.

이 장에서는 '피넨셜 웰스 인베스트먼트'가 이러한 도전을 어떻게 인식하고 있는지, 그리고 이를 관리하기 위해 어떤 심리학적 이론을 적용하고 있는지를 자세히 다룰 예정입니다. 조직이 재정적 결정 과정에서 심리학적 요소를 어떻게 통합하고 있는지를 통해, 투자 행위를 더 잘 이해하고, 이에 기반한 전략적 결정을 내릴 수 있는 방법을 모색할 것입니다. 이러한 접근은 조직뿐만 아니라 개인 투자자에게도 깊은 통찰을 제공하며, 투자 행위의 심리적 배경을 이해함으로써 더 합리적이고 성공적인 투자 결정을 내리는 데 기여할 수 있습니다.

이 장을 통해 우리는 투자자의 심리적 특성과 시장의 심리학적 동향을 이해하고, 이를 효과적으로 관리함으로써 투자 성과를 최적화할 수 있는 전략을 개발하는 데 중점을 둘 것입니다. 또한, 투자자 개인의 감정 관리와 편향의 인식을 향상시키는 방법에 대해서도 깊이 있게 탐구할 예정이며, 이는 모든 투자자가 시장에서 더 나은 결정을 내리는 데 필수적인 요소가 될 것입니다.

'피넨셜 웰스 인베스트먼트'가 직면한 구체적인 상황은 글로벌 금융 시장의 높은 변동성과 경쟁이 치열해지는 상황에서 기인합니다. 이 회사는 세계 여러 국가에 분산된 포트폴리오를 관리하면서, 각기 다른 시장 조건과 경제 사이클에 적응해야 합니다. 최근 몇 년간 글로벌 경제의 불확실성이 증가하면서, 투자 수익률이 예측하기 어려워졌고, 이는 회사의 투자 전략에 큰 영향을 미쳤습니다. 투자자들의 심리적 반응, 특히 시장의 급격한 하락과 상승에 대한 과민 반응이 포트폴리오 관리에 추가적인 도전을 제시하였습니다.

이러한 상황에서 투자자들은 때때로 정보 처리 과정에서 발생하는 인지적 편향에 의해 영향을 받습니다. 예를 들어, 확인 편향은 투자자들이 자신의 믿음을 뒷받침하는 정보만을 선택적으로 수용하고, 반대 정보는 무시하는 경향을 보이게 합니다. 이는 시장의 객관적인 분석을 흐리게 하고, 때로는 잘못된 투자 결정으로 이어질 수 있습니다. 또한, 대표성 편향은 투자자들이 과거의 사건을 기반으로 미래를 예측할 때, 표본의 대표성을 과대평가하는 경향이 있으며, 이는 시장 변동에 대한 잘못된 예측을 초래할 수 있습니다.

투자 행위는 단순한 수치 분석이나 시장 예측을 넘어서는 복잡한 심리학적 요소들에 의해 깊이 영향을 받습니다. 투자자들의 결정은 종종 그들의 내적 신념, 감정, 그리고 사회적 상황에 따라 달라지며, 이러한 요소들은 투자의 성공 또는 실패를 좌우할 수 있습니다. '피넨셜 웰스 인베스트먼트'라는 글로벌 투자 회사의 사례를 통해 투자 행위에 영향을 미치는 주요 심리학적 이론들을 살펴보고, 이러한 이론들이 실제 투자 결정 과정에 어떻게 적용될 수 있는지를 탐구해 보겠습니다.

행동 경제학은 투자자의 비합리적 행동을 설명하는 데 중점을 두며, 리처드 탈러와 캐스 선스타인과 같은 학자들은 이 분야에서 인간이 경제적 의사결정을 내릴 때 종종 경험하는 인지적 편향과 감정적 요인들을 강조합니다. 예를 들어, 손실 회피 편향은 투자자들이 손실을 입었을 때 이를 회피하기 위해 더 큰 리스크를 감수하게 만드는 경향을 설명하며, 이는 시장에서 비합리적인 결정으로 이어질 수 있습니다. '피넨셜 웰스 인베스트먼트'는 이러한 편향을 인식하고 투자자들에게 이를 극복할 수 있는 교육과 도구를 제공함으로써 더 합리적인 투자 결정을 유도합니다.

또한, 인지 부조화 이론은 투자자가 자신의 투자 선택과 상반되는 정보를 접했을 때 경험할 수 있는 심리적 불편함을 다룹니다. 이 이론에 따르면, 투자자는 자신의 결정을 정당화하기 위해 부조화를 최소화하려고 할 수 있으며, 이는 잘못된 투자 유지 또는 부적절한 시기에의 매도를 유발할 수 있습니다. 회사는 이를 방지하기 위해 투자자들에게 시장 변화에 대응하여 자신의 포트폴리오를 주기적으로 재평가하도록 권장하고, 객관적인 데이터에 기초한 투자 결정의 중요성을 강조합니다.

감정의 역할 역시 투자 결정에 큰 영향을 미치는 요소입니다. 특히 시장의 급등락은 투자자들 사이에 강한 감정적 반응을 유발할 수 있으며, 이는 공포나 탐욕과 같은 감정이 투자 결정을 지배하게 만들 수 있습니다. '피넨셜 웰스 인베스트먼트'는 정기적인 시장 분석 보고와 함께 심리학적 코칭을 통해 투자자들이 이러한 감정의 영향을 인식하고 관리할 수 있도록 지원함으로써, 더욱 냉정하고 합리적인 투자 결정을 내릴 수 있도록 돕습니다.

이러한 도전을 관리하기 위해 '피넨셜 웰스 인베스트먼트'는 직원들의 심리학적 교육과 훈련에 투자하였습니다. 특히, 투자 분석가들과 포트폴리오 관리자들을 대상으로 한 교육 프로그램은 편향을 인식하고, 이를 극복하는 기술을 중점적으로 다루었습니다. 이 교육은 직원들이 보다 객관적이고 분석적인 접근을 통해 정보를 처리하도록 돕고, 투자 결정 과정에서의 심리적 오류를 최소화하도록 설계되었습니다.

또한, 회사는 투자자들의 감정적 반응을 관리하기 위해 고객과의 커뮤니케이션을 강화하였습니다. 정기적인 시장 분석 보고와 투자 전략 업데이트를 통해 투자자들에게 시장 상황에 대한 명확하고 심층적인 정보를 제공함으로써, 투자자들의 불안을 완화하고 장기적인 관점에서의 투자 접근을 장려하였습니다. 이러한 접근은 투자자들이 시장의 단기 변동에 과도하게 반응하는 것을 방지하고, 보다 안정적인 투자 행위를 유도하는 데 기여하였습니다.

이러한 전략적 접근은 '피넨셜 웰스 인베스트먼트'가 투자 행위와 관련된 심리적 특성을 효과적으로 관리하고, 장기적인 투자 성공을 위한 견고한 기반을 마련하는 데 도움을 주었습니다. 회사의 이러한 노력은 투자 성과를 최적화하고, 투자자의 신뢰를 높이는 중요한 역할을 하였습니다. 이는 다른 조직들에게도 유용한 사례로서, 경제적 의사결정에 심리학적 요소를 통합하는 중요성을 강조합니다.

이러한 심리학적 접근을 통해 '피넨셜 웰스 인베스트먼트'는 투자 행위의 복잡성을 이해하고, 이를 기반으로 효과적인 투자 전략을 수립하는 데 성공하고 있습니다. 이는 투자자 개인 뿐만 아니라 조직 전체에 귀중한 통찰력을 제공하며, 투자 성공을 위한 중요한 기반을 마련합니다. 이는 모든 투자자에게 시장에서 더 나은 결정을 내리는 데 필수적인 요소로 작용하며, 경제적 의사결정에 심리학적 요소를 통합하는 중요성을 강조합니다.

투자 행위와 관련된 심리학적 이론을 더욱 심층적으로 살펴보고, 이를 통해 투자자 개인과 조직 전체가 투자 결정을 개선할 수 있는 방법을 탐색해 보겠습니다. 이러한 심리학적 접근은 투자자의 행동을 이해하고, 투자 과정에서 발생할 수 있는 다양한 심리적 요인들을 효과적으로 관리하는 데 중요합니다.

인지적 편향과 투자 전략의 조정

투자자들이 종종 경험하는 인지적 편향은 투자 결정 과정에서 큰 영향을 미칩니다. 예를 들어, 확인 편향은 투자자들이 자신의 기존 믿음을 뒷받침하는 정보만을 찾아내고, 반대 정보는 무시하게 만듭니다. 이는 투자 결정의 객관성을 저해하고, 잘못된 투자를 지속할 가능성을 높입니다. '피넨셜 웰스 인베스트먼트'는 이러한 편향을 극복하기 위해 다양한 출처의 정보를 활용하고, 투자 결정 전에 여러 관점에서의 검토를 권장하는 체계를 마련하여 투자자들이 보다 균형 잡힌 결정을 내릴 수 있도록 돕습니다.

또 다른 중요한 편향인 대표성 편향은 투자자들이 과거의 사례를 과도하게 일반화하여 미래의 투자를 판단하는 경향입니다. 이러한 편향은 특히 새로운 시장 상황이나 미래의 불확실성을 잘못 평가하게 만들 수 있습니다. 회사는 정기적인 교육 세션과 워크샵을 통해 투자자들에게 이러한 편향에 대한 이해를 심화시키고, 실제 투자 결정에 있어서 이러한 편향을 인식하고 조절할 수 있는 기술을 개발하도록 지원합니다.

감정의 관리와 합리적 투자

감정의 관리는 투자 행위에서 중요한 요소입니다. 투자 시장에서 발생하는 급격한 상승과 하락은 투자자들의 감정을 자극하며, 이는 종종 냉정한 판단을 흐리게 하고 임펄스적인 결정을 초래합니다. 예를 들어, 시장의 급등 때는 투자자들이 과도한 탐욕에 휩싸여 지나치게 위험한 투자를 감행할 수 있으며, 반대로 급락 시에는 과도한 공포로 인해 이익을 낼 수 있는 기회를 놓칠 수 있습니다. '피넨셜 웰스 인베스트먼트'는 정기적인 감정 관리 트레이닝과 정신 건강 지원 프로그램을 통해 투자자들이 자신의 감정을 인식하고 제어할 수 있도록 도와, 보다 합리적이고 계획적인 투자 결정을 내리도록 지원합니다.

사회적 영향과 집단 행동의 이해

사회적 영향과 집단 행동 또한 투자 결정에 큰 영향을 미칩니다. 투자자들은 종종 다른 투자자들의 행동을 모방하려는 경향이 있으며, 이는 시장에서의 집단적 광기를 초래할 수 있습니다. 이러한 행동은 시장의 과열 또는 과도한 판매 압력을 유발할 수 있습니다. '피넨셜 웰스 인베스트먼트'는 투자자들에게 집단 행동의 위험성을 교육하고, 개별 투자자로서 독립적인 판단의 중요성을 강조함으로써 이러한 집단적 영향으로부터 벗어날 수 있도록 돕습니다.

이러한 심리학적 접근을 통해 '피넨셜 웰스 인베스트먼트'는 투자자들이 시장에서 보다 정보에 기반한, 감정적으로 안정된, 그리고 사회적 영향으로부터 독립적인 투자 결정을 내리는 데 도움을 줌으로써 장기적인 투자 성공을 지향할 수 있습니다. 이는 투자자 개인 뿐만 아니라 조직 전체에 긍정적인 변화를 가져올 수 있으며, 경제적 의사결정에 심리학적 요소를 통합하는 중요성을 강조하는 유익한 사례로 작용할 것입니다.

투자 행위에 관련된 심리학적 이론을 추가로 탐구하고, 이를 통해 조직과 개인이 투자 행위를 개선할 수 있는 방안에 대해 더욱 깊이 있게 살펴보겠습니다. 이 분야의 이론은 투자자의 행동을 이해하고, 심리적 동기 및 행동의 영향을 고려한 전략을 개발하는 데 중요한 통찰을 제공합니다.

자기통제의 심리학과 투자

투자에서의 자기통제는 투자자가 장기적인 목표를 달성하기 위해 단기적 유혹을 억제하는 능력을 말합니다. 투자 과정에서 자기통제는 매우 중요한 요소이며, 이를 통해 투자자는 시장의 단기 변동에 흔들리지 않고 장기적인 투자 계획을 유지할 수 있습니다. 월터 미셸의 마시멜로 실험에서 보여진 것처럼, 미래의 더 큰 보상을 위해 현재의 작은 보상을 기꺼이 포기할 수 있는 능력은 투자 성공으로 이어질 수 있습니다. '피넨셜 웰스 인베스트먼트'는 이 원칙을 적용하여 투자자 교육 프로그램에서 자기통제 기술을 강조하고, 투자자들이 이러한 기술을 실생활에 적용할 수 있도록 돕습니다.

집단사고와 투자 결정

집단사고는 특정 그룹 내에서 일어나는 현상으로, 그룹의 응집력이 강할수록 개별 구성원이 비판적 사고를 억제하고, 그룹의 의견에 동조하려는 경향이 강해집니다. 이는 투자 분야에서도 관찰될 수 있으며, 투자 팀 내에서 집단사고가 발생하면 잠재적인 위험을 간과하고, 과도하게 통일된 결정을 내릴 가능성이 높아집니다. 이를 방지하기 위해 '피넨셜 웰스 인베스트먼트'는 투자 결정 과정에서 다양성과 개방성을 촉진하는 정책을 실시하고, 정기적으로 투자 리뷰 세션을 개최하여 다양한 의견과 비판적 관점을 수렴합니다.

위험 감수성과 투자자 심리

투자와 관련된 위험 감수성은 개인의 심리적 특성과 밀접하게 관련되어 있으며, 이는 투자자가 얼마나 많은 리스크를 감수할 준비가 되어 있는지를 나타냅니다. 다양한 심리학적 이론과 연구는 투자자의 위험 감수성이 그들의 성격, 경험, 심지어는 감정 상태에 따라 달라질 수 있음을 보여줍니다. 회사는 이러한 개인 차이를 인식하고, 투자자마다 맞춤형 포트폴리오를 제공하여 각 투자자의 위험 감수성과 재무목표에 부합하는 투자 전략을 구성합니다.

이러한 심리학적 접근은 '피넨셜 웰스 인베스트먼트'가 투자자들의 행동과 심리적 특성을 고려한 보다 효과적인 투자 전략을 수립하는 데 도움을 줍니다. 이러한 전략은 투자자 개인뿐만 아니라 조직 전체의 투자 성과를 최적화하고, 투자 결정 과정에서 발생할 수 있는 심리적 오류를 최소화하는 데 기여합니다. 이는 모든 투자자에게 시장에서 더 나은 결정을 내리는 데 필수적인 요소로 작용하며, 경제적 의사결정에 심리학적 요소를 통합하는 중요성을 강조합니다.

결론

1. 경영 실천에 있어 심리학의 중요성

심리학이 밝혀내는 경영의 숨은 요소:
조직 성공의 심리학적 비밀

경영 실천에서 심리학의 중요성을 강조하는 것은 현대 경영에서 점점 더 중요한 요소로 자리 잡고 있습니다. 조직의 성공적인 운영에 있어 인간의 행동과 심리를 이해하는 것은 단순한 옵션이 아니라 필수적인 조건이 되었습니다. 이는 조직 내부의 직원 관리는 물론, 조직 외부와의 상호작용, 즉 고객과의 관계에서도 마찬가지입니다. 심리학은 이 모든 영역에서 경영자들이 보다 효과적인 결정을 내리고, 조직의 목표를 달성하는 데 도움을 줍니다.

경영에서 심리학의 적용은 다양한 방식으로 이루어집니다. 우선, 직원들의 동기 부여와 만족도를 높이기 위해 심리학적 이론을 활용할 수 있습니다. 예를 들어, 직원들의 기본적인 욕구와 성장 욕구를 이해하고 이를 충족시키기 위한 정책을 마련하는 것은 Maslow의 욕구계층 이론이나 Herzberg의 동기부여-위생 이론에서 영감을 받을 수 있습니다. 이러한 이론들은 직원들이 자신의 업무에 더 큰 만족감을 느끼고, 조직에 더 깊이 몰입하도록 돕는 데 기여합니다. 또한, 심리학적 접근을 통해 직원들의 스트레스를 관리하고 정신 건강을 증진시키는 프로그램을 개발할 수도 있습니다. 이는 조직의 전반적인 생산성과 효율성을 향상시키는 데 중요한 역할을 합니다.

고객과의 관계에서도 심리학은 매우 중요한 역할을 합니다. 고객의 구매 결정 과정을 이해하고, 고객의 요구와 선호를 정확히 파악하는 것은 매우 중요합니다. 이를 위해 소비자 심리학의 여러 이론과 모델을 적용할 수 있습니다. 예를 들어, 고객이 어떤 상품이나 서비스를 선택하는 과정에서 감정의 영향을 받는 정도를 이해하고, 이를 마케팅 전략에 반영하는 것은 고객의 충성도를 높이고, 장기적인 고객 관계를 구축하는 데 도움을 줄 수 있습니다. 또한, 소셜 미디어와 같은 새로운 플랫폼에서의 고객 행동을 분석하고 예측하는 것 역시 심리학적 접근이 필요합니다.

심리학은 또한 조직 내 갈등을 해결하고, 조직 문화를 개선하는 데도 큰 기여를 합니다. 갈등의 원인을 심리학적으로 분석하고, 조직 구성원 간의 효과적인 의사소통을 촉진하는 전략을 개발하는 것은 조직의 건강과 성장에 필수적입니다. 이를 통해 조직은 보다 긍정적이고 생산적인 작업 환경을 조성할 수 있으며, 이는 장기적으로 조직의 성공에 결정적인 요인이 될 수 있습니다.

종합적으로 볼 때, 경영 실천에서 심리학의 중요성은 조직이 인간 중심의 접근 방식을 취하고, 모든 조직 구성원의 욕구와 기대를 충족시키면서도 조직의 목표를 효과적으로 달성할 수 있도록 하는 데 있습니다. 이러한 접근은 단기적인 이익을 넘어서 조직의 지속 가능한 성장과 발전을 도모하는 데 크게 기여하며, 경영자가 심리학적 지식을 갖추고 이를 적극적으로 활용하는 것이 매우 중요함을 강조합니다. 이는 조직의 모든 수준에서 효과적인 의사결정을 가능하게 하며, 조직 구성원 모두가 만족하고 참여할 수 있는 환경을 조성하는 데 결정적인 역할을 합니다.

2. 심리학적 접근을 통한 지속 가능한 경영

지속 가능한 경영 전략:

심리학적 접근으로 본 미래의 조직 문화

지속 가능한 경영은 단순히 재정적 이익을 넘어서 조직의 사회적, 환경적 책임을 포함하는 광범위한 개념입니다. 이러한 지속 가능한 경영을 실현하기 위해 심리학적 접근은 조직이 장기적으로 번영할 수 있는 기반을 마련하는 데 필수적인 요소로 작용합니다. 심리학은 조직 내외의 다양한 인간 행동과 상호작용을 이해하고 예측하는 데 도움을 주며, 이를 통해 더 효과적인 의사결정, 갈등 해결, 동기 부여 방안을 개발할 수 있습니다. 이번 섹션에서는 심리학적 접근이 어떻게 지속 가능한 경영에 기여할 수 있는지, 그리고 이러한 접근이 조직 전략에 어떤 긍정적인 영향을 미칠 수 있는지에 대해 심도 깊게 탐구해 보겠습니다.

심리학과 조직의 사회적 책임

조직의 사회적 책임(CSR)을 효과적으로 수행하기 위해서는 내부 구성원의 태도와 행동이 CSR 목표와 일치하는 방향으로 움직여야 합니다. 심리학적 이론, 특히 동기 부여 이론과 태도 변화 이론은 직원들이 조직의 사회적 책임 활동에 적극적으로 참여하도록 동기를 부여하는 데 사용될 수 있습니다. 예를 들어, 조직이 환경 보호 활동에 참여하고자 할 때, 직원들에게 이러한 활동이 개인적으로 어떤 의미가 있으며, 전체적으로 조직과 환경에 어떤 긍정적인 영향을 미칠 수 있는지를 교육하는 것이 중요합니다. 이를 통해 직원들은 환경 보호 활동에 더 가치를 느끼고, 자발적으로 참여하게 됩니다.

심리학적 접근을 통한 조직 문화의 강화

지속 가능한 경영을 위해서는 강력하고 긍정적인 조직 문화가 필수적입니다. 조직 문화는 구성원들이 공유하는 가치, 신념, 행동 규범으로 이루어져 있으며, 심리학적 접근을 통해 이러한 문화를 형성하고 강화할 수 있습니다. 조직 내 소속감과 동료애를 높이는 활동, 직원들의 심리적 안전감을 증진시키는 정책, 그리고 개방적인 의사소통을 장려하는 제도는 모두 직원들이 조직의 일원으로서 가치를 느끼고, 조직의 지속 가능한 성장을 위해 적극적으로 기여하게 만듭니다. 이러한 환경은 직원들의 창의성과 혁신을 촉진하며, 장기적으로 조직의 경쟁력을 강화합니다.

심리학을 활용한 리더십 개발

지속 가능한 경영을 위한 리더십은 전통적인 리더십 스타일을 넘어서, 구성원들과의 깊은 심리적 연결을 요구합니다. 리더십에 심리학적 이론을 적용함으로써, 리더들은 자신의 행동과 결정이 구성원들의 감정과 태도에 미치는 영향을 더 잘 이해할 수 있습니다. 예를 들어, 변혁적 리더십 이론은 리더가 직원들의 동기를 내재적으로 부여하고, 조직의 비전과 목표에 대한 공감대를 형성하는 방법을 제공합니다. 이러한 리더십은 직원들이 조직의 목표와 자신의 개인적인 목표를 통합하도록 돕고, 이를 통해 조직 전체의 목표 달성에 필요한 에너지와 창의성이 발휘될 수 있도록 합니다.

심리학적 접근을 통한 변화 관리

조직이 지속 가능한 경영을 추구함에 있어서 불가피하게 마주치게 되는 변화를 관리하는 것은 매우 중요합니다. 변화 관리에 심리학적 접근을 통합하면, 조직은 변화에 대한 저항을 줄이고, 구성원들이 새로운 상황에 더 빠르고 효과적으로 적응할 수 있도록 할 수 있습니다. 이 과정에서 중요한 것은 직원들의 불안과 두려움을 이해하고, 이를 해소하기 위한 명확한 커뮤니케이션과 지원이 이루어져야 합니다. 또한, 변화의 필요성과 이점을 구성원들이 잘 이해할 수 있도록 교육하는 것도 중요합니다.

심리학적 접근을 통해 지속 가능한 경영을 추진하는 것은 조직이 직면한 도전을 극복하고, 변화하는 시장 및 사회적 요구에 효과적으로 대응할 수 있는 유연성을 제공합니다. 이는 조직뿐만 아니라 사회 전반에 긍정적인 영향을 미칠 수 있으며, 조직의 장기적인 번영과 관련된 모든 이해관계자들에게 이득을 가져다 줄 것입니다.

3. 심리학을 활용한 경영 전략의 미래 전망

혁신적인 경영 전략과 심리학:

내일을 위한 준비

심리학을 활용한 경영 전략의 미래 전망은 매우 밝습니다. 조직이 직면한 복잡한 도전들을 해결하고, 지속 가능한 성장을 추구하는 현대 경영 환경에서 심리학의 역할은 점점 더 중요해지고 있습니다. 이는 심리학이 제공하는 깊은 인간 이해와 행동 예측 능력이 조직의 여러 측면에서 전략적 결정을 내리는 데 결정적인 도움을 주기 때문입니다. 미래의 경영 전략에서 심리학은 다음과 같은 여러 방면으로 그 중요성을 더욱 확장할 것입니다.

통합적인 접근 방식의 증가

미래의 경영 전략은 통합적인 접근 방식을 필요로 하며, 심리학은 이러한 접근의 핵심 요소로 자리 잡을 것입니다. 기술의 발전과 함께, 데이터 분석과 인간 심리의 이해를 결합한 심리학적 데이터 사이언스 분야가 크게 성장할 것으로 예상됩니다. 이는 조직이 소비자 행동을 더 정밀하게 분석하고 예측할 수 있게 하며, 마케팅 전략, 제품 개발, 고객 서비스 개선에 있어 맞춤형 솔루션을 제공합니다. 또한, 직원의 행동과 성과를 분석하여 인사 관리와 팀 구성의 최적화를 도모하는 데에도 큰 기여를 할 것입니다.

지속 가능성과 윤리적 경영의 강조

지속 가능하고 윤리적인 경영은 미래 기업의 중요한 가치가 될 것이며, 이 영역에서 심리학의 역할은 더욱 확대될 것입니다. 조직은 자신들의 사회적, 환경적 영향을 심각하게 고려하게 되며, 심리학적 접근을 통해 이러한 책임을 직원과 고객에게 효과적으로 전달하고 동기를 부여할 수 있습니다. 예를 들어, 심리학은 조직이 직원들에게 지속 가능한 행동을 촉진하는데 사용할 수 있는 동기 부여 기술과 전략을 제공할 수 있습니다. 이는 또한 소비자들이 환경적으로 지속 가능한 제품을 선택하도록 영향을 미치는 데에도 사용될 수 있습니다.

글로벌화와 문화 간 경영의 도전

세계화가 진행됨에 따라 다양한 문화적 배경을 가진 직원과 고객을 이해하고 관리하는 것이 중요한 경영 과제가 되고 있습니다. 심리학은 문화 간 차이를 이해하고, 이러한 차이가 조직 내외부의 상호작용에 어떻게 영향을 미치는지를 분석하는 데 필수적입니다. 이를 통해 조직은 전 세계적으로 확장하는 자신의 사업에서 효과적인 커뮤니케이션과 협력 전략을 개발할 수 있습니다. 또한, 글로벌 팀의 성과를 최적화하고, 다양한 문화적 배경을 가진 직원들의 창의력과 혁신을 촉진할 수 있는 환경을 조성하는 데 심리학적 접근이 크게 기여할 것입니다.

기술과의 상호작용

인공지능, 로봇공학, 가상현실과 같은 첨단 기술의 발전은 미래의 작업 환경에서 중요한 역할을 할 것이며, 이러한 기술과의 상호작용에서 심리학은 핵심적인 역할을 할 것입니다. 기술을 사용하는 과정에서 직원들이 겪을 수 있는 스트레스, 기술 수용에 대한 저항, 그리고 기술과의 상호작용을 통해 발생하는 새로운 형태의 직장 내 동료 관계 등을 이해하고 관리하는 데 심리학적 지식이 중요하게 사용될 것입니다. 이를 통해 조직은 기술을 효과적으로 통합하고, 직원들이 이러한 변화를 긍정적으로 받아들일 수 있는 방법을 찾을 수 있습니다.

경영 전략에서의 심리학적 혁신

심리학을 활용한 경영 전략은 끊임없이 진화할 것이며, 이는 조직이 내외부 환경의 변화에 더 민첩하게 반응하고, 복잡한 도전을 효과적으로 관리할 수 있게 할 것입니다. 조직의 의사 결정 과정에서 심리학적 요소를 통합함으로써, 보다 인간 중심적이고 윤리적인 접근 방식을 취할 수 있으며, 이는 조직의 지속 가능한 성장과 사회적 책임을 실현하는 데 중요한 역할을 할 것입니다. 이러한 접근은 모든 조직 구성원의 복지를 증진하고, 조직 전체의 성공을 보장하는 데 결정적인 기여를 할 것으로 전망됩니다.

독자 여러분께…

원서 Strategic Psychology for CEOs: Mastering Minds and Markets의 번역본을 출간하게 되어 기쁘게 생각합니다. 이 책을 통해 전 세계 다양한 문화적 배경을 가진 독자 여러분과 공유한 심리학의 통찰이 여러분의 경영 실천에 풍부한 영감을 주기를 진심으로 바랍니다. 현대 경영에서는 숫자와 데이터만큼 인간의 행동과 심리가 중요하며, 이 책은 그 중요성을 심도 있게 탐구합니다. 특히 미국, 영국, 한국, 일본과 같이 각기 다른 문화적 특성을 가진 나라들에서 독자들이 경영에 있어 심리학적 접근의 중요성을 이해하고 실제로 적용하는 데 큰 도움이 되길 기대합니다.

미국의 독자들에게는 이 책이 다양성과 혁신을 존중하고, 조직 문화 내에서 이를 어떻게 효과적으로 관리할 수 있는지에 대한 깊은 이해를 제공하기를 바랍니다. 미국의 멜팅팟 같은 사회에서 다양한 배경을 가진 사람들과 효과적으로 협력하는 방법을 심리학적으로 접근하면, 조직의 포용성을 높이고, 모든 구성원이 그 가치를 인정받을 수 있습니다. 이는 조직 전체의 혁신적 사고와 창의력을 촉진하여, 변화하는 글로벌 비즈니스 환경에서의 성공을 도모합니다.

영국의 독자들에게는 이 책이 전통적 경영 방식에 현대 심리학의 세련된 접근을 통합하여, 조직의 유연성과 글로벌 경쟁력을 강화하는 데 도움이 되길 희망합니다. 영국의 깊은 역사적 배경과 복잡한 국제 비즈니스 환경을 고려할 때, 이 책에서 제공하는 심리학적 통찰은 조직 리더와 팀원들이 더 효과적으로 상호 작용하고, 직면한 도전을 혁신적으로 해결할 수 있는 방법을 제공합니다.

한국과 일본의 독자들에게는, 이 책이 빠른 경제 성장과 기술 혁신의 흐름 속에서도 인간 중심의 경영을 강조하고, 직원의 복지와 창의력을 중시하는 경영 전략을 세우는 데 유용한 자료가 되기를 바랍니다. 높은 기술력과 산업 발전이 주도하는 환경 속에서도, 조직 구성원의 심리적 건강을 관리하고, 그들의 포텐셜을 최대한 발휘할 수 있도록 지원하는 심리학적 접근은 조직의 지속 가능한 성장에 결정적인 역할을 할 것입니다.

마지막으로, 이 책을 통해 제시된 심리학적 통찰이 전 세계의 조직 리더들에게 실질적인 도움을 주어, 모든 조직 구성원이 조직의 목표와 개인의 성장을 동시에 추구할 수 있는 환경을 조성하는 데 기여하길 바랍니다. 조직의 지속 가능한 성장뿐만 아니라, 조직 구성원 개개인의 개인적인 발전과 웰빙을 촉진하는 심리학적 접근은 글로벌 비즈니스 환경에서 더욱 중요해지고 있습니다. 이 책이 여러분의 경영 여정에 심도 있는 인사이트를 제공하고, 조직의 모든 수준에서 효과적인 의사결정과 긍정적인 조직 문화 형성에 기여할 수 있기를 기대합니다.